C0-ARS-536

SUR L'ÉGALITÉ DU PÈRE ET DU FILS

SOURCES CHRÉTIENNES

N° 396

JEAN CHRYSOSTOME

SUR L'ÉGALITÉ DU PÈRE ET DU FILS

CONTRE LES ANOMÉENS HOMÉLIES VII-XII

INTRODUCTION, TEXTE CRITIQUE, TRADUCTION ET NOTES

PAR

Anne-Marie MALINGREY

Professeur émérite à l'Université Charles-de-Gaulle, Lille III

Publié avec le concours du Centre National de la Recherche Scientifique et du Centre National des Lettres

LES ÉDITIONS DU CERF, 29, BD DE LATOUR-MAUBOURG, Paris 7e
1994

La publication de cet ouvrage a été préparée avec le concours de l'Institut des Sources Chrétiennes (U.R.A. 993 du Centre National de la Recherche Scientifique)

ISBN 2-204-04852-6
ISSN 0750-1978

INTRODUCTION

La Patrologie grecque offre, au tome 48, col. 701-802, une collection de textes qui portent des titres courants divers, mais aussi un titre commun : *Contra Anomoeos, Contre les Anoméens*. Ces textes forment un ensemble de onze homélies[1]. Un premier groupe composé des homélies I-V et VII-X est daté des années 386-387, tandis que Jean était prêtre à Antioche ; un second, composé des homélies XI et XII, fut prononcé par Jean en 398, après son élection au siège épiscopal de Constantinople.

Les homélies I-V ont été éditées dans la collection « Sources chrétiennes »[2]. Restaient à paraître les homélies suivantes. Le présent volume est destiné à combler cette lacune[3]. Les textes qu'il offre sont indissolublement liés

1. Onze et non pas douze, l'homélie sur saint Philogone, *PG* 48, 747-756, ayant été utilisée par Montfaucon comme homélie VI pour remplacer l'homélie qui porte le chiffre ϛ' (= 6) dans la tradition manuscrite, alors qu'elle est, en réalité, l'homélie XI. Voir à ce sujet A.-M. Malingrey, « La tradition manuscrite des homélies de Jean Chrysostome *De incomprehensibili* », dans *Studia Patristica* X, Berlin 1970, *TU* 107, p. 22-28.

2. Jean Chrysostome, *Sur l'incompréhensibilité de Dieu*, Introduction de F. Cavallera et J. Daniélou, traduction et notes de R. Flacelière, *SC* 28, Paris 1951, réédition sous le nº 28 bis, introduction de J. Daniélou, traduction de R. Flacelière, texte critique et notes de A.-M. Malingrey, Paris 1970.

3. Sur les problèmes soulevés par les titres donnés à ces deux volumes, voir A.-M. Malingrey, « Prolégomènes à une édition des homélies de Jean Chrysostome *Contra Anomoeos* », dans *Studia Patristica* XXII, Louvain 1989, p. 154-158 et *infra*, p. 29, li. 22-26.

aux homélies I à V. Tel un diptyque dont l'un des volets appelle l'autre, l'ensemble doit être considéré comme un tout[1].

I. L'HÉRÉSIE ANOMÉENNE

Comment caractériser cette hérésie? Elle s'insère dans un courant de pensée que le mystère chrétien suscite lui-même à vrai dire, mais qui, peu à peu, a trouvé une expression particulièrement brillante à mesure que la pensée chrétienne enrichissait sa formulation au contact de la pensée païenne.

Au IVe siècle, Arius fut, sinon l'initiateur, du moins le chef de ceux qui mettaient en question la divinité du Christ[2], car en dépit des professions de foi diverses et nuancées de ses différents adeptes, l'arianisme est resté identique à lui-même pour l'essentiel qui se trouve résumé dans ce passage de la *Thalie*[3] : «Nous appelons Dieu

1. Il serait souhaitable que le lecteur ait sous la main ces deux volumes, puisque nous avons souvent renvoyé de l'un à l'autre.

On doit dès l'abord rectifier le jugement porté sur ces homélies et la façon dont elles sont présentées dans l'ouvrage de E. Cavalcanti, *Studi eunomiani,* Rome 1976, *Orientalia Christiana Analecta* 202, p. 21, n. 31 : «Sono la prima serie di cinque delle 12 omelie *Sull' incomprehensibilitate di Dio*». On a vu plus haut les raisons pour lesquelles il ne faut pas compter douze, mais onze homélies. De plus, il n'est pas exact d'ajouter que telle des homélies qui suivent les cinq premières «non e diretta contro gli anomei». Même en admettant que les Anoméens ne soient pas les seuls auxquels s'adresse Chrysostome, les textes qu'on va lire ont un rapport indéniable avec les homélies I à V, comme on le verra dans la suite. Enfin, pour achever cette mise au point, E. Cavalcanti cite l'édition de 1951 de *Sur l'incompréhensibilité de Dieu*, n° 28. Il eût été préférable de citer la réédition de 1970, n° 28 *bis*.

2. Voir M. Simonetti, «Le origini dell' Arianismo», dans *Revista di storia e letteratura religiosa,* t. 7, 1971, p. 317-330.

3. *Thalie ou le Banquet* est un recueil mêlé de prose et de vers, composé par Arius pour familiariser avec sa pensée les gens peu

ἀγέννητος par opposition à celui qui par nature est γεννητός ; nous l'appelons ἄναρχος par opposition à celui qui par nature est devenu dans le temps. » Ἀγέννητος et ἄναρχος sont les deux termes qui s'appliquent à Dieu pour qualifier sa nature, et à Dieu seul. Ils ne sauraient être appliqués au Christ. On comprend dès lors les luttes qui se sont livrées autour de ces deux termes lors du concile de Nicée en 325[1]. Si les adjectifs ἀγέννητος et ἄναρχος ne peuvent qualifier le Christ, le Père et le Fils sont dissemblables, ἀνόμοιοι[2]. L'épithète fut ensuite étendue à ceux qui se ralliaient à cette doctrine ; ils furent eux aussi appelés ἀνόμοιοι, Anoméens.

Parmi les attributs de Dieu, les Anoméens privilégient celui d'ἀγέννητος. C'est le nom propre de Dieu, le seul qui exprime son essence : « S'il a été démontré qu'il n'existe pas avant lui-même, ni que rien d'autre n'existe avant lui, mais qu'il est lui-même avant toutes choses, c'est que l'inengendré lui est corrélatif ou plutôt qu'il est lui-même substance inengendrée[3]. »

De cette qualité, Eunome tire deux conséquences. La première, c'est que l'invention des noms n'est pas due à la sagesse des hommes ; elle est l'œuvre de Dieu seul qui s'est

cultivés ou incultes, qui ne pouvaient entrer dans les subtilités de ses traités théologiques. Voir PHILOSTORGE, *HE* II, 2, *PG* 65, 465 ; *GCS* 21, Leipzig 1913, éd. Bidez, p. 13. Des fragments de la *Thalie* nous ont été conservés par ATHANASE, *Oratio I contra Arianos* 1, 5-6, *PG* 26, 20-24. Voir aussi Ch. KANNENGIESSER, « Où et quand Arius composa-t-il la Thalie ? », dans *Kyriakon, Festschrift Quasten I*, Munster 1970, p. 346-347.

1. Voir E. BOULARAND, *L'hérésie d'Arius et la foi de Nicée*, 2 vol., Paris 1972, et M. SIMONETTI, *La crisi ariana nel IV secolo* (*Studia Ephemeridis « Augustinianum »* 11), Roma 1975.

2. ATHANASE, *Orat. Contra Arianos* 1, PG 26, 24 « ... αἱ οὐσίαι τοῦ Πατρὸς καὶ τοῦ Υἱοῦ καὶ τοῦ Ἁγίου Πνεύματος... ἀνόμοιοι πάμπαν ἀλλήλων ταῖς οὐσίαις καὶ δόξαις εἰσὶν ἐπ' ἄπειρον.

3. Voir EUNOMIUS, *The exstant works, text and translation*, éd. R. P. Vaggione, Oxford 1987, *Liber apologeticus* 7, p. 40.

réservé l'imposition des noms aux choses, avant même que les choses n'existassent[1]. Dès lors, Dieu s'étant dit lui-même ἀγέννητος a donné à l'homme la possibilité de connaître son essence ; en effet, il n'y a pas de différence entre l'essence d'un mot et le mot qui désigne cette essence. «Car nous ne pensons pas que la substance est une chose et le signifié autre chose qu'elle. Mais elle est le sujet que signifie le nom, car l'appellation est vraiment la substance[2].» Comprenant le sens de ἀγέννητος, nous comprenons le tout de Dieu. Sur ce point, Aèce et Eunome se séparent nettement d'Arius. Celui-ci dénie au Fils la possibilité de connaître Dieu et de se connaître lui-même[3].

La seconde conséquence, c'est que si Dieu est ἀγέννητος, son essence est absolument simple et indivisible. Il ne peut la communiquer. «Étant inengendré selon la démonstration qui précède, Dieu ne saurait souffrir de génération, au point de faire partager sa propre nature à l'engendré[4].» Entre celui qui est ἀγέννητος et celui qui est γεννητός, il y a une opposition irréductible ; entre le Père et le Fils aucune identité ni aucune égalité. Le mystère de la Trinité se trouve évacué de la pensée chrétienne.

Connaissance exhaustive de l'essence de Dieu de la part de l'homme, négation de l'égalité du Père et du Fils, telles sont les affirmations des Anoméens et, en particulier, de ceux qui furent les protagonistes du drame : Aèce et Eunome.

1. Voir J. Daniélou, «Eunome l'Arien et l'exégèse néoplatonicienne du Cratyle», dans *REG,* t. 69, 1956, p. 416 et 421.

2. *Apologie* 12, li. 9-11, trad. B. Sesboüé, *SC* 305, p. 259.

3. *Thalie* dans Athanase, *Orat. I contra Arianos* 1, 6, *PG* 26, 24 : Καὶ γὰρ καὶ ὁ Υἱός, φησίν, οὐ μόνον τὸν Πατέρα ἀκριβῶς οὐ γινώσκει... ἀλλὰ καὶ αὐτὸς ὁ Υἱὸς τὴν ἑαυτοῦ οὐσίαν οὐκ οἶδε. «En effet, le Fils non seulement ne connaît pas le Père de façon exacte... mais lui-même ne connaît pas sa propre essence.»

4. *Apol.* 9, 1-5.

II. HISTOIRE D'AÈCE ET D'EUNOME

Ce n'est pas le lieu de suivre dans le détail leurs fortunes diverses selon que les synodes et l'empereur de l'époque étaient favorables ou non aux canons de Nicée. Mais, pour situer dans leur vrai jour ces homélies, on ne peut ignorer la courbe de la carrière d'Aèce et d'Eunome, les raisons qui ont motivé les œuvres de ce dernier et les répliques de ses contemporains[1], jusqu'au moment où Chrysostome entre en lice après eux.

Vers 355, Eunome, d'un milieu modeste, mais passionné de savoir, est attiré vers Aèce, originaire d'Antioche, par l'intermédiaire d'un arien, Second, évêque de Ptolémaïs.

En 358, Aèce et Eunome assistent au synode d'Antioche réuni par Eudoxe, évêque arien de cette ville, qui juge Eunome digne des fonctions de diacre.

En 360, Eunome est ordonné évêque de Cyzique par Eudoxe, mais ses propos peu orthodoxes font scandale. Le synode de Constantinople le met dans l'obligation de se justifier.

En 361 paraît l'*Apologie* (Εὐνομίου Ἀπολογητικός). Basile y répond par le *Contre Eunome*[2] (Ἀνατρεπτικὸς τοῦ ἀπολογητικοῦ τοῦ δυσσεβοῦς Εὐνομίου).

De 361 à 363, sous le règne de Julien, les Anoméens jouissent d'une certaine liberté. Aèce est ordonné évêque.

De juin 363 à février 364, sous le règne de Jovien, Aèce et Eunome organisent leur parti de façon indépendante. Ils

1. Sur Aèce, voir « Aetius », dans *DThC* I, 1, col. 516 ; dans *DHGE*, I, 1, col. 667-668 ; sur Eunome, voir « Eunomius », dans *DThC* V, 24, col. 1501-1514 ; dans *DHGE* 15, col. 1399-1405.

2. Basile de Césarée, *Contre Eunome, SC* 299, Paris 1982, et *SC* 305, Paris 1983.

nomment des évêques à différents sièges, à Constantinople par exemple[1].

De 364 à 378, sous le règne de Valens, les Anoméens traversent une période difficile. Aèce meurt en 365 ou 366[2]. Eunome est exilé deux fois. A la fin de 378, il publie l'*Apologia Apologiae* (Ὑπὲρ τῆς ἀπολογίας Ἀπολογία) en réponse à la réfutation que Basile avait opposée à l'*Apologia*. Nous ne possédons plus l'*Apologia Apologiae* qui devait comprendre au moins trois livres[3] et à laquelle Grégoire de Nysse répondra dans son *Contra Eunomium* (Κατὰ Εὐνομίου). C'est grâce aux extraits cités par Grégoire de Nysse[4] que nous connaissons en partie le texte de l'*Apologia Apologiae*.

En 379, Grégoire de Nazianze devient, à Constantinople, l'évêque du petit groupe de chrétiens restés fidèles à la foi de Nicée. Il se trouve ainsi contraint de s'engager dans la controverse anoméenne. Il prononce alors (380) les *Discours théologiques* (discours 27-31) destinés à réfuter Eunome[5].

1. Voir E. Cavalcanti, *Studi eunomiani*, p. 14 et n. 33.

2. Sur la date de la mort d'Aèce, voir M. Albertz : « Zur Geschichte der Jung-Arianischen Kirchengemeinschaft », dans *Theologische Studien und Kritiken* 82 (1909), p. 242, n. 5.

3. Sur le nombre de livres contenus dans cette œuvre, voir R.P. Vaggione, *Eunomius*... p. 79.

4. L'œuvre de Grégoire de Nysse s'échelonne dans le temps (380-381) en plusieurs traités : *Contra Eunomium*, éd. Jaeger, lib. I et II (vulgo X et XIIB), lib. III (*vulgo* III-XII) et *Refutatio confessionis Eunomiani* (*vulgo* lib. II), Leyde 1960².

5. Éd. Paul Gallay, *SC* 250, Paris 1978. Sur les auteurs d'autres réfutations d'Eunome, dont les œuvres sont soit discutées au point de vue de l'authenticité, soit perdues, voir M. Spanneut, art. « Eunomius de Cyzique », dans *DHGE* 15, 1963, col. 1404, à compléter par L. Doutreleau, « Le *De Trinitate* est-il l'œuvre de Didyme l'aveugle ? », *RSR* t. 45 (1957), p. 514-557, et B. Pruche, « Didyme l'aveugle est-il bien l'auteur des livres *Contra Eunomium* IV et V attribués à Basile de Césarée ? », dans *Studia patristica* X, Berlin 1970, *TU* 107, p. 151-155. Parmi les auteurs de réfutations, on ne trouve

En 381, Théodose (379-395) inaugure sa politique antihérétique par la convocation du concile de Constantinople, qui condamne «Eunomiens, Anoméens, Ariens et Eudoxiens, Semi-ariens, Pneumatomaques et aussi Sabelliens, Marcelliens, Photiniens et Apollinaristes[1]». De fait, ce sont les partisans d'Eunome que Théodose veut poursuivre en particulier. Il laisse les autres sectes s'entredéchirer, mais «il faut savoir que l'empereur Théodose n'en poursuivit aucune, excepté Eunome qui, à Constantinople, organisait des réunions dans les maisons et présentait les livres qu'il avait écrits, si bien qu'il corrompait beaucoup de gens par son enseignement[2]». Sozomène confirme l'étendue de son activité : «Vivant à Constantinople, il tenait à lui tout seul des réunions dans les faubourgs ou dans les maisons, il présentait les livres qu'il avait écrits et persuadait à bien des gens de penser comme lui, si bien qu'en peu de temps un grand nombre embrassèrent le parti qui porte son nom[3].»

En 383 apparaît, chez l'empereur, un désir de conciliation. Il invite les hérétiques de toutes tendances à se réunir à Constantinople pour y préciser leurs positions doctrinales[4]. Eunome, qui représente son propre parti, produit sa *Confession de foi* (Ἔκθεσις πίστεως)[5]. «Mais l'empereur, ayant lu chacune des opinions rédigées et leur ayant reproché d'introduire une dissociation de la Trinité,

nulle part mentionné le nom de Jean Chrysostome. Si E. Cavalcanti le cite, c'est comme auteur des homélies I-V (intr., p. XIV) et non des homélies VII à XII. Seul B. Sesboüé, dans l'édition du *Contre Eunome* de Basile, *SC* 299, p. 15, n. 1, le cite entre Théodore de Mopsueste et Cyrille d'Alexandrie.

1. Voir HEFELE-LECLERCQ, *Histoire des conciles,* Paris 1908, vol. II, pars I, p. 20.

2. SOCRATE, *HE* V, XX, *PG* 67, 620.

3. SOZOMÈNE, *HE* VII, 17, 1, *GCS* 50, p. 324.

4. SOCRATE, *HE* V, X, *PG* 67, 588.

5. GRÉGOIRE DE NYSSE répond à cet ouvrage dans le IVe traité du *Contre Eunome.*

déchira toutes les autres et ne garda, en l'approuvant, que la confession homoousienne[1].» En réalité, le prestige d'Eunome semble avoir été si grand qu'il avait des sympathies à la cour même : «L'empereur Théodose ayant découvert jusque dans son intimité des partisans fervents d'Eunome les chasse du palais ; il dépêche en toute hâte des envoyés pour expulser Eunome de Chalcédoine et ordonne qu'il soit exilé à Halmiris[2].»

Lorsque Jean prononce les cinq homélies *Sur l'incompréhensibilité de Dieu* (386), Eunome est en exil, mais on a vu qu'il avait eu l'habileté de mettre ses partisans à la tête de nombreux diocèses et l'activité qu'il avait déployée à Constantinople avait sans doute porté des fruits[3]. «Ce

1. Socrate, *HE* V, x, *PG* 67, 589-592. Sur l'importance de l'adjectif ὁμοούσιος à cette époque, voir A. Tuilier, «Le sens du terme ὁμοούσιος dans le vocabulaire théologique d'Arius et de l'école d'Antioche», dans *Studia Patristica* III, *TU* 78, Berlin 1961.

2. Voir Philostorge, *HE* X, 6, éd. Bidez p. 128. Eunome vivait à ce moment dans sa propriété de Chalcédoine.

3. On ne peut que s'étonner de voir la plupart des historiens considérer que l'exil d'Eunome marque la fin de l'anoméisme. Par exemple, Fliche et Martin, *Histoire de l'Église,* Paris 1936, t. 3, p. 296 : «Désormais c'est bien fini. Les survivants de l'arianisme, toujours partagés en groupes rivaux, ne forment plus dans l'Empire que des sectes obscures et impuissantes qui n'attirent plus l'attention et qu'on ne se soucie plus de tracasser.» La note 3 contredit d'ailleurs cette affirmation trop générale en citant les églises que les Anoméens ne cessèrent d'occuper «pendant de longues années». X. Le Bachelet, dans *DThC* 5, col. 1323, signale, lui aussi, ces divisions comme une source fatale de décadence. M. Spanneut, *DHGE* 15, col. 1401, ajoute, à propos de la secte des Anoméens divisés : «Son influence fut éphémère.» Il est possible que ces divisions aient nui à l'influence des partisans d'Eunome ; mais leurs positions théologiques n'avaient, semble-t-il, pas varié. Il suffit pour s'en convaincre de lire l'énumération de ceux qui les ont combattus (voir M. Spanneut, *op. cit.,* col. 1404-1405 depuis les Cappadociens jusqu'à Cyrille d'Alexandrie), mais on y cherche en vain le nom de Chrysostome. Sur la réfutation d'Eunome par Synesios de Cyrène et Cyrille d'Alexandrie, voir E. Cavalcanti, *Studi eunomiani,* chap. V, p. 106, et VI, p. 129-137. Cependant, M. Spanneut conclut : «Son nom a symbolisé pendant plus d'un siècle l'arianisme intégral.» — Deux édits attestent encore

n'était donc pas contre les restes d'une hérésie morte depuis longtemps, c'était contre une erreur bien vivante, séduisante par sa simplicité, sa fausse clarté, son exaltation de l'intelligence humaine, en même temps que par un certain accent de piété, que le nouveau prêtre avait à défendre la foi et le sérieux de la vie chrétienne[1].»

L'exil d'Eunome ne fut pas sans tribulations. Halmiris, le lieu où il avait été envoyé tout d'abord, ayant été pris par les Goths, il fut transféré à Césarée de Cappadoce ; mais les habitants jugèrent indésirable la présence de celui qui avait si durement traité leur évêque, Basile, et il fut renvoyé finalement dans sa propriété de Dakora[2]. Philostorge parle avec admiration de ses nombreuses lettres[3]. Il est très probable que cette correspondance, aujourd'hui perdue, était destinée à soutenir le moral de ses fidèles, comme les *Lettres à Olympias* et les autres lettres de Jean Chrysostome, toutes écrites en exil[4].

A en juger par les édits qui se succèdent sous Théodose, les Anoméens restaient très dangereux pour l'orthodoxie. Outre les condamnations prononcées contre les hérétiques en général, dans lesquelles les Anoméens sont certainement englobés[5], plusieurs édits les désignent nommément. Il leur est défendu de tenir des assemblées, leur clergé est frappé

l'existence des Anoméens au début du ve siècle : *Code Théod.* XVI, v, 36, 6 juillet 399 et XVI, v, 49, 1er mars 410.

1. Cette remarque est faite par J. DANIÉLOU dans l'introduction des homélies I-V, p. 13. On verra par la suite si elle reste valable pour les six homélies suivantes.

2. Au pied du mont Argée, en Cappadoce. Voir PHILOSTORGE, *HE* X, 6, éd. Bidez p. 128.

3. *Ibid.*

4. Voir *Lettres à Olympias, SC* 13 bis, Paris 1968². Pour le reste de la correspondance de Jean (236 lettres), voir *PG* 52, 623-678. Une édition est en préparation dans la collection *SC*. Au sujet de la chronologie et de la prosopographie de ces lettres, voir Roland DELMAIRE, «Les 'lettres d'exil' de Jean Chrysostome», dans *Recherches augustiniennes,* vol. XXV, Paris 1991, p. 71-180.

5. *Cod. Theod.* XVI, v, 5 et 6.

d'interdit[1]; ils ne peuvent ni tester, ni bénéficier d'un testament[2].

En 392, Jérôme, écrivant son *De viris,* considère Eunome comme vivant et toujours agissant : « Eunome, du parti arien, évêque de Cyzique, vit, dit-on, actuellement en Cappadoce et écrit beaucoup contre l'Église[3]. »

Aux environs de 394, Eunome mourut[4], mais sa disparition n'entraîna pas la fin de son parti. Sous Arcadius (395-408), les édits se succèdent contre les propagateurs de l'hérésie, les docteurs et les clercs qui sont chassés du territoire, et leurs livres sont brûlés[5].

Le 26 février 398, Jean Chrysostome fut installé sur le trône de Constantinople[6]. Il prononça les jours suivants les homélies XI et XII. Il faut croire que les Anoméens restaient un sujet d'inquiétude pour le pouvoir, puisque le 4 mars un nouvel édit les frappait[7]. En voici le texte *in-extenso* qui répète et confirme les condamnations antérieures : « Les mêmes Augustes (Arcadius et Honorius) à

1. *Cod. Theod.* XVI, v, 8, 19 juillet 381 ; XVI, v, 11, 25 juillet 383 ; XVI, v, 12, 3 décembre 383 ; XVI, v, 13, 21 janvier 384.

2. *Cod. Theod.* XVI, v, 35,17 mai 399 ; XVI, v, 23, 20 juin 394.

3. JÉRÔME, *De viris illustribus* 120. Parmi les « nombreux écrits » aujourd'hui disparus, mais que Jérôme ne précise pas, on peut citer un commentaire de l'*Épître aux Romains* en sept livres signalé par SOCRATE, *HE* IV, VII, *PG* 67, 473.

4. Une sorte d'acharnement le poursuit dans la mort, puisque Eutrope, jaloux de son prestige et craignant de le voir réuni dans la tombe à son maître Aèce, qui avait été enterré en grande pompe à Constantinople au temps de sa faveur, fit transférer le corps d'Eunome à Tyane, pour qu'il fût gardé par les moines de la ville. Voir PHILOSTORGE, *HE* XI, 5, éd. Bidez, p. 135.

5. *Cod. Theod.* XVI, v, 25, 13 mars 395 ; XVI, v, 31, 21 *vel* 22 avril 396.

6. Sur les dates de l'élection et de l'installation de Jean à Constantinople, voir Chr. BAUR, *Der heilige Johannes Chrysostomus und seine Zeit,* 2 vol., Munich 1929-1930, vol. I Antioche, vol. II Constantinople ; trad. anglaise par Sr M. Gonzaga, *John Chrysostom and his time,* Londres-Glasgow 1959-1960, vol. II, p. 12 et 13.

7. *Cod. Theod.* XVI, v, 34, 4 mars 398.

Eutychianus, préfet du prétoire. Que les clercs de la superstition eunomienne ou montaniste soient bannis de la vie commune et de la fréquentation de toutes les cités et de toutes les villes. Si jamais certains, installés sur un domaine rural, étaient convaincus de rassembler le peuple ou d'organiser quelque réunion, qu'ils soient exilés à perpétuité, l'intendant de la propriété ayant été puni avec la plus grande rigueur et le maître privé de la propriété dans laquelle il aura été prouvé que ces réunions funestes et condamnées ont été tenues, alors que l'intendant et les propriétaires le savaient et n'en disaient rien. Mais si, dans quelque ville, après la solennelle publication de ces ordres, ils sont convaincus d'être entrés dans quelque maison avec l'intention de célébrer la superstition, qu'ils soient punis avec la plus grande rigueur, leurs biens ayant été confisqués ; quant à la maison où ils sont entrés avec l'intention susdite, sans avoir été aussitôt expulsés et livrés par le maître ou la maîtresse, que cette maison soit sans délai attribuée au fisc. Nous ordonnons que les livres qui contiennent la doctrine et les éléments de tous les crimes soient recherchés et livrés bien vite avec la plus grande attention par l'autorité supérieure, pour être aussitôt brûlés sous les yeux des juges. S'il advient que quelqu'un soit convaincu d'avoir dissimulé ou de n'avoir pas remis l'un de ces livres par opportunité ou par fraude, qu'il sache qu'il doit être condamné à la peine capitale en tant que détenteur de livres nuisibles et d'écrits criminels. — Émis à Constantinople, le quatrième jour des nones de mars ; étant consuls Honorius, Auguste pour la quatrième fois, et Eutychianus (4 mars 398)[1]. »

On peut dire que pendant la seconde partie du IVe siècle, l'anoméisme est, parmi le foisonnement des déviations

1. Cette traduction a été faite, sur ma demande, par mon collègue Claude Lepelley, professeur d'histoire romaine à l'Université de Paris X. Je l'en remercie.

doctrinales, une hérésie d'autant plus dangereuse qu'elle a trouvé, dans les personnes d'Aèce et d'Eunome, des champions redoutables qui se présentent avec le prestige de la culture hellénique et qui, à coups d'arguments sophistiqués, réduisent à néant le mystère chrétien[1]. Aèce s'est rendu célèbre par la subtilité de son argumentation[2]. Socrate a beau souligner les limites de sa culture et l'insuffisance de sa formation théologique[3], il n'empêche qu'il a donné à l'anoméisme son orientation fondamentale qui est de substituer la dialectique à la théologie. Quant à Eunome, il apparaît dans son œuvre comme un redoutable logicien[4] et, à travers les témoignages de Socrate, de Sozomène et de Philostorge, comme un chef de parti d'une inlassable activité. L'ensemble permet de mesurer le danger qu'il représentait pour la pensée chrétienne.

III. JEAN CHRYSOSTOME DANS LA CONTROVERSE ANOMÉENNE

Les réfutations de Basile et de Grégoire de Nysse sont dirigées « contre Eunome », mais les homélies de Jean Chrysostome le sont « contre les Anoméens » qu'il désigne nommément dans les homélies II et III[5]. De quelle

1. Sur le rôle respectif d'Aèce et d'Eunome, voir Basile, *Contre Eunome, SC* 299, p. 18-23.

2. Voir G. Bardy, « L'héritage littéraire d'Aetius », dans *RHE,* t. 24, 1928, p. 809-827. C'est ici le lieu de rappeler le jugement de Théodoret souvent cité : « Il a fait de la théologie une technologie », *Haer. fab. compendium* IV, *PG* 83, 420 ; cf. Basile, *Contre Eunome, SC* 299, p. 142, n. 1.

3. Socrate le dit ἀμαθής et τῶν ἱερῶν γραμμάτων ἀμύητος, *HE* II, xxxv, *PG* 67, 300.

4. Voir E. Vandenbussche, « La part de la dialectique dans la théologie d'Eunome », dans *RHE* 1944-45, p. 47-72.

5. Les Anoméens sont nommés dans l'homélie II, li. 1, 13 et 141 ; dans l'homélie III, li. 10 et 18. La tradition manuscrite n'a pas hésité sur ce point. Par exemple, dans l'homélie XI, les dix manuscrits que nous avons utilisés pour l'établissement de l'apparat critique portent

manière a-t-il entrepris de les combattre, c'est ce qui reste à voir.

Connaissance exhaustive par l'homme de l'essence divine, négation de l'égalité du Père et du Fils, telles sont, on l'a vu, les positions défendues par Eunome et ses adeptes[1]. C'est donc sur ces deux points que porte la défense de l'orthodoxie entreprise par Chrysostome. Pour prouver que sa réfutation forme un tout, il est nécessaire de présenter ces textes dans leur ensemble.

1. Analyse des homélies

Les homélies I et II réfutent la première affirmation d'Eunome, à savoir que l'essence de Dieu est parfaitement connue de l'homme. A quoi le prédicateur répond que l'essence de Dieu est inaccessible à l'intelligence humaine. D'où la présence, dans les notices d'en-tête, de la mention Περὶ ἀκαταλήπτου, *Sur l'incompréhensible*[2].

Les homélies III et IV étendent aux anges et aux vertus d'en-haut cette impossibilité radicale de connaître l'essence de Dieu.

L'homélie V complète et précise l'argumentation touchant cette impossibilité. Jean affirme que cette connaissance est réservée au Fils et à l'Esprit-Saint.

Avec les homélies contenues dans le présent volume, la réfutation de Chrysostome s'organise autour de la seconde

tous, malgré la diversité de leur rédaction : Πρὸς Ἀνομοίους, *Contre les Anoméens*. Il en est de même dans l'arménien. — Désormais, dans les références, le chiffre romain désignera le numéro de l'homélie et le chiffre arabe celui de la ligne dans la collection *SC*.

1. Rappelons les deux affirmations essentielles dans la controverse, formulées par les représentants du parti anoméen. JEAN CHRYSOSTOME, *Sur l'incompréhensibilité*... hom. II, 158-159, *SC* 28 bis, p. 154 : « Un homme [Eunome] a osé dire : 'Je connais Dieu comme Dieu lui-même se connaît' », et BASILE, *Contre Eunome* I, 1, *SC* 299, p. 144 : « Celui qui, le premier, a osé dire clairement et enseigner que le Fils Monogène est dissemblable de Dieu le Père selon la substance, c'est, pour autant que nous le sachions, le syrien Aèce. »

2. Voir *SC* 28 *bis*, p. 92, 140, 186, 228, 270.

affirmation d'Eunome : Si le Fils n'est pas consubstantiel au Père, il n'est pas son égal. Jean a marqué le rapport étroit de l'homélie VII avec les homélies précédentes : «La gloire du Fils unique est *une fois encore* le sujet de notre discours[1].» Mais alors que les homélies I à V faisaient reposer cette gloire sur la connaissance unique, par le Fils, de l'essence du Père, l'homélie VII et les suivantes affirment la parfaite égalité du Père et du Fils à travers les témoignages que rendent l'Ancien et le Nouveau Testament et à travers celui que se rend le Fils à lui-même, par ses paroles et par ses actes.

L'homélie VII instaure un débat serré avec les hérétiques. La discussion porte sur l'emploi abusif qu'ils font des termes «fils» et «dieu», puis sur deux objections qu'ils formulent en ces termes : «Si, en effet, il (le Fils) a la même puissance et la même essence, et s'il fait toutes choses en vertu d'un souverain pouvoir, pourquoi prie-t-il[2] ?» Le prédicateur donne quatre raisons susceptibles de répondre à ces questions. Elles se ramènent toutes à une volonté d'abaissement de la part du Christ, sans que pour autant sa gloire en soit diminuée.

Dans l'homélie VIII, la discussion se poursuit à propos de la réponse de Jésus à la demande de la mère des fils de Zébédée : «Ce n'est pas à moi d'accorder cela, mais c'est pour ceux pour lesquels mon Père l'a préparé» (*Matth.* 20, 23). Cette parole donne lieu à une véritable leçon d'herméneutique reposant sur la différence entre le sens littéral et le sens figuré. C'est avec intelligence qu'il faut lire les Écritures. Elles fournissent la vraie réponse aux objections soulevées par les hérétiques sur l'abaissement du Christ.

L'homélie IX prend appui sur la résurrection de Lazare et sur les guérisons miraculeuses opérées par les Apôtres

1. VII, 64-65.
2. VII, 143-145.

pour réfuter les affirmations des Anoméens touchant l'infériorité du Fils par rapport au Père.

L'homélie X met en parallèle la Loi ancienne et la Loi nouvelle qui en est l'accomplissement. En entrelaçant avec une grande habileté des textes de l'Ancien et du Nouveau Testament, le prédicateur établit, une fois de plus, la parfaite égalité du Père et du Fils.

Les homélies XI et XII ont été prononcées par Jean lors de son installation sur le siège de Constantinople, onze ans après celles que nous venons d'analyser. Dans la capitale de l'Empire, il mesure plus encore qu'à Antioche les dangers qui menacent l'orthodoxie.

L'homélie XI, en commentant la parole de la *Genèse* (1, 26) : « Faisons un homme selon notre image et selon notre ressemblance », tire de cette première personne de l'impératif pluriel la preuve que le Monogène est associé à la création de plein droit et à égalité avec le Père.

L'homélie XII est une longue méditation des paroles et des actes du Christ amenée par la lecture du jour : la guérison du paralytique. Cette méditation tend à prouver, une fois de plus, que le Fils est en tous points égal au Père.

Un tel résumé suggère, dès l'abord, une certaine parenté entre ces homélies, mais il invite aussi à se demander dans quelle mesure Montfaucon a eu raison de réunir des textes qui ne sont que partiellement groupés dans les manuscrits.

2. Problèmes posés par la réunion de ces homélies dans Montfaucon

La tradition manuscrite qui nous a transmis ces homélies — du moins celle des homélies I à VIII — est très riche[1]. On les trouve groupées tantôt de I à V, tantôt de I à VI[2], tantôt de I à VIII ; mais on ne rencontre jamais les onze homélies réunies dans un même

1. Voir Table des manuscrits dans *Sur l'incompréhensibilité ...*, p. 66-69.
2. Sur le cas spécial de l'homélie VI, voir *infra*, p. 87.

manuscrit. C'est à Montfaucon que nous devons de pouvoir les lire à la suite les unes des autres. Il a pris soin de justifier sa décision dans l'avant-propos qui les précède[1]. Nous essaierons de voir à notre tour dans quelle mesure cette décision est fondée.

Tout d'abord, les intitulés des homélies I à V portent dans l'ensemble des manuscrits la mention περὶ ἀκαταλήπτου, *Sur l'incompréhensible*. Et de fait, c'est le sujet dont elles traitent. Mais cette mention ne se lit plus dans les intitulés des homélies VII à XII[2]. Si vraiment le but de ces homélies demeure la réfutation de l'hérésie anoméenne, comment expliquer l'absence, dans certains intitulés, de la mention περὶ ἀκαταλήπτου, thème cependant important dans la controverse ?

De plus, au cours des homélies II et III, Jean ne laisse aucun doute sur le but qu'il se propose dans sa prédication : « Abattre un arbre sauvage et inculte, à savoir l'hérésie des Anoméens[3]. » Mais dans les homélies suivantes, on cherche en vain le nom qui leur est propre. Si, comme précédemment, le but du prédicateur est de combattre les partisans d'Eunome, pourquoi ne sont-ils plus jamais désignés par leur nom dans les homélies VII à XII ? Il est vrai qu'on rencontre plusieurs fois le terme général αἱρετικοί, *les hérétiques*[4]. S'agirait-il des Anoméens ?

1. Voir MONTFAUCON, *S. patris nostri Ioannis Chrysostomi opera omnia,* t. I, *Monitum* sur les homélies IX et X, p. 523-524 ; sur les homélies XI et XII, p. 540.

2. Cependant on la trouve dans l'intitulé de l'homélie VIII, donné par le *Cromwell 20* et dans le *Paris. gr. 581,* mais cette dernière est d'une main récente.

3. III, 10. Dès le début de sa prédication, (hom. I, 334-342), Jean explique son attitude à l'égard des Anoméens. Il les voyait dans son auditoire, mais il ne voulait pas les attaquer. Eux l'ont provoqué. Il répond.

4. Chrysostome cite des noms d'hérétiques VII, 170-171 ; XI, 69-70, mais il emploie aussi αἱρετικοί, sans préciser de qui il s'agit. On doit alors se référer au contexte pour le savoir.

Il semble bien que oui. Par exemple en IX, 3, il y a tout lieu de supposer que le mot αἱρετικοί désigne les Anoméens qui se trouvent ici présentés, comme souvent, en compagnie des Juifs. Cette supposition se trouve vérifiée quelques lignes plus bas, par la formulation claire de la position anoméenne. « Beaucoup d'hérétiques disent que le Fils n'est pas égal au Père[1]. » Πόλλοι signifie-t-il que les Anoméens sont nombreux ou que beaucoup d'autres partagent leur opinion ? Il est difficile d'en décider.

Plus difficile encore lorsque les « hérétiques » sont désignés par un simple pronom[2]. Encore peut-on, dans ce cas, arguer qu'il était inutile de répéter le nom de ceux qui étaient présents à l'esprit de tous : les Anoméens.

En réalité, Jean Chrysostome a répondu à ces objections en marquant, au début de l'homélie VII, le changement de perspective qu'il opère, tout en gardant le même objectif : « *Récemment,* nous vous montrions que la saisie de l'essence de Dieu dépasse surabondamment la sagesse des hommes, des anges et des archanges, en un mot de toute la création et qu'elle n'est susceptible d'être clairement connue que par le Fils unique et par le Saint-Esprit ; mais *maintenant,* c'est sur un autre terrain de lutte que s'engage notre discours. *Nous cherchons, en effet, si le Fils possède la même puissance, le même pouvoir, la même essence que le Père,* ou plutôt, ce n'est pas nous qui cherchons cela, car nous l'avons trouvé avec la grâce du Christ et nous le maintenons en toute sécurité, mais nous nous préparons *maintenant* à le démontrer à ceux qui ont sur le sujet des opinions pleines d'impudence[3]. »

1. Πολλοὶ μὲν γὰρ τῶν αἱρετικῶν λέγουσιν ὅτι οὐχ ὅμοιος ὁ Υἱὸς τῷ Πατρί.

2. ἐκεῖνος : II, 30, 53, 177 ; VII, 91 ; X, 488 ; XI, 66 ; αὐτός : II, 495 ; 532 ; V, 334 ; VII, 124 ; X, 489 ; οὗτος : I, 186 ; III, 350 ; VII, 123. Parfois même, le sujet est simplement contenu dans le verbe : V, 349, 355 ; VII, 103.

3. VII, 65-76.

Ce passage est capital, parce qu'il contribue à résoudre les problèmes que soulève l'ensemble de nos homélies. Tout d'abord, on retrouve ici le double sujet de la controverse : incompréhensibilité de Dieu, égalité du Père et du Fils. Mais Jean précise qu'il veut les traiter l'un après l'autre : Πρῴην... νῦν δὲ. Il a traité le premier sujet dans les homélies I à V; il va traiter le second dans les homélies VII à XII.

Dès lors, les sujets en question demandent à être exposés selon une méthode appropriée. Dans les homélies I à V, Jean fait appel à des arguments et à des termes qui relèvent de la théologie ; dans les homélies VII à XII, il dirige le regard de ceux qui l'écoutent vers la personne du Christ incarné. Celui-ci a donné lui-même la preuve de son égalité avec le Père par ses paroles et par ses actes[1]. L'orateur utilisera donc une argumentation et un vocabulaire adaptés à cette nouvelle orientation. Malgré tout, le lien entre les deux groupes d'homélies ne s'impose pas, semble-t-il.

Cependant on peut se demander la raison pour laquelle certains manuscrits ont réuni les homélies I à VIII[2]. Ici encore, l'homélie VII apporte une aide précieuse. On y rencontre une vingtaine de termes que leur contenu théologique apparenterait plutôt aux homélies I à V. A y regarder de près, l'emploi de ces termes s'explique par la nécessité d'exposer le point de vue des « hérétiques » sur le second thème : celui de l'égalité du Père et du Fils. Une fois délimité le champ de la discussion, faut-il s'étonner de voir, dans les pages suivantes, les termes théologiques céder la place à des expressions courantes pour exprimer

1. Les citations des paroles de Jésus et la narration de ses miracles (résurrection de Lazare, guérison du paralytique) forment la démonstration la plus éloquente de son égalité avec le Père. Cf. *Matth.* 11, 4 et 12, 28, réponse de Jésus à l'interrogation de Jean-Baptiste : des aveugles recouvrent la vue, des boiteux marchent, etc.

2. Voir *Sur l'incompréhensibilité*... Table des manuscrits, p. 66-69.

les réalités concrètes de la vie de Jésus? L'homélie VII présente donc un résumé des homélies précédentes (li. 65-69) et comme une sorte de portique introduisant au mystère de l'Incarnation (li. 158-159) qui sera l'occasion de nouveaux développements dans les homélies suivantes.

Mais si important que soit le rôle attribué à l'homélie VII dans la collection, on ne peut éviter de s'interroger sur la légitimité du groupement des homélies VII à XII. Pour ce faire, il convient de les replacer dans le temps où elles ont été prononcées. Les critiques s'accordent à situer les homélies VII et VIII dans le courant de janvier 387[1]. Jean avait dû s'interrompre à la fin de 386 pour mettre en garde les chrétiens qui judaïsaient ou à cause de certaines obligations que les circonstances lui imposaient[2]. Quant à l'homélie IX, on peut penser que Chrysostome a profité de l'évangile du jour pour reprendre la discussion avec les Anoméens sur l'égalité du Père et du Fils. Le calendrier liturgique permet de fixer approximativement la date de la lecture de l'évangile sur la résurrection de Lazare[3]. De plus, les liens étroits qu'offre l'homélie X avec la précédente invitent à supposer que l'une et l'autre ont été prononcées à peu d'intervalle. Il y a donc bien des chances pour que les Anoméens qui inquiétaient Chrysostome en 386 soient restés au premier rang de ses préoccupations en 387.

1. MONTFAUCON (*Opera omnia,* t. I, p. 443, PG 48, 747-748) propose les dates des 5 et 6 janvier. Le 5 janvier se célébraient les jeux auxquels Chrysostome fait probablement allusion au début de l'homélie VII en accusant les Antiochiens de déserter l'église. E. SCHWARTZ, *Christliche und judische Ostertafeln,* Berlin 1905, p. 171 s. suggère les samedi 16 et dimanche 17 janvier.

2. Ce sont d'abord des panégyriques de saints dont la fête tombait à cette époque et ensuite la visite d'évêques étrangers auxquels il fallait rendre honneur. Voir II, 9-30.

3. Voir tableau chronologique, p. 369.

Toute autre est la situation pour les homélies XI et XII. Elles datent de l'installation de Jean sur le siège de Constantinople. Sozomène souligne le succès remporté par le nouvel évêque : « Il attirait à lui beaucoup de païens, beaucoup d'hérétiques[1]. » Mais dans les deux passages de l'homélie XI où le prédicateur cite nommément des groupes d'hérétiques, on cherche en vain parmi eux les Anoméens. Ainsi les données sur l'époque où ces homélies ont été prononcées ne permettent pas de conclure avec certitude qu'elles s'adressaient à eux au même titre que les cinq premières.

Peut-on prouver, par le contenu même des textes, que ces homélies étaient destinées à combattre les mêmes erreurs doctrinales? On a vu plus haut que l'homélie VII avait été rattachée par Jean lui-même à l'homélie V : « Récemment, nous vous montrions que la saisie de l'essence de Dieu dépasse surabondamment la sagesse des

1. Sozomène, *HE* VIII, 5, 1, *GCS* 50, p. 357. Dans certains cas, Chrysostome se contente de rappeler les noms des hérétiques : Mani, Valentin, Marcion et Paul de Samosate (voir par exemple *hom.* VII, 170-171 et 532-533; *In dictum Pauli « Nolo vos ignorare ... », PG* 51, 245, li. 30; 249, li. 20; *In epist. II ad Timotheum hom.* 2, *PG* 62, 607, li. 3-13. Dans d'autres cas, il donne de longues listes d'hérétiques (voir par exemple *In epist. ad Philippenses hom. 6, PG* 62, 218-219; *In epist. ad Hebraeos hom.* 2; 3; 8, *PG* 63, 21, li. 15 ab imo - 22, li. 12; 28, li. 3 ab imo - 29, li. 14; 73, li. 19 ab imo-10 ab imo. On peut ajouter *Sur le sacerdoce,* IV, 4, *SC* 272, p. 252 à 260. Ces listes sont particulièrement intéressantes parce qu'elles sont assorties d'analyses où Jean expose le caractère spécifique de chaque hérésie. — La documentation de cette note m'a été fournie par G. Astruc-Morize dans « Une homélie inédite ignorée de S. Irénée et transmise sous le nom de S. Jean Chrysostome dans le *Patmos 165* », Athènes, Διπτύχων Παράφυλλα 2, 1989, p. 280 et n. 4-5. Je suis heureuse d'exprimer ma gratitude à Madame Gilberte Astruc-Morize, Ingénieur au CNRS, attachée à la section grecque de l'IRHT, non seulement pour les renseignements ci-dessus, mais pour l'aide qu'elle m'a généreusement apportée dans l'étude de la tradition manuscrite.

hommes, des anges et des archanges[1].» Au début de l'homélie VIII, li. 1-5, Chrysostome fait allusion à la victoire que son argumentation, dans l'homélie VII, lui a permis de remporter la veille. Le lien entre l'une et l'autre est donc assuré. Les rapports de l'homélie IX avec les homélies précédentes sont évidents. Celle-ci répond à une objection que font les «hérétiques» : la nécessité où se trouve le Christ de prier avant d'accomplir un miracle met en question son égalité avec le Père. La même objection se retrouve à propos des miracles accomplis dans l'homélie X. Jean répond chaque fois à ses adversaires en expliquant que le Christ agit dans tous ces cas *par condescendance*, συγκατάβασις, sans que son égalité avec le Père en soit compromise. Les homélies IX et X sont donc étroitement liées l'une à l'autre et aux précédentes, si bien que les homélies VII à X forment un ensemble dont on ne saurait nier la cohésion.

En dira-t-on autant des homélies XI et XII prononcées à Constantinople onze ans après celles dont nous venons d'étudier le contenu ? Quand on les lit, on est frappé par le retour des thèmes traités à Antioche, en particulier celui de la *gloire du Fils unique*. L'expression apparaît dès l'homélie IV, 250, où Jean après avoir montré que la connaissance de Dieu est inaccessible à tous les êtres quels qu'ils soient, affirme qu'elle est réservée au Fils unique. C'est un privilège de son égalité avec le Père, un aspect de sa gloire, ἔννοιαν τῆς τοῦ Μονογενοῦς δόξης[2]. On voit revenir cette expression dans l'homélie VII, 64-65 : «La gloire du Fils unique est encore une fois le sujet de notre discours», et aussi en 102-103 : «Maintenant que notre discours porte sur la gloire du Fils unique ...». Dans l'homélie X, 65-66 : «Vous vous rappelez que, nous entretenant de la gloire du Monogène ...». Dans l'homélie XI, 82-84 : «Nous montrerons que la gloire du Monogène a été annoncée.» Enfin,

1. Hom. VII, 65-66.
2. Hom. IV, 267-268.

dans l'homélie XII, 31-32 : « Nous avons tissé notre discours sur la trame de l'Ancien Testament en parlant de la gloire du Fils unique. » Ainsi cette expression n'est pas seulement une sorte de fil d'Ariane qui évite à l'attention des auditeurs de s'égarer ; elle est aussi la preuve que les homélies XI et XII sont liées aux précédentes ; chacune témoigne d'un danger toujours présent à la pensée du prédicateur.

Une enquête analogue portant sur deux notions essentielles, celle de συγκατάβασις et celle de ταπεινοφροσύνη[1], révélerait, s'il en était besoin, le lien qui existe entre ces textes. Selon les exigences de son argumentation, Jean fait passer un thème au premier plan ou le tient en réserve, mais l'unité fondamentale demeure[2]. C'est une raison, parmi d'autres, de penser que ces onze homélies, à l'exemple d'une symphonie musicale, forment un tout dont les éléments s'enlacent et se répondent.

Au cours de son ministère à Antioche, Jean fut amené à combattre de multiples hérésies. Il le constate lui-même dans le *Dialogue sur le sacerdoce* : « Car nous n'avons pas à nous préparer à un seul combat, dit-il, mais le combat est varié et livré par des ennemis différents[3]. » Énumérant les qualités qu'il faut au prêtre pour être à la hauteur de ses responsabilités, il brosse un tableau pittoresque de l'agitation des esprits : « Comment se fait-il, lorsqu'on réfute les Grecs avec succès, que les Juifs la dépouillent (la cité de Dieu), ou lorsqu'on s'est rendu maître des uns et des autres, que les Manichéens la pillent, ou quand on est venu à bout de ces gens-là, que ceux qui introduisent à l'intérieur la fatalité égorgent les brebis[4] ? » Les homélies

1. Voir *infra*, Index de quelques mots grecs.

2. C'est ainsi que le thème des limites de la raison, qui est développé dans les homélies I-V, est repris dans l'homélie VIII, 4-10, celui de l'égalité du Père et du Fils traité dans les homélies VII à XII est déjà annoncé dans les homélies IV, 252 et V, 84-90.

3. *Sur le sacerdoce* IV, 3, *SC* 272, p. 252, li. 44-46.

4. *Ibid.*, IV, 4, p. 254, li. 28-31.

prononcées à Constantinople prouvent que, dans la capitale de l'Empire, le danger n'était pas moins grand : « De toute part, des loups cernent les brebis ... L'orage, la tempête et la houle assiègent continuellement ce vaisseau sacré ... la menace du feu de l'hérésie vous environne de toute part ...[1] ».

Devant une telle situation, on est en droit de se demander si le titre *Contra Anomoeos* donné à la collection des homélies VII à XII par Montfaucon correspond à la réalité. Il est certain que les homélies I à V traitent de l'incompréhensibilité de Dieu et qu'elles peuvent être présentées comme étant dirigées contre les Anoméens, puisque tel était bien à leur égard l'objet de la controverse.

Il est moins évident que la mention reste valable pour les homélies VII à XII. Sans doute les Anoméens mettaient-ils en question l'égalité du Père et du Fils. Sur ce point, la réfutation de Chrysostome s'adresse bien à eux et Montfaucon avait le droit de l'indiquer dans le titre courant de son édition. Mais ils n'étaient pas les seuls à tomber sous le coup de cette accusation. Beaucoup d'autres, parmi les hérétiques, pouvaient se sentir visés. Dès lors, il nous a semblé plus sage de mentionner dans le titre principal de ces homélies le sujet qu'elles traitent, sans préciser à qui elles s'adressent, tout en suggérant dans le sous-titre que les Anoméens sont parmi les adversaires les plus inquiétants.

3. La technique oratoire

Pour lire ces textes en les plaçant sous leur véritable éclairage, on ne saurait assez insister sur ce fait qu'ils sont bien différents des œuvres d'Eunome qui nous sont parvenues ; différents sinon par leur but, du moins par la manière dont ce but est poursuivi et atteint. Dès les premières lignes de sa première œuvre, Eunome en précise le caractère : il a été attaqué, il se défend : « Nous avons donc estimé qu'il serait utile à *notre propre* apologie ... de

1. XI, 18 s.

vous exposer par écrit la confession de *notre propre* croyance[1].» Tout autre est le but de Jean. Il est responsable de l'orthodoxie devant le peuple chrétien. Ce n'est pas sa propre pensée qu'il doit défendre, mais les droits de la vérité chrétienne.

Différence dans l'engagement des personnes, mais aussi différence des procédés littéraires employés par chacun. On a vu qu'Aèce et Eunome, indépendamment des systèmes philosophiques auxquels se rattache leur pensée, ont été des spécialistes de la dialectique. A ce titre, les œuvres d'Eunome se présentent sous une forme essentiellement logique où les arguments s'enchaînent pour aboutir, par une sorte de nécessité interne, à cette conclusion que les accusations portées contre lui sont fausses. Basile et Grégoire de Nysse, tout en gardant leur personnalité, ont été entraînés à suivre pas à pas leur adversaire sur son propre terrain pour le réfuter[2].

La situation de Jean Chrysostome est loin d'être semblable. Il a devant lui un auditoire vivant, mélangé, exigeant, passionné d'éloquence[3], mais plus encore de discussions théologiques[4]. Son premier souci est d'exposer

1. *Eunomius,* éd. Vaggione, 1, li. 43, p. 24.

2. Pour Basile, voir B. Sesboüé : *L'apologie d'Eunome de Cyzique et le Contre Eunome (L. I-III) de Basile de Césarée,* Rome 1980 ; pour Grégoire de Nysse, voir M. Van Parys, « Exégèse et théologie dans les livres *Contre Eunome* de Grégoire de Nysse », dans *Actes du colloque de Chevetogne,* 22-26 septembre 1969, Leyde 1971, p. 169-196.

3. Avec l'expérience que son ministère lui a donnée, Jean écrira plus tard dans *Sur le sacerdoce* V, 8 (*SC* 272, p. 302, li. 49-52) : « Ne sais-tu pas quelle passion de l'éloquence s'est emparée actuellement de l'âme des chrétiens et que ceux qui s'y adonnent sont tenus, plus que tous, en estime, non seulement chez les païens, mais chez ceux qui sont familiers de la foi ? »

4. Dans une homélie datée de mai 383, *De deitate Filii et Spiritus Sancti, PG* 46, 557 B, Grégoire de Nysse parle déjà avec humour de la passion de ses contemporains pour les discussions de ce genre : « Toute la ville est pleine de ces discussions, les rues, les marchés, les places, les quartiers, les marchands d'habits, ceux qui se tiennent

fidèlement la pensée chrétienne, afin de faire partager sa conviction à ceux auxquels il s'adresse. Le début de l'homélie X est, sur ce point, très révélateur. «Si, après avoir enfoui (ce bien) dans ma pensée, je le garde constamment sans partager avec personne, mon gain diminue, les ressources s'amoindrissent ; mais si je les offre à tous, si je les fais partager à beaucoup et si je mets en commun tout ce que je sais, les richesses spirituelles augmentent à mon profit[1].» Cette idée de partage est aux antipodes des visées d'Eunome qui, du moins dans ses apologies, songe à se défendre avant tout.

La technique oratoire de Jean, dominée par le souci d'établir entre lui et son auditoire un courant d'échange, est souple et variée[2]. Multiples comparaisons, objections, discussions, citations de l'Écriture sont le support de sa pensée théologique. Mais il est difficile à un lecteur moderne d'accepter l'usage des procédés de rhétorique en honneur dans l'Antiquité, qui lui paraissent masquer l'essentiel du sujet. Et cependant la lecture des Pères de l'Église, de ceux du IVe siècle en particulier, est à ce prix.

derrière les comptoirs des changeurs, ceux qui nous vendent de quoi manger. Si tu parles d'argent, l'un t'entretient de l'Engendré et du non-Engendré ; si d'aventure tu t'informes du prix du pain, il te répond : 'Le Père est plus grand et le Fils lui est soumis.' Si tu venais à demander : 'Mon bain est-il prêt ?', l'autre déclarerait que le Fils est issu du Non-être. Je ne sais comment il faut appeler cette frénésie ou cette folie ou quelque chose comme une épidémie que produit l'abus des raisonnements.» Toutes ces réponses reflètent évidemment les positions ariennes, en particulier la réponse : «Que le Fils est issu du Non-être», c'est-à-dire que le Fils a été tiré du néant par une création et ne coexiste pas éternellement avec le Père. Voir *Thalie* dans ATHANASE, *Oratio I contra Arianos,* 5, *PG* 26, 21. Les choses n'avaient pas dû beaucoup changer du temps de Chrysostome, quelques années après.

1. X, 19-24.

2. Nous savons que Jean a suivi le *cursus* traditionnel des études et qu'il se destinait au barreau. Sur la question de savoir s'il fut élève de Libanios, voir la discussion dans *Sur le sacerdoce,* p. 62, n. 1.

« Ce n'est pas rien que d'avoir ranimé et porté haut la flamme vacillante de l'éloquence antique[1]. »

Toutes ces homélies, à une exception près (hom. X), débutent par une ou plusieurs comparaisons qui, au cours du développement, viennent animer, colorer la parole, assurer la liaison avec la vie de tous les jours, rappeler aux auditeurs que le débat, si élevé soit-il, se déroule dans un monde bien connu de tous[2]. On cherche en vain de tels relais dans le texte d'Eunome dont la rigueur austère se passe d'ornements.

De ce quotidien relèvent aussi des passages où triomphent les procédés bien connus de la diatribe. Le prédicateur prend volontiers le ton de la conversation, qui s'engage grâce à des formules familières : « Écoutez-moi, je vous prie. Ne passez pas légèrement sur ce que je vais dire. » Il provoque son interlocuteur par des interrogations répétées : I, 263-264 ; II, 121-128 ; III, 134-146 ; IV, 113 : VII 158-159 ; VIII, 77-80 ; IX, 36-40 ; X, 350-352 ; XII, 189-193. Il instaure un dialogue serré avec l'hérétique, par exemple I, 263-285 ; II, 190-193 ; VII, 123-140. Il tient compte des objections de ses adversaires, formulées par les hérétiques : II, 304 ; VII, 498-542 ; IX, 7-8, ou par les Juifs : IX, 27-30, ou par les deux groupes confondus sous l'appellation commune d'« ennemis de la vérité » : X, 411-412, à moins que l'orateur lui-même ne prévienne l'objection : VIII, 126-139 ; X, 92-95. Ce qui donne du prix à ces textes, c'est qu'on devine, derrière les recettes de la rhétorique, une expérience frémissante en face de la gravité des problèmes qui sont en jeu.

1. J. Bernardi, *La prédication des Pères cappadociens, Le prédicateur et son auditoire,* Paris 1968, p. 15. Pour un bref résumé des procédés de la rhétorique employés par Basile, voir *Contre Eunome, SC* 299, p. 95-96, n. 2.

2. VII, manœuvres d'un bon pilote, laboureur et moisson ; VIII, guerre et trophées ; X, débiteur et créancier ; XI, navire ballotté par la tempête, olivier au milieu de la fournaise ; XII, moisson, travail du laboureur.

Car il ne s'agit pas ici d'une simple joute oratoire, comme dans certains dialogues de Platon où les interlocuteurs s'affrontent pour le plaisir de montrer leur virtuosité. Jean a une double mission. Il doit à la fois *combattre* l'hérésie et *convaincre* ses auditeurs par un exposé irréfutable qui ait une valeur de démonstration. Les termes ἀποδείκνυμι : III, 199, 341 ; IV, 114, 117, 310 ; V, 94, 294 ; VII, 78-79, 89 ; IX, 26, et ἀπόδειξις : I, 144 ; II, 96, 138, 160, 189, 484 ; III, 75, 78, 113, 478 ; VII, 227 ; VIII, 64 ; IX, 49, reviennent avec insistance.

Cette démonstration de la vérité repose en grande partie sur la définition exacte de tel ou tel mot. Pour affronter l'adversaire, pour démasquer l'erreur, il faut nécessairement préciser le sens des mots qu'on emploie. C'est ainsi qu'on trouve des discussions serrées sur le sens du mot «fils» : IV, 238-256 ; VII, 123-143 ; sur le mot «agneau» : VII, 412-426, ou «timide» : XI, 54-58, que chacun prend dans un sens différent, d'où l'incapacité de tomber d'accord. De tels passages prouvent que Jean, tout comme Eunome, a hérité de l'enseignement aristotélicien, fidèlement transmis dans les écoles, sur l'homonymie[1].

Une démonstration requiert aussi un exposé clair et ordonné. Sur ce point, le prédicateur ne se laisse jamais prendre en défaut. Tel un bon maître, il remplit le programme annoncé et les développements s'alignent en ordre. Par exemple, il voit quatre raisons pour lesquelles le Christ a employé un langage plein d'humilité, VII, 158-313, trois motifs pour lesquels le Christ dit au paralytique d'emporter son grabat, XII, 203-259. Chrysostome a une foi invincible en l'évidence de la vérité fondée sur des

1. Voir Eunome, *Apologie, SC* 305, p. 259, n. 2, où est citée la définition du mot *homonyme* que donne Aristote, *Catégories,* c. 1, 1a, 1 : «On appelle homonymes les choses dont le nom seul est commun, tandis que la notion désignée par ce nom est diverse.»

raisons clairement exposées, même là où il y a contradiction apparente : «Si je donne les raisons, toute hésitation se trouve alors supprimée[1].» C'est peut-être le seul point sur lequel on puisse le rapprocher de son adversaire.

Il existe, en effet, une différence essentielle entre l'attitude de Jean et celle d'Eunome à l'égard des preuves rationnelles. Jean n'ignore pas les problèmes soulevés par les Ariens depuis le concile de Nicée[2] : «Nous cherchons, en effet, si le Fils possède la même puissance, le même pouvoir, la même essence que le Père[3].» Il sait la manière radicale dont Aèce et Eunome les ont résolus. Ceux-ci espèrent triompher au moyen de la dialectique tout en invoquant les Écritures, mais de manière combien limitée[4]. Chrysostome, après avoir donné quelques arguments rationnels, ajoute : «Et que mon propos n'est pas une conjecture, je m'efforcerai de l'établir au moyen des Écritures elles-mêmes[5].» On a donc ici une proportion inverse : Eunome invoquant l'Écriture pour se mettre à l'abri des reproches de ses adversaires, mais ne comptant que sur sa technique pour en triompher ; Jean utilisant tout d'abord des arguments rationnels, mais les abandonnant bien vite, pour ne s'appuyer que sur l'Écriture[6].

1. VII, 156-157.

2. C'est ainsi qu'il utilise couramment les termes οὐσία, δύναμις, ἐξουσία, ὁμοούσιος, γέννησις, γεννάω, ἀγέννητος. On trouvera une note sur chacun de ces mots à mesure qu'ils apparaissent dans le texte. Pour l'ensemble du vocabulaire de ces homélies voir *Indices Chrysostomici,* vol. III (en préparation).

3. VII, 71-72.

4. On peut comparer, du simple point de vue numérique, le relevé des citations scripturaires dans l'*Apologie* et dans les homélies.

5. VII, 182-183. On retrouve en VIII, 315-317, cette opposition entre conjecture et Écritures. Le mot στοχασμός s'oppose, dans Platon, à une connaissance véritable, *Gorgias* 464c, et c'est bien ainsi que Jean le prend, la seule connaissance véritable reposant pour lui sur les Écritures.

6. Jean ne perd pas une occasion de caractériser sa démarche en face de celle de ses adversaires ; les termes qu'il emploie sont toujours

4. L'argumentation scripturaire

Il est évident que les citations de l'Écriture jouent dans ces homélies un rôle capital. Elles sont le véritable moteur de la discussion, car un dialogue fictif s'établit — on l'a vu — entre les deux parties, et chacun utilise la même technique : les citations de l'Écriture. On en lira un exemple frappant dans l'homélie VII, 94-141. Le texte sur lequel s'appuie l'adversaire est le *psaume* 81, 6 : « Vous êtes des dieux et fils du Très-Haut », auquel Jean répond par *Hébreux* 1, 13 : « Assieds-toi à ma droite jusqu'à ce que j'aie fait de tes ennemis l'escabeau de tes pieds », où est affirmée la dignité suréminente du Christ. Pour défendre son point de vue l'interlocuteur aligne toute une série de textes : *Jean* 14, 9 et 10, 30 ; 5, 21 et 5, 23 ; 6, 17, qu'il confirme par la répétition du *Ps.* 81, 6. Chrysostome le réfute par la répétition de *Hébr.* 1, 13. Sans se décourager l'adversaire avance une nouvelle objection : Si le Christ est Dieu, pourquoi prie-t-il ? Jean répond cette fois en donnant trois raisons, mais il a soin de souligner qu'elles ne sont pas le fruit d'une simple démarche rationnelle ; elles sont solidement appuyées sur les Écritures. De même dans l'homélie IX, 27 s., où les Juifs formulent leur objection en invoquant l'ignorance du Christ sur l'endroit où Lazare était enterré (*Jn* 11, 34). A quoi le prédicateur répond en les renvoyant à *Gen.* 3, 9-10, où Dieu demande : « Où est Abel ? » Ainsi, ce sont des textes scripturaires qui fournissent, mais dans des proportions très inégales, l'argument par lequel chacun s'efforce de convaincre son interlocuteur.

Jean puise à pleines mains dans le trésor des Écritures qu'il compare à une prairie où il a coutume d'entraîner ses auditeurs, ou à la mer infinie (VII, 17-18). Tantôt c'est un mot : « Faisons » (*Gen.* 1, 26) qui, à lui seul, est le nerf de

des verbes de mouvement marquant un changement de niveau ou, si l'on préfère, de registre : VII, 90 κινήσωμεν ; X, 222-223 ἐπ' αὐτὸ τῆς Γραφῆς ἔλθωμεν τὸ χωρίον.

l'argumentation (XI, 113); tantôt c'est une injonction : «Lazare, ici dehors» (*Jn* 11, 43) dont la répétition prend la force d'un argument (IX, 182, 183, 192, 198) ; tantôt c'est une série de textes qui se renforcent les uns les autres (VII 405-415 ; 492-497 ; IX, 35-64). L'enjeu, qui n'est rien de moins que la défense de l'orthodoxie, demande que tout soit mis en œuvre, aussi bien l'Ancien que le Nouveau Testament. On ne peut qu'admirer l'habileté avec laquelle l'orateur enlace les citations de l'un et de l'autre. Mais cette habileté n'est pas seulement le résultat d'une longue familiarité avec la Bible[1]. Elle est inspirée par la conviction que les deux Testaments se répondent. On en voit un exemple dans l'homélie X, 222-245, où chaque béatitude trouve son écho dans un *psaume,* dans *Isaïe* ou dans l'*Ecclésiaste*[2]. L'Ancien et le Nouveau Testament ne forment qu'un immense concert, une συμφωνία (X, 244).

Si les hérétiques se targuent de puiser à la même source que l'orthodoxie et s'ils aboutissent à des conclusions erronées, c'est que leur lecture est viciée à la base (VIII, 28-30) : ils lisent l'Écriture de façon superficielle et ils s'en tiennent au sens littéral. Les deux reproches se complètent. C'est encore un passage de l'Écriture allégué par les adversaires qui donne lieu à une sévère mise au point d'où sort la réfutation. Il s'agit de la réponse du Christ à la demande de la mère des fils de Zébédée (*Matth.* 20, 20-23) où, à s'en tenir à la lettre des évangiles, le Fils semble s'effacer devant l'autorité du Père. Jean met en garde son auditoire contre l'interprétation littérale de ce passage et

1. Dans le *Dialogue sur la vie de Jean Chrysostome,* PALLADIOS, son biographe, parlant du séjour de Jean dans les montagnes voisines d'Antioche, raconte qu'il resta là «trois fois huit mois, passant la plupart de son temps sans dormir, apprenant par cœur les Testaments du Christ», *SC* 341, chap. V, li. 23-25, p. 110.

2. Tout le développement repose sur la parole du Christ en *Matth.* 5, 17 : «Ne croyez pas que je sois venu abolir la Loi ou les prophètes.» Il ne s'agit pas d'abrogation, κατάλυσις, mais d'un achèvement porté à sa perfection, τελείωσις.

d'autres qu'il cite en exemple : «Ce que je ne cesse de demander à votre charité, je vous le recommande et je vous le conseille encore aujourd'hui : de ne pas s'attacher simplement à la lettre, mais de scruter la pensée ; car si l'on s'arrête simplement aux mots, sans chercher plus loin que ce qui est écrit, on fera beaucoup d'erreurs[1].» C'est reconnaître que l'interprétation des Écritures demande du discernement. Jean, l'exégète le plus représentatif de l'école d'Antioche[2], sait, quand il en est besoin, s'élever de la lettre à l'esprit.

5. Le contenu théologique

La haute idée que les Anoméens se font de la transcendance de Dieu rend pour eux impensable l'idée d'une essence identique chez les trois personnes de la Trinité. Ayant affirmé, dans l'homélie V, sa foi dans l'égalité du Père, du Fils et de l'Esprit, Jean peut, au cours des homélies suivantes, diriger les feux de son éloquence sur la seule personne du Christ. C'est en la contemplant au cours de sa vie terrestre, en écoutant ses paroles, en constatant sa façon d'agir qu'on devrait voir apparaître en pleine lumière la nature de sa divinité.

Mais la tâche est difficile, car les Anoméens n'hésitent pas à venir se battre sur le même terrain, à puiser leurs objections dans la vie de ce Jésus qu'on appelle Christ. Ils recueillent avec habileté toutes ses paroles, quand elles semblent accuser une infériorité par rapport au Père, tous ses actes lorsqu'ils semblent subordonnés à la puissance du Père. Devant l'évidence apparente des textes, Jean adopte

1. VIII, 32-37.

2. Malheureusement, en regard des nombreux travaux sur l'exégèse de l'école d'Alexandrie, nous ne possédons pas, en français, d'étude sur les rapports de l'école d'Alexandrie et de l'école d'Antioche. Il y aurait sur le sujet une grande œuvre à entreprendre. Une première tentative a été faite récemment par A. Le Boulluec et G. Astruc-Morize : «Le sens caché des Écritures selon Origène et Chrysostome», 11e conférence internationale d'études patristiques, Oxford 1991.

des attitudes différentes : ou bien, comme on l'a vu, il accuse ses adversaires d'une erreur d'interprétation, ou bien il se place sur le terrain proprement théologique et c'est ce qui nous amène à étudier les homélies sous cet aspect essentiel.

Le problème fondamental à envisager est celui de l'Incarnation et de ses modalités. Dans l'*Apologie*, après avoir établi que les termes *rejeton* (γέννημα) et *créature* (ποίημα) sont les seuls qui soient exacts pour désigner la substance du Fils (chap. 12-22), après avoir conclu qu'il faut absolument refuser entre le Père et le Fils l'égalité dans la substance[1], Eunome passe à l'étude de l'activité du Fils. Il faut accepter la similitude du Fils au Père dans l'exercice de son activité, mais en maintenant, sans concession possible que, dans l'exercice de cette activité, « le Monogène est soumis à la volonté du Père[2] ». Dès lors, toute réfutation de la position eunomienne doit prouver que le Fils agit en toute liberté et en toute égalité avec le Père. A lire les homélies de Jean Chrysostome, la vie terrestre du Christ rend un magnifique témoignage de cette certitude.

Avant de suivre le Fils unique de Dieu dans le détail de ses paroles et de ses actes sur la terre, encore faut-il établir la réalité de son Incarnation[3]. Chrysostome s'acquitte allègrement de cette première démarche : « C'est pourquoi il ne prit pas dès le début la condition d'un homme dans la force de l'âge, mais s'il accepta d'être conçu, d'être mis au monde, d'être allaité et pendant si longtemps de vivre sur la terre, c'est pour que la longueur du temps et toutes les

1. Eunome, *Apol.* 11, *SC* 305, p. 256, li. 10-11 : « Personne n'est assez insensé ni assez audacieux dans l'impiété pour déclarer le Fils égal au Père. »

2. Eunome, *Apol.* 24, *SC* 305, p. 282, li. 2-3.

3. Beaucoup d'hérétiques se ralliaient au docétisme qui niait la réalité objective de l'humanité du Christ, celle-ci n'étant qu'une simple apparence (d'où le nom de *docètes*, du verbe δοκεῖν, paraître).

autres circonstances rendent le fait même crédible[1].» Rappelant ensuite les apparitions qui ont pu se produire autrefois dans l'histoire, Jean insiste : «Pour que tu croies en toute vérité que sa chair était véritable, il a été conçu, il a été mis au monde, il a été nourri, il a été placé dans une crèche et non pas dans une petite pièce quelconque, mais dans une hôtellerie, aux yeux d'une foule innombrable, pour que sa naissance fût connue de tous[2].»

Le fait admis, on peut relever dans bien des récits évangéliques des manifestations d'une puissance indiscutable. Mais d'autres, au contraire, semblent venir à point nommé, pour renforcer la position d'Eunome. Devant son auditoire Chrysostome ne s'égare pas dans les méandres d'une argumentation subtile. Il va droit à l'erreur : «Il (le Père) n'a pas donné à celui qui n'avait pas, il ne l'a pas engendré dans un état d'imperfection, pas plus qu'il ne lui a ajouté plus tard mais ... il l'a engendré tel quel, parfait et accompli[3].»

L'affirmation de l'identité d'essence du Père et du Fils et des conséquences qui en découlent reste donc au cœur des homélies VII à XII : «La gloire du Fils unique est encore une fois le sujet de notre discours[4].» Cependant cette affirmation ne se cantonne pas dans le domaine de l'exposé rationnel où la maintient Eunome pour la réfuter ; elle prend réalité et vie dans la méditation des paroles et des actes du Christ sur la terre[5]. Les homélies forment ainsi une sorte de florilège de textes[6] qui prouvent à l'évidence l'égalité du Père et du Fils ou l'autonomie de ce dernier.

1. VII, 477-481.
2. VII, 486-489.
3. VIII, 171-174.
4. VII, 64-65.
5. Paroles et actes forment un couple traditionnel dans la pensée grecque. C'est ici un argument essentiel de la controverse, les miracles étant une forme particulière des actes. Voir VII, 106-107, 276-277, 283, 361-362 ; X, 139-141.
6. Voir le tableau de ces textes, *infra*, p. 365.

Mais le parti adverse possède, lui aussi, tout un arsenal de citations qui peuvent être interprétées dans le sens d'une dépendance ou d'une infériorité du Fils par rapport au Père[1]. Jean ne se dérobe pas à la discussion. Il cite loyalement ces textes : «Tous les autres traits d'abaissement qui ont été mentionnés à son sujet, je les exposerai avec exactitude[2].» Et ce n'est pas sans mérite, car le prédicateur ne dissimule pas la gravité de l'enjeu : «S'il était moins parfait que son Père et inférieur à lui, ce qu'il a dit là ne serait pas une excuse, mais mériterait un plus grand reproche et une accusation plus grave[3].»

Or, les évangélistes eux-mêmes rapportent des paroles du Christ qui le mettent clairement dans une situation d'infériorité par rapport à son essence. C'est Jean l'évangéliste qui mentionne l'effacement du Christ devant son Père : «Je ne fais rien de moi-même, mais ce que le Père m'a enseigné je le dis» (*Jn* 8, 28). C'est Matthieu qui rapporte le refus du Christ d'accéder à la demande des fils de Zébédée : «Quant à siéger à ma droite et à ma gauche, il ne m'appartient pas de l'accorder» (*Matth.* 20, 23). Cette attitude de dépendance entraîne dans la vie du Christ un recours à la prière adressée à son Père. On le voit, par exemple, au moment de la résurrection de Lazare où Marthe met son espoir dans l'intervention de Jésus auprès du Père (IX, 96-97), dans la nuit de l'agonie où Jésus prie le Père d'éloigner de lui ce calice (VII, 437-438).

En habile controversiste, Jean reconnaît la valeur de l'objection : «Il est tout à fait évident que la prière n'est pas le fait de la divinité. En effet, Dieu ne prie pas ; car il appartient à Dieu de recevoir l'adoration, à Dieu d'accueillir la prière, non de la formuler[4].» Les Anoméens posent alors la question essentielle : «S'il a la même puissance, et

1. Voir le tableau de ces textes, *infra,* p. 368.
2. VII, 146-147.
3. XII, 358-360.
4. VII, 378-381.

la même essence et s'il fait toutes choses en vertu d'un souverain pouvoir, pourquoi prie-t-il[1] ?» Et le prédicateur d'enregistrer pour un temps le triomphe de l'adversaire. «Les Écritures seraient, en effet, en conflit et en guerre avec elles-mêmes[2].» Bien plus, le Christ est pris lui-même en flagrant délit de contradiction : «Si la prière est le fait de la divinité, on le (c'est-à-dire le Christ) trouvera se donnant un démenti, se contredisant, entrant en conflit avec lui-même[3].»

Passant ensuite des paroles aux actes du Christ, Chrysostome semble avoir retenu de préférence la scène du lavement des pieds, peut-être parce que, tout en fournissant à ses adversaires un exemple d'une évidence aveuglante en faveur de leur thèse, à savoir une action tellement dépourvue de grandeur qu'elle ne peut être celle d'un Dieu, Chrysostome trouve ici un tremplin pour reprendre l'avantage et s'assurer la victoire.

On a vu avec quelle vigueur et quel sens des détails concrets il affirme la réalité de l'Incarnation. Et à juste titre ; car c'est sur elle que repose sa défense de l'orthodoxie. A ceux qui mettent en relief les situations où le Christ se trouve en infériorité pour conclure qu'il ne peut être de même nature que le Père, Jean répond en s'appuyant sur le passage fameux de Paul dans l'*Épître aux Philippiens* (2, 6-7), où celui-ci affirme que le Christ, «étant de condition divine, n'a pas retenu avidement le rang qui l'égalait au Père, mais s'est anéanti lui-même en prenant la condition d'esclave». Non seulement il a pris la condition d'un esclave, renchérit Jean, mais «ses paroles sont sans commune mesure avec son essence ineffable et inexprimable[4]», et ceci dans un dessein bien arrêté que traduit ensuite le mot οἰκονομία (VII, 373). Ce dessein,

1. VII, 143-145.
2. VII, 152-153.
3. VII, 435-436.
4. VII, 387-388.

c'était de mettre en relief la distance qui existe entre ses paroles et l'essence indicible et inexprimable. Telle est l'intention fondamentale, τὸ ὅλον τῆς οἰκονομίας (VII, 383), d'un état de fait qui, pour les Anoméens, est une objection irréfutable.

Cependant nul ne saurait nier que l'Incarnation ait entraîné pour le Christ des conditions de vie nouvelles. Voulant qualifier cet état, Jean emploie un mot qu'il trouve dans la même *Épître aux Philippiens* (2, 8) ἐταπείνωσεν, « il s'est abaissé », ainsi que les mots de la même famille formée sur ταπείνος, *bas, humble* : « il a assumé le fait de prendre chair par humilité et non parce qu'il était inférieur à son Père[1]. » Pour les Anoméens, tellement soucieux de maintenir la transcendance de Dieu, on comprend que cet abaissement soit une chose impensable et une explication irrecevable.

Chrysostome le sait très bien, mais il tire de cette difficulté l'argument qui doit emporter l'adhésion sur le point précis du débat, en donnant la définition de la ταπεινοφροσύνη : *c'est lorsqu'un égal obéit à son égal*[2]. Dès lors, tous les passages de l'évangile montrant le Christ dans un état d'abaissement qui paraît incompatible avec la divinité doivent être lus dans une lumière nouvelle. L'Incarnation, loin d'être un obstacle à la foi dans l'égalité de nature du Père et du Fils, en est la preuve. « Vois-tu que le fait d'avoir pris chair est un signe de l'égalité du Fils avec celui qui l'a engendré et que cette égalité ne lui est pas venue du dehors, qu'elle ne lui a pas été ajoutée, puis enlevée, mais qu'elle est immuable et stable et telle que la possède normalement un fils par rapport à son père[3] ? »

Ce passage d'une vie dans la gloire aux servitudes d'une vie dans la chair a entraîné pour le Christ une modification de son état qu'il lui fallait nécessairement accepter, et que,

1. X, 409-411.
2. X, 449-450.
3. X, 481-485.

de fait, il a acceptée. Jean traduit ce changement par le mot συγκατάβασις et ses dérivés dont le contenu, plus riche que celui du mot français *condescendance* — qui pourtant le traduit selon l'étymologie — recouvre à la fois un changement de condition et une disposition intérieure[1]. La condescendance est la clef de tous les passages de l'évangile où le Christ se trouve dans un état d'infériorité, soit qu'apparemment il ne sache pas, soit qu'il ne puisse pas et qu'il soit obligé de se tourner vers son Père. Ici encore le scandale est grand pour les Anoméens qui croient que «le Dieu de l'univers est l'unique et seul vrai Dieu, inengendré, sans principe, incomparable, supérieur à toute chose et cause de l'existence de tous les êtres[2]». Cependant Jean veut espérer que seule la condescendance manifestée par le Christ est susceptible de vaincre leur résistance, si on leur en explique les raisons et le but.

Les rapports du Créateur avec sa créature ont toujours nécessité une adaptation de la grandeur de Dieu à la faiblesse de l'homme. A plus forte raison l'état de Dieu fait homme. «C'est pourquoi il disait souvent bien des choses dans un langage d'homme, ἀνθρωπίνως, et d'autres fois non pas dans un langage d'homme, mais dans un langage de Dieu, θεοπρεπῶς, digne de sa noble origine[3].» Cette adaptation se retrouve à chaque page de l'évangile et revient comme un refrain «à cause de la faiblesse des auditeurs» (VII, 179-180, 268, 272-273; X, 68-69, 75) ou «des assistants» (IX, 14, 24-25; X, 162). Si le Christ invoque son Père avant de ressusciter Lazare, c'est pour faire droit à la prière de Marthe (IX, 116-117). S'il lave les pieds de ses disciples, c'est encore un acte de condescen-

1. Voir B. DE MARGERIE, *Introduction à l'histoire de l'exégèse*, t. I, Paris 1980, chap. VIII, «Saint Jean Chrysostome, docteur de la condescendance biblique».

2. *Apol.* 26, *SC* 305, p. 288, li. 3-5.

3. VII, 249-251. GRÉGOIRE DE NAZIANZE dans le *Discours* 29, § 19 et 20, a développé magnifiquement cette opposition dans laquelle réside toute l'*économie, SC* 250, p. 216-222.

dance (IX, 13-14). Enfin, suprême condescendance, s'il s'est soumis aux affres de l'agonie, c'est qu'il avait pleinement assumé «la faiblesse de la nature humaine» (VII, 457-458).

Mais tous ces témoignages de faiblesse ne sont pas gratuits, ils ont un but commun, celui d'être une catéchèse, κατήχησις (IX, 169), c'est-à-dire un *enseignement* destiné à ceux qui sont présents[1]. Ainsi le Christ enseigne dans son Incarnation par les plus humbles détails de sa vie, comme dans les circonstances les plus douloureuses. Lorsqu'il bénit les pains, il pria les yeux levés au ciel pour nous *apprendre* à ne pas nous mettre à table avant d'avoir rendu grâce à Dieu qui créa les fruits (X, 157-160). De même les actes qui le montrent dans l'attitude du serviteur sont là pour nous *enseigner* l'humilité (VII, 281-284). S'il refuse d'accéder à la demande des fils de Zébédée, c'est pour les *exhorter* à mériter eux-mêmes leur récompense par leur courage. En disant cela, le Christ ne diminue en rien «ce qui touche à son essence, mais il *montre* que ce n'est pas à lui seul d'accorder, mais aux combattants de conquérir[2]». Enfin, si le Christ a assumé les angoisses de l'agonie, c'est pour *prouver* à ceux qui le nieraient dans la suite la réalité de l'Incarnation (VII, 520-523). Même réponse est faite aux Anoméens chaque fois qu'ils tirent argument d'une situation où le Christ se trouve en état de dépendance. «C'est pour *instruire* les autres, et non par défaut de puissance[3].» Ainsi, toute la vie du Christ sur la terre est à la fois une *réfutation* de l'anoméisme et un *enseignement* destiné à son entourage aussi bien qu'aux générations futures.

1. Chrysostome indique dans la catéchèse II au peuple d'Antioche, § 1, *PG* 49, 231, ce qu'il faut entendre par le mot *catéchèse* en s'appuyant sur l'étymologie : Διὰ τοῦτο καὶ κατήχησις λέγεται ἵνα καὶ ἀπόντων ἡμῶν ὁ λόγος ὑμῶν ἐνηχῇ ταῖς διανοίαις, «Voici pourquoi on l'appelle catéchèse, c'est pour que, même en notre absence, la parole résonne dans vos âmes.»

2. VIII, 371-373.

3. X, 156-157.

CONCLUSION

L'anoméisme, héritier de l'arianisme le plus radical, mettait en question le mystère de la Trinité. Un mystère ne se prouve pas. Il reste un domaine auquel on n'accède que par la foi. Le drame d'Aèce et d'Eunome est d'avoir cru qu'il était possible de pénétrer dans ce domaine par le moyen de raisonnements bien enchaînés et ainsi d'atteindre Dieu dans son essence. La pensée chrétienne devait montrer la vanité de cet effort.

Toutefois, les Anoméens ne bornaient pas leurs prétentions à connaître la nature de Dieu. Leur logique implacable ne pouvait admettre en lui l'existence de trois personnes distinctes et égales. Selon eux, la procession de la seconde personne de la Trinité n'avait pu se produire par une génération éternelle, mais par une création de Dieu, «l'Esprit Saint étant clairement subordonné au Christ avec tout l'univers et le Fils l'étant lui-même à Dieu, selon l'enseignement du bienheureux Paul[1]». C'est donc à rappeler l'incapacité de l'homme à connaître l'essence de Dieu et à défendre l'égalité de substance du Père, du Fils et de l'Esprit que devaient s'employer les tenants de l'orthodoxie. Il suffit de lire quelques pages des œuvres d'Eunome et des réfutations qui en ont été faites pour comprendre que c'était là un dialogue de sourds. Cependant Basile et Grégoire de Nysse ont entamé ce dialogue avec Eunome ; ils l'ont mené chacun avec leurs dons naturels, leurs compétences.

La situation de Grégoire de Nazianze et de Jean Chrysostome n'est pas la même. Ils s'adressent non pas à

1. *Apol.* 27, *SC* 305, p. 292, 14-16.

Eunome personnellement[1], mais à des chrétiens dont la foi est en danger. A travers le témoignage de Grégoire de Nazianze, on peut imaginer l'état d'esprit d'une foule passionnée pour des questions qui la dépassent : « Ces gens-là trouvent un élément de leur plaisir dans les propos futiles tenus sur ce sujet et dans l'habileté des controverses[2]. » Dès lors, on comprend mieux d'une part les mises en garde de Grégoire soulignant le danger de « disputer sur Dieu » sans compétence, d'autre part le souci de Jean Chrysostome désireux d'assurer une catéchèse claire, solide et qui s'adresse à tous : « C'est pourquoi, sans orner mon discours de belles paroles et d'expressions recherchées, mais en disant les choses comme elles sont, pour qu'elles soient faciles à comprendre et accessibles au serviteur, à la servante, à la veuve, au marchand, au matelot, au laboureur, je m'efforcerai toujours de condenser ma pensée[3]. » C'est l'éternel problème de la transmission du message qui dépasse l'intelligence humaine et ne trouve sa solution qu'à l'intérieur de la foi.

Grégoire de Nazianze et Jean Chrysostome ont, l'un et l'autre, envisagé ce problème avec un sens religieux profond. Grégoire situe sa recherche sous le regard de Dieu et l'invoque avant tout exposé : « Plaçons en tête de ce discours le Père, le Fils et l'Esprit-Saint qui en sont le sujet[4]. » Chrysostome consacre une partie de la troisième homélie à montrer que toute recherche en ce domaine trouve dans la prière son inspiration et souvent sa solution : « La prière elle-même nous fournira notre

1. Grégoire ne prononce jamais le nom d'Eunome, mais il est évident que c'est de ses positions théologiques qu'il est question dans les discours 27-31.

2. *Disc.* 27, 3, *SC* 250, p. 76, li. 18-19.

3. *Contra Judaeos et Gentiles quod Christus sit Deus* 1, *PG* 48, 813-838. L'authenticité de ce texte a été mise en doute, mais elle a été défendue par N. G. Mc Kendrick (dissert. Fordham Univ.), en 1966.

4. *Disc.* 28, 1, *SC* 250, p. 100, li. 12-14.

démonstration[1]. » Un tel accord entre Grégoire et Jean sur un point aussi capital est le sceau qui authentifie leur prédication.

Toutefois celle-ci n'en est pas moins marquée par leur personnalité. Ce n'est pas ici le lieu d'apprécier l'œuvre théologique de Grégoire de Nazianze. Cependant, s'il faut la caractériser en quelques mots, on doit reconnaître que ses échanges de pensée avec Basile et Grégoire de Nysse ont été certainement un point de départ pour stimuler sa réflexion et que celle-ci a fait progresser la théologie de la Trinité en précision, en profondeur et en richesse[2]. Mais il faut se souvenir que les *Discours théologiques*, indépendamment de la portée qu'ils devaient avoir plus tard, ont été prononcés devant un petit groupe de chrétiens que la persécution avait unis, ce qui les rendait aptes à mieux comprendre les exigences imposées par la méditation du mystère[3].

Quelques années plus tard, la conjoncture est différente. A cause des responsabilités de son ministère — et probablement aussi en accord avec ses dons naturels —, Jean Chrysostome est amené à combattre en plein vent pour répondre aux objections diverses d'un auditoire très mélangé. Dans le *Dialogue sur le sacerdoce*, il évoque la situation difficile de celui qui doit défendre la vérité :

1. *Hom.* III, *SC* 28 bis, p. 196, li. 113-114.

2. Voir J. PLAGNIEUX, *Saint Grégoire de Nazianze théologien*, Paris 1952 ; P. SPIDLIK, *Grégoire de Nazianze, Introduction à l'étude de sa doctrine spirituelle*, Rome 1971 (*Orientalia christiana analecta* 189) ; plus récente et plus succincte, mais très suggestive, une étude sur « les avancées théologiques » de Grégoire : « Saint Grégoire de Nazianze théologien de la Trinité », par P. PETIT, OSB, dans *Connaissance des Pères de l'Église* n° 35, septembre 1989, éd. Nouvelle cité, p. 5-17.

3. Les *Discours théologiques* ont été prononcés à Constantinople entre juillet et novembre 380 (voir *SC* 250, p. 10-14), dans la maison d'un parent de Grégoire transformée en chapelle et consacrée sous le nom d'*Anastasis*, les églises étant occupées par les Ariens et n'ayant pas encore été rendues aux orthodoxes.

«Grand est le danger, étroite et resserrée la voie qui est bordée de deux côtés par des précipices et il est fort à craindre que, si l'on veut atteindre l'un (des hérétiques), on soit frappé par l'autre[1].»

Peu importe de savoir quel était à ce moment le nombre des Anoméens et quelle était leur influence. Ce qui est sûr, c'est que les ennemis de l'orthodoxie étaient nombreux et que Jean connaissait parfaitement les différents adversaires qu'il avait à réfuter. S'il n'est pas toujours facile de préciser à quelle catégorie ils appartenaient, ils ont un point commun : ils trahissent le contenu de la Révélation sur la seconde personne de la Trinité.

Devant cette offensive, l'ensemble des onze homélies répond en empruntant *la méthode même du Christ dans l'évangile.* Si Dieu est inconnaissable, il s'est révélé aux hommes dans la personne de Jésus. Celui-ci ne cesse de proclamer qu'il est le Fils de Dieu. Mais en vain. A l'incrédulité des hommes, il oppose les œuvres qu'il accomplit au nom de son Père : «Si je les accomplis, quand bien même vous refuseriez de me croire, croyez-en les œuvres, pour que vous sachiez et que vous reconnaissiez que le Père est en moi et moi en lui[2].»

La décision prise par Montfaucon de réunir aux cinq premières homélies les six autres qui racontent les miracles du Christ se justifie donc pleinement : ces miracles sont des signes et les garants de sa mission. Les homélies I à V rendent vaine la prétention qu'avaient les Anoméens de connaître l'essence de Dieu ; les homélies VII à XII, en évoquant la vie terrestre du Fils de Dieu et ses œuvres, affirment la parfaite égalité du Père et du Fils.

Dieu inaccessible dans son essence, Dieu proche dans son Incarnation, tel est le paradoxe du Christianisme, tel est le mystère chrétien. Ces homélies en présentent les deux aspects complémentaires. Elles offrent aux lecteurs

1. *Sur le sacerdoce,* IV, 4, *SC* 272, p. 258, li. 69-71.
2. *Jn* 10, 38. Cf. *Jn* 10, 25.

l'occasion à la fois de mesurer les limites de l'intelligence humaine et de contempler le Christ fait homme, témoignage vivant de son abaissement et de son amour. D'où leur exceptionnelle richesse : elles sont « un trésor pour toujours, κτῆμα ἐς αἰεί[1] ».

1. THUCYDIDE, *Histoire de la guerre du Péloponnèse,* I, xxii, 4. Après avoir exposé la conception qu'il se fait de l'histoire, l'auteur emploie ces termes pour caractériser son œuvre.

HISTOIRE DU TEXTE

Si, au point de vue de l'histoire des doctrines, les homélies éditées dans ce volume ont entre elles un rapport certain, et un rapport non moins certain avec les homélies déjà éditées dans la collection *Sources chrétiennes*, elles sont loin d'avoir la même unité au point de vue de l'histoire du texte. On n'y trouve pas un ensemble cohérent analogue à celui que représentent les cinq premières homélies pour lesquelles l'histoire des éditions découle tout naturellement de l'histoire des manuscrits. En effet, qu'il s'agisse des recueils constitués dans l'Antiquité ou des premières éditions imprimées, les éditeurs ne semblent pas avoir pris conscience du lien qui existait entre nos homélies, ni de l'ordre dans lequel elles ont été prononcées. Pour cette raison, il a paru nécessaire de faire d'abord l'histoire des éditions, en précisant sur quel manuscrit elles reposent et ensuite seulement l'histoire de la tradition manuscrite. De plus, comme plusieurs de ces homélies ont connu dans les manuscrits eux-mêmes une vie indépendante, on trouvera, au lieu d'une étude globale, comme celle qui rendait compte de la tradition manuscrite pour l'ensemble des homélies I-V, une étude spéciale à propos de chaque homélie, où sont examinés les différents manuscrits sur lesquels repose le texte.

I. HISTOIRE DES ÉDITIONS

Les trois grands éditeurs des œuvres complètes de Jean Chrysostome sont, au XVIIe siècle, en France, Fronton du Duc (texte grec et traduction latine) et, en Angleterre, Henry Savile (texte grec) ; au XVIIIe siècle, en France, Bernard de Montfaucon (texte grec et traduction latine). En ce qui concerne les homélies contenues dans ce volume, l'enquête doit porter sur deux points : sur l'ordre dans lequel sont données les différentes homélies dans les différentes éditions et sur les sources auxquelles a puisé chaque éditeur. Les tableaux 1 et 2 (*infra*, p. 58 et 97) résument les résultats de cette enquête.

En 1609, Fronton du Duc publie le premier tome des œuvres de Jean Chrysostome. Ce tome contient les cinq premières homélies *Sur l'incompréhensibilité de Dieu* auxquelles s'ajoutent trois homélies dont les *incipit* sont Πάλιν ἱπποδρομίαι, Ἐκ πολέμου χθὲς, Μίαν ὑμῖν[1]. L'éditeur les présente ainsi : « Nous publions une nouvelle production de Chrysostome *(novum foetum)* ignorée à l'époque de nos pères et de nos ancêtres, mais qui n'est pas dépourvue du témoignage et de la faveur des saints Pères. » La preuve en est, ajoute-t-il, la présence de citations de ce texte dans l'*Éranistès* de Théodoret (*Dial.* II, *Inconfusus*) et dans la lutte contre l'hérésie monothélite[2] en 684. F. du Duc dit

1. Étant donné la diversité des formules pour désigner les homélies dans les mss et dans les catalogues, la seule manière d'éviter la confusion est de les indiquer par leur *incipit*. Voir sur ce point M. AUBINEAU, « Une enquête dans les manuscrits chrysostomiens : opportunité, difficultés, premier bilan », dans la *Revue d'Histoire ecclésiastique*, t. 63 (Louvain 1968), p. 5-26, et, sur les problèmes particuliers à nos homélies, A.-M. MALINGREY, « La tradition manuscrite des homélies de Jean Chrysostome ' De incomprehensibili ' », dans *Studia patristica* X, Berlin 1970 (*TU* 107), p. 22-28.

2. Sur les caractéristiques de cette hérésie voir *infra*, p. 154, n. 1.

avoir utilisé deux manuscrits, l'un appartenant à Jean du Tillet, évêque de Meaux, et l'autre un manuscrit sur papier du roi Henri II intitulé Μαργαρῖται[1]. Si le manuscrit appartenant à Jean du Tillet n'a pu être jusqu'ici identifié, on sait à coup sûr que le recueil des Μαργαρῖται est le *Parisinus gr.* qui porte actuellement à la Bibliothèque nationale de Paris le numéro 809[2].

Ces renseignements valent pour les homélies Πάλιν ἱπποδρομίαι et Ἐκ πολέμου χθὲς, qui occupent respectivement les ff. 169-178 et 178v-185v dans le *Parisinus gr. 809*. Que les deux homélies se suivent dans le manuscrit est conforme à l'ordre chronologique, puisqu'elles ont été prononcées à Antioche, la seconde le lendemain de la première. Mais il n'en va pas de même pour l'homélie Μίαν ὑμῖν qui les précède ff. 163v-168v. F. du Duc n'a pas manqué d'attirer l'attention sur cette place incongrue : « Dans le ms. en papier, du roi Henri II, qui porte le titre de Μαργαρῖται, cette homélie est placée sixième après l'homélie V *De incomprehensibili* ... Ce n'est pas, à mon avis, une question de temps, étant donné qu'elle a été prononcée dans l'autre ville [Constantinople] longtemps après, mais à cause de la ressemblance du sujet[3]. » La remarque, très juste, semble une explication valable à cette erreur chronologique. L'éditeur a attribué aux homélies I-V les numéros XXVI à XXX[4], puis les numéros XXXII et XXXIII aux homélies Πάλιν ἱπποδρομίαι et Ἐκ πολέμου χθὲς. Quant à l'homélie Μίαν ὑμῖν, elle apparaît plus loin sous le numéro

1. Fronton du Duc, *Sancti Patris nostri Joannis Chrysostomi opera*, t. I, *Notae*, p. 80, col. 2. Ces notes se trouvent après la page 940 où commence une nouvelle pagination qui va de 1 à 132.

2. Ce ms. a pu être identifié grâce aux recherches de Charles Astruc, conservateur en chef honoraire au département des mss à la Bibliothèque nationale de Paris. Je lui adresse ici mes vifs remerciements.

3. Fronton du Duc, *Opera* ..., t. I, *Notae*, p. 121, col. 2.

4. Sous le numéro XXXI, Fronton du Duc a édité l'homélie *Sur le bienheureux Philogone* qui, de fait, a été prononcée entre les homélies XXX et XXXII.

LIX. Les homélies Σήμερον, Ἱκανῶς et Εὐλογητὸς se trouvent dispersées dans le tome V paru en 1616 et dans lequel F. du Duc n'a fait que reproduire l'édition Savile, sans commentaire.

En 1612, trois ans après F. du Duc, Savile donne, en une seule fois, l'édition complète des œuvres de Jean Chrysostome[1]. En jetant un coup d'œil sur le tableau, p. 58, on peut constater l'ordre aberrant où sont éditées nos homélies. Si le bloc des cinq premières demeure stable[2], on voit apparaître l'homélie Ἐκ πολέμου dans le t. V, p. 202-213 portant le numéro XXXIII, tandis que les homélies Πάλιν ἱπποδρομίαι et Μίαν ὑμῖν se trouvent au tome VI, p. 425-434 et 434-439 portant les numéros XXXV et XXXVI. Cet ordre est inacceptable dans une édition complète où trois homélies s'ajoutent aux huit déjà éditées par F. du Duc. On lit la première de ces trois «nouvelles», Σήμερον ἐκ νεκρῶν, dans le t. V, p. 271-274, portant le numéro XLI, la seconde, Ἱκανῶς, dans le tome VI, p. 714-722, portant le numéro LXX. Ces homélies ont été prononcées à Antioche, tandis que la troisième, prononcée à Constantinople, Εὐλογητὸς ὁ θεός, ramène au t. V, p. 264-271, portant le numéro XL. On ne peut que s'étonner de ces incohérences de la part d'un savant aussi averti que Savile. Mais elles s'expliquent, si l'on considère l'énorme labeur que représentait, à cette époque, l'édition complète des œuvres de Jean Chrysostome.

Quoi qu'il en soit, Savile a été un éditeur consciencieux et il a indiqué, à propos de chaque homélie, le ou les manuscrits dont il s'est servi, sans donner toutefois les précisions qu'on souhaiterait. Parlant des homélies Πάλιν ἱπποδρομίαι et Μίαν ὑμῖν qu'il a indûment réunies, il cite ses sources : «Nous les donnons d'après deux manuscrits de New College, à Oxford, que nous avons cités plus haut et

1. H. Savile, *S. Joannis Chrysostomi opera, graece*, Eton 1612.
2. T. VI, n. XXX-XXXIV, p. 389-425.

nous avons utilisé aussi l'édition de F. du Duc[1].» Les manuscrits en question sont les *New College 79* et *81*, déjà employés pour les homélies I-V et qui figurent à ce titre dans la table de l'édition de *SC*[2].

Pour l'homélie Ἐκ πολέμου, Savile indique, sans référence, un *Palatinus* qu'il a complété «par un autre» et un ms. de New College[3]. Les mss en question sont le *Vat. Pal. gr. 577* et le *Vat. gr. 1526* auxquels il faut ajouter le *New College 81*.

Pour l'homélie Σήμερον ἐκ νεκρῶν, il cite, sans autre précision, «un manuscrit de la bibliothèque royale de Paris[4]». Quatre mss parisiens peuvent être mis en cause, les *Parisini gr. 766, 771, 897* et *1196*. Une collation détaillée amène à penser qu'il s'agit probablement du *Parisinus gr. 897*. Savile dit l'avoir complété par un ms. de Munich qui, d'après ses variantes, est certainement le *Monacensis gr. 524*.

Pour l'homélie Ἱκανῶς, dont la tradition manuscrite est particulièrement pauvre, l'éditeur a trouvé un témoin à Munich[5]. Le seul ms. qui contienne le texte dans ce fonds est le *Monacensis gr. 352*.

Pour l'homélie Εὐλογητὸς, Savile dit l'avoir publiée d'après une édition parue à Rome en 1581[6] et avoir amélioré le texte par un ms. de New College[7]. C'est le *New College gr. 82*.

On voit que pour chaque homélie, à part celles dont les *incipit* sont Πάλιν ἱπποδρομίαι et Ἐκ πολέμου, le nombre des manuscrits était relativement restreint.

1. Savile, t. VIII, *Notae*, col. 802.
2. *Sur l'incompréhensibilité de Dieu, SC* 28 *bis*, p. 66-67.
3. T. VIII, *Notae*, col. 726.
4. *Ibid.*, col. 728.
5. *Ibid.*, col. 814.
6. Voir Chr. Baur, *Jean Chrysostome et ses œuvres dans l'histoire littéraire*, Louvain-Paris 1907, où cette édition est répertoriée p. 98, sous le numéro 68.
7. Savile, *Opera...*, t. VIII, *Notae*, col. 728.

Les sources auxquelles Savile a puisé, si limitées qu'elles fussent, étaient-elles susceptibles de lui fournir un texte satisfaisant? Seule la collation des manuscrits permettra de le dire.

C'est en 1718 que Montfaucon a fait paraître le premier tome de son édition monumentale contenant les œuvres complètes de Jean Chrysostome[1]. Les homélies qui nous intéressent se trouvent dans ce tome. A première vue, le grand nombre des manuscrits que l'éditeur dit avoir consultés fait attendre un progrès dans l'établissement du texte. Montfaucon indique d'abord ses sources pour le groupe des cinq premières homélies[2]. Puis il indique les mss utilisés pour les homélies Πάλιν ἱπποδρομίαι et Ἐκ πολέμου séparément et pour chaque homélie, ce qui forme un total de treize manuscrits. Mais ce nombre imposant doit être examiné de près. D'abord parce que, parmi les manuscrits indiqués, quatre seulement sont valables pour Πάλιν ἱπποδρ. et Ἐκ πολέμου[3]. D'autres, ne contenant que les homélies I-VI, ne sont valables que pour l'homélie XI (ϛ' cod.) Μιάν ὑμῖν[4] et non pour VII et VIII. Montfaucon a donc consulté six nouveaux manuscrits pour les homélies VII et VIII et deux nouveaux pour l'homélie XI[5]. Mais leur collation a prouvé qu'ils n'apportent rien de neuf et suivent l'ensemble de la tradition manuscrite. A propos de l'homélie XI, il se range à l'avis de F. du Duc au sujet de

1. Bernard DE MONTFAUCON, *Sancti Patris nostri Joannis Chrysostomi opera omnia*, t. I, Paris 1718.

2. La tradition manuscrite de ces homélies est étudiée dans le vol. 28*bis* de *SC*, p. 65-83.

3. Ce sont les *Parisini gr. 806, 813, 607, 812*. Ils ne doivent pas figurer deux fois dans le nombre total des mss. Nous indiquons les mss de Montfaucon selon le numéro qu'ils portent actuellement dans le catalogue de la Bibliothèque nationale de Paris, mais dans l'ordre où Montfaucon les a donnés.

4. Ce sont les *Paris. gr. 1014, Coislin 61*[1] et *Paris. gr. 660*.

5. Pour les homélies VII et VIII, ce sont les mss *806, 802, 813, 803, 607* et *812*. Pour l'homélie XI, ce sont les *Paris. gr. 689* et *656*.

l'addition ἐν τῇ καινῇ ἐκκλησίᾳ qu'il suppose avoir été ajoutée par les éditeurs anciens[1].

Quant aux trois homélies nouvellement éditées par Savile sous les numéros XLI, LXX et XL, les informations de Montfaucon sont étrangement limitées. Pour éditer l'homélie Σήμερον (IX), il s'est borné à deux manuscrits dont l'un est gravement mutilé[2]. De plus, la référence aux *Parisini gr. 1505* et *1447* ne vaut que pour l'homélie Σήμερον (IX), car la tradition de l'homélie Ἱκανῶς (X) est tout à fait différente de celle de la précédente. Comme Montfaucon n'indique aucun nouveau manuscrit, on doit supposer qu'il a simplement repris le texte de Savile, lequel est basé sur le *Monacensis gr. 352*. Pour l'homélie Εὐλογητὸς (XII), l'éditeur indique un seul manuscrit. C'est le *Paris. gr. 772*. Son texte est donc en grande partie tributaire de celui de Savile. Lorsque nous commentons une leçon donnée par cet éditeur, nous sous-entendons qu'elle a été reprise par Montfaucon.

S'il faut préciser l'apport de chacun à l'édition de nos homélies, on constatera d'abord que Fronton du Duc a été un précurseur en éditant, dès 1602, un recueil de soixante-dix-sept homélies[3], parmi lesquelles se trouvent les cinq premières de la collection *Contre les Anoméens*. Il les a rééditées en 1609 et il a ajouté trois homélies encore inédites : Πάλιν ἱπποδρομίαι (VII), Ἐκ πολέμου χθὲς (VIII), Μίαν ὑμῖν (XI). Mais il ne faut pas oublier que les trois homélies qui figurent à la suite sous son nom dans le tableau (IX, X et XII) ne sont que la reproduction de l'édition Savile.

Savile a été, en effet, un pionnier dans l'édition de l'en-

1. *Opera omnia*, t. I, *Monitum*, p. 540.

2. Ce sont les mss *1505, des. mut.* li. 129 παραδοξό]τερον et *1447*. On doit signaler ici une faute d'impression du catalogue d'Omont. Le numéro indiqué par Montfaucon est bien 2447, mais le numéro actuel est 1447 et non 1177.

3. Voir C. Sommervogel, *Bibliothèque de la Compagnie de Jésus*, Paris 1890, III, 236, n° 11.

Éditions des homélies VII-XII

Fronton du Duc	Savile	Montfaucon
Tome I (1609)	*Tome VI* (1612)	*Tome I* (1718)
Πάλιν ἱπποδρομίαι XXXII	Πάλιν ἱπποδρομίαι XXXV	Πάλιν ἱπποδρομίαι VII
p. 404-420	p. 425-434	p. 501-513
Notae p. 80, col. 2	Notae t. VIII, col. 802	Monitum p. 492
	Tome V	
Ἐκ πολέμου χθὲς XXXIII	Ἐκ πολέμου χθὲς XXXIII	Ἐκ πολέμου χθὲς VIII
p. 420-432	p. 206-213	p. 513-523
Notae p. 82, col. 1	Notae t. VIII, col. 726	Monitum p. 523-524
	Tome VI	
Μίαν ὑμῖν LIX	Μίαν ὑμῖν XXXVI	Σήμερον ἐκ νεκρῶν IX
p. 787-795	p. 434-439	p. 525-529
Notae p. 121, col. 2	Notae t. VIII, col. 802	Monitum p. 523-524
Tome V (1616)	*Tome V*	
Σήμερον ἐκ νεκρῶν XI	Σήμερον ἐκ νεκρῶν XLI	Ἱκανῶς ἐν ταῖς X
p. 160-166	p. 271-274	p. 529-540
Notae : néant	Notae t. VIII, col. 728	Monitum p. 523-524
	tome VI	
Ἱκανῶς ἐν ταῖς LI	Ἱκανῶς ἐν ταῖς LXX	Μίαν ὑμῖν XI
p. 687-701	p. 714-722	p. 541-547
Notae : néant	Notae t. VIII, col. 814	Monitum p. 540
	Tome V	
Εὐλογητὸς ὁ Θεός VII	Εὐλογητὸς ὁ Θεός XL	Εὐλογητὸς ὁ Θεός XII
p. 111-124	p. 264-271	p. 547-558
Notae : néant	Notae t. VIII, col. 728	Monitum p. 540

semble de l'œuvre de Jean Chrysostome[1]. Malgré l'incohérence de son classement, il garde le mérite d'avoir été le premier éditeur de trois homélies nouvelles Σήμερον (IX), Ἱκανῶς (X), Εὐλογητὸς (XII). Si les manuscrits qu'il a utilisés étaient relativement peu nombreux (voir tableau, p. 58), il avait du moins eu soin de les emprunter non seulement à Oxford, mais à des fonds étrangers : Paris, Rome, Munich.

Ce n'est pas le cas de Montfaucon qui s'est limité au fonds parisien. De plus, il reconnaît loyalement qu'il a profité du travail de ses devanciers. La valeur de sa contribution ne réside pas dans l'étendue de son enquête. Elle réside essentiellement — et on ne saurait assez le souligner — dans la réunion des onze homélies en un tout organisé, selon une chronologie conforme à l'histoire. Il a élevé ainsi un monument équilibré et harmonieux à la gloire de Jean Chrysostome[2].

II. TRADITION MANUSCRITE

La table des manuscrits dressée dans le volume 28 *bis* fait apparaître qu'une partie de nos homélies se trouvent groupées tantôt de I à VI, tantôt de I à VII, tantôt de I à VIII[3]. La situation de l'homélie XI est à envisager à part. Si elle a des liens indéniables avec les homélies I-V et avec les homélies VII et VIII, elle n'en a pas moins un statut particulier[4]. On remarquera que les homélies IX, X et XII

1. Je tiens à rectifier ici une erreur que j'ai commise dans *Studia Patristica* X, p. 24, n. 1. En effet F. du Duc et Savile ont bien édité les onze homélies, contrairement à ce qu'une lecture trop rapide m'avait fait imprimer, mais ils les ont éditées en ordre dispersé.

2. L'édition de Montfaucon a été reprise par les Bénédictins avec la mention «Editio parisina altera emendata et aucta», chez Gaume, Paris 1839. J. Bareille a ajouté au texte grec une traduction française, 20 volumes, Paris 1865-1873.

3. Désormais, ces homélies sont désignées par les numéros qu'elles portent dans Montfaucon.

4. En effet, les mss présentent cette homélie comme la sixième

n'apparaissent pas dans cette table. Leur tradition est à chercher ailleurs.

Il a donc paru de bonne méthode de dresser la table des mss contenant les homélies VII et VIII et d'étudier la tradition manuscrite qui leur est commune. Quant aux homélies IX, X, XI et XII, une liste et une étude des mss sont données pour chacune d'elles, puisque, du point de vue de l'établissement du texte, elles n'ont pas de rapports entre elles[1].

Homélies VII et VIII (*CPG* 4320 et 4321)

1. — Table des manuscrits

Tous les mss cités dans le volume 28 *bis* ne sont pas utilisables pour l'édition des homélies VII et VIII, parce que certains d'entre eux ne donnent pas la collection complète de I à VIII. Il va de soi que seuls ceux qui possèdent les homélies VII et VIII, ou l'une des deux figurent dans la liste suivante[2].

venant après le groupe I-V et l'affectent de la lettre-chiffre ϛ'. Or, les premières paroles du prédicateur prouvent à l'évidence qu'elle a été prononcée par Jean à Constantinople dès son arrivée dans la capitale de l'Empire : «Je ne vous ai adressé la parole qu'un seul jour et, depuis ce jour, je vous ai aimés comme si j'avais vécu au milieu de vous dès mon enfance» (Hom. XI, li. 1-2). On ne peut être plus clair et la question se trouve ainsi réglée par l'auteur lui-même. Pour un essai d'explication sur la place erronée de cette homélie dans les mss, voir A.-M. Malingrey, «La tradition manuscrite des homélies de Jean Chrysostome 'De incomprehensibili'», dans *Studia patristica* X, p. 26-27.

1. Cependant on trouve les homélies VII et VIII accompagnées de l'homélie X dans le *Matritensis 4747*, de l'homélie XII dans le *Casatanensis 1396* et des homélies XI et XII dans l'*Oxoniensis Bodleianus Auct. T.3.4.* Mais ce sont des mss tardifs et composites dans lesquels on ne distingue pas de critère de groupement pour les textes rassemblés.

2. Pour garder entre les deux volumes une certaine continuité, les sigles utilisés dans le présent volume pour les homélies VII, VIII et XI sont les mêmes que ceux qui ont été utilisés pour les homélies I-V.

1.	I	Monacensis gr. 190, VII	xe s.
2.	Ξ	Mosquensis Bibl. syn. 232 (Vlad. 165), I-VIII	
3.	K	Oxoniensis Barocci 55, VIII	
4.	L	Oxoniensis Cromwell 20, I-VIII	
5.	Y	Oxoniensis New College 81, I-VIII	
6.	M	Parisinus gr. 607 (anc. Colb. 699), I-VIII	
7.	N	Parisinus Coislin. 246 (anc. 361), I-VII	
8.	O	Vaticanus gr. 577, I-VIII	
9.	V	Vaticanus gr. 1526, I-VIII	
10.	R	Atheniensis Bibl. nat. 414, I-VIII	
11.	Q	Hierosolymitanus Bibl. Patr. S. Sabae 36, I-VIII[1]	xe-xie s.
12.	W	Vaticanus Palatinus gr. 72, I-VIII	
13.		Ambrosianus A 135 inf. (gr. 806), I-VIII	xie s.
14.		Angelicus gr. 110, I-VIII	
15.		Atheniensis Bibl. nat. 450, I-VIII	
16.		Athous Kausokal. 1, I-VIII	
17.		Berolinensis gr. 4o 91 (Tübingen), I-VIII	
18.	S	Hierosolymitanus Bibl. Patr. S. Sabae 4, I-VIII	
19.		Laurentianus Plut. VIII, 10, I-VIII	
20.		Laurentianus Plut. XI, 9, I-VIII	
21.		Marcianus gr. 105, V, VII et VIII	
22.		Marcianus gr. 106, I-VIII	
23.		Marcianus gr. 107, I-VIII[2]	
24.		Messanensis S. Salvatore 6, I-VIII	
25.		Monacensis gr. 354, I-VII[3]	
26.		Oxoniensis Canonici gr. 76, I-VIII	
27.		Oxoniensis New College 79, I-VIII	
28.	P	Parisinus gr. 581, I-VIII	

1. Corriger l'erreur du vol. 28 *bis*, p. 67, qui indique I-IV.

2. Sur ces mss, voir A.-M. MALINGREY, « Les *Marciani gr. 105, 106, 107* dans la tradition manuscrite des homélies *Sur l'incompréhensibilité de Dieu* », dans *Miscellanea Marciana di Studi Bessarionei* (Mediaevo e Umanesimo 24), Padoue 1976, p. 233-238.

3. Corriger l'erreur de 28 *bis*, p. 67, qui indique I-V.

29. Parisinus gr. 800, I-V des. mut., VII inc. mut., VIII, X
30. Parisinus gr. 802, I-VIII
31. Parisinus gr. 803, I-VIII
32. Parisinus gr. 804, I-VIII
33. Parisinus gr. 805, I-VIII
34. Parisinus gr. 812, I-VIII
35. Parisinus gr. 813, I-VIII
36. Parisinus Coislin. 61[1], I-VII
37. Sinaïticus gr. 379, I-VIII
38. Vaticanus gr. 379, I-VIII
39. Vaticanus gr. 575, I-VIII
40. Vaticanus gr. 576, I-VIII
41. Vaticanus gr. 870, I-VIII
42. Vaticanus Palatinus gr. 15, I-VIII
43. Vindobonensis Theol. gr. 26, I-VIII
44. Vindobonensis Suppl. gr. 165, I-VIII
45. Atheniensis Mus. byz. 150, I-VIII — XIe-XIIe s.
46. Atheniensis Bibl. nat. 265, I-VIII[1]
47. Messanensis S. Salv. gr. 72, I-VIII
48. Vaticanus Ottobonianus gr. 13, I-VIII
49. Ambrosianus C 183 inf. gr. 876, I-VIII — XIIe s.
50. Athous Lavra Γ 65, I-VIII
51. Lesbiensis Leimon 23, II, IV, V, VIII
52. Marcianus App. 568, I-VIII
53. Parisinus gr 765, I-VIII
54. Parisinus gr. 806, I-VIII
55. Patmiacus 170, I-VIII
56. Scorialensis Ω. II. 2 (gr. 519), I-VIII
57. Taurinensis B. III, 38 (Pasinus gr. 145), I-VIII
58. Constantinopolitanus Bibl. Patr. S. Trin. 130, I-VIII — XIIIe s.

1. L'inventaire de l'*Atheniensis 265* a été fait par E. Nowack et E. Zizicas qui datent ce ms. des XIe et XIIe s. C'est par erreur qu'il est donné, dans le volume 28 *bis*, comme étant du Xe s.

59.	Athous Vatopedi 336, I-VII	XIVe s.
60.	Vaticanus gr. 536, I-VIII	
61.	Mutinensis Bibl. Estense gr. 70, I-VIII	
62.	Neapolitanus II. A. 30, I-VIII	
63.	Athous Koutloum. 107, I-VIII	XVIe s.
64.	Casatanensis 1396, VII, VIII, XII	
65.	Matritensis 4747 (Andrès 196), VII, VIII, X	
66.	Oxoniensis Barocci 189, I-VII	
67.	Parisinus gr. 809, I-VIII	
68.	Scorialensis gr. Ω II. 16 (gr. 533), I-VIII	
69.	Vaticanus gr. 1781, I-VIII	
70.	Vaticanus gr. 2345, I-VIII	
71.	Vaticanus gr. 2359, I-VIII	
72.	Oxoniensis Bodleianus Auct. E.3.13, I-VII	
73.	Oxoniensis Bodleianus Auct. E.3.15, VIII	
74.	Oxoniensis Bodleianus Auct. E.3.4, VII, VIII, X, XII	

2. — **Classement des manuscrits**

A. *Caractéristiques extérieures*

Dans les homélies I-V, l'étude des caractéristiques extérieures avait permis d'orienter les recherches avant l'étude du contenu des mss[1]. Il n'en va pas de même pour les homélies VII et VIII. Leurs notices d'en-tête n'offrent pas de variantes caractéristiques. Toutefois, dans la notice d'en-tête de l'homélie VIII, on trouve un groupe KRP qui se forme par l'omission de καὶ εἰς τὴν αἴτησιν et de τῶν υἱῶν Ζεϐεδαίου (l. 2). De plus, on doit remarquer le texte exceptionnellement développé de K. Quant aux doxologies, elles n'offrent en K et P qu'une addition qui puisse les apparenter : τῷ πάντων οἰκτίρμονι Θεῷ. Mais ce sont là des indices insuffisants pour opérer dès l'abord un classement.

1. Voir A.-M. Malingrey, « Un essai de classement dans la tradition manuscrite des homélies de Jean Chrysostome ' De incomprehensibili ' », dans *Traditio*, vol. 25, 1969, p. 339-353.

B. *Étude du texte*

Contrairement aux homélies I-V éditées dans le nº 28 *bis*, le texte des homélies VII et VIII, qui cependant fait partie de la collection dans certains mss, ne fournit que peu d'éléments de classement en ce qui concerne les additions, les omissions, les alternances. A peine peut-on signaler quelques additions en VII, 232, en VIII, 105 ; quelques alternances en VII 382, en VIII, 321 qui suggèrent la parenté de ΞMYS ; quelques omissions en VII, 103, 187 qui suggèrent la parenté de VRP.

Les variantes fournissent-elles plus d'indications ? L'examen de l'apparat critique n'est pas moins décevant sur ce point, car il ne permet guère de former des groupes stables où s'affirmerait une parenté évidente.

Toutefois, la parenté de MΞS ou de MYOΞS apparaît en :

VII, 298	φαίνεται : ἐμφαίνεται	MYOΞS
314	πλείους : πλείονας	MΞS
442	σφόδρα : σφοδρῶς	MYOΞS
VIII, 309	αἰτοῦσι : αἰτοῦνται	ΞYS
339	βαπτίζομαι βαπτισθῆναι : μέλλω βαπτίσασθαι	ΞMYS

La parenté de IRP ou de IVRP apparaît en :

VII, 30	οὐρανοῖς : τοῖς οὐρανοῖς	IRP
41	ἰθύνουσι : εὐθύνουσι	IVRP
88-89	δισχυρίζεσθαι : ἰσχυρίζεσθαι	IVRP

La parenté de KORQP apparaît en :

VIII, 50	ἐμφαίνουσαι : ἐμφαίνουσιν	KRQP
84	ἀπὸ	KORQP
264	πλανώμενοι : πλαττόμενοι	KRP
279	ὁμολογίαν ὁμολογῶν	KRQP
310	αἴτησιν] + ἵνα (... ἀξιῶσιν)	ORQP

3. — **Choix des manuscrits pour l'établissement de l'apparat critique**

Les manuscrits collationnés ont été pris parmi les plus anciens, mais le choix a été limité soit, comme on l'a vu, par le contenu des textes eux-mêmes, soit pour les raisons qui avaient déjà fait éliminer certains d'entre eux[1]. En revanche, le texte de M, qui pour les homélies I-V s'était révélé très lacuneux, est parfaitement utilisable pour les homélies VII et VIII. De même, le ms. R qui est déparé par une longue lacune dans les homélies IV et V.

Pour l'homélie VII, la famille α est constituée par les mss MYOΞQS dont on a vu ci-dessus les indices de parenté.

Pour l'homélie VIII, la famille α est constituée par VΞMYS.

Pour l'homélie VII, les mss de la famille β sont moins nombreux que ceux de la famille α. Devant cette pénurie, on a dû faire appel à de nouveaux mss.

C'est ainsi que le *Monacensis gr. 180* (I) a été utilisé pour établir l'apparat de l'homélie VII. Il est du xe s. J'y ai joint le *Paris. gr. 581* (P), qui a l'avantage d'offrir les homélies VII, VIII et XI. Pour l'homélie VII, la famille β est donc constituée par les mss IVRP.

Pour l'homélie VIII, voir plus loin p. 68.

Dans les rapprochements faits ci-dessus pour montrer la parenté des mss MYΞS qui appartiennent à la famille α, on a pu remarquer la présence de O, alors que dans l'homélie VIII ce ms. se classe dans la famille β. De même les variantes fournies par le ms. Q invitent à le classer pour l'homélie VIII dans la famille β, alors que pour l'homélie VII il se classe dans la famille α.

1. Par exemple N et W ainsi que X ne contiennent que les homélies I-V.

Quant au ms. V, il offre de nombreuses variantes originales qui sont données dans l'apparat. La conclusion d'ensemble qu'on peut en tirer est qu'il s'agit d'un ms. correcteur dont les variantes ne doivent être retenues que si elles sont appuyées par les témoins d'autres traditions.

4. — Description des manuscrits utilisés dans l'apparat critique

Homélie VII

1. *Paris. gr. 607* : **M**, Paris Bibl. nat., xe s., parch. 240 × 280 mm, 129 ff., 2 col. (Colbert 629).
ff. 49-88 *De incomprehensibili Dei natura* homiliae I-V
ff. 88-95 Μίαν ὑμῖν
ff. 95^v-109 Πάλιν ἱπποδρομίαι
ff. 109^v-120 Χθὲς ἐκ πολέμου [1]
Voir H. Omont, *Inventaire sommaire des manuscrits de la Bibliothèque nationale*, 1re partie, Ancien fonds grec, Paris 1886, p. 105.

2. *Oxoniensis New College 81* : **Y**, Oxford, New College, xe s. ex., parch., 270 × 210 mm, 368 ff., 30 li.
ff. 237-285^v *De incomprehensibili*... homiliae I-V
ff. 285^v-292 Μίαν ὑμῖν
ff. 292-304^v Πάλιν ἱπποδρομίαι
ff. 304^v-313 Ἐκ πολέμου χθὲς
Voir M. Aubineau, *CCG* I, p. 99-100.

1. Le texte qui suit parfois dans les mss (par exemple *Paris. gr. 607, Mosquensis 232; S. Sabas 36, Paris. gr. 581, Vat. gr. 1526*) a pour *incipit* Ἰατρῶν μὲν παῖδες que le catalogue d'Omont donne comme neuvième homélie *De incomprehensibili*. Ce classement est doublement erroné. D'abord parce que Jean a écrit le texte en question au temps de son exil (404-407), et c'est même le dernier que nous ayons de lui (voir l'édition de Ἰατρῶν μὲν portant le titre *Sur la providence de Dieu, SC* 79, 1961) ; ensuite parce que, dans les années 386-387, Jean n'a pas cessé de combattre l'hérésie anoméenne, ce que Montfaucon a bien vu en plaçant comme neuvième homélie celle dont l'*incipit* est Σήμερον ἐκ νεκρῶν, car elle est étroitement liée dans le temps et par le sujet à l'ensemble des huit premières homélies *De Incomprehensibili*.

3. *Vaticanus gr. 577* : **O**, Bibl. vat., xe s., parch., 318 × 270 mm, III-307 ff., 2 col., 32 li.
ff. 76-123 *De incomprehensibili* ... homiliae I-V
ff. 123-129 Μίαν ὑμῖν
ff. 130-142^{v} Πάλιν ἱπποδρομίαι
ff. 142-151 Ἐκ πολέμου χθὲς
Voir R. Devreesse, *Codices Vaticani graeci*, Rome 1937, vol. II, p. 484-485.

4. *Mosquensis 232* (Vladimir 165) : **Ξ**, Moscou, Musée historique, Bibliothèque synodale, xe s., parch. 320 × 270 mm, 271 ff., 2 col., 32 li.
ff. 1-39 *De incomprehensibili* ... homiliae I-V
ff. 39-44 Μίαν ὑμῖν
ff. 44-53^{v} Πάλιν ἱπποδρομίαι
ff. 53^{v}-67 Ἐκ πολέμου χθὲς
Voir Archimandrite Vladimir, *Catalogue des manuscrits de la Bibliothèque synodale* [en russe], tome I, Moscou 1894, p. 178-179, et G. Astruc-Morize, notice manuscrite à l'IRHT.

5. *Hierosolymitanus S. Sabae 36* : **Q**, Jérusalem, Bibl. du Patriarcat, x^{e}-xie s., parch., 342 × 263 mm, 390 ff., pleine page, 36 li.
ff. 200-250 *De incomprehensibili* ... homiliae I-V
ff. 250-257 Μίαν ὑμῖν
ff. 257-269^{v} Πάλιν ἱπποδρομίαι
ff. 270-279^{v} Ἐκ πολέμου χθὲς
Voir A. Papadopoulos-Kerameus, *Catalogue des mss grecs de la Bibliothèque du Patriarcat de Jérusalem*, t. II, St Pétersbourg 1894 [en grec], réimpression anastatique Bruxelles 1963, p. 12-18.

6. *Hierosolymitanus S. Sabae 4* : **S**, Jérusalem, Bibliothèque du Patriarcat, xie s., parch., 305 × 185 mm, 299 ff., 2 col., 35 li.
ff. 54-90 *De incomprehensibili* ... homiliae I-V
ff. 90-95 Μίαν ὑμῖν
ff. 96-103^{v} Πάλιν ἱπποδρομίαι
ff. 104-110^{v} Ἐκ πολέμου χθὲς
Voir A. Papadopoulos-Kerameus, *op. cit.*, t. II, p. 12-18.

7. *Monacensis gr. 190* : **I**, Munich, Bayerische Staatsbibliothek, xe s., parch., 305 × 225 mm, 283 ff., 2 col., 30 li.
...
ff. 234^{v}-248 Πάλιν ἱπποδρομίαι
...
Voir R. E. Carter, *CCG* II, p. 55-56.

8. *Vaticanus gr. 1526* : **V**, Bibl. vat., xe s., parch., 225 × 163 mm, I-294 ff., 2 col., 35 li.
ff. 54-90 *De incomprehensibili* ... homiliae I-V

ff. 90-95 Μίαν ὑμῖν
ff. 95-104 Πάλιν ἱπποδρομίαι
ff. 104-111 Ἐκ πολέμου χθὲς
Voir C. Gianelli, *Codices vaticani graeci*, Cité du Vatican 1950, p. 82-84.

9. *Atheniensis 414* : **R**, Athènes, Bibl. nat., xe s., parch., 360 × 270 mm, 322 ff., 2 col., 32 li.
ff. 66-105 *De incomprehensibili* ... homiliae I-V
ff. 105-110 Μίαν ὑμῖν
ff. 110^v^-120 Πάλιν ἱπποδρομίαι
ff. 120^v^-127^v^ Ἐκ πολέμου χθὲς
Voir J. et A. Sakkelion, *Catalogue des manuscrits de la Bibliothèque nationale de Grèce* [en grec], Athènes 1892, p. 72-73, et E. Zizicas, notice manuscrite à l'IRHT.

10. *Parisinus gr. 581* : **P**, Paris, Bibl. nat., XIe s., parch., 240 × 340 mm, 256 ff., 2 col., 32 li (Colbert 418).
ff. 140-182 *De incomprehensibili* ... homiliae I-V
ff. 182^v^-189 Μίαν ὑμῖν
ff. 189^v^-201 Πάλιν ἱπποδρομίαι
ff. 201^v^-211 Ἐκ πολέμου χθὲς
Voir H. Omont, *op. cit.*, t. I, p. 96.

Homélie VIII (*CPG* 4321)

Dans la tradition manuscrite, l'homélie VIII se trouve à la suite de l'homélie VII. L'apparat critique est donc établi au moyen des mêmes manuscrits que ceux dont on vient de lire l'analyse, mais en y ajoutant l'*Oxoniensis Bodleian Library, Barocci 55* (K). Celui-ci offre une particularité analogue à celle du *Monacensis 190* (I) utilisé dans l'homélie VII : l'hom. VII ou l'hom. VIII est isolée au milieu de textes qui n'ont aucun rapport avec elle.

Les variantes des mss amènent à grouper ceux-ci de façons différentes. D'où la nécessité d'un stemma spécial pour chacune de ces deux homélies.

Oxoniensis Barocci 55 : **K**, Oxford, Bodleian Library, xe s., parch., 210 × 140 mm, 366 ff., 28 li.
...
ff. 161^v^-173 Ἐκ πολέμου χθὲς
...
Voir M. Aubineau, *CCG* I, p. 170-172.

On obtient ainsi, pour chacune des homélies VII et VIII, un ensemble de dix manuscrits suffisant pour établir un apparat critique.

Homélie IX

Le personnage de Lazare, central dans cette homélie, a été maintes fois évoqué par Jean dans sa prédication, et c'est la raison pour laquelle les différentes homélies où il en parle peuvent prêter à confusion, sans compter que le même thème a été repris par différents prédicateurs[1] et que les attributions dans les catalogues sont souvent erronées.

1. — Table des manuscrits

Voici la liste des manuscrits où se trouve l'homélie *In quatriduanum Lazarum* de Jean Chrysostome :

1.	A[2]	Paris. gr. 766	IXe s.
2.	B	Oxoniensis Barocci 199	
3.	C	Vaticanus Ottobonianus gr. 14	Xe-XIe s.

1. En voici quelques exemples : Amphiloque d'Iconium, *Oratio in Lazarum* (*BHG* 2219), éd. C. Datema, *Amphilochii opera*, p. 87-89 ; André de Crète, *In Lazarum hom.* (*CPG* 8177), *PG* 97, 960-985 ; Basile de Séleucie, *In Lazarum hom.* (*BHG* 225), éd. M. B. Cunningham, *Basil of Seleucia's homily on Lazarum*, a new edition, dans *AB* 104 (1966), p. 151-184 ; Hésychius de Jérusalem (*CPG* 6575 et 6576), éd. M. Aubineau, *Hésychius* I, p. 402-427 et 428-447 ; Léonce d'Arabissos, *In creationem et Lazarum* (*BHG* 2219 u), inédit ; Léonce de Constantinople, *Homilia in Lazarum* (*CPG* 7893), éd. C. Datema et P. Allen (*Corpus christianorum series graeca* 17), 1987, p. 85-101 ; Pseudo-Chrysostome, *In Lazarum hom.* (*CPG* 4680 et 4681), *PG* 62, 771-776 et 775-778. Ces derniers textes sont classés parmi les *Spuria*. Pour permettre une comparaison qui serait sans doute fructueuse, ces homélies sont signalées ici parce qu'elles se trouvent dans les mêmes mss que l'homélie IX de Chrysostome.

2. Pour les homélies IX, X et XII, j'ai utilisé des sigles qui n'ont aucun rapport avec ceux qui ont été employés pour désigner les mss des homélies VII, VIII et XI. Leur tradition manuscrite tout à fait différente m'y autorisait.

4.	D	Ambrosianus C 95 sup. (gr. 193)	XIe-XIIe s.
5.	E	Parisinus gr. 1447	
6.	F	Parisinus gr. 1196	
7.		Atheniensis 1027 incip. mut.	XIIe s.
8.		Parisinus suppl. gr. 1002, incip. mut.	XIIIe s.
9.		Parisinus gr. 1505, des. imperf.	
10.	G	Parisinus gr. 771	XIIIe-XIVe s.
11.		Atheniensis 264	XIVe s.
12.		Atheniensis 278[1]	
13.	H	Monacensis gr. 524	
14.	I	Sinaïticus gr. 380	
15.	J	Parisinus gr. 816	
16.		Ambrosianus B 115 sup. (Gr. 136)	XIVe-XVe s.
17.		Oxoniensis Holkham gr. 27	
18.		Londinensis Br. Mus. Arundel 517	XVe s.
19.		Monacensis gr. 533 des. imperf.	
20.	K	Parisinus gr. 897	
21.		Oxoniensis Bodl. Cromwell 10	XVe-XVIe s.
22.		Atheniensis 327	XVIe s.
23.		Parisinus gr. 1190 copié en 1568	
24.		Vaticanus Ottobonianus gr. 309	
25.		Oxoniensis Bod. Auct. E.3.16 (exemplaire de Savile)	XVIIe s.

2. — **Les versions anciennes**

A ces témoins du texte grec, il faut ajouter une traduction en arménien, une en slavon et une en arabe.

Arménien. — Le texte grec a été collationné sur la version arménienne : Yovhannu Oskeberani Kostandnupōlsi episkoposapeti čaṙkʻ (Discours de Jean Chrysostome archevêque de Constantinople) publiée par les Pères Méchita-

1. Les manuscrits *Atheniensis 264 et 278*, qui portent dans la liste des manuscrits de l'homélie IX *(supra)* les numéros 11 et 12, m'ont été signalés en dernière heure par Gilberte Astruc-Morize. Pour cette raison, bien que je les aie collationnés, je ne les ai pas utilisés dans l'apparat. Ils suivent d'ailleurs l'ensemble de la tradition manuscrite.

ristes de Venise en 1861. Cette édition a été réalisée par le Père Nersès Sarkissian (Sargisean) d'après le ms. 41 (226 du catalogue), ff. 1-3^v, XIIIe s. La traduction du grec en arménien peut remonter aux Ve-VIe siècles ; on aimerait évidemment disposer d'une édition critique. L'homélie IX, sur la résurrection de Lazare se trouve p. 633-639[1].

Slavon. — Le témoignage du slavon nous est apporté par le *Suprasliensis*, manuscrit vieux-slave (vieux-bulgare). Il réunit en un recueil unique un ménologe de mars, un homiliaire qui s'étend du samedi de Lazare[2] au Dimanche de Thomas avec quelques vies de saints complémentaires. La traduction du grec en slave a été presque certainement exécutée dans la première moitié du Xe s. La dernière édition a été donnée par Jordan Zaimov (texte vieux-slave) et par Mario Capaldo (sources grecques) : *Săprasălski ili Retkov sbornik*, I-II, Sofia 1982-1983, 564 + 602 p. L'homélie *In Lazarum quatriduanum* est le n° 26 du t. 2. M. Capaldo a pris comme manuscrit de recension l'*Ottobonianus gr. 14*, mais il a parfois utilisé la leçon d'autres mss : *Barocci gr. 109, Paris. gr. 766*. De plus, il n'a pas hésité à simplifier la traduction, si bien qu'on ne peut espérer avoir entre les mains l'original grec sur lequel a été faite la traduction slave. Si l'édition slave est irréprochable, l'édition grecque

1. Sur ma demande, Bernard Outtier, Chargé de recherches au CNRS, a fait une comparaison minutieuse entre le texte grec et la version arménienne dans les homélies IX et XI. Je lui en exprime ma vive gratitude. Les résultats de cette enquête sont consignés à mesure dans l'apparat critique et dans les notes de la traduction.

2. Le samedi ainsi appelé se plaçait, et se place toujours dans la liturgie des églises orientales, la veille des Rameaux ; d'où la présence, dans les mss, d'homélies *In ramos palmarum* à la suite d'homélies *In Lazarum*. Mais on n'en a conservé aucune qu'on attribue avec certitude à Chrysostome. La comparaison, qu'on souhaiterait faire, avec les homélies *In Lazarum* citées *supra*, p. 69, n. 1, est donc impossible et, de ce fait, les ff. des mss donnant *In ramos palmarum* à la suite de *In Lazarum* n'ont pas été indiqués.

n'est pas exempte d'erreurs, et, surtout, ne permet pas de décider à quelle famille de mss remonte le texte slave[1].

Arabe. — Le texte a été collationné sur le microfilm du ms. le plus ancien qu'a pu trouver B. Outtier : *Sinaï, Monastère Sainte Catherine, arabe 455* (circa XIIe s.). La date de cette traduction n'est pas connue.

On voit que les versions anciennes ne sont pas éditées avec les garanties scientifiques souhaitables. Néanmoins le témoignage de l'arménien s'impose à l'attention par son ancienneté. On verra combien il est précieux dans l'établissement du texte des homélies IX et XI.

3. — Classement des manuscrits

D'ordinaire, la plupart des textes chrysostomiens, ayant été recopiés avec un grand soin, ont une tradition claire et stable. Il n'en est pas de même pour l'homélie IX. En effet, le texte, tel qu'il est donné dans la *PG*, laquelle reproduit Montfaucon, paraît satisfaisant à la première lecture. Mais en le comparant avec l'ensemble de la tradition manuscrite, on s'aperçoit qu'il en diffère notablement. Une collation minutieuse s'impose donc pour essayer de trouver l'origine de ces différences.

A. *Caractéristiques extérieures*

Dans l'édition d'autres œuvres de Chrysostome, l'étude des caractéristiques extérieures (notices d'en-tête, doxologies) a souvent permis d'orienter les recherches[2]. Ici, les notices d'en-tête n'offrent pas grand secours, car leurs variantes sont peu nombreuses. La seule différence qui saute aux yeux s'explique par la situation de l'homélie dans le manuscrit, selon qu'elle fait partie d'un tout (τοῦ αὐτοῦ) ou qu'elle est isolée (τοῦ ἐν ἁγίοις πατρὸς ἡμῶν Ἰῶ τοῦ

1. Je dois la rédaction de ce paragraphe à José Johannet, ancien maître de conférences à l'Université de Paris X. Qu'il en soit remercié.

2. Voir *supra*, p. 63, n. 1.

Χρ.)[1]. Les formules Κύριε, εὐλόγησον qui se trouve en D et Εὐλόγησον, πατέρ qui se trouve en K et qu'on retrouve en H, attestent simplement l'emploi du texte pour une lecture liturgique. Quant aux doxologies, celle du ms. A, différente des autres mss par les épithètes attribuées au Père (ἀνάρχῳ) et à l'Esprit (παναγίω καὶ ζωοποίῳ), se retrouve curieusement dans le *Paris. gr. 897* qui la lui a peut-être empruntée.

B. *Étude du texte*

L'étude des variantes est-elle d'un plus grand secours? A première vue, certainement pas, car elles offrent entre elles peu de divergences. Cependant le relevé des variantes caractéristiques révèle certaines constantes.

Si le ms. A offre quelques omissions, li. 1 et 184-185, qui lui sont propres, il peut néanmoins former une groupe avec BCD.

Il est difficile de savoir où classer E qui se distingue rarement de l'ensemble des mss par ses variantes, li. 45-46, 76, ou par une omission, li. 209-211. Il en est de même pour F qui s'aligne sur E dans l'intitulé. Il offre quelques omissions originales, li. 43-45, 57-61. On trouve le ms. G formant un groupe soit avec E, soit avec F.

Le *Monacensis 524* (H) se détache de l'ensemble avec un certain relief, soit par l'emploi de mots différents li. 4 λαβὴν : λαβεῖν H ; li. 29 Σωτὴρ : Χριστὸς H ; ou de temps différents li. 65 εἴπῃ : εἴποι H ; li 69 ἔλεγε : λέγει H ; par des omissions li. 45 Τί οὖν λέγεις om. H ; par des additions li. 91 ἡ γυνὴ] + οὖσα ; li. 215 ἐνταφιασθείς] + ἵνα μὴ τὸ πρᾶγμα ὡς φάντασμα διαβάλλωσιν. Mais ce sont des cas relativement rares par rapport au nombre des lieux variants.

Quant au *Parisinus gr. 897* (K), c'est un ms. tardif daté du xve s. Il semble avoir subi bien des avatars par rapport à un modèle plus ancien. On y relève, dès la première page, des fautes d'accentuation, li. 14 ἦν pour ἦν ; des fautes d'orthographe, li. 55 μονότατος ; li. 79 ὅρα pour ὥρα ; des erreurs de lecture grossières, li. 24 παιδία pour πάντα ; des fautes d'accord li. 11 τὸ δεξάμενος ; li. 18-19 τίς...μείζον ; des sauts du même au même li. 7-8 ὅτι [οὐχ ὅμοιος ὁ Υἱὸς τῷ πατρί. Διὰ τί ; Ὅτι] ; li. 38-40 [ποῦ εἶ...ὁ Ἀδὰμ] [περιήρχετο γὰρ — λέγων] Ἀδὰμ.

1. Cependant on doit signaler l'*incipit* original du *Monacensis gr. 524* : Τοῦ ἐν ἁγίοις... εἰς τὴν ἔγερσιν τοῦ δικαίου Λαζάρου. Εὐλόγησον, πάτερ.

Outre ces points de détail, la lecture de l'homélie IX fait apparaître plusieurs passages où le texte donné par l'ensemble des manuscrits ne concorde pas avec celui du *Parisinus gr. 897*, soit qu'il offre avec celui-ci des différences notables, par exemple li. 91-92 et 163, soit que K ait ajouté des membres de phrase qui ne sont pas contenus dans les autres manuscrits, par exemple li. 36, 159-160, 162.

Comment expliquer l'existence de textes si différents? Quand il s'agit de citations scripturaires, on pourrait se contenter de dire que l'orateur cite de mémoire. Néanmoins, parmi les passages que nous venons de signaler, les lignes 123-132 méritent l'attention; elles permettent de saisir sur un exemple précis la différence qui existe entre l'ensemble de la tradition manuscrite et le *Parisinus 897*.

Il est question de trois guérisons : celle du serviteur du centurion[1], celle de la fille de Jaïre[2], celle de l'hémorroïsse[3], entrecoupées de réflexions du prédicateur sur ces miracles. La comparaison du texte évangélique avec celui de Jean Chrysostome inspire les remarques suivantes : Jean utilise librement l'évangile. De l'épisode du centurion (*Matth.* 9), il ne garde que les versets 8 et 13, et encore en partie. De la guérison de l'hémorroïsse, il retranche le désir secret de la femme et le dialogue avec Jésus, versets 21-22 du chap. 9. De plus, nous nous trouvons devant un texte gravement perturbé qui attribue au chef de la synagogue, Jaïre, des paroles prononcées par le centurion. Le *Parisinus 897*, lui, a bien compris qu'il s'agit de trois guérisons et il mentionne la guérison de la fille de Jaïre passée sous silence par l'ensemble des manuscrits. Quant à Savile, il s'est efforcé de rétablir de l'ordre dans cette confusion, mais il supprime l'épisode de la fille de Jaïre. Nous avons choisi d'éditer le texte donné par le plus grand nombre des

1. Cf. *Matth.* 8, 5-13; *Lc* 7, 1-10.
2. Cf. *Matth.* 9, 18-19 et 23-25; *Mc* 5, 22-24 et 35-42.
3. Cf. *Matth.* 9, 20-22; *Mc* 5, 25-34.

manuscrits, malgré leur incohérence et leur désaccord avec l'évangile dont le texte demeure un solide point de repère.

Mais quand il s'agit d'un texte de Chrysostome lui-même, on en est réduit à des hypothèses. Erreur d'un tachygraphe qui a perdu le fil du discours? Erreur d'un scribe qui s'est embrouillé dans sa copie? Cependant ces deux premières hypothèses qui rendent compte de certains accidents (saut du même au même, par exemple) n'expliquent pas tout. Il faut avoir recours à d'autres hypothèses pour rendre compte de modifications plus importantes.

La première qui vient à l'esprit d'un lecteur familier avec l'œuvre de Chrysostome telle qu'elle nous est parvenue, c'est l'existence de deux textes[1]; l'un parlé où certains mots n'ont pas besoin d'être exprimés, étant suggérés par le mouvement de la phrase et compris à l'audition, l'autre écrit, revu et corrigé qui appelle des précisions pour être compris à la lecture. Ainsi s'expliqueraient les additions suivantes : li. 29 ἀγνοήσαντα] + ἔνθα τεθνηκὼς κατέ-

1. Sur les conditions dans lesquelles nous sont parvenues les œuvres de Jean Chrysostome, nous sommes renseignés par un texte capital de Socrate, *HE* VI, iv, *PG* 67, 672 : «Quels étaient ses discours soit qu'ils aient été édités par lui-même, soit qu'ils aient été recueillis par des secrétaires, combien ils étaient remarquables et faits pour attirer les âmes, quel intérêt y a-t-il à le dire, alors qu'il est possible à ceux qui le veulent de le lire et d'en tirer profit?» Ce passage fait allusion à l'œuvre déjà éditée. Mais cette édition peut être la transcription par les tachygraphes des paroles prononcées ou le fruit d'une révision qui offre une forme plus châtiée, mais non spontanée. On verra dans la traduction et les notes qui l'acccompagnent l'intérêt qu'offre l'homélie IX à ce point de vue. — Sur le rôle des tachygraphes, on lira avec intérêt l'article de S. Haidacher, «Drei inedierte Chrysostomus Texte einer Baseler Handschrift», dans *Zeitschrift für Katholische Theologie* 31, 1907, p. 143, n. 1. «Ils (les tachygraphes) avaient en effet l'habitude de se trouver près de lui, non seulement dans les églises, mais même sur les chemins et partout où le grand saint prêchait et d'écrire *ce qu'il improvisait*, car ils estimaient indigne et inconvenant que ses discours tombassent dans l'oubli.»

κειτο Λάζαρος; li. 37 παραδείσῳ] + ποῦ κέκρυπτο ὁ Αδαμ; li. 66 πιστέυειν] + εὐχερῶς; li. 66 ψηλαφήσαντας] + ἀκριβῶς; li. 92 Χριστὸς] + σωματικῶς; li. 160 παρενοχλεῖς] + Ἐγὼ — πατήρ; li. 211 λῦσαι] + τοῦ νεκροῦ.

On peut aussi supposer l'intervention au cours des âges d'un érudit qui aurait eu pour but d'offrir un texte plus clair et plus logique en corrigeant celui qu'il jugeait corrompu. On en a vu un exemple dans les lignes 123-126. Mais il ne faut pas exclure l'hypothèse où le correcteur aurait exercé sur le texte réellement prononcé une action réductrice et abusive. C'est le cas de la ligne 22 omise par K. La réponse Τὸ νίψαι — πόδας qui précise τί ταπεινότερόν ἐστι est nécessaire à la clarté de l'argumentation. De même à la ligne 25 où le ms. K n'offre pas la reprise καὶ ὅτι διὰ τὴν τῶν παρόντων ἀσθένειαν ἐγίνετο. Or, cette reprise est tout à fait dans les habitudes de Jean, comme le prouvent les phrases qu'on peut relever dans l'homélie X, li. 511 et dans l'homélie XI, li. 197-199. Cette reprise doit donc être rétablie. De même à la ligne 176 où le membre de phrase καλῶ τὸν Πατέρα πατέρα est présent dans tous les manuscrits, sauf K. Ce membre de phrase forme un parallèle avec le texte suivant auquel il est étroitement uni par καὶ. Il ne doit donc pas être supprimé, comme l'a fait l'érudit correcteur dont on peut supposer l'intervention dans le *Paris. gr. 897*.

A quelle époque convient-il de situer ces différentes formes d'intervention ? L'examen des versions anciennes aboutit à une constatation identique : l'arménien, le slavon et l'arabe offrent un texte qui suit l'ensemble de la tradition manuscrite à l'exception de K. Le catalogue d'Omont date ce manuscrit du xve s., mais il est probable — étant donné ses nombreuses fautes — qu'il est la mauvaise copie d'un manuscrit plus ancien dont nous ne pouvons déterminer la date, car cet ancêtre de K a pu exister parallèlement à l'ensemble de la tradition manuscrite.

De plus, si l'on se réfère à l'arménien, on constate que les anomalies découvertes dans les mss grecs s'y trouvent déjà, preuve que ces perturbations se sont produites très tôt dans la transmission du texte. En outre un passage de notre homélie, li. 159-160 : Εἰ οὖν οἶδας, ὦ Κύριε, ὅτι πάντοτέ σου ἀκούει ὁ πατὴρ ne se trouve pas dans l'ensemble des mss consultés, mais seulement dans l'arménien et dans K. Ce pourrait être un argument pour faire remonter aussi haut que l'arménien et peut-être plus haut l'existence d'un modèle dont K serait le lointain représentant.

En éditant l'homélie IX d'après le *Paris. gr.* 897, Savile s'est trouvé entraîné dans une interprétation qui pose plus de problèmes qu'elle n'en résout. Il est vrai qu'il en a parfois corrigé les erreurs et les omissions par le *Monacensis gr. 524*, qui n'est pas sans présenter, lui aussi, de nombreux défauts. Mais l'ensemble reflète la volonté délibérée de ramener le texte à une expression jugée plus correcte et qui, en fait, l'appauvrit.

Pour cette raison, nous n'avons pas retenu les leçons de K lorsqu'il était le seul à les donner. Cependant, nous les avons notées lorsqu'elles se trouvent dans une édition antérieure à la nôtre et dans les cas, assez rares, où le texte serait inintelligible sans elles.

D'autre part, dans le désir de nous rapprocher du texte original nous avons fait appel à l'arménien, puisque celui-ci apporte le témoignage de la version la plus ancienne connue jusqu'à ce jour. Cet apport est précieux, car il sert à appuyer les leçons de l'ensemble des manuscrits contre le *Parisinus gr. 897*.

Quoi qu'il en soit, nous ne pouvons passer sous silence les discussions des érudits sur la date et l'authenticité de cette homélie. Savile, le premier, rend compte des arguments avancés par J. Hales[1]. Celui-ci reconnaît que le

1. Voir SAVILE, *Opera* ..., t. VII, p. 728, où sont exposées par J. Hales, dit Halesius, les raisons qui le font douter de l'authenticité de cette homélie. John Hales (1584-1656) était professeur de grec à Oxford. En 1613 il était « fellow » d'Eton. Chr. BAUR, dans son ouvrage *S. Jean Chrysostome et ses œuvres dans l'histoire littéraire*, Louvain-Paris 1907, p. 84, signale que Savile fut aidé dans son édition

style ne diffère pas tellement de celui de Chrysostome, mais trouve étrange l'apostrophe du Christ à Lazare qu'il appelle par son nom[1] et le dialogue avec la mort, li. 183-194. « Une audace de jeunesse, νεανικωτέραν, dit-il, qui ne s'accorde pas avec la solidité de notre Chrysostome. » On sait bien cependant que ce dialogue est un artifice littéraire connu des orateurs à cette époque. Et Savile, citant Hales, ajoute : « Je ne sais comment il s'est fait qu'étant occupé à d'autres choses, cette homélie s'est glissée parmi les textes authentiques. »

Montfaucon fournit en faveur de l'authenticité des arguments plus sérieux[2]. S'il ne donne pas de date précise, il situe les homélies IX et X en 387. Il s'appuie pour cela sur le rapport du sujet traité dans ces homélies avec les préoccupations de Chrysostome à ce moment et, en particulier, les prières adressées par le Christ à son Père, ce qui est l'une des objections souvent reprise en 386-387 par les Anoméens et les Juifs. Mais de façon plus précise, Jean mentionne dans l'homélie X qu'il a parlé récemment, πρῴην, de la gloire du Fils unique et des raisons de son humilité, li. 65-70, « en vous rappelant la prière qu'il a faite au sujet de Lazare », li. 72-73. Quelques phrases plus loin, il évoque la condescendance du Christ : « Nous l'avons déjà amplement montré par ce qui est arrivé à propos de Lazare », li. 148-150. La conclusion s'impose : « A l'exemple de Fronton du Duc, nous n'avons pas hésité à joindre cette homélie à celle qui traite de la prière du Christ (hom. X) non seulement parce que la suite des idées et la proximité dans le temps l'exigent, mais parce que la seconde est le garant de l'authenticité de la première et la confirme[3]. »

par plusieurs érudits, dont Hales, « qui lui envoyaient des notes et des collations ». Il n'est donc pas étonnant que Savile ait cité son opinion.

1. Cet argument n'a aucune valeur, puisque l'apostrophe se trouve dans le texte même de l'évangile, *Jn* 11, 43.

2. On les trouve dans les *Opera omnia*, t. I, p. 523-524, *PG* 48, 748.

3. Quant à J. Weyer, *De homiliis quae Johanni Chrysostomo falso addicuntur*, Bonn 1952 (exemplaire dactylographié), il pense que le

Si l'attribution de ce texte à Jean Chrysostome paraît plausible, il n'en reste pas moins vrai que sa reconstitution en des termes conformes à l'homélie réellement prononcée par Jean est une entreprise quasi désespérée.

Néanmoins, telle qu'elle nous est parvenue et en suivant le témoignage des manuscrits les plus nombreux, ne peut-on espérer entendre ici un écho de cette éloquence qui, chez Chrysostome, fascinait les foules[1] ? Ce serait alors un morceau de sa parole vivante, avec ses reprises, ses répétitions, ses maladresses même, pour souligner plus fortement la pensée et faire germer la foi. Dans ce cas, l'homélie IX serait la plus précieuse de la collection.

4. — **Description des manuscrits utilisés dans l'apparat critique de l'homélie IX** (*CPG* 4322) (*BHG*[a] 2224)

1. *Parisinus gr. 766* : **A**, Paris, Bibl. nat., IXe s., parch., 295 × 200 mm, 150 ff., pleine page, 26 li. (Colbert 929).

ff. 12v-17 Jean Chrysostome, *In Lazarum quatriduanum, incip.* Σήμερον ἐγειρόμενος Λάζαρος πολλῶν διαφόρων σκανδάλων

ff. 17v-21v Hésychius presb., *In sanctum Lazarum*, incip. Φιλῶ τὸν τῆς Ἐκκλησίας χωρίον (*BHG*[a] 2229)

Voir H. Omont *Inventaire*... I, p. 132-133 ; A. Ehrhard, *Überlieferung und Bestand der hagiographischen und homiletischen Literatur der griechischen Kirche* ..., t. II, Leipzig 1938, p. 72-76, *Texte und Untersuchungen* ..., vol. 31 ; F. Halkin, *Manuscrits de Paris, Inventaire hagiographique*, Bruxelles, 1968, p. 63-64, *Subsidia hagiographica*, nº 44 ; M. Aubineau, *Les homélies festales d'Hésychius de Jérusalem*, t. I, Bruxelles, 1978, p. 343, *Subsidia hagiographica*, nº 59.

texte prononcé par Chrysostome a été retouché par un autre auteur, mais juge les preuves qu'il pourrait en donner hors de son sujet, p. 78. On peut consulter aussi J. DE ALDAMA, *Repertorium pseudo-chrysostomicum*, Paris, 1965, nº 450, mais il ne fait que prendre acte des positions des différents éditeurs.

1. «La foule était bouche bée devant lui et ne se lassait pas d'écouter ses paroles, si bien qu'ils risquaient de se bousculer et de s'écraser les uns et les autres, chacun s'efforçant de se tenir le plus près possible pour l'entendre mieux, quand il parlait». SOZOMÈNE, *HE* VIII, 5, 2, *GCS* 50, p. 357.

2. *Oxoniensis Barocci 199* : **B**, Oxford, Bodleian Library, xe s., parch., 340 × 230 mm., ff. IX + 357, 2 col., 36 li.

ff. 21-30 André de Crète, *In quatriduanum Lazarum* hom. 2, *incip.* Λάζαρος τὸν παρόντα συγκεκρότηκε σύλλογον (*BHG* 2218)

ff. 30^v^-32 Pseudo-Chrysostome, *In quatriduanum Lazarum* hom. 2, *incip.* Ἀγαπητοί, ὥσπερ μήτηρ φιλότεκνος (*BHG*^a^ 2231)

ff. 32^v^-35 Jean Chrysostome, *In quatriduanum Lazarum, incip.* Σήμερον ἐκ νεκρῶν

Voir M. Aubineau, *CCG* I, p. 189-190.

3. *Vaticanus Ottobonianus gr. 14* : **C**, Vatican, Bibl. vat., x^e^-xie s., parch., 380 × 240 mm, 272 ff., 2 col., 38 li.

ff. 31-36 Pseudo-Chrysostome, *In Martham, Mariam et Lazarum, incip.* Ὅσοι τῆς δεσποτικῆς ἀναστασέως (*BHG*^a^ 577 f)

ff. 36-40^v^ Anonyme, *In quatriduanum Lazarum* hom. 1, *incip.* Πᾶσα ἔνθεος διδασκαλία (*BHG*^a^ 2221)

ff. 40^v^-44 Hésychius de Jérusalem, *In sanctum Lazarum, incip.* Δεῖπνον ἡμῖν πολυτελὲς (*BHG*^a^ 2214)

ff. 44-46 Hésychius de Jérusalem, *In sanctum Lazarum, incip.* Φιλῶ τὸ τῆς ἐκκλησίας χωρίον (*BHG*^a^ 2229)

ff. 46^v^-48 Pseudo-Chrysostome, *In illud « Vigilate et orate »* (*Matth.* 26-41), *incip.* Γρηγορεῖτε καὶ προσεύχεσθε (*BHG* 2213 g) *CPG* 4870

ff. 48-50 Pseudo-Chrysostome, *In quatriduanum Lazarum, incip.* Ἀγαπητοί, ὥσπερ μήτηρ φιλοτέκνος (*BHG*^a^ 2231)

ff. 50-53 Jean Chrysostome, *In quatriduanum Lazarum, incip.* Σήμερον ἐκ νεκρῶν

ff. 53^v^-62^v^ André de Crète, *In Lazarum quatriduanum, incip.* Λάξαρος τὸν παρόντα συγκεκρότηκε σύλλογον (*BHG* 2218)

ff. 62^v^-65 Jean Chrysostome, *In quatriduanum Lazarum et de sanctis martyribus Domnine, Bernice et Prosdoke, incip.* Πρῴην ὑμῖν, ἀγαπητοί, τὸν πολυανθῆ (*BHG* 275)

ff. 65-67 Basile de Séleucie, *In quatriduanum Lazarum, incip.* Τὴν ἐκκλησίαν θέατρον ἀγγέλων (*BHG*^a^ 2225), ed. Mary B. Cunningham *AB* 104 (1986), p. 161-164

ff. 67-70 Léonce d'Arabissos, *In creationem et Lazarum, incip.* Οὐδέν ὡς ἔοικεν, τῆς ἀγάπης ἐστὶν ἰσχυρότερον (*BHG* 2219u)

Voir A. Capecelatro, *Codices manuscripti graeci Ottoboniani*, Vatican, Bibl. vat., Rome 1893, p. 16-18 ; A. Ehrhard, *Überlieferung*..., t. I, p. 214 ; M. Richard, notice manuscrite à l'IRHT.

4. *Ambrosianus C 95 sup. (gr. 193)* : **D**, Milan, Bibl. ambr., XIe-XIIe s., parch., 313 × 233 mm, I + 200 ff., 2 col., 30-31 li.

...

ff. 195v-200 Jean Chrysostome, *In quatriduanum Lazarum, incip.* Σήμερον ἐκ νεκρῶν

...

Voir R. E. Carter, *CCG* V, p. 79.

5. *Parisinus gr. 1447* : **E**, Paris, Bibl. nat., Xe-XIe s., parch., 240 × 340 mm, 395 ff., 2 col., 30 li. (Regius 2030)

...

ff. 29v-33v Jean Chrysostome, *In quatriduanum Lazarum, incip.* Σήμερον ἐκ νεκρῶν

...

Voir H. Omont, *Inventaire sommaire*... II, p. 43 ; A. Ehrhard, *Überlieferung*... I, p. 266-269 ; F. Halkin, *Manuscrits grecs de Paris*..., p. 158-159.

6. *Parisinus gr. 1196* : **F**, Paris, Bibl. nat., XIe s. (praeter ff. 149-176, XIIe s.), parch., 210 × 260 mm, 176 ff., 2 col., 30 li., palimps. (Fontebl. Regius 2455).

...

ff. 149-153 Jean Chrysostome, *In quatriduanum Lazarum, incip.* Σήμερον ἐκ νεκρῶν

...

Voir H. Omont, *Inventaire sommaire*... I, p. 261-262 ; A. Ehrhard, *Überlieferung*... III, p. 196-197 ; F. Halkin, *Manuscrits grecs de Paris*..., p. 140-141.

7. *Parisinus gr. 771* : **G**, Paris, Bibl. nat., XIVe s., parch., 270 × 180 mm, 361 ff., pleine page, 34 li. (Colbert 1711).

...

ff. 92v-101 André de Crète, *In Lazarum quatriduanum, incip.* Λάζαρος τὸν παρόντα συγκεκρότηκε σύλλογον (*BHG* 2218)

...

ff. 101-104 Jean Chrysostome, *In quatriduanum Lazarum, incip.* Σήμερον ἐκ νεκρῶν

...

Voir H. Omont, *Inventaire sommaire*... I, p. 138[1] ; A. Ehrhard

1. Il faut noter ici une erreur du catalogue d'Omont qui, après avoir signalé une homélie de Proclus (f. 83v-92) ajoute : *Ejusdem homilia In quatriduanum Lazarum f. 92v-101*. En réalité, cette homélie a pour auteur André de Crète, qui d'ailleurs est appelé dans le ms. André de Jérusalem. Mais le texte est bien celui d'André de Crète ; Λαζάρος τὸν παρόντα συγκεκρότηκε σύλλογον (*BHG* 2218).

Überlieferung ... III, p. 264-265 ; F. Halkin, *Manuscrits grecs de Paris ...*, p. 67-68.

8. *Monacensis gr. 524* : **H**, Munich, Bayerische Staatsbibl., XIVe s., parch., 207 × 145 mm, circa 27-35 li.

...

ff. 187v-189v Jean Chrysostome, *In quatriduanum Lazarum, incip.* Σήμερον ἐκ νεκρῶν

...

Voir R. E. Carter, *CCG* II, p. 75.

9. *Sinaïticus gr. 380* : **I**, Mont Sinaï, Bibl. mon., XIIIe-XIVe s., papier, 250 × 180 mm, 316 ff., pleine page, 22 li.

...

ff. 258v-264 Jean Chrysostome, *In quatriduanum Lazarum, incip.* Σήμερον ἐκ νεκρῶν

...

Voir V. Gardthausen, *Catalogus codicum graecorum Sinaïticorum*, Oxford 1896, p. 88 ; V. Beneševič, *Catalogue manuscr. graec. qui in monasterio S. Catharinae in monte Sina asservantur*, St Pétersbourg 1911, I, p. 209-210 ; G. Astruc-Morize, notice manuscrite à l'IRHT.

10. *Parisinus gr. 816* : **J**, Paris, Bibl. nat., XIVe s., bombyc. 280 × 200 mm, 326 p. Pleine page, 22-24 lignes.

p. 1-24 Jean Chrysostome, *Ad Theodorum lapsum* I et II
p. 25-34 *In quatriduanum Lazarum, incip.* Σήμερον ἐκ νεκρῶν

...

Voir H. Omont, *op. cit.*, p. 151 et G. Astruc-Morize, notice manuscrite à l'IRHT.

11. *Parisinus gr. 897* : **K**, Bibl. nat., XVe s., ff. 210-245, parch., 1-9 et 246-328 papier, 240 × 160 mm, 328 ff., pleine page, 32 li.

...

ff. 288-291v Jean Chrysostome, *In quatriduanum Lazarum, incip.* Σήμερον ἐκ νεκρῶν

...

Voir H. Omont, *Inventaire ...* I, p. 169-170 ; A. Ehrhard, *Überlieferung ...* III, 802-803 ; F. Halkin, *Manuscrits grecs de Paris ...*, p. 85-86.

Homélie X (*CPG* 4323)

Si l'on se reporte à sa notice d'en-tête, on voit que les thèmes traités dans l'homélie X sont variés et importants. Cependant, malgré l'intérêt évident de ces thèmes pour combattre l'hérésie des Anoméens, les manuscrits sont peu nombreux. On en trouve un nombre à peine suffisant pour établir un apparat critique.

1. — Table des manuscrits

A	Hierosolymitanus Bibl. patr. S. Sabas 36	IXe-Xe s.
D	Parisinus gr. 800	XIe s.
E	Vindobonensis sup. gr. 165	
F	Matritensis gr. 4747	XVIe s.
H	Oxoniensis Bodl. Auct. T.3.4.	
B	Sinaïticus 376	XIe s.
C	Monacensis 352	
G	Oxoniensis Bodl. Auct. E.3.10.	XVIe s.

2. — Classement des manuscrits

Le petit nombre des manuscrits qu'on peut réunir pour éditer cette homélie ne permet pas de faire un choix. Ils ont donc été tous utilisés. De plus, si la notice d'en-tête est très développée, les termes en sont identiques, si bien qu'on ne peut s'appuyer sur aucun indice pour établir une classification. On constate le même phénomène pour les doxologies. C'est donc les variantes du texte qu'il faut examiner pour tenter d'opérer un classement entre les manuscrits.

Leur collation permet les rapprochements suivants :

X, li. 35 μεταδίδωμεν AD μεταδῶμεν cett.
li. 45 σε om. AD
li. 203 φησί, θεός AD θεός, φησίν cett.
li. 221-222 ἐπ' αὐτὸ τῆς Γραφῆς om. AD

li. 256 ἐμοίχευσε] + αὐτὴν ἐν τῇ καρδίᾳ αὐτοῦ AD
li. 392 οὐ μόνον δὲ AD καὶ μὴν cett.
li. 419 ὁ δὲ οὐκ ἐσαρκώθη om. AD

Mais le groupe CG se distingue plus encore que les autres mss soit par des mots ou des groupes de mots qu'il est le seul à présenter

X, li. 112 μᾶλλον δὲ βλέπεις CG om. cett.
li. 134 ποιεῖν CG om. cett.
li. 175 καὶ ante πάλιν CG om. cett.
li. 304 χριστὸς] + δηλῶν CG om. cett.
li. 387-389 Καὶ ὅτι ἐθαύμαζον — λέγοντος CG om. cett.
li. 458 οἷον] + ἵνα καὶ ἐπὶ ὑποδείγματος ποιήσω τὸν λόγον φανέρον C

soit par des variantes

li. 18 θαυμαστὸν CG θαυμαστότερον cett.
li. 401 ἐδείκνυε CG ἐνδείκνυται cett.
li. 413 ἀλλ' ὁ υἱὸς CG ὁ δὲ υἱὸς cett.
li. 418 μείζων CG λαμπρότερος cett.
li. 459 Ἐὰν οὖν ὁ CG Ὁ μὲν οὖν cett.

La parenté du *Monacensis 352* (C) et de l'*Oxoniensis Auct. E.3.10* (G) est évidente. On peut même conclure avec certitude que l'*Oxoniensis Auct. E.3.10*, qui est l'exemplaire de Savile, est une copie du *Monacensis* 352. C'est pourquoi nous n'avons pas cru bon de mentionner ce dernier dans l'apparat. Quant au groupe AD, ses rapports sont indéniables, mais il se rapproche dans beaucoup de cas des autres manuscrits pour former la famille α, tandis que CG forment la famille β.

3. — L'apport du syriaque

Le *British Museum Additional 17183* peut-il aider à faire un choix entre ces deux groupes ? On remarquera d'abord que ce manuscrit est déparé par une tache importante cachant quatre ou cinq mots sur quinze lignes aux ff. 1, 2, 3 et 4. De plus, il est daté du xe s. C'est-à-dire qu'il est contemporain de nos plus anciens manuscrits. Il est donc loin de présenter le même intérêt pour l'éditeur que le manuscrit qui nous donnait, en syriaque, la traduction des cinq premières homélies (voir *SC* 28 *bis*, p. 76-78). Mais, si détérioré qu'il soit, on peut supposer qu'il représente une tradition antérieure dont le témoignage n'est pas négligeable[1].

En effet, il confirme des formes données par l'ensemble des manuscrits, alors que le texte grec imprimé est différent.

li. 15 ὑποδεξάμενον mss et syriaque ὑποδεξόμενον impr.
50 ἀνανεοῦται mss et syriaque ἀνανεοῦνται impr.
75 πεποίηται mss et syriaque πεποίηκεν impr.

mais surtout il invite à poser la question du groupe CG en face des autres mss. Par exemple :

li. 82 θαυμάσειε] + τοῦ μέλλοντος αὐτὸν προδιδόναι νίπτει τοὺς πόδας CG om. cett. et syriaque
li. 112 μᾶλλον δὲ βλέπεις C om. cett. et syr.
li. 256 ἐν τῇ καρδίᾳ αὐτοῦ AD om. cett. et syr.
li. 273 οὐκ εὔδηλον CG om. cett. et syr.
li. 281 προστίθησι καὶ λέγει CG om. cett. et syr.

L'apport du syriaque confirme donc l'ensemble de la tradition manuscrite et souligne l'originalité du ms. C (copié par G)[2] qui donne des passages plus ornés. Est-ce le fait d'un tachygraphe plus attentif à la parole du prédicateur ou d'un texte revu pour l'édition ? Il est difficile de répondre.

4. — **Description des manuscrits utilisés dans l'apparat critique de l'homélie X** (*CPG* 4323)

1. *Hierosolymitanus S. Sabae 36* : **A**, Jérusalem, Saint-Sabas, Bibl. patr., xe s., parch., 342 × 203 mm, 390 ff., pleine page, 22 li.

...

ff. 327^{v}-338^{v} Ἱκανῶς ἐν ταῖς ἔμπροσθεν ἐπανηγορίσαμεν

1. Une fois encore, j'ai eu recours au Père François Graffin qui avait déjà étudié l'apport du syriaque dans les homélies I-V. Je lui renouvelle mes remerciements.

2. A part des différences insignifiantes. Nous ne l'avons donc pas mentionné dans l'apparat, pour en alléger la présentation, sauf lorsque G s'aligne sur des variantes autres que celles de C.

...
Voir A. Papadopoulos-Kerameus, *Catalogue des mss grecs* ... II, p. 79-82.

2. *Parisinus gr. 800* : **D**, Paris, Bibl. nat., XIe s., parch., 250 × 310 mm, 310 ff., 2 col., 36 li.
...
ff. 207v-216 Ἱκανῶς ἐν ταῖς ἔμπροσθεν ἐπανηγυρίσαμεν
...
Voir H. Omont, *Inventaire* ... I, p. 148.

3. *Vindobonensis sup. gr. 165* : **E**, Vienne, Bibl. nat., XIe s., parch., 325/330 × 250/260 mm, 309 ff., 2 col., 24 li.
...
ff. 238-248 Ἱκανῶς ἐν ταῖς ἔμπροσθεν ἐπανηγυρίσαμεν
...
Voir W. Lachner, *CCG* V, p. 86-87.

4. *Matritensis gr. 4747* : **F**, Madrid, Bibl. nat., XVIe s., papier, 328 × 217 mm, 11 + 520 ff., 29 li.
ff. 92-101 Πάλιν ἱπποδρομίαι
ff. 101v-108 Χθὲς ἐκ πολέμου
...
ff. 146v-154v Ἱκανῶς ἐκ ταῖς ἔμπροσθεν ἐπανηγυρίσαμεν
Voir R. E. Carter, *CCG* III, p. 117.

5. *Oxoniensis Bodl. Auct. T.3.4* : **H**, Oxford Bodleian Library, XVIe s., papier, 325 × 220 mm, 324 ff., 29-30 li.
p. 7-16v Πάλιν ἱπποδρομίαι
p. 16v-23v Χθὲς ἐκ πολέμου
...
p. 61-69 Ἱκανῶς ἐν ταῖς ἔμπροσθεν ἐπανηγυρίσαμεν
...
Voir M. Aubineau, *CCG* I, p. 165-167.

6. *Sinaïticus gr. 376* : **B**, Mont Sinaï, Bibl. mon., Xe-XIe s., parch., 300 × 205 mm, 245 ff., 35 li.
...
ff. 39v-48v Ἱκανῶς ἐν ταῖς ἔμπροσθεν ἐπανηγυρίσαμεν
...
Voir V. Gardthausen, *Catalogus codicum graecorum sinaïticorum* ..., p. 86-87 ; G. Astruc-Morize, Notice manuscrite à l'IRHT.

7. *Monacensis gr. 352* : **C**, Munich, Bayerische Staatsbibliothek, XIe s., parch., 360 × 254 mm, 270 ff., 2 col., 30 li.
...
ff. 205-216 Ἱκανῶς ἐν ταῖς ἔμπροσθεν ἐπανηγυρίσαμεν
...
Voir R. E. Carter, CCG II, p. 61-63.

8. *Oxoniensis Bodl. Auct. E.3.10* : **G**, Oxford Bodleian Library, papier, 330 × 220 mm, 737 p. Exemplaire de Savile.

...

p. 164-180 Ἱκανῶς ἐν ταῖς ἔμπροσθεν ἐπανηγυρίσαμεν

...

Voir M. Aubineau, *CCG* I, p. 129-131.

Homélie XI (*CPG* 4324)

La tradition manuscrite de l'homélie Μίαν ὑμῖν est particulièrement difficile à étudier, à cause de l'erreur qui se répète dans tous les manuscrits en l'affectant de la lettre-chiffre ϛ'. D'une part, elle appartient au groupe des homélies VII et VIII, mais d'autre part, elle garde des relations avec les cinq premières homélies *De incomprehensibili* dont elle est toujours donnée comme la sixième. De plus, comme elle est, dans la réalité de l'histoire, indépendante de ces sept homélies, puisqu'elle a été prononcée douze ans après celles-ci, il est probable qu'à l'origine elle eut une tradition manuscrite qui lui était propre. On devra donc résoudre les problèmes que soulève l'établissement du texte en tenant compte de cette situation complexe.

1. — Table des manuscrits

1.	A	Atheniensis Bibl. nat. 211	IXe-Xe s.
2.	B	Basileensis gr. 39 (B.11.15)	
3.	D	Sinaïticus gr. 375	
4.	C	Vaticanus gr. 560	Xe s.
5.	Y	Oxoniensis New College 81	
6.	G	Laurentianus Conv. sopp. 198	
7.	O	Vaticanus gr. 577	
8.	V	Vaticanus gr. 1526	
9.	Q	Hierosolymitanus Bibl. Patr. S. Sabae gr. 36	
10.		Genuensis Bibl. Franz. Miss. urb. gr. 11	Xe-XIe s.
11.		Athous Xeropotamou 124	
12.		Bononiensis Bibl. univ. 2534	

13.		Laurentianus Plut. VII, 2	
14.		Oxoniensis New College gr. 79	
15.		Parisinus gr. 656	
16.		Parisinus gr. 1014	
17.		Parisinus Coislin. 61[1]	
18.		Udinensis Bibl. arch. gr. 263	
19.		Vaticanus gr. 522	
20.		Vaticanus gr. 565	
21.		Vaticanus gr. 1920	
22.		Alexandrinus gr. 8	XIIe s.
23.		Athous Lavra Γ 124	
24.	P	Parisinus gr. 581	
25.		Parisinus gr. 799	
26.		Parisinus gr. 807	
27.		Parisinus gr. 813	
28.		Atheniensis Bibl. nat. 265	
29.		Constantinopolitanus Bibl. patr. S. Trin. 130	
30.		Oxoniensis Barocci 172	XIVe-XVe s.
31.		Athous Karakalou 68	
32.		Vaticanus gr. 2601	
33.		Londinensis Add. 21983	
34.		Oxoniensis Holkam gr. 42	XVIe s.
35.		Parisinus gr. 777	
36.		Parisinus gr. 809	

2. — **Classement des manuscrits**

La notice d'en-tête des mss choisis pour établir l'apparat critique, dont la plupart sont de bonne époque, offre des particularités qui peuvent aider à résoudre le problème du titre à donner au présent volume. Alors que sept d'entre eux sur dix unissent les deux mentions Περὶ ἀκαταλήπτου, πρὸς 'Ανομοίους, on lit dans le ms. le plus ancien, le *Basileensis gr. 39* (B), la seule mention ἐρρήθη πρὸς 'Ανομοίους. Le choix de cette formule qui n'utilise pas l'expression περὶ ἀκαταλήπτου donnée par les autres mss, semble bien être le bon, car le véritable sujet de cette homélie n'est pas l'incompréhensibilité de Dieu, objet des homélies I à V, mais l'égalité du Père et du Fils, ce que précisément niaient les Anoméens.

La notice d'en-tête des mss D et G ajoute ἐν τῇ καινῇ ἐκκλησίᾳ et celle des mss O et P ἐν τῇ καινῇ, comme si l'homélie avait été prononcée à Antioche où il existait deux églises, l'église ancienne, la Palée, et l'église nouvelle appelée aussi «église d'or», à cause de son toit doré[1].

La notice de V ne tombe pas dans cette erreur de localisation. Elle indique bien que l'homélie a été prononcée à Constantinople. De plus, elle est la seule à annoncer un thème important développé dans l'homélie : l'accord de l'Ancien et du Nouveau Testament, et à dénoncer la mauvaise habitude de ceux qui se retirent avant la fin de la synaxe. Mais cette prolixité la rend suspecte et l'étude des variantes montre qu'il s'agit d'un manuscrit correcteur.

La notice de B, dans son laconisme, est donc à retenir puisqu'elle évite la double erreur de localisation et de classement faite par la plupart des homélies qui portent le chiffre ϛʹ.

3. — Choix des manuscrits pour l'établissement de l'apparat critique

Il reste à voir si le choix des mss opéré pour les homélies Πάλιν ἱπποδρομίαι et Ἐκ πολέμου χθὲς demeure valable pour l'homélie Μίαν ὑμῖν. Dans la famille α, l'*Atheniensis 211* (A) qui ne présente pas de lacunes pour l'homélie Μίαν ὑμῖν mérite d'être gardé à cause de son ancienneté. Le *Basileensis gr. 39* (B) offre l'homélie Μίαν ὑμῖν avant l'homélie I, Τί τοῦτο ; mais il s'agit certainement d'une erreur dans la reliure des cahiers. Ce sont les deux seules homélies de la collection *Contre les Anoméens* et l'ancienneté du ms. B leur donne un grand prix. Le *Vaticanus gr.*

1. Voir G. Downey, *A Story of Antioch in Syria*, Princeton 1974, p. 342-345.

560 (C) par la simplicité de sa notice d'en-tête et plusieurs de ses variantes s'aligne sur A et B.

Le *New College 81* (Y) qui a été utilisé par Savile et qui offre l'ensemble des trois homélies Πάλιν ἱπποδρομίαι, Ἐκ πολέμου χθὲς, Μίαν ὑμῖν fournit un témoignage de bonne qualité, étant, lui aussi, du xᵉ s. On a vu que pour les homélies I-V, le *Vaticanus 577* (O) et le *Vaticanus 1526* (V) étaient apparentés, mais dès l'homélie V, la notice d'en-tête du *Vaticanus 1526* (V) se distingue par une formule développée (éd. *SC* 28 *bis*, p. 270 apparat) comme celle que nous avons signalée pour l'homélie XI. On peut donc supposer que ces deux homélies (V et XI) ont une tradition manuscrite commune.

Il est intéressant de signaler que le *Hierosolymitanus S. Sabae 36* (D), qui a été classé dans la famille α pour les homélies I-V, passe ici dans la famille β par ses variantes.

Le *Parisinus gr. 581* (P), que plusieurs de ses variantes permettent de classer dans la famille β, peut remplacer le *Genuensis Bibl. Franz. Miss. urb. 11* dans lequel l'homélie XI est mutilée de la fin.

Ainsi, par sa tradition manuscrite, l'homélie XI garde des rapports avec les homélies I-V et ce n'est pas un mince sujet d'étonnement, quand on pense qu'elle a été prononcée après un intervalle de douze ans.

4. — **La tradition arménienne**

La version arménienne est datée du vᵉ-vɪᵉ s.[1]. Elle permet de guider l'éditeur dans le choix de certaines variantes, par exemple li. 10-11 add. de καὶ ἐλεῖν ; li. 24 μέσῳ de préférence à μέρει ; li. 106 ἐπιδεικνύμενος de préférence à ἐπιδεικνύμενα ; li. 111-112 λέγω δὴ τὸν ἄνθρωπον incise à garder ; li. 120 ῥήματα de préférence à δόγματα. Il faut savoir, de plus, que dans l'intitulé et aussi dans certaines variantes l'arménien s'accorde avec DG, ce qui pourrait indiquer que son modèle appartenait à ce groupe.

1. Je dois sa rétroversion partielle à B. Outtier.

Cependant l'arménien fait preuve d'une certaine indépendance vis-à-vis du texte grec dans sa tendance à remplacer le singulier par le pluriel. Il n'en reste pas moins vrai que son témoignage est précieux à cause de son ancienneté.

5. — **Description des manuscrits utilisés dans l'apparat critique de l'homélie XI** (ϛ' codd.) (*CPG* 4324)

1. *Atheniensis 211* : **A**, Athènes, Bibl. nat., ixe-xe s., parch., 310 × 240 mm, 314 ff., 2 col., 32 li.

ff. 264-305^{v} *De incomprehensibili* hom. I-V

ff. 305^{v}-310 Σήμερον ἐκ νεκρῶν

Il faut lire le ms. dans l'ordre suivant : 305^{v}, 303^{r-v} ; 308^{r-v}, 306-307^{v}, 309-310.

Voir J. et A. Sakkelion, *Catalogue des mss grecs* ..., p. 40 ; M. Richard revu par G. Astruc-Morize, Notice manuscrite à l'IRHT qui a été imprimée, avec l'autorisation de l'auteur, par A.-M. Malingrey dans *Traditio*, vol. XX, New York, 1964, p. 420-421.

2. *Basileensis gr. 39 (B.II.15)* : **B**, Bâle, Bibl. univ., fin ixe s., parch., 380 × 235 mm, 474 ff., pleine page, 34 li.

ff. 450-454^{v} Μίαν ὑμῖν

ff. 455-460^{v} *De incomprehensibili* hom. I Τί τοῦτο

Voir R. E. Carter, *CCG* III, p. 65-68.

3. *Sinaïticus gr. 375* : **D**, Mont Sinaï, Bibl. mon., ixe-xe s., parch., in fol., 437 ff., 2 col., 32 li.

ff. 352^{v}-400 *De incomprehensibili* hom. I-V

ff. 400-406^{v} Μίαν ὑμῖν

Voir V. Gardthausen, *Catalogus codicum graecorum* ..., p. 85-86 ; V. Beneševic, *Catalogus manus. graecorum* ... I, p. 210-213 ; G. Astruc-Morize, Notice manuscrite à l'IRHT.

4. *Vaticanus gr. 560* : **C**, Bibl. vat., xe s., parch., 353 × 240 mm, 398 ff., 2 col., 33 li.

ff. 129^{v}-133 *De incomprehensibili* hom. I-V

ff. 173-179^{v} Μίαν ὑμῖν

Voir R. Devreesse, *Codices Vaticani graeci*, II, p. 437-438.

5. *Oxoniensis New College 81* : **Y**, Oxford, Bibl. New College, xe s. exeunte, parch., 276 × 210 mm, 368 ff., 30 li.

ff. 237-285^{v} *De incomprehensibili* I-V

ff. 285^{v}-292 Μίαν ὑμῖν

ff. 292-304^{v} Πάλιν ἱπποδρομίαι

ff. 304^{v}-313 Χθὲς ἐκ πολέμου

Voir M. Aubineau, *CCG* I, p. 99-100.

6. *Laurentianus Conv. sopp. 198* : **G**, Florence, Bibl. mon. Laur., xe s., parch., 317 × 203 mm, III-495 ff., 2 col., 21 li.
ff. 1-49 *De incomprehensibili* hom. V
ff. 49^{v}-57^{v} Μίαν ὑμῖν
Voir C. Rostagno e N. Festa, *Indice dei codici graeci Laurentiani I, Conventi soppressi* (Studi ital. di fil. class. I, 1893), p. 27.

7. *Vaticanus gr. 577* : **O**. Voir hom. VII, n° 3, p. 67.

8. *Vaticanus gr. 1526* : **V**. Voir hom. VII, n° 8, p. 68.

9. *Hierosolymitanus S. Sabae 36* : **Q**. Voir hom. VII, n° 5, p. 67.

10. *Parisinus gr. 581* : **P**. Voir hom. VII, n° 10, p. 68.

Homélie XII (*CPG 4325*)

Au point de vue de la tradition manuscrite, l'homélie XII, Εὐλογητὸς ὁ θεός, n'a aucun rapport avec l'homélie XI, Μίαν ὑμῖν. Bien que toutes les deux aient été prononcées en 398, et l'une peu de jours après l'autre, d'après Montfaucon, l'homélie Εὐλογητὸς ὁ θεός vit de façon indépendante dans les manuscrits. Ceux qui nous l'ont conservée sont de bonne époque, puisque l'un est daté du IXe s., quatre du Xe s. et un des Xe-XIe siècles.

1. — **Table des manuscrits**

1.	A	Mosquensis 128 (Vlad. 159)	IXe s.
		Ambrosianus D 68 sup (Gr. 245) incip. mut.	Xe s.
2.	B	Atheniensis 212	
		Vaticanus gr. 599 mut. Folio 89^{v} avulso	
		Oxoniensis Bodl. Holkam inc. mut.	
3.	C	Vaticanus gr. 1633	X^{e}-XIe s.
4.	E	Londinensis Arundel 542	XIe s.
5.	D	Parisinus gr. Coislin. 107	
6.	F	Angelicus gr. 125	
7.	G	Oxoniensis New College gr. 82	
8.	H	Scorialensis gr. 258	XIIe s.
9.	I	Vaticanus gr. 564	

10. J	Oxoniensis Barocci 241	XIVe s.
11.	Oxoniensis Lincoll College gr. 1	
12.	Ambrosianus B 1 5 sup. (gr. 136)	
13.	Parisinus gr. 772	XVe s.
14.	Basileensis gr. F.III.1a	
15.	Casatanensis gr. 13963	
16.	Oxoniensis Auctarium E.4.2 (Exemplaire de Savile), p. 187-202	XVIe s.
17.	Oxoniensis Auctarium T.3. 4 ff. 302v-309	
18.	Oxoniensis Canon. gr. 99 ff. 129-137	

2. — **Classement des manuscrits**

A. *Caractéristiques extérieures*

La notice d'en-tête annonce deux thèmes : l'histoire du paralytique et la parole de Jésus : «Le Père agit sans cesse», etc. Dans la plupart des manuscrits, ces deux thèmes sont reliés par καὶ ὅτι, sauf en E où seul le premier thème est mentionné et en DF où les deux thèmes sont réunis par καὶ εἰς τὸ. Si l'omission du second thème en E peut s'expliquer par un accident de transmission, la liaison par καὶ εἰς τὸ apparente à coup sûr les mss D et F. De même la présence de λόγος dans les mss GHIJ invite à grouper ces mss en une même famille. On verra que l'apparat confirme ces hypothèses[1].

1. Dans les mss G (au-dessus du f. 92) et I (au-dessus du f. 51v), on lit la mention Τῇ Γ′ κυριακῇ, tandis que dans le ms. H (au-dessus du f. 96) on trouve la mention κυριακῇ τεταρτῇ τοῦ παραλύτου. Cette différence de chiffres s'explique selon qu'on inclut ou non le dimanche de Pâques dans le comput. Après Pâques, le 2e dimanche est celui de saint Thomas, le 3e est celui des femmes myrrhophores, le 4e dimanche est celui du paralytique. A partir du dimanche du paralytique, jusqu'à l'Ascension, l'Église orthodoxe célèbre la puissance du Christ dans les miracles qu'il accomplit durant sa vie terrestre. Elle voit dans la guérison du paralytique le signe, pour chaque chrétien, de la résurrection du Christ et dans le grabat de l'homme paralytique son cercueil. — Je dois cette note à Xénia Grichine (IRHT) que je remercie.

B. *Étude du texte*

Le texte de l'homélie XII ne présente pas, comme celui des homélies IX, X et XI, des passages gravement perturbés qui permettent de départager les différentes traditions. D'autre part, le nombre des mss anciens étant limité, on se trouve obligé de les utiliser tous pour établir l'apparat critique. Il ne reste donc qu'à étudier la façon dont ils se groupent.

3. — **Choix des manuscrits pour l'établissement de l'apparat critique**

Parmi les mss les plus anciens, trois sont malheureusement mutilés, mais le *Mosquensis 128* (A) daté du IXe s. et l'*Atheniensis 212* (B) daté du Xe s., qui sont complets, sont deux témoins précieux. En fait, ils sont étroitement apparentés au point qu'on pourrait croire que l'un est la copie de l'autre, en supposant un intermédiaire qui expliquerait les très rares divergences entre les deux manuscrits. Le *Vaticanus gr. 1633* (C) s'aligne soit sur A, soit sur B, quand ils diffèrent. Il en est de même de l'*Arundel 542* (E) si bien qu'on peut légitimement former une famille α avec les mss A B C E.

Les mss D et F suivent l'un et l'autre une tradition nettement originale. Il serait fastidieux de relever tous les cas où ils sont d'accord. Mais le grand nombre de ces cas invite à constituer avec ces mss une famille intermédiaire γ, sans que pour autant l'on puisse dire quel est celui qui est une copie de l'autre. Voir en particulier la ligne 344 où ils ont une lacune commune, qui n'a pas la même étendue.

Si la parenté de G H I J n'est pas toujours aussi évidente que celle des mss des deux groupes précédents, ils ont assez de variantes communes pour être réunis dans la famille β.

4. — Description des manuscrits utilisés dans l'apparat critique de l'homélie XII

1. *Mosquensis gr. 128* (Vladimir 159) : **A**, Moscou, Musée historique, Bibl. syn., IXe s., parch., env. 400 × 368 mm, 446 ff., 2 col., 39 li.

. . .

ff. 210^{v}-215^{v} Εὐλογητὸς ὁ θεός· καθ' ἑκάστην σύναξιν

. . .

Voir Archimandrite Vladimir, *Catalogue des mss de la Bibl. Synod.*, t. I, p. 165.

2. *Atheniensis 212* : **B**, Athènes, Bibl. nat., Xe s., parch., 418 × 260 mm, 202 ff., 2 col., 40-43 li.

. . .

ff. 37-43^{v} Εὐλογητὸς ὁ θεός· καθ' ἑκάστην σύναξιν

. . .

Voir J. et A. Sakkelion, *Catalogue des mss grecs* ..., p. 40-41 ; M. Richard, notice manuscrite à l'IRHT.

3. *Vaticanus gr. 1633* : **C**, Bibl. vat., X^{e}-XIe s., parch., I + 222 ff., 2 col., 46-48 li.

. . .

ff. 163-167^{v} Εὐλογητὸς ὁ θεός· καθ' ἑκάστην σύναξιν

. . .

Voir C. Gianelli, *Cod. vatic. graeci* ..., p. 319-321.

4. *Londinensis Arundel 442* : **E**, Londres, British Museum, XIe s., parch., 405 × 270 mm, 237 ff., 2 col., 36 li.

. . .

ff. 20^{v}-29 Εὐλογητὸς ὁ θεός· καθ' ἑκάστην σύναξιν

. . .

Voir M. Aubineau, *CCG* I, p. 41.

5. *Parisinus Coislin. 107* : **D**, Paris, Bibl. nat., XIe s., parch., 315 × 250 mm, 270 ff., 2 col., 30 li.

. . .

ff. 215-224 Εὐλογητὸς ὁ θεός· καθ' ἑκάστην σύναξιν

. . .

Voir R. Devreesse, *Le fonds Coislin*, Paris, 1945, p. 95-97.

6. *Angelicus 125* : **F**, Rome, Bibl. angelica, XIe s., parch., 362 × 240 mm, 373 ff., 2 col., 30 li.

. . .

ff. 260^{v}-271^{v} Εὐλογητὸς ὁ θεός· καθ' ἑκάστην σύναξιν

. . .

Voir R. E. Carter, *CCG* V, p. 175-177.

7. *Oxoniensis New College gr. 82* : **G**, Oxford, Bibl. New College, XIe-XIIe s., parch., 260 × 195 mm, 311 ff., 29-30 li.

...

ff. 92^{v}-101^{v} Εὐλογητὸς ὁ θεός· καθ' ἑκάστην σύναξιν

...

Voir M. Aubineau, *CCG* I, p. 100-101.

8. *Scorialensis gr. 258* : **H**, El Escorial, Bibl. mon., XIIe s., parch., 288 × 200 mm, VI + 301 ff., 2 col., 31 li.

...

ff. 51^{v}-61 Εὐλογητὸς ὁ θεός· καθ' ἑκάστην σύναξιν

...

Voir R. E. Carter, *CCG* III, p. 77.

9. *Vaticanus gr. 564* (olim 301) : **I**, Bibl. vat., XIIe s., parch., 385 × 263 mm, 298 ff., 2 col., 32 li.

...

ff. 96-103 Εὐλογητὸς ὁ θεός· καθ' ἑκάστην σύναξιν

...

Voir R. Devreesse, *Cod. Vat. gr.* II, p. 445-448.

10. *Oxoniensis Barocci 241* : **J**, Oxford, Bodl. Library, XIVe s., parch., 390 × 280 mm, 292 ff., 2 col., 40 li.

...

ff. 182-188 Εὐλογητὸς ὁ θεός· καθ' ἑκάστην σύναξιν

...

Voir M. Aubineau, *CCG* I, p. 199-201.

SOURCES MANUSCRITES ET IMPRIMÉES DES HOMÉLIES VII-XII UTILISÉES PAR LES ÉDITEURS

	Fronton du Duc	Savile	Montfaucon *
VII	J. du Tillet (ms. perdu) Paris. gr. 809	éd. F. du Duc + New College 79 et 81	Paris gr. 806, 813, 802, 803, 607, 812 Coisl. 61[1]
VIII	*idem*	Vat. Pal. gr. 577 + Vat. gr. 1526 et New College 79 et 81	Paris. gr. 806, 813, 607, 812
IX	édition Savile	Paris. gr. 897 Monacensis gr. 524	Paris. gr. 1505, 1447
X	édition Savile	Monacensis gr. 352	Pas d'indication de sources
XI	Paris. gr. 809	édition F. du Duc + New College 79 et 81	Paris. gr. 689, 656, 813, 607
XII	édition Savile	édition de 1581 à Rome + New College 82	Paris. gr. 772

* Les manuscrits sont indiqués dans l'ordre où les donne Montfaucon, mais avec les numéros qu'ils portent actuellement dans le catalogue de la B.N.

CONCLUSION

Cette enquête dans la tradition manuscrite permet d'attirer l'attention sur les points suivants.

Nos homélies ont une tradition solidement établie dans le passé, puisque chacune est représentée par des témoins remontant aux IXe et Xe siècles, mais le nombre des mss qui les contiennent est très inégal :

74 mss pour les homélies VII et VIII
25 mss pour l'homélie IX
8 mss pour l'homélie X
36 mss pour l'homélie XI
18 mss pour l'homélie XII

Le nombre élevé des mss qui contiennent les homélies VII et VIII donne une idée de l'importance du sujet traité, bien qu'il n'atteigne pas celui des homélies I-V. Les homélies VII et VIII ont une tradition manuscrite commune. Leurs rapports avec les homélies I-V sont probables, puisque plusieurs mss utilisés dans l'apparat critique du volume 28 *bis* de *SC* l'ont été de nouveau pour établir le texte de nos homélies, par exemple Y, M, O, V. Cependant les aléas de la transcription posent pour chacun d'eux le problème de leur valeur respective.

Quant à l'irritante question de la place de l'homélie XI (ς' codd.) entre les homélies V et VII, la collation des mss de cette homélie ne permet évidemment pas de la justifier, mais l'examen des variantes invite à conclure que cette homélie, sixième d'après la tradition manuscrite, se rattache au groupe I-V plus étroitement qu'au groupe VII-VIII.

La collation des mss de l'homélie IX a fait surgir un autre problème : celui d'un groupe de neuf mss, famille α, en face d'un dixième qui donne, en plusieurs endroits, un texte différent, plus bref, mais plus correct. Dans ces conditions, on serait tenté de dessiner un stemma où les neuf mss formeraient un groupe indifférencié en face d'un ms. unique (K). En réalité les choses sont moins simples. En effet, en dehors des cas où la tradition manuscrite ne présente pas de variantes, on trouve ceux où K s'aligne sur l'ensemble de la tradition et ne suit pas les mss qui donnent une variante originale. Devant la complexité de cette situation, nous avons renoncé à proposer un stemma qui ne pouvait que trahir la réalité.

Les mss qui nous ont conservé l'homélie X sont très peu nombreux ; leur témoignage n'en est que plus précieux. Ils se partagent de façon tout à fait classique en deux familles où le groupe AD (famille α) et le groupe CG (famille β) s'opposent tour à tour au reste de la tradition manuscrite. Ce texte apparaît cinq fois sur huit isolé dans les mss et trois fois accompagnant les homélies VII et VIII, mais séparé d'elles par d'autres textes.

La tradition manuscrite de l'homélie XII invite à former une famille intermédiaire (γ) représentée par les mss D F qui s'éloignent de l'ensemble des mss, tantôt par leurs additions, tantôt par leurs omissions. L'homélie XII, plus encore que la précédente, se trouve comme égarée au milieu d'autres homélies, sans qu'on puisse trouver une raison qui justifie sa place dans un ensemble souvent hétéroclite. C'est un motif de plus pour rendre hommage à la perspicacité de Montfaucon qui a complété la série des homélies *Contra Anomoeos* par ce beau texte.

L'étude de la tradition manuscrite a montré que si les éditeurs précédents n'avaient pas à leur disposition des manuscrits aussi nombreux qu'à notre époque[1], ils ont eu

1. Je suis heureuse de témoigner ici ma gratitude à l'IRHT qui m'a procuré les microfilms de nombreux mss et, en particulier, à Madame Kecskeméti, Ingénieur à l'IRHT. Son aimable disponibilité m'a été d'un grand secours dans mon enquête à travers la tradition manuscrite.

la chance d'utiliser des manuscrits qui leur ont permis d'atteindre la tradition la plus ancienne et d'établir un texte généralement satisfaisant, bien que, sur certains points, nous ayons pu l'améliorer. En effet, la collation de ces quarante-huit manuscrits, rendue nécessaire par la diversité des traditions qui ont transmis chacune de nos homélies, a fourni l'occasion de corriger quelques erreurs de copistes, de donner la préférence à des variantes qui s'harmonisent mieux avec le contexte ou avec les habitudes stylistiques de Jean.

Cette étude permet-elle de lire une version plus authentique des homélies *Sur l'égalité du Père et du Fils* prononcées avec tant de foi par Jean Chrysostome ? On n'oserait l'affirmer. En tout cas, c'est le vœu de l'éditeur.

Au moment où paraît ce volume, il m'est agréable d'exprimer au Père Georges-Matthieu de Durand ma reconnaissance pour l'aide qu'il m'a généreusement apportée dans l'étude de la tradition manuscrite de ces homélies. Je remercie Mademoiselle Marie-Louise Guillaumin qui a bien voulu lire ma première traduction. Mademoiselle Marie Zambeaux m'a accompagnée avec une attention clairvoyante et fidèle tout au long de la mise au point de ce volume : qu'elle trouve ici l'assurance de mon amicale gratitude.

BIBLIOGRAPHIE

I. Auteurs anciens

Athanase, *Oratio contra Arianos* I, 6, *PG* 36, 24.

Basile de Césarée, *Contre Eunome* suivi de Eunome, *Apologie*, introduction, traduction et notes de Bernard Sesboüé avec la collaboration de Georges-Mathieu de Durand et de Louis Doutreleau, tome I, *SC* 299, Paris, 1982, tome II, *SC* 305, Paris, 1983.

Eunome de Cyzique, *Eunomius, The extant works*, text and translation by Richard Paul Vaggione, coll. *Oxford early christian texts*, Oxford, 1987.

Grégoire de Nazianze, *Discours 27-31 (Discours théologiques)*, introduction, texte critique, traduction et notes par Paul Gallay avec la collaboration de Maurice Jourjon, *SC* 250, Paris, 1978.

Grégoire de Nysse, *Contra Eunomium libri*, pars prior (libri I et II vulgo I et XIII) ; pars altera (liber III vulgo III-XII) ; refutatio confessionis Eunomii (vulgo li. II), Leyde, 1960.

—, *Contra Eunomium* I, 1-146, eingeleitet, übersetzt und kommentiert von Jürgen-André Röder, éd. Peter Lang, Frankfurt/M., Berlin, etc., 1993.

Jean Chrysostome, *Sur l'incompréhensibilité de Dieu* (Contre les Anoméens, homélies I-V), introduction de Jean Daniélou, texte critique et notes de Anne-Marie Malingrey, traduction de Robert Flacelière, *SC* 28 *bis*, Paris, 1970[2].

Philostorge, *Histoire ecclésiastique*, éd. J. Bidez, *GCS* 21, Leipzig, 1972.

Socrate, *Histoire ecclésiastique*, lib. IV et V, PG 67.

Sozomène, *Histoire ecclésiastique*, lib. VII et VIII, *GCS* 50, Berlin, 1960.

Code Théodosien, Theodosiani libri XVI, éd. P. Krüger, Th. Mommsen, P. M. Meyer, Berlin, 1905.

II. Auteurs modernes

M. Albertz, « Zur Geschichte der Jung arianischen Gemeinschaft », dans *Theologische Studien und Kritiken* 82 (1909), p. 205-278.

M. Aubineau, « Une enquête dans les manuscrits chrysostomiens : opportunité, difficultés, premier bilan », dans *RHE*, t. 63 (Louvain 1968), p. 5-26.

G. Bardy, « L'héritage littéraire d'Aetius », dans *RHE* 24 (1928), p. 809-826.

Ch. Baur, *S. Jean Chrysostome et ses œuvres dans l'histoire littéraire*, Louvain-Paris, 1907.

—, *Johannes Chrysostomus und seine Zeit*, Munich, 1929-1930. Trad. anglaise par Sr. M. Gonzaga, *John Chrysostom and his time*, Londres-Glasgow, 1959-1960.

J. Bernardi, *La prédication des Pères cappadociens*, Paris, 1968.

E. Boularand, *L'hérésie d'Arius et le concile de Nicée*, Paris, 1972.

E. Cavalcanti, *Studi eunomiani* (Coll. *Pontificium Institutum orientalium studiorum*), Rome, 1976.

Th. Dams, *La controverse eunomienne*, Thèse polycopiée présentée devant la Facultée de théologie de l'Institut catholique de Paris le 28.02.1952.

J. Daniélou, « Eunome l'Arien et l'exégèse platonicienne du Cratyle », dans *REG*, t. 69, 1956, p. 412-432.

G. Downey, *A Story of Antioch in Syria*, Princeton, 1974.

V. Ermoni, art. « Aetius », dans *DHGE*, I, 1, col. 510.

K. J. Hefele, revu par H. Leclercq, *Histoire des conciles*, t. II, pars I, Paris, 1908.

X. Le Bachelet, art. « Anoméens », dans *DThC* 1, col. 1322-1326.

—, art. « Eunomius », dans *DThC* 5, col. 1501-1514.

J. Liebart, *L'Incarnation, des origines au concile de Chalcédoine*, Paris, 1966.

A.-M. Malingrey, « Un essai de classement dans la tradition manuscrite des homélies de Jean Chrysostome 'De incomprehensibili' », dans *Traditio*, vol. 25, 1969, p. 339-353.

—, « La tradition manuscrite des homélies de Jean Chrysostome, *De incomprehensibili* », dans *Studia patristica* X, Berlin, 1970, p. 22-28.

—, « Prolégomènes à une édition des homélies de Jean Chrysostome *Contra Anomoeos* », dans *Studia patristica* XXII, Louvain, 1989, p. 154-158.

—, «L'harmonie des deux Testaments dans les homélies *Contra Anomoeos*», 11e Conférence internationale d'Études patristiques, Oxford 1991.

—, *Indices Chrysostomici*, vol. I et II, Hildesheim-New York, 1978 et 1982.

A. Marchadour, *Lazare, Histoire d'un récit. Récits d'une histoire* (coll. *Lectio divina* 132), éd. du Cerf, Paris, 1988.

B. de Margerie, *Introduction à l'histoire de l'exégèse*, t. I, Paris 1980.

L. Meyer, *Saint Jean Chrysostome maître de perfection spirituelle*, Paris, 1933.

I. Ortiz de Urbina, *Nicée et Constantinople*, Paris, 1963.

O. Pasquato, *Gli spettacoli in S. Giovanni Crisostomo, Paganismo e Christianismo ad Antiochia e Constantinopoli nel IV secolo* (*OCA* 201), Roma (Pontificium Institutum orientalium studiorum), 1976.

—, «Eretici e cattolici ad Antiochia in S. Giovanni Crisostomo», dans *Augustinianum* 25 (1985), p. 833-852.

P. Petit, «Saint Grégoire de Nazianze théologien de la Trinité», dans *Connaissance des Pères de l'Église*, n° 35, Paris, 1989.

J. Plagnieux, *Saint Grégoire de Nazianze théologien*, Paris, 1952.

B. Sesboüé, *L'apologie d'Eunome de Cyzique et le Contre Eunome (L. I-III) de Basile de Césarée, PUG*, Rome, 1980.

M. Simonetti, *La crisi ariana nel IV secolo* (*Studia Ephemeridis «Augustinianum»* 11), Rome, 1975.

—, «Le origini dell'Arianismo», dans *Revista di storia e letteratura religiosa* (1971), p. 317-330.

M. Spanneut, art. «Eunomius», *DHGE* 15 (1963), col. 1399-1405.

P. Spidlik, *Grégoire de Nazianze, introduction à l'étude de sa doctrine spirituelle* (*Orientalia Christiana Analecta* 189), Rome, 1971.

M. Tardieu et J. D. Dubois, *Introduction à la littérature grecque gnostique (Initiations au christianisme ancien)*, Paris, Cerf, 1986.

A. Tuilier, «Le sens du terme ὁμοούσιος dans le vocabulaire théologique d'Arius et de l'École d'Antioche», dans *Studia Patristica* III, *TU* 78, Berlin, 1961.

E. Vandenbussche, «La part de la dialectique dans la théologie d'Eunomius 'le technologue'», dans *RHE* 40 (1944-1945), p. 47-72.

M. van Parys, «Exégèse et Théologie dans les livres 'Contre Eunome' de Grégoire de Nysse. Écriture et culture philosophique dans la pensée de Grég. de Nysse», *Actes du colloque de Chevetogne 22-26 septembre 1969*, Leyde, 1971, p. 169-196.

Abréviations

AB	Analecta Bollandiana, Bruxelles.
BHG	Bibliotheca Hagiographica Graeca, Bruxelles.
CCG	Codices Chrysostomici Graeci, Paris.
CPG	Clavis Patrum Graecorum, Turnhout.
CSIC	Consejo Superior de Investigationes Científicas.
DHGE	Dictionnaire d'Histoire et de Géographie ecclésiastiques, Paris.
DThC	Dictionnaire de Théologie catholique, Paris.
GCS	Die Griechischen Christlichen Schriftsteller der ersten (drei) Jahrhunderte, Berlin-Leipzig.
IRHT	Institut de Recherches et d'Histoire des Textes, Paris.
PG	Patrologia graeca (J. P. Migne), Paris.
POC	Proche Orient Chrétien, Jérusalem.
PUG	Publications de l'Université Grégorienne, Rome.
REG	Revue des Études grecques, Paris.
RHE	Revue d'Histoire ecclésiastique.
RSR	Recherches de Sciences religieuses, Paris.
SC	Sources Chrétiennes, Paris.
TU	Texte und untersuchungen zur Geschichte der altchristlichen Literatur, Leipzig.

TEXTE ET TRADUCTION

HOMÉLIE VII

Conspectus siglorum

M	Parisinus gr. 607	Xe s.
Y	Oxoniensis New College 81	
O	Vaticanus gr. 577	
Ξ	Mosquensis Bibl. nat. 232 (Vlad. 105)	
Q	Hierosolymitanus Bibl. patr. S. Sabae 36	Xe-XIe s.
S	Hierosolymitanus Bibl. patr. S. Sabae 4	XIe s.
I	Mosquensis gr. 190	Xe s.
V	Vaticanus 1526	
R	Atheniensis Bibl. nat. 414	Xe-XIe s.
P	Parisinus gr. 581	XIe s.

Stemma de l'homélie VII

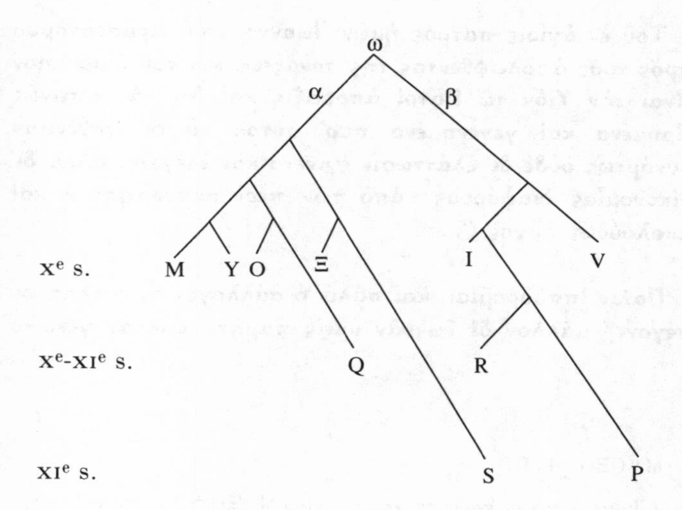

VII

Τοῦ ἐν ἁγίοις πατρὸς ἡμῶν Ἰωαννοῦ τοῦ Χρυσοστόμου πρὸς τοὺς ἀπολειφθέντας τῆς συνάξεως καὶ τοῦ ὁμοούσιον εἶναι τὸν Υἱὸν τῷ Πατρὶ ἀπόδειξις καὶ ὅτι τὰ ταπεινῶς εἰρημένα καὶ γεγενημένα παρ' αὐτοῦ οὐ δι' ἀσθένειαν δυνάμεως οὐδὲ δι' ἐλάττωσιν ἐγίνετο καὶ ἐλέγετο, ἀλλὰ δι' οἰκονομίας διαφόρους· ἀπὸ τῶν περὶ ἀκαταλήπτου καὶ ἀκολούθως λόγος ζ'.

Πάλιν ἱπποδρομίαι, καὶ πάλιν ὁ σύλλογος ἡμῖν ἐλάττων γέγονε· μᾶλλον δὲ ἕως ἂν ὑμεῖς παρῆτε, οὐκ ἂν γένοιτο

MYOΞΩS IVRP

Titulus. 1 τοῦ ἐν ἁγίοις — χρυσοστόμου MOΞΩ V : τοῦ αὐτοῦ cett. || 2-4 καὶ — οὐ glossae evanidae in Ξ || 2 τοῦ : τὸ Y || 3 τὰ sup. lin. R || 4 καὶ γεγενημένα om. Ω || 5 δυνάμεως — ἀλλὰ glossae evanidae in R || οὐδὲ δι' ἐλάττωσιν om. S || ἐγίνετο : ἐγένετο Ξ S VR || καὶ ἐλέγετο om. S RP || 6 ἀπὸ — ἀκαταλήπτου om. S || 6-7 καὶ ἀκολούθως Ξ V : ἀκολούθως MO IRP om. YΩS || 7 λόγος ζ' om. MΞ P

1. Sur l'importance de la notion évoquée par les mots ταπεινός, ταπεινῶς, ταπεινόω qui marquent l'abaissement du Christ dans l'Incarnation, voir introduction, *supra,* p. 42.

2. Le mot οἰκονομία peut avoir, selon le contexte, plusieurs sens qui sont des extensions du sens fondamental : *organisation, administration.* Dans le vocabulaire chrétien, il désigne soit le plan conçu par Dieu, soit sa réalisation dans l'Incarnation, mais il indique toujours une intention directrice, un motif. C'est sans doute dans ce sens que les rédacteurs de l'intitulé l'ont employé ici. Ils ont voulu résumer par

VII

De notre Père qui est parmi les saints, Jean Chrysostome, à ceux qui ont déserté la synaxe, démonstration du fait que le Fils est de la même essence que le Père et que si ses paroles et ses actions avaient un caractère d'abaissement[1], ce n'était chez lui ni à cause d'un manque de puissance, ni à cause de son infériorité qu'elles étaient accomplies et dites, mais pour différents motifs[2]; septième discours de ceux qui traitent de l'incompréhensible et leur faisant suite[3].

Exorde Encore des courses de chevaux[4], et voici encore que notre réunion s'est faite moins nombreuse, ou plutôt tant que vous êtes là, elle

ce pluriel les différentes raisons (αἰτίαι) exposées par Chrysostome dans les lignes de notre homélie, 158-233, qui expliquent et justifient l'Incarnation.

3. L'adverbe ἀκολούθως est dérivé du mot ἀκολουθία qui indique une succession logique. Après les homélies I-V dont le sujet est l'incompréhensibilité de Dieu, les homélies VII-XII dont le sujet est l'égalité du Père et du Fils, forment une suite *logique*.

4. Cf. *SC* 50, n. 1, p. 215 sur la fréquence de cet *incipit*. Les Antiochiens étaient friands de spectacles de toute sorte. *De Lazaro hom.* VII, 1, *PG* 48, 1045 ; *De Anna* 4, *PG* 54, 660 ; *In Io* hom. LVIII, *PG* 59, 320. Voir Ottorino Pasquato, *Gli spettacoli in S. Giovanni Crisostomo, Paganismo e Christianismo ad Antiochia e Constantinopoli nel IV secolo*, Roma 1976 (*Orientalia christiana analecta* 201).

ἐλάττων. Ὥσπερ γὰρ γεωργός, εἰ τὸν σῖτον ἀκμάζοντα καὶ ἀπηρτισμένον ἴδοι, οὐ πολὺν ποιεῖται λόγον τῶν φύλλων
5 καταπιπτόντων, οὕτω δὴ καὶ ἐγὼ νῦν, τοῦ καρποῦ παρόντος ἡμῖν, οὐ τοσαύτην ποιοῦμαι τὴν ὀδύνην, τὰ φύλλα ἀναρπαζόμενα βλέπων. Ἀλγῶ μὲν γὰρ καὶ διὰ τὴν ῥαθυμίαν ἐκείνων, παραμυθεῖται δὲ ὅμως τὴν ἐπ' ἐκείνοις ἀλγηδόνα τῆς ὑμετέρας ἀγάπης ἡ προθυμία. Ἐκεῖνοι μὲν γὰρ κἂν
10 παραγένωνταί ποτε, οὐδὲ τότε πάρεισιν, ἀλλὰ τὸ μὲν σῶμα αὐτοῖς ἐνταῦθα ἵδρυται, ἡ διάνοια δὲ ἔξω πλανᾶται· ὑμεῖς δὲ κἂν ἀπολειφθῆτέ ποτε, καὶ τότε πάρεστε· τὸ μὲν γὰρ σῶμα ὑμῖν ἔξω, ἡ διάνοια δὲ ἐνταῦθα. Ἐβουλόμην μὲν οὖν μακρὸν κατ' ἐκείνων ἀποτεῖναι λόγον, ἀλλ' ἵνα μὴ δόξω
15 σκιαμαχεῖν ἐπιτιμῶν τοῖς μὴ παροῦσι μηδὲ ἀκούουσι, τούτους εἰς τὴν ἐκείνων παρουσίαν τηρήσας τοὺς λόγους, τὴν ὑμετέραν ἀγάπην ἐπὶ τὸν συνήθη λειμῶνα καὶ τὸ πέλαγος τῶν θείων Γραφῶν κατὰ τὴν τοῦ Θεοῦ χάριν ὁδηγῆσαι πειράσομαι.

20 Ἀλλὰ διανάστητε καὶ γρηγορήσατε· ἐπὶ μὲν γὰρ τῶν πλεόντων κἂν ἅπαντες καθεύδωσιν, ὁ δὲ κυβερνήτης ἐγρηγορὼς ᾖ μόνος, οὐδείς ἐστι κίνδυνος, τῆς νήψεως τῆς ἐκείνου καὶ τῆς τέχνης ἀντὶ πάντων ἀρκούσης τῷ πλοίῳ· ἐνταῦθα δὲ οὐχ οὕτως, ἀλλὰ κἂν μυριάκις ὁ λέγων νήφῃ, οἱ δὲ
25 ἀκούοντες μὴ τὴν αὐτὴν ἀγρυπνίαν ἐπιδείκνυνται, καταπον-

MYOΞQS IVRP

6-7 ἀναρπαζόμενα : ἁρπαζόμενα R ἀναρριπιζόμενα MYOQ || 18 τοῦ [τοῦ om. S] θεοῦ : θείαν V || 20 γρηγορήσατε : γρηγορεῖτε ΞS V

1. L'ensemble des mss donne τοῦ θεοῦ souvent employé par Jean dans cette expression. L'adjectif θείαν se trouve dans l'édition de F. D. qui l'a empruntée au *Paris gr. 809*.

2. Dans le passage suivant, l'orateur fait un appel vigoureux à l'attention de ses auditeurs, puisqu'ils sont embarqués avec lui vers le même but, μεθ' ἡμῶν πλέοντες. Il utilise tout un jeu de verbes : ἐγείρω, γρηγορῶ, νήφω, ἀγρυπνῶ, dont le sens fondamental demeure : *être éveillé*. On peut cependant distinguer des nuances entre ces verbes

ne saurait être moins nombreuse. En effet, de même que le laboureur, lorsqu'il voit le blé mûr à point, ne s'inquiète pas beaucoup des feuilles qui tombent, de même moi aussi actuellement, devant la récolte qui se présente à nous, je n'éprouve pas tellement de chagrin en voyant les feuilles arrachées. Je souffre, certes, devant la négligence de ces gens-là, mais le zèle de votre charité me console de la souffrance qu'ils me causent. En effet, ces gens-là ont beau se trouver parfois présents, même alors ils ne sont pas là, leur corps est bien ici, mais leur pensée erre au dehors ; tandis que vous, vous avez beau parfois être absents, même alors vous êtes là, car votre corps est ailleurs, mais votre pensée est ici. J'aurais donc voulu prononcer contre eux un long discours, mais pour ne pas paraître combattre contre des ombres en faisant des reproches à des gens qui ne sont pas là et qui n'entendent pas, je garde mes paroles en réserve pour le moment où ils seront présents et je m'efforcerai, avec la grâce de Dieu[1], de conduire votre Charité dans la prairie accoutumée et sur l'océan des divines Écritures.

Appel à l'attention

Allons, redressez-vous et tenez-vous en éveil[2] ; en effet, quand il s'agit de gens qui font une traversée, même si tout le monde dort et si le pilote reste seul éveillé, il n'y a aucun danger, car sa vigilance et son habileté remplacent suffisamment celles de tous ; ici au contraire, rien de pareil ; même si très souvent l'orateur est mille fois vigilant, si les auditeurs n'apportent

grâce à l'étymologie. Ἐγείρω, γρηγορῶ désignent le fait d'*être en état de veille* ; νήφω signifie à l'origine *s'abstenir de vin, être sobre,* puis *s'abstenir de sommeil.* Ce mot est traditionnellement associé dans le N.T. à ἐγείρω et forme avec lui une sorte de doublet de sens voisin. Voir *I Thess.* 5, 6, *I Pierre* 5, 8. Quant à ἀγρυπνῶ qui signifie *passer la nuit dehors, dans les champs,* il indique aussi un état de veille, mais Chrysostome ajoute à l'idée de veille celle de persévérance. Par exemple, la Chananéenne, l'ami importun de l'Évangile, Anne, mère de Samuel, tous font preuve de persévérance dans la demande. Voir *In Ep. ad Eph. hom.* 24, 3, *PG* 62, 172. C'est en nous appuyant sur ce texte que nous traduisons ἀγρυπνία par *constance.*

τισθεὶς ἡμῖν ὁ λόγος οἰχήσεται, οὐχ εὑρὼν διάνοιαν τὴν ὑποδεξαμένην αὐτόν. Διὸ χρὴ νήφειν καὶ ἐγρηγορέναι· καὶ γὰρ ὑπὲρ μειζόνων ἡμῖν ἡ ἐμπορία· οὐδὲ γὰρ ὑπὲρ χρυσίου καὶ ἀργυρίου καὶ τῶν ἀπολλυμένων πραγμάτων πλέομεν,
30 ἀλλ' ὑπὲρ τῆς μελλούσης ζωῆς καὶ τῶν ἐν οὐρανοῖς θησαυρῶν, καὶ πλείους ἐνταῦθα αἱ ὁδοὶ τῶν ἐν τῇ θαλάσσῃ καὶ τῶν ἐν τῇ γῇ· κἂν μὴ μετὰ ἀκριβείας τις αὐτὰς εἰδῇ τεμεῖν, ναυάγιον ὑποστήσεται χαλεπώτατον. Πάντες τοίνυν ὑμεῖς οἱ μεθ' ἡμῶν πλέοντες, μὴ τὴν τῶν ἐπιβατῶν ἄδειαν,
35 ἀλλὰ τὴν τῶν κυβερνητῶν ἀγρυπνίαν ἐπιδείκνυσθε καὶ φροντίδα· καὶ γὰρ ἐκεῖνοι τῶν λοιπῶν καθευδόντων ἁπάντων ἐπὶ τῶν οἰάκων καθήμενοι, οὐ μόνον τὰς ἐν τοῖς ὕδασι περισκοποῦσιν ὁδούς, ἀλλὰ καὶ πρὸς τὸν οὐρανὸν ἐκ τοσούτου βλέποντες τοῦ διαστήματος, ὥσπερ τινὸς χειρὸς
40 τῆς τῶν ἄστρων πορείας χειραγωγούσης αὐτούς, μετὰ ἀσφαλείας τὸ σκάφος ἰθύνουσι καὶ οὐδεὶς ἰδιώτης τὸ πέλαγος οὕτως ἀδεῶς ἐν ἡμέρᾳ ἰδεῖν δύναιτ' ἂν ὡς ἐκεῖνοι μεθ' ἡσυχίας ἁπάσης ἐν μέσῃ νυκτί, ὅτε φοβερωτέρα ἡ θάλασσα φαίνεται· ἐγρηγορότες ἀταράχως τὴν ἑαυτῶν
45 ἐπιδείκνυνται τέχνην καὶ οὐχὶ τὰς ἐν τοῖς ὕδασιν ἀτραποὺς μόνον, οὐδὲ τῶν ἄστρων τοὺς δρόμους, ἀλλὰ καὶ ἀνέμων ἐξόδους περισκοποῦσι, καὶ τοσαύτη τῶν ἀνδρῶν ἐκείνων ἐστὶν ἡ σοφία ὡς πολλάκις πνεύματος ῥύμην σφοδρότερον ἐμπεσοῦσαν καὶ μέλλουσαν περιτρέπειν τὸ πλοῖον, ταῖς
50 πυκναῖς τῶν ἱστίων μεταβολαῖς δεχομένους εὐστόχως ἅπαντα λῦσαι τὸν κίνδυνον καὶ ταῖς βιαίαις τῶν ἀνέμων ἐμβολαῖς

MYOΞQS IVRP

27 ὑποδεξαμένην : -δεξομένην MΞQS R -ξωμένην O ‖ 30 οὐρανοῖς : τοῖς οὐρανοῖς IRP ‖ 32 αὐτάς τις ~ MOΞQS ‖ εἰδῇ : ἴδη MOQ εἰδείη IRP ‖ 39 τοῦ om. Q ‖ 41 ἰθύνουσι : εὐθύνουσι IVRP ‖ 41-42 τὸ² — οὕτως : οὕτω τὸ πέλαγος Q IRP ‖ 42 ἐν ἡμέρᾳ ἀδεῶς ~ Q IRP ‖ ἰδεῖν om. Y ‖ 48 ἐστὶν om. Q ‖ 51 βιαίαις : βιαίοις O V

pas la même constance, notre discours s'en ira à la mer sans avoir trouvé une intelligence capable de le recevoir. C'est pourquoi il faut être vigilant et se tenir en éveil, car l'entreprise nous offre des objectifs supérieurs, puisque ce n'est pas pour de l'or ni pour de l'argent, ni pour des biens périssables que nous naviguons, mais pour la vie future, pour les trésors du ciel, et dans ce domaine les chemins sont plus nombreux que ceux de la mer et ceux de la terre ; qui ne sait pas les distinguer avec précision subira le plus pénible des naufrages. Ainsi donc, vous tous qui naviguez avec nous, ne montrez pas l'insouciance des passagers, mais la conscience des pilotes et leur attention ; eux, en effet, tandis que tous le monde dort, assis au gouvernail, ne se contentent pas d'examiner la route à suivre sur les eaux, mais regardant vers le ciel à une si grande distance, comme si le cours des astres les guidait en quelque sorte par la main, ils dirigent[1] avec sécurité leur bateau, et aucun homme inexpérimenté ne saurait de jour regarder[2] les flots agités avec moins d'appréhension que ces pilotes ne le font en toute tranquillité, en pleine nuit, lorsque la mer semble plus redoutable ; se tenant éveillés, sans s'émouvoir, ils montrent leur habileté et ils surveillent non seulement les routes maritimes et le cours des astres, mais encore la direction des vents, et telle est la science de ces hommes que souvent, alors que l'impétuosité de l'air s'abattant avec plus de force est en passe de faire chavirer le navire, par la manœuvre ininterrompue des voiles, ils écartent adroitement le danger ; opposant aux attaques

1. F. D. qui suit le *Paris. gr. 809* donne εὐθύνουσι. Les deux verbes ont un sens voisin.

2. Tous les mss utilisés placent ἰδεῖν devant δύναιτ' ἄν et ignorent πλεῦσαι qui est une correction de Savile d'après le *New College 81* (Y) adoptée par les éditeurs suivants.

τὴν αὐτῶν ἀντιστήσαντες τέχνην, ἐξαρπάσαι τοῦ κλυδωνίου τὸ σκάφος. Εἰ δὲ ὑπὲρ βιωτικῶν ἐκεῖνοι πραγμάτων αἰσθητὴν πλέοντες θάλασσαν οὕτως ἐγρηγορυῖαν διηνεκῶς ἔχουσι
55 τὴν ψυχήν, πολλῷ μᾶλλον ἡμᾶς οὕτω παρεσκευάσθαι χρή· καὶ γὰρ καὶ μείζων ὁ κίνδυνος ῥαθυμοῦσι καὶ πλείων ἡ ἀσφάλεια νήφουσιν. Οὔτε γὰρ ἀπὸ σανίδων ἡμῖν τὸ σκάφος τοῦτο κατεσκεύασται, ἀλλ' ἀπὸ τῶν θείων κεκόλληται Γραφῶν, οὐδὲ ἀστέρες αὐτὸ χειραγωγοῦσιν ἄνωθεν, ἀλλ' ὁ
60 τῆς δικαιοσύνης ἥλιος τοῦτον ἡμῖν κατευθύνει τὸν πλοῦν καὶ καθήμεθα ἐπὶ τῶν οἰάκων, οὐ ζεφύρου πνοὰς ἀναμένοντες, ἀλλὰ τὴν πραεῖαν τοῦ Πνεύματος αὔραν.

Νήφωμεν τοίνυν καὶ τὰς ὁδοὺς μετὰ ἀκριβείας περισκοπῶμεν· περὶ γὰρ τῆς τοῦ Μονογενοῦς δόξης ὁ λόγος ἡμῖν
65 ἐστι πάλιν. Πρῴην μὲν οὖν ἐδείκνυμεν ὅτι καὶ ἀνθρώπων καὶ ἀγγέλων καὶ ἀρχαγγέλων καὶ ἁπλῶς πάσης τῆς κτίσεως τὴν σοφίαν ἡ κατάληψις τῆς οὐσίας τοῦ Θεοῦ μετὰ πολλῆς

MYOΞΩS IVRP

52 ἀντιστήσαντες : -σαντας V || 55 τὴν om. Q IRP || οὕτω : οὕτως Q IRP || 62 αὔραν τοῦ πνεύματος ~ V || 67 οὐσίας : σοφίας MS

1. Les variantes βιαίοις et ἀντιστήσαντας sont empruntées au *Vaticanus gr. 1526* (V) par le *Paris. gr. 809*, source de F. D. Les formes βιαίοις et ἀντιστήσαντες peuvent grammaticalement s'expliquer. L'adjectif βίαιος emploie la forme masculine aussi bien pour le féminin que pour le masculin. Quant à la forme ἀντιστήσαντες, dans les thèmes consonantiques, l'accusatif en ες apparaît d'assez bonne heure dans les différents dialectes et le phénomène se développe dans la Koinè. Voir P. CHANTRAINE, *Morphologie historique du grec*, Paris 1961, p. 59-60.

2. L'ensemble des mss donne οὔτε ... οὐδὲ qui a été corrigé par F. D. en οὔτε ... οὔτε, à tort sans doute, car la première tournure est d'un usage courant en grec, pour insister sur l'aspect négatif du second membre : *ne pas ... et pas même*.

3. Seuls le *Vaticanus gr. 1526* et le *Paris. gr. 809* donnent l'ordre des mots suivi par F. D.

violentes [1] des vents leur habileté, ils arrachent le bateau à la tempête. Mais si, lorsqu'il s'agit d'affaires humaines, de telles gens qui naviguent sur une mer que nous voyons gardent ainsi continuellement leur esprit éveillé, à plus forte raison faut-il que nous soyons ainsi en alerte ; car plus grand est le danger pour ceux qui sont négligents et plus grande est la sécurité pour ceux qui sont vigilants. En effet, notre embarcation n'est pas constituée de planches, mais elle a été assemblée au moyen des saintes Écritures ; ce ne sont pas non plus [2] des astres qui la guident d'en haut, mais c'est le soleil de justice qui dirige pour nous la navigation et quand nous sommes assis au gouvernail, nous n'attendons pas les souffles du zéphyr, mais la douce brise de l'Esprit [3].

Sujet de l'homélie Soyons donc vigilants et examinons les chemins avec un soin minutieux ; en effet la gloire du Fils unique [4] est une fois encore le sujet de notre discours. Récemment, nous vous montrions que la saisie de l'essence [5] de Dieu dépasse surabondamment la sagesse des hommes, des anges et des archanges, en un mot

4. Dans nos homélies, Chrysostome utilise comme noms propres pour désigner le Christ tantôt Μονογενής tantôt Υἱός. On trouve les deux termes unis par καὶ en IV, 284 et 299-300. Ces deux termes sont présentés comme équivalents par le prédicateur lui-même en V, 52. Il souligne en IV, 264, que le terme Μονογενής appartient en propre au Fils de Dieu et c'est pourquoi on le trouve complété par τοῦ Θεοῦ en XI, 132. Il doit être traduit, selon le contexte, soit par *Monogène,* soit par *Fils unique,* comme dans l'homélie VII, 64, 68, 101, 103, 107, 434, où l'argumentation porte sur le mot *fils*.

5. La variante σοφίας s'explique par le voisinage de σοφίαν, mais le thème traité dans les homélies impose οὐσίας. C'est, en effet, un des mots clefs du vocabulaire théologique dans les controverses trinitaires du IVe s. qui ont eu le résultat positif de fixer le sens des mots selon l'orthodoxie. Grégoire de Nysse a donné la définition de οὐσία dans une lettre à son frère Pierre de Sébaste. Cette lettre est conservée sous le nom de Basile, lettre 38 (coll. des Universités de France), Paris 1957, t. 1, p. 81-92.

ὑπερβαίνει τῆς περιουσίας καὶ τῷ Μονογενεῖ μόνῳ καὶ τῷ ἁγίῳ Πνεύματι γνώριμός ἐστι καὶ σαφής· νυνὶ δὲ πρὸς
70 ἕτερον παλαισμάτων ἡμῖν μέρος ὁ λόγος μεθίσταται. Ζητοῦμεν γὰρ εἰ τῆς αὐτῆς δυνάμεως, εἰ τῆς αὐτῆς ἐξουσίας, εἰ τῆς αὐτῆς οὐσίας ἐστὶν ὁ Υἱὸς τῷ Πατρί· μᾶλλον δὲ ἡμεῖς οὐ ζητοῦμεν, ἀλλ' εὑρήκαμεν τοῦτο διὰ τὴν τοῦ Χριστοῦ χάριν καὶ κατέχομεν μετὰ ἀσφαλείας· τοῖς
75 δὲ ἀναισχυντοῦσιν ὑπὲρ τούτων αὐτὸ τοῦτο ἀποδεῖξαι παρασκευαζόμεθα νῦν. Αἰσχύνομαι μὲν οὖν καὶ ἐρυθριῶ μέλλων εἰς τούτους ἐμβάλλειν τοὺς λόγους. Τίς γὰρ ἡμᾶς οὐ γελάσεται τὰ οὕτω φανερὰ κατασκευάζειν καὶ ἀποδεικνύναι πειρωμένους; ποία δὲ οὐκ ἂν εἴη κατάγνωσις ζητεῖν εἰ
80 ὁμοούσιός ἐστιν ὁ Υἱὸς τῷ Πατρί; Τοῦτο γὰρ οὐχὶ ταῖς Γραφαῖς μόνον, ἀλλὰ καὶ τῇ κοινῇ πάντων τῶν ἀνθρώπων δόξῃ καὶ τῇ τῶν πραγμάτων φύσει μαχόμενόν ἐστιν. Ὅτι γὰρ ὁμοούσιος ὁ γεννηθεὶς τῷ γεννήσαντι, οὐκ ἐπ' ἀνθρώπων μόνον, ἀλλὰ καὶ ἐπὶ ζώων ἁπάντων καὶ ἐπὶ δένδρων τοῦτο
85 ἴδοι τις ἄν. Πῶς οὖν οὐκ ἄτοπον ἐπὶ μὲν φυτῶν καὶ ἀνθρώπων καὶ ζώων ἀκίνητον τοῦτον μένειν τὸν νόμον, ἐπὶ Θεοῦ δὲ μόνον κινεῖν αὐτὸν καὶ ἀνατρέπειν; Πλὴν ἀλλ' ἵνα μὴ δοκῶμεν ἀπὸ τῶν παρ' ἡμῖν πραγμάτων ταῦτα δυσχυρίζεσθαι, φέρε ἀπὸ τῶν Γραφῶν τοῦτο ἀποδείξωμεν καὶ

MYOΞQS IVRP

71 εἰ — δυνάμεως om. Q ‖ 72 ἐστὶν transp. post ἐξουσίας Y IVRP ‖ 74 χριστοῦ : θεοῦ S ‖ 87 αὐτὸν κινεῖν ~ Q IVRP ‖ 88-89 δυσχυρίζεσθαι : ἰσχυρίζεσθαι Q IVRP

---

1. Jean fait ici allusion à des passages de l'homélie V, *Sur l'incompréhensibilité de Dieu, SC* 28 *bis*, p. 274, li. 52-53, et p. 290, li. 230 s.

2. C'est l'un des problèmes soulevés par Eunome, le premier étant l'affirmation de la possibilité qu'a l'homme de connaître l'essence de Dieu. On a ici groupés les termes essentiels de la discussion : δύναμις, la *puissance,* ἐξουσία, le *pouvoir,* οὐσία, l'*essence* d'où est tiré l'adjectif ὁμοούσιος, *de même essence,* li. 80. Il est significatif que ce dernier mot

de toute la création et qu'elle n'est susceptible d'être clairement connue que par le Fils unique et par le Saint-Esprit[1], mais maintenant, c'est sur un autre terrain de lutte que s'engage notre discours. Nous cherchons, en effet, si le Fils possède la même puissance, le même pouvoir, la même essence[2] que le Père, ou plutôt ce n'est pas nous qui cherchons cela, car nous l'avons trouvé avec la grâce du Christ et nous le maintenons en toute sécurité ; mais nous nous préparons maintenant à le démontrer à ceux qui ont sur le sujet des opinions pleines d'impudence. J'ai honte et je rougis au moment de me lancer dans ces discours. Qui ne va se moquer de nous si nous nous mettons à échafauder la démonstration de choses aussi évidentes ? Quelle excuse y aurait-il à chercher si le Fils est de même essence que le Père ? La démarche est contraire non seulement aux Écritures, mais encore au sentiment commun de tous les hommes et à la nature des choses. En effet, que celui qui a été engendré est de même essence que celui qui l'a engendré, on pourrait le voir non seulement quand il s'agit des hommes, mais encore de tous les animaux et des arbres. Ne serait-il pas étrange que s'il s'agit de plantes, d'hommes et d'animaux, cette loi demeure immuable et que seulement s'il s'agit de Dieu elle soit modifiée et bouleversée ? Mais pour ne pas avoir l'air d'appuyer ce raisonnement sur des exemples tirés de notre propre fonds, allons, utilisons pour cette démonstration les Écritures[3] et mettons en branle les

ne figure pas dans les cinq premières homélies. En effet, comme vient de l'indiquer le prédicateur, le point central de la discussion se déplace. Après l'incompréhensibilité de Dieu, hom. I-V, les homélies VII à XII traitent des rapports du Père et du Fils. Les mots οὐσία et ὁμοούσιος deviennent, de ce fait, le pivot du développement.

3. On peut hésiter entre les deux variantes : αὐτὸ donné par les mss collationnés et αὐτῶν donné par F. D. suivant le *Paris. gr. 809*. Certes, le propos de l'orateur est de démontrer la divinité du Christ par les Écritures elles-mêmes, mais si l'on en juge par une expression analogue, li. 183, l'addition de αὐτῶν est superflue.

90 κινήσωμεν τοὺς περὶ τούτων λόγους. Οὐ γὰρ ἡμεῖς οἱ πεπεισμένοι, ἀλλ' ἐκεῖνοι οἱ ἀπιστοῦντες τὸν γέλωτα οἴσουσιν, οἱ πρὸς τὰ οὕτω φανερὰ ἀνθιστάμενοι καὶ πρὸς τὴν ἀλήθειαν ἀντιβλέποντες.

Ποῖα φανερά, φησίν; εἰ γάρ, ἐπειδὴ υἱὸς λέγεται,
95 ὁμοούσιός ἐστι τῷ Πατρί, δυνησόμεθα καὶ ἡμεῖς ὁμοούσιοι εἶναι· καὶ γὰρ καὶ ἡμεῖς υἱοὶ λεγόμεθα· « Ἐγὼ γὰρ εἶπον, φησί, θεοί ἐστε καὶ υἱοὶ Ὑψίστου πάντες. » Ὢ τῆς ἀναισχυντίας· ὢ τῆς ἐσχάτης ἀνοίας· πῶς διὰ πάντων τὴν αὐτῶν μανίαν ἐνδείκνυνται. Ὅτε τὸν περὶ ἀκαταλήπτου
100 λόγον ἐκινοῦμεν, ἐφιλονείκουν ἑαυτοῖς διεκδικεῖν τοῦτο ὃ τοῦ Μονογενοῦς ἦν μόνου, τὸ τὸν Θεὸν οὕτως εἰδέναι ἀκριβῶς ὡς αὐτὸς ἑαυτὸν οἶδε· νῦν δὲ ἐπειδὴ περὶ τῆς τοῦ Μονογενοῦς δόξης ἡμῖν ἐστιν ὁ λόγος, φιλονεικοῦσιν αὐτὸν εἰς τὴν οἰκείαν εὐτέλειαν καταγαγεῖν λέγοντες ὅτι καὶ ἡμεῖς
105 υἱοὶ λεγόμεθα. Καὶ οὐ πάντως τοῦτο ὁμοουσίους ἡμᾶς ποιεῖ τῷ Θεῷ. Υἱὸς λέγῃ σύ, ἐκεῖνος δὲ καί ἐστιν· ἐνταῦθα ῥῆμα, ἐκεῖ πρᾶγμα. Υἱὸς λέγῃ σύ, ἀλλὰ « μονογενὴς » οὐ λέγῃ καθάπερ καὶ ἐκεῖνος, ἀλλ' « ἐν τοῖς κόλποις τοῦ Πατρὸς » οὐ διατρίβεις, ἀλλ' « ἀπαύγασμα τῆς δόξης » οὐκ εἶ, οὐδὲ

MYOΞΩS IVRP

92 οἴσουσιν : ὀφλήσουσιν V || 102 δὲ MYS O om. cett. || 103 ὁ λόγος om. Q IVRP || 105 ἡμᾶς ὁμοουσίους τοῦτο ~ Q || 106 λέγει R || καὶ om. P || 106-107 ἐκεῖνος — συ om. O I || 108 καὶ om. O IRP

a Ps. 81, 6 || b Jn 1, 18 || c Jn 1, 18 || d Hébr. 1, 3

1. La variante ὀφλήσουσι forme avec γέλωτα une expression traditionnelle. EURIPIDE, *Médée* v. 1227 ; ARISTOPHANE, *Nuées* v. 1035, mais plus recherchée que l'expression courante οἴσουσιν qu'impose l'ensemble des mss.

2. Jean reprend l'affirmation d'Eunome rapportée par SOCRATE, *HE* IV, VII, *PG* 67, 473. Elle a été réfutée par BASILE, *C. Eunom.* I, 13, *SC* 299, p. 212-214.

discours qui portent sur elles. Car ce n'est pas nous, les croyants, mais ce sont eux, les incroyants qui mériteront[1] qu'on se moque d'eux pour s'insurger contre de telles évidences et refuser de voir la vérité.

1re objection : l'appellation de fils

Quelles évidences, dit-on? Si c'est parce qu'on l'appelle Fils qu'il est de même essence que le Père, nous pourrons, nous aussi être de même essence ; car nous aussi nous sommes appelés *fils* : « Je l'ai dit, déclare-t-il : vous êtes des dieux et vous êtes tous des fils du Très-Haut[a]. » Ô impudence ! Ô sottise extrême la façon dont, à travers tout cela, ils montrent leur folie ! Lorsque nous nous mettions à parler sur l'Incompréhensible, ils s'efforçaient de s'attribuer à eux-mêmes ce qui était le privilège du Fils unique seul : le fait de connaître Dieu aussi clairement qu'il se connaît lui-même[2], mais maintenant que notre discours porte sur la gloire du Fils unique[3], ils s'efforcent de l'amener à leur propre niveau[4] en disant que nous aussi nous sommes appelés *fils*. Mais cela ne fait pas pour autant que nous soyons de même essence que Dieu. Tu es appelé *fils*, mais lui, de plus, il l'est ; là c'est un mot, ici c'est une réalité. Tu es appelé fils, mais tu n'es pas appelé « fils unique[b] » comme lui, mais tu ne résides pas « dans le sein du Père[c] », mais tu n'es pas « un reflet de sa gloire[d] », « une

3. A deux lignes d'intervalle, on trouve le mot Μονογενής employé dans des cas où s'impose une traduction adaptée au contexte. Puisque la discussion va porter sur le mot *fils*, Μονογενής doit être traduit par *Fils unique* et non par Monogène.

4. Le mot εὐτέλεια désigne *le fait de valoir peu de chose*. Il peut avoir le sens de *simplicité*, mais on passe très vite à un sens péjoratif, comme dans l'expression française : ramener quelqu'un à son niveau, ce niveau étant supposé le plus bas possible. Les termes εὐτέλεια, εὐτελής ont une grande importance dans nos homélies et dans les controverses théologiques de l'époque. Ils désignent l'état d'infériorité assumé par le Christ dans son Incarnation.

110 «χαρακτὴρ τῆς ὑποστάσεως», οὐδὲ «μορφὴ τοῦ Θεοῦ» ὑπάρχεις. Εἰ τοίνυν οὐ πείθει σε τὸ πρότερον, ταῦτα πειθέτω καὶ πολλὰ ἕτερα πλείονα τούτων τὴν εὐγένειαν αὐτῷ μαρτυροῦντα ἐκείνην. Ὅταν μὲν γὰρ τὸ ἀπαράλλακτον τῆς οὐσίας αὐτοῦ δεῖξαι βούληται τὸ πρὸς τὸν γεγεννηκότα· « Ὁ 115 ἑωρακὼς ἐμέ, φησίν, ἑώρακε τὸν Πατέρα»· ὅταν δὲ τὸ ἰδιάζον τῆς δυνάμεως· « Ἐγώ, φησί, καὶ ὁ Πατὴρ ἕν ἐσμεν.» ὅταν δὲ τὸ ἐφάμιλλον τῆς ἐξουσίας· «Ὥσπερ γὰρ ὁ Πατὴρ ἐγείρει τοὺς νεκροὺς καὶ ζωοποιεῖ, οὕτω καὶ ὁ Υἱὸς οὓς θέλει ζωοποιεῖ»· ὅταν δὲ τὴν ταυτότητα τῆς λατρείας· 120 «Ἵνα πάντες τιμῶσι τὸν Υἱόν, καθὼς τιμῶσι τὸν Πατέρα»· ὅταν δὲ τὴν αὐθεντίαν τὴν ἐν ταῖς τῶν νόμων μετασκευαῖς· «Ὁ Πατήρ μου, φησίν, ἐργάζεται, κἀγὼ ἐργάζομαι.»

Ἀλλ' οὗτοι πάντα ταῦτα παραδραμόντες καὶ τὸ Υἱὸς ὄνομα οὐ κυρίως ἐκλαβόντες, ἐπειδὴ καὶ αὐτοὶ τετίμηνται

e Hébr. 1, 3 || f Phil. 2, 6 || g Jn 14, 9 || h Jn 10, 30 || i Jn 5, 21 || j Jn 5, 23 || k Jn 5, 17

1. L'utilisation des textes cités oblige l'orateur à modifier parfois le cas du texte original. De plus, le texte qu'il cite comporte l'article τοῦ devant Θεοῦ, alors qu'aucune édition critique ne mentionne cet article.

2. Dans le même contexte de controverse, l'adjectif substantivé ἀπαράλλακτον exprime l'impossibilité d'établir quelque distinction que ce soit (ἀ- παραλλάττω) entre le Père et le Fils. Le terme est proposé par Eusèbe de Césarée comme une approximation possible de l'adjectif ὅμοιος.

3. Le mot ταυτότης formé sur αὐτός, *le même,* exprime sous une forme positive l'idée exprimée sous une forme négative par ἀπαράλλακτον. Il est déjà employé par CLÉMENT D'ALEXANDRIE dans plusieurs passages de ses *Excerpta Theodoti* (voir LAMPE, *A greek patristic lexicon, ad locum*) pour parler de l'identité du Père et du Fils. Ici, le mot est précisé par τῆς λατρείας, ce qui s'éclaire par la citation suivante.

4. Le mot αὐθεντία a, lui aussi, une grande importance dans l'argumentation de nos homélies. Il s'applique au Fils pour souligner

empreinte de sa substance[e]», ni «une forme de Dieu[f 1]». Si donc ce que je viens de dire ne te persuade pas, laisse-toi persuader par ce que je vais dire et par d'autres arguments plus nombreux que ceux-ci, qui attestent en faveur de cette illustre naissance. En effet, lorsqu'il veut montrer l'identité[2] de son essence avec celle de celui qui l'a engendré, «celui qui m'a vu, dit-il, a vu le Père[g]»; mais lorsque c'est la possession en propre de la puissance, «moi, dit-il, et le Père nous sommes un[h]»; lorsque c'est l'égalité du pouvoir, «comme mon Père ressuscite les morts et leur redonne vie, ainsi le Fils redonne vie à qui il veut[i]»; lorsque c'est l'identité de culte[3], «... afin que tous honorent le Fils comme ils honorent le Père[j]»; lorsque c'est l'autonomie[4], quand il s'agit de modifier les lois, «mon Père agit sans cesse et moi aussi j'agis[k 5]».

Mais ces gens-là passent sur tous ces textes et ne prenant plus le nom de fils dans son acception propre, puisqu'ils

l'*autonomie* dans l'action, par rapport au Père, ce qui le met avec celui-ci sur un pied d'égalité dans l'exercice de son autorité.

5. On retrouve la même citation hom. XII dans l'intitulé et li. 431. Ce texte de l'évangile selon S. Jean place devant ἐργάζεται l'expression adverbiale ἕως ἄρτι, *jusqu'à maintenant*, que traduirait bien l'expression dialectale *toujours encore*. Elle a une grande importance dans le contexte de cet évangile, car elle soulève un problème que les commentateurs n'ont pas manqué de mentionner : le sabbat a été établi comme une imitation du repos de Dieu après la création, mais Dieu continue à agir dans l'histoire d'Israël. Voir M. J. Lagrange, *Évangile selon S. Jean* (coll. *Études bibliques*), Paris 1925, p. 140-141, n. 17 et R. E. Brown, *The gospel according to John* (2 vol.), New York 1966, qui a consacré un long excursus à cette question, vol. I, p. 212-230.

Les manuscrits de l'homélie VII ne mentionnent pas cette expression. Ou bien le texte cité ne la comportait pas, ou bien Chrysostome l'a supprimée volontairement. De toute manière, l'absence de cette locution peut se justifier ici, car elle n'est pas nécessaire au prédicateur dont l'objectif, dans ce passage, est d'affirmer, pour le Fils, le droit d'agir *comme son Père*, c'est-à-dire d'avoir une égalité de puissance, sans qu'il soit nécessaire de faire intervenir une notion temporelle.

125 τῇ προσηγορίᾳ, εἰς τὴν αὐτὴν εὐτέλειαν τὸν υἱὸν κατάγουσι λέγοντες· « Ἐγὼ εἶπα· θεοί ἐστε καὶ υἱοὶ Ὑψίστου πάντες. » Οὐκοῦν ἐπειδὴ διὰ τὴν τοῦ υἱοῦ προσηγορίαν φῂς μηδὲν ἔχειν σου πλέον τὸν Υἱόν, καὶ κατὰ τοῦτο μηδὲ εἶναι ἀληθινὸν υἱόν, καὶ διὰ τὴν τοῦ Θεοῦ προσηγορίαν, ἐπειδή 130 σοι μετέδωκε τοῦ ὀνόματος, φιλονεικήσεις ἴσως μηδὲν ἔχειν σου πλέον τὸν Πατέρα· ὥσπερ γὰρ υἱὸς ἐκλήθης, οὕτω καὶ θεὸς ἐκλήθης· ἀλλ' ὥσπερ θεὸς κληθεὶς οὐ τολμᾷς εἰπεῖν ὅτι ψιλὸν ἐκεῖ τὸ ὄνομα, ἀλλ' ὁμολογεῖς ἀληθῆ Θεὸν εἶναι τὸν Πατέρα, οὕτω μηδὲ ἐπὶ τοῦ Υἱοῦ τόλμα σαυτὸν εἰς 135 μέσον ἄγειν, καὶ λέγειν ὅτι κἀγὼ υἱὸς κέκλημαι· καὶ ἐπειδὴ τῆς αὐτῆς οὐσίας οὐκ εἰμί, οὐδὲ ἐκεῖνος ὀφείλει τῆς αὐτῆς εἶναι· τὰ γὰρ ἀπηριθμημένα ἅπαντα δείκνυσιν ἀληθινὸν ὄντα Υἱὸν καὶ τῆς αὐτῆς οὐσίας τῷ γεγεννηκότι. Ὅταν γὰρ εἴπῃ ὅτι τῆς αὐτῆς ἐστιν αὐτῷ μορφῆς καὶ τοῦ αὐτοῦ 140 χαρακτῆρος, τί ἄλλο δηλοῖ ἢ τὸ ἀπαράλλακτον τῆς οὐσίας ; Οὐ γὰρ δὴ μορφὴ περὶ Θεόν, οὐδὲ πρόσωπον.

Ἀλλ' ὡς ταῦτα, φησί, λέγεις, εἰπὲ καὶ τὰ ἐναντία. Ποῖα ἐναντία ; Οἷον ὅτι εὔχεται τῷ Πατρί· εἰ γὰρ τῆς αὐτῆς ἐστι δυνάμεως, καὶ τῆς αὐτῆς οὐσίας καὶ ἀπὸ ἐξουσίας πάντα 145 ποιεῖ, τίνος ἕνεκεν εὔχεται ; Ἐγὼ δὲ οὐ ταῦτα ἐρῶ μόνον, ἀλλὰ καὶ ὅσα ἕτερα ταπεινὰ περὶ αὐτοῦ εἴρηται, πάντα

ΜΥΟΞQS IVRP

127 οὐκοῦν om. Q || 137 δείκνυσιν] + καὶ Q || 141 μορφὴ om. Q || 142-143 ποῖα ἐναντία om. Q RP

1 Ps. 81, 6

1. τετίμηται est une faute d'impression de l'édition Bareille, ainsi que ἰὸν pour υἱὸν li. 125. Ce groupe τῶν υἱῶν devant προσηγορίᾳ ne se trouve pas dans les mss collationnés. C'est peut-être une précision ajoutée par F. D.

2. Le mot πρόσωπον désigne, à l'origine, la *face,* la *figure de l'homme.* C'est le sens qu'il a ici. Dans le vocabulaire théâtral, il désigne le masque porté par l'acteur, puis *le personnage qui joue un rôle,* d'où le sens de *personne.* Le vocabulaire théologique s'en est

ont été eux-mêmes honorés[1] de cette appellation, ramènent le Fils au même niveau en disant : « Moi j'ai dit : Vous êtes des dieux et vous êtes tous des fils du Très-Haut[1] ». Or donc puisque, à cause de l'appellation de fils, tu dis que le Fils n'a rien de plus que toi et qu'en raison de cela il n'est pas un véritable fils, ainsi à cause de l'appellation de dieu, puisqu'il a partagé ce nom avec toi, tu prétendras peut-être que le Père n'a rien de plus que toi ; en effet, de même que tu as été appelé fils, de même tu as été appelé dieu ; mais de même qu'ayant été appelé dieu, tu n'oses pas dire que c'est là un simple mot, mais tu reconnais que le Père est le vrai Dieu, de même n'aie pas l'audace, quand il s'agit du Fils, de te mettre en scène et de dire : Moi aussi j'ai été appelé fils ; et puisque je ne suis pas de la même essence, lui non plus ne doit pas être de la même essence. Or, tous les textes qu'on vient de recenser prouvent qu'il est véritablement Fils et de la même essence que celui qui l'a engendré. Lorsqu'on dit qu'il a la même forme et la même empreinte, qu'est-ce que cela signifie sinon l'identité de l'essence ? car lorsqu'il s'agit de Dieu, il n'est pas question de forme ni visage[2].

2e objection : Prière du Christ

Mais[3] puisque tu emploies, dit-on, ces arguments, emploie aussi les arguments contraires. Par exemple qu'il prie le Père. « Si, en effet, il a la même puissance et la même essence et s'il fait toutes choses en vertu d'un souverain pouvoir, pourquoi prie-t-il ? » Je ne vous citerai pas seulement ces objections, mais tous les autres traits

emparé pour en faire l'équivalent de ὑπόστασις. Voir GRÉGOIRE DE NYSSE, *Adv. Eunom.*, éd. Jaeger I, p. 88, li. 21 : Ἐν τρίσι προσώποις καὶ ὑποστάσιν μηδεμίαν τὴν κατὰ τὸ εἶναι διαφορὰν πιστεύειν, « Croire qu'il n'y a aucune différence quant à l'être entre les trois personnes et hypostases. »

3. La ponctuation de Montfaucon-Migne a été légèrement modifiée. L'objection d'un interlocuteur fictif ouvre un nouveau paragraphe.

παραθήσομαι μετὰ ἀκριβείας, πρότερον ἐκεῖνο εἰπὼν ὅτι ἐγὼ μὲν τῶν ταπεινῶς εἰρημένων περὶ αὐτοῦ πολλὰς ἔχω καὶ δικαίας αἰτίας εἰπεῖν, σὺ δὲ τῶν ὑψηλῶν καὶ ἐνδόξων
150 οὐδεμίαν ἑτέραν ἔχοις ἂν εἰπεῖν πρόφασιν, ἀλλ' ἢ τὸ βούλεσθαι τὴν εὐγένειαν ἡμῖν αὐτὸν ἐνδείκνυσθαι τὴν αὐτοῦ. Ἐπεὶ εἰ μὴ τοῦτο οὕτως ἔχοι, μάχη καὶ πόλεμος ἐν ταῖς Γραφαῖς· τὸ γὰρ λέγειν ὅτι « Ὥσπερ ὁ Πατὴρ ἐγείρει τοὺς νεκροὺς καὶ ζωοποιεῖ, οὕτω καὶ ὁ Υἱὸς οὓς θέλει ζωοποιεῖ »
155 καὶ ὅσα ἕτερα εἶπον, καὶ τὸ πάλιν εὔχεσθαι, ἡνίκα ἂν δέῃ τοῦτο ποιεῖν, ἐναντίον· ἀλλ' ἐὰν τὰς αἰτίας εἴπω, πᾶσα ἀνῄρηται λοιπὸν ἀμφισβήτησις.

Τίνες οὖν εἰσιν αἱ αἰτίαι τοῦ ταπεινὰ πολλὰ καὶ αὐτὸν καὶ τοὺς ἀποστόλους εἰρηκέναι περὶ αὐτοῦ; Πρώτη μὲν οὖν
160 αἰτία καὶ μεγίστη τὸ σάρκα αὐτὸν περιβεβλῆσθαι καὶ βούλεσθαι καὶ τοὺς τότε καὶ τοὺς μετὰ ταῦτα πιστώσασθαι πάντας ὅτι οὐ σκιά τίς ἐστιν οὐδὲ σχῆμα ἁπλῶς τὸ ὁρώμενον, ἀλλ' ἀλήθεια φύσεως. Εἰ γὰρ τοσαῦτα ταπεινὰ καὶ ἀνθρώπινα περὶ αὐτοῦ καὶ τῶν ἀποστόλων εἰρηκότων
165 καὶ αὐτοῦ περὶ ἑαυτοῦ, ὅμως ἴσχυσεν ὁ διάβολος πεῖσαί τινας τῶν ἀθλίων καὶ ταλαιπώρων ἀνθρώπων ἀρνήσασθαι τῆς οἰκονομίας τὸν λόγον καὶ τολμῆσαι εἰπεῖν ὅτι σάρκα οὐκ ἔλαβε καὶ τὴν πᾶσαν τῆς φιλανθρωπίας ὑπόθεσιν ἀνελεῖν· εἰ μηδὲν τούτων εἶπε, πόσοι οὐκ ἂν εἰς τὸ βάραθρον

MYOΞΩS IVRP

164 περὶ αὐτοῦ : αὐτὸς M OQ || 165 ἑαυτοῦ : αὐτοῦ I || 168 ἔλαβε : ἀνέλαβεν Q

m Jn 5, 21

1. Sur l'importance de la notion traduite par les mots ταπεινός, ταπεινῶς, ταπεινόω, voir *supra*, p. 42.

2. L'ensemble des mss emploie le démonstratif ταῦτα dans cette expression. F. D. la modifie en τοσαῦτα, sans doute pour mettre en relief l'importance de l'Incarnation.

d'abaissement[1] qui ont été mentionnés à son sujet je les exposerai avec exactitude, non sans dire tout d'abord que je peux donner à son sujet de nombreuses et excellentes raisons touchant les paroles qu'il a dites dans un esprit d'abaissement, tandis que toi, tu ne peux donner aucune autre raison de ses actions élevées et remarquables, sinon qu'il voulait nous montrer la noblesse de sa naissance. S'il n'en était pas ainsi, les Écritures seraient en conflit et en guerre avec elles-mêmes ; car entre le fait de dire : « De même que le Père ressuscite les morts et leur redonne vie, de même le Fils redonne vie à ceux qu'il veut[m] », ainsi que les autres paroles que j'ai citées et, à l'inverse, le fait de prononcer une prière lorsqu'il lui faut exécuter ce qu'il a dit, il y a une opposition, mais si j'en donne les raisons, toute hésitation se trouve alors supprimée.

Première raison : l'Incarnation

Quelles sont donc les raisons qui l'ont poussé, lui et les apôtres, à prononcer bien des paroles qui les rabaissaient ? La première raison et la plus importante, c'est qu'il a revêtu la chair et qu'il a voulu convaincre les hommes de son temps et tous ceux qui devaient venir ensuite[2] qu'il n'était pas une ombre, qu'il n'était pas simplement une apparence qu'on voit[3], mais un être véritable. Alors que, parmi les récits des apôtres à son sujet, et parmi les siens propres, il y a tant de marques de son humilité et de son humanité, le démon s'est fait fort de persuader à certains hommes infortunés et misérables de nier la raison de l'économie[4], d'oser dire qu'il[5] n'a pas pris chair, et de détruire ainsi tout le fondement de son amour pour

3. Sur l'hérésie que recouvrent les expressions σκία et σχῆμα, voir introd., p. 38, n. 3.
4. Voir introd., p. 41-42.
5. C'est-à-dire le Christ.

170 τοῦτο κατέπεσον; Οὐκ ἀκούεις ἔτι καὶ νῦν Μαρκίωνος ἀρνουμένου τὴν οἰκονομίαν καὶ Μανιχαίου καὶ Οὐαλεντίνου καὶ πολλῶν ἑτέρων; Διὰ τοῦτο πολλὰ ἀνθρώπινα καὶ ταπεινὰ φθέγγεται καὶ τῆς οὐσίας ἐκείνης τῆς ἀπορρήτου ἀποδέοντα, ἵνα πιστώσηται τῆς οἰκονομίας τὸν λόγον. Καὶ 175 γὰρ σφόδρα ἐσπούδακεν ὁ διάβολος ταύτην ἐκ τῶν ἀνθρώπων τὴν πίστιν ἀνελεῖν, εἰδὼς ὅτι τῆς οἰκονομίας ἐὰν ἀνέλῃ τὴν πίστιν, τὸ πλέον τῶν καθ' ἡμᾶς οἰχήσεται πραγμάτων.

Ἔστι καὶ ἑτέρα μετὰ ταύτην αἰτία, ἡ ἀσθένεια τῶν 180 ἀκουόντων καὶ τὸ μὴ δύνασθαι τότε πρῶτον αὐτὸν ἰδόντας καὶ τότε πρῶτον ἀκούοντας, τοὺς ὑψηλοτέρους τῶν δογμάτων δέξασθαι λόγους. Καὶ ὅτι οὐ στοχασμὸς τὸ λεγόμενον, ἀπ' αὐτῶν σοι παραστῆσαι τοῦτο πειράσομαι τῶν Γραφῶν

MYOΞQS IVRP

170 κατέπεσαν Q || 172 ἑτέρων πολλῶν ~ Q || 175 γὰρ] + καὶ M R || 176-177 ἐὰν [ἂν P] ἀνέλῃ : εἰ ἀνέλει R

---

1. Plusieurs études ont été faites sur le mot φιλανθρωπία. G. Downey, « Philanthropia in Religion and Statscraft in the four century after Christ », dans *Historia* 4 (1955), p. 199 à 208 ; M. Zitnik, « Θεὸς φιλάνθρωπος bei Johannes Chrysostomus », dans *Orientalia Christiana Periodica* 41 (1975), p. 76-118 ; D. Kastitch, « On divine philanthropy from Plato to John Chrysostom », dans *Theologia*, vol. 53 (1982), une série d'articles, p. 91-128, 460-475, 612-626, 1051-1083 ; vol. 54 (1982), p. 123-152, 243-249, 568-594. Paule Baudoin, de l'Université de Lyon II, prépare une thèse sur *Le concept de Philanthropia des origines à Jean Chrysostome*.

2. Ces trois noms sont, en général, évoqués en série dans les textes patristiques. Marcion, né à Rome vers le milieu du IIe s., nie tout rapport entre l'Ancien et le Nouveau Testament, lequel se suffit à lui-même. Il établit une distinction entre un dieu créateur et juge et un dieu de toute bonté, inconnu jusqu'à la venue du Christ. Tertullien a réfuté cette hérésie dans son ouvrage *Contre Marcion*. Voir tome I, *SC* 345, Paris 1991. — Mani, né en Mésopotamie en 215 ou 216. Sa doctrine est un dualisme qui oppose Dieu et Satan dans une lutte dont l'homme est l'enjeu. Voir H.-Ch. Puech, *Le manichéisme. Son fondateur, sa destinée*, Paris 1950, et J. Ries, *Les études manichéennes*, Louvain-la-Neuve 1988. Sur l'emploi de la forme Mani et sur son

l'homme[1]; s'il n'avait rien dit de cela, combien seraient tombés dans ce gouffre? N'entends-tu pas Marcion nier l'économie et Mani et Valentin et beaucoup d'autres[2]? Si, à cause de cela, il laisse échapper beaucoup de paroles humaines et humbles et ne correspondant pas à cette essence ineffable, c'est pour mettre à la portée de la foi la raison de l'économie. Et en effet, le diable met un acharnement extrême à détruire cette foi chez les hommes, sachant que s'il détruit la foi en l'économie, la plus grande partie des réalités qui nous concernent disparaîtront.

Deuxième raison : la faiblesse des auditeurs

Il y a encore une autre raison qui s'ajoute à celle-ci, c'est la faiblesse des auditeurs et ce fait que tout d'abord en le voyant, tout d'abord en l'entendant, ils ne pouvaient accueillir les propos trop élevés qui touchaient aux vérités religieuses[3]. Et que mon propos n'est pas une conjecture[4], je m'efforcerai de l'établir au moyen des Écritures elles-

origine, on consultera utilement A. VILLEY, *Alexandre de Lycopolis, Contre la doctrine de Mani*, Paris, Cerf, 1985, p. 101-102. — Valentin, originaire d'Égypte, représente au IIe s. une des formes de la gnose alexandrine. Un dieu suprême, le Père, donne naissance à un couple, *Nous* et *Alètheia* qui engendrent d'autres couples. Voir F. A. SAGNARD, *La gnose valentinienne*, Paris 1947; M. TARDIEU et J.-D. DUBOIS, *Initiation à la littérature gnostique* (Initiations au Christianisme ancien), Paris, Cerf, 1986 et M. SCOPELLO, *Le gnosticisme* (coll. Bref), Paris, Cerf/Labor, 1991.

3. Le mot δόγμα, le plus souvent employé au pluriel, est susceptible de plusieurs interprétations suivant le contexte. Il peut se traduire par un mot d'acception assez large : *croyances*, II, 62, 401. Joint à πίστις et à γνῶσις, il acquiert des lettres de noblesse, plus précisément s'il s'agit de l'enseignement du Christ : IV, 204, 207, 238; VII, 261. On doit alors le traduire par *vérités*. Il peut même aller jusqu'à prendre le sens actuel de *dogme*, c'est-à-dire de vérité définie et enseignée par l'Église : II, 39; VII 252. En revanche, s'il est employé dans un contexte d'hérésie, on peut le traduire par *opinions*, par exemple : les opinions des Juifs : II, 415, avec une nuance nettement péjorative, II, 494. Il en arrive à signifier *une fausse doctrine* : II, 153.

4. On a vu *supra*, (p. 34, n. 5) que Chrysostome aime à opposer στοχασμός, *conjecture*, produit de l'esprit humain, à *Révélation*.

καὶ δεῖξαι ὅτι εἴ ποτέ τι μέγα καὶ ὑψηλὸν καὶ τῆς αὐτοῦ
185 δόξης ἄξιον ἐφθέγξατο· τί λέγω μέγα καὶ ὑψηλὸν καὶ τῆς αὐτοῦ δόξης ἄξιον; Εἴ ποτέ τι τῆς ἀνθρωπίνης φύσεως ὑψηλότερον εἶπεν, ἐθορυβοῦντο καὶ ἐσκανδαλίζοντο· εἰ δέ ποτέ τι ταπεινὸν καὶ ἀνθρώπινον, προσέτρεχον καὶ τὸν λόγον ἐδέχοντο. Καὶ ποῦ τοῦτο ἔστιν ἰδεῖν, φησί; Παρὰ τῷ
190 Ἰωάννῃ μάλιστα· εἰπόντος γὰρ αὐτοῦ· «Ἀβραὰμ ὁ πατὴρ ὑμῶν ἠγαλλιάσατο, ἵνα ἴδῃ τὴν ἡμέραν τὴν ἐμήν, καὶ εἶδε καὶ ἐχάρη», λέγουσι· «Τεσσαράκοντα ἔτη οὔπω ἔχεις, καὶ Ἀβραὰμ ἑώρακας;» Ὁρᾷς ὅτι ὡς περὶ ἀνθρώπου ψιλοῦ διέκειντο; Τί οὖν αὐτός; «Πρὸ τοῦ τὸν Ἀβραὰμ γενέσθαι,
195 φησίν, ἐγώ εἰμι.' Καὶ ἦραν λίθους, ἵνα βάλλωσιν ἐπ' αὐτόν.» Καὶ ὅτε περὶ τῶν μυστηρίων μακροὺς ἐπέτεινε λόγους, λέγων· «Καὶ ὁ ἄρτος δὲ ὃν ἐγὼ δώσω ὑπὲρ τῆς τοῦ κόσμου ζωῆς, ἡ σάρξ μου ἐστίν» ἔλεγον· «Σκληρός ἐστιν ὁ λόγος οὗτος· τίς δύναται αὐτοῦ ἀκούειν;» Καὶ πολλοὶ τῶν
200 μαθητῶν αὐτοῦ ἀπῆλθον εἰς τὰ ὀπίσω καὶ οὐκέτι μετ' αὐτοῦ περιεπάτουν.

Τί οὖν ἔδει εἰπέ μοι ποιεῖν; Τοῖς ὑψηλοτέροις ἐνδιατρίβειν ῥήμασι διηνεκῶς, ὥστε ἀποσοβῆσαι τὴν θήραν καὶ πάντας ἀποκρούσασθαι τῆς διδασκαλίας; Ἀλλ' οὐκ ἦν τοῦτο τῆς

MYOΞΩS IVRP

185-186 ἐφθέγξατο — ἄξιον om. RP || 185 ἐφθέγξατο] + καὶ MOΞ V || καὶ ante τί add. MOΞ V || 187 εἶπεν ὑψηλότερον ~ I || ὑψηλότερον om. VRP || εἶπεν] + πλέον VRP || 202 τί — ποιεῖν : τί οὖν ἔδει ποιεῖν εἰπέ μοι V τί οὖν ἔδει ποιεῖν YOQ τί οὖν ἔδει, εἰπέ μοι RP τί οὖν δεῖ, εἰπέ μοι I || ὑψηλοτέροις : ὑψηλοῖς OQ VRP || 203-204 καὶ πάντας ἀποκρουσάσθαι om. Q

n Jn 8, 56-57 || o Jn 8, 58-59 || p Jn 6, 51 || q Jn 6, 60 || r Jn 6, 66

1. L'ensemble des mss donne ὑψηλότερον, tandis que F. D. a adopté la tournure plus plate πλέον, donnée par le *Paris. gr. 809*.

2. Le texte de *Jn* 8, 57 donne πεντήκοντα. Voir M.-J. Lagrange, *Évangile selon S. Jean*, Paris 1948[7], p. 255, et le problème soulevé par Irénée, *Haer.* II, 22, 6. Les mss de Chrysostome donnent τεσσαράκον-

mêmes et de montrer que s'il lui est arrivé de dire quelque chose de grand, d'élevé et de digne de sa gloire — que dis-je quelque chose de grand, d'élevé et de digne de sa gloire ? — s'il lui est arrivé de dire quelque chose qui dépassait la nature humaine[1], ils se troublaient, se scandalisaient ; au contraire, quand il lui est arrivé d'employer un langage simple et humblement humain, ils accouraient et accueillaient sa parole. Et où peut-on voir cela, dit-on ? C'est surtout chez Jean ; en effet, lorsqu'il a dit : « Abraham votre père a été saisi de joie à la pensée de voir mon jour, il l'a vu et s'est réjoui », ils répondent : « Tu n'as pas encore quarante[2] ans et tu as vu Abraham[n] ? » Tu vois qu'ils étaient dans les dispositions qu'on a envers un homme ordinaire. Et lui, que répond-il ? « Avant qu'Abraham fût, dit-il, je suis. » Et ils prirent des pierres pour les lui jeter[o][3]. Et lorsqu'il parlait longuement des mystères[4] en disant : « Le pain que je donnerai pour la vie du monde, c'est ma chair[p][5] », ils répondaient : « Ce discours est dur et qui peut l'entendre[q] ? » Et[6] « beaucoup de ses disciples se retirèrent et n'allaient plus avec lui[r]. »

Que fallait-il donc faire, dis-moi ? Employer constamment des paroles trop élevées de façon à décourager leur recherche et à écarter tout le monde de son enseignement ? Mais ce n'était pas conforme à l'amour de Dieu

τα, ce que signalent les éditions critiques. Voir J. H. Bernard, *A critical and exegetical commentary on the Gospel according to St. John*, Edimbourg 1949³, vol. II, p. 381 qui explique l'emploi de τεσσαράκοντα par le désir d'harmoniser le texte avec *Lc* 3, 29. Sur les deux tournures καὶ Ἀβραὰμ ἑώρακέ σε et καὶ Ἀβραὰμ ἑώρακας, discussion p. 321. Cette dernière tournure paraît la meilleure.

3. Les éditions critiques de *Jn* 8, 59 donnent βάλωσιν sans variante. La citation de Chrysostome donne βάλλωσιν sans variante. Ce sont donc deux traditions différentes bien attestées.

4. C'est-à-dire de l'Eucharistie.

5. Le texte critique de *Jn* 6, 51 donne ἡ σάρξ μού ἐστιν ὑπὲρ ... sans variante. Celui de Chrysostome comporte une alternance : ὑπὲρ τῆς τοῦ κόσμου ζωῆς ἡ σάρξ ...

6. Avant πολλοὶ, Savile ajoute Ἐκ τούτου, « à partir de ce moment ».

205 τοῦ Θεοῦ φιλανθρωπίας. Καὶ γὰρ πάλιν ἐπειδὴ εἶπεν· «Ὁ τὸν λόγον μου ἀκούων θανάτου οὐ μὴ γεύσηται εἰς τὸν αἰῶνα», ἔλεγον· «Οὐ καλῶς ἐλέγομεν ὅτι δαιμόνιον ἔχεις; Ἀβραὰμ ἀπέθανε καὶ οἱ προφῆται ἀπέθανον, καὶ σὺ λέγεις ὅτι ὁ τὸν λόγον μου ἀκούων οὐ μὴ γεύσηται θανάτου;»

210 Καὶ τί θαυμαστὸν εἰ τὸ πλῆθος οὕτω διέκειτο, ὅπου γε καὶ αὐτοὶ οἱ ἄρχοντες ταύτην εἶχον τὴν γνώμην; Ὁ γοῦν Νικόδημος ἄρχων αὐτῶν ὤν, καὶ μετὰ πολλῆς τῆς εὐνοίας πρὸς αὐτὸν ἐλθὼν καὶ εἰπών· «Οἴδαμεν ὅτι ἀπὸ Θεοῦ ἐλήλυθας διδάσκαλος», τὸν περὶ τοῦ βαπτίσματος οὐκ 215 ἠδυνήθη δέξασθαι λόγον, πολλῷ μείζονα τῆς ἀσθενείας ὄντα τῆς ἐκείνου· εἰπόντος γὰρ τοῦ Χριστοῦ ὅτι «Ἐὰν μή τις γεννηθῇ ἐξ ὕδατος καὶ πνεύματος, οὐ δύναται ἰδεῖν τὴν βασιλείαν τοῦ Θεοῦ», οὗτος εἰς ἀνθρωπίνας κατέπεσεν ὑπονοίας καί φησι· «Πῶς δύναται ἄνθρωπος γεννηθῆναι 220 γέρων ὤν; Μὴ δύναται εἰς τὴν κοιλίαν τῆς μητρὸς αὐτοῦ δεύτερον εἰσελθεῖν, καὶ γεννηθῆναι ἄνωθεν;» Τί οὖν ὁ Χριστός; «Εἰ τὰ ἐπίγεια εἶπον ὑμῖν καὶ οὐκ ἐπιστεύσατε, πῶς ἐὰν εἴπω ὑμῖν τὰ ἐπουράνια πιστεύσετε;» μονονουχὶ ἀπολογούμενος καὶ λέγων τίνος ἕνεκεν οὐ συνεχῶς αὐτοῖς 225 περὶ τῆς ἄνω γεννήσεως διελέγετο. Πάλιν παρ' αὐτὸν τοῦ

MYOΞΩS IVRP

216 ἐὰν : ἂν IVRP || 223 ὑμῖν Y IVRP om. cett. || πιστεύσετε ΞΩ : πιστεύσεται O πιστεύσητε cett.

s Jn 8, 51-52 || t Jn 3, 2 || u Jn 3, 2-12

---

1. Voir *supra*, p. 126, n. 1.
2. Tous les mss portent αὐτῶν d'après *Jn* 2, 1, qui a été corrigé par F. D. en αὐτὸς, d'après le *Paris. gr. 809*.
3. L'ensemble des mss donne οὗτος, mais le *Paris. gr. 809* que suit F. D. donne οὕτως.
4. Le mot ὑπόνοια désigne, dans son sens général, un produit de l'esprit, un concept, une façon de voir, mais il prend un sens plus

pour les hommes[1]. En effet, une autre fois, lorsqu'il dit : «Celui qui écoute ma parole me connaîtra jamais la mort», ils répondaient : «N'avions-nous pas raison de dire que tu as en toi un démon ? Abraham est mort, les prophètes sont morts et tu dis : Celui qui écoute ma parole ne connaîtra jamais la mort[s] ?»

Quoi d'étonnant si la foule était ainsi disposée, puisque les gens en place étaient eux aussi du même avis ? En tout cas, Nicodème, qui était lui-même un de leurs chefs[2] et qui était venu à lui avec beaucoup de bonne volonté en lui disant : «Nous savons que tu es venu comme un maître de la part de Dieu[t]», ne put comprendre ses paroles sur le baptême : elles étaient beaucoup trop élevées pour sa faiblesse ; en effet, le Christ lui ayant dit : «Si quelqu'un ne renaît de l'eau et de l'esprit, il ne peut voir le royaume de Dieu», celui-ci[3] tombe dans les interprétations humaines[4] et dit : «Comment un homme peut-il renaître, alors qu'il est vieux ? Est-ce qu'il peut entrer une seconde fois dans le sein de sa mère et naître de nouveau ?» Que répond le Christ ? «Quand je vous ai parlé un langage terrestre, vous ne m'avez pas cru ; comment me croirez-vous, si je vous parle un langage du ciel[u] [5] ?» Assurément, il se justifiait en leur disant pourquoi il ne leur parlait pas constamment de la naissance d'en-haut[6]. Une autre fois, au moment précis

précis selon l'adjectif qui l'accompagne. Par exemple, en y joignant ἀνθρωπίνως Jean en marque les limites, comme l'indique le Christ lui-même dans le passage suivant de l'évangile où il oppose le langage terrestre, ἐπίγεια, en relation avec sa συγκατάβασις, son adaptation aux hommes, et le langage du ciel, ἐπουράνια. L'opposition repose sur *Jn* 8, 23 : «Vous êtes d'en-bas (ἐκ τῶν κάτω), moi je suis d'en-haut (ἐκ τῶν ἄνω).»

5. De l'entretien de Jésus avec Nicodème, *Jn* 3, 1-21, Chrysostome ne garde que le début qui pose la question cruciale et la réponse de Jésus, 2-4, auxquels il ajoute le verset 12 qui contient la réflexion attristée de Jésus.

6. Le Christ fait ici allusion à la génération éternelle du Verbe (*Jn* 1,14 et 18) qu'Eunome refuse d'admettre.

σταυροῦ τὸν καιρὸν μετὰ μυρία σημεῖα, μετὰ τὴν πολλὴν ἐκείνην ἀπόδειξιν τῆς αὐτοῦ δυνάμεως, ἵνα εἴπῃ ὅτι «Ὄψεσθε τὸν Υἱὸν τοῦ ἀνθρώπου ἐπὶ τῶν νεφελῶν ἐρχόμενον», οὐκ ἐνεγκὼν τὸ λεχθὲν ὁ ἀρχιερεὺς διέρρηξεν αὐτοῦ
230 τὰ ἱμάτια. Πῶς οὖν τούτοις διαλέγεσθαι ἔδει, τοῖς οὐδὲν τῶν ὑψηλῶν φέρουσιν; Ὅτι γὰρ ὅλως οὐκ εἶπέ τι μέγα καὶ ὑψηλὸν περὶ ἑαυτοῦ, οὐ θαυμαστὸν ἀνθρώποις χαμαὶ συρομένοις καὶ οὕτως ἀσθενῶς ἔχουσιν.

Ἤρκει μὲν οὖν καὶ τὰ εἰρημένα δεῖξαι ὅτι αὕτη ἡ αἰτία
235 καὶ ἡ πρόφασις ἦν τῆς τῶν τότε λεγομένων εὐτελείας· ἐγὼ δὲ καὶ ἀπὸ θατέρου μέρους τοῦτο πειράσομαι ποιῆσαι φανερόν. Ὥσπερ γὰρ αὐτοὺς εἴδετε σκανδαλιζομένους, θορυβουμένους, ἀποπηδῶντας, λοιδορουμένους, φεύγοντας, εἴ ποτέ τι μέγα καὶ ὑψηλὸν ἐφθέγξατο ὁ Χριστός, οὕτως
240 ὑμῖν αὐτοὺς δεῖξαι πειράσομαι προστρέχοντας καὶ καταδεχομένους τὴν διδασκαλίαν, εἴ ποτέ τι ταπεινὸν καὶ εὐτελὲς εἶπεν. Αὐτοὶ γάρ, αὐτοὶ οἱ ἀποπηδῶντες, εἰπόντος αὐτοῦ πάλιν ὅτι «Ἀπ' ἐμαυτοῦ οὐ ποιῶ οὐδέν, ἀλλὰ καθὼς ἐδίδαξέ με ὁ Πατήρ μου λαλῶ», εὐθέως προσέδραμον. Καὶ βουλό-
245 μενος ἡμῖν ἐνδείξασθαι ὁ εὐαγγελιστὴς ὅτι διὰ τὴν ταπεινότητα τῶν ῥημάτων ἐπίστευσαν, ἐπισημαίνεται λέγων· «Ταῦτα αὐτοῦ λαλήσαντος πολλοὶ ἐπίστευσαν εἰς αὐτόν.» Καὶ ἀλλαχοῦ πολλαχοῦ τοῦτο εὕροι τις ἂν οὕτω συμβαῖνον. Διὰ τοῦτο πολλὰ καὶ πολλάκις ἀνθρωπίνως ἐφθέγγετο καὶ
250 πάλιν οὐκ ἀνθρωπίνως, ἀλλὰ θεοπρεπῶς καὶ τῆς εὐγενείας

MYOΞQS IVRP

226 μετὰ[1]] + τὰ V || τὴν om. RP || 229 αὐτοῦ om. V || 229-230 αὐτοῦ τὰ ἱμάτια om. Q || 231 φέρουσιν : φρόνουσιν MYOQ || 232 θαυμαστὸν] + τοῦτό ἐστι MYOΞS || 237 εἴδετε [ἴδετε MY] αὐτοὺς ~ MYΞS || 244 λαλῶ : ποιῶ Q || 247 λαλήσαντος : λαλοῦντος RP

v Matth. 26, 64-65 || w Jn 8, 28 || x Jn 8, 30

1. Le mot ἀπόδειξις peut signifier *preuve contraignante,* sans besoin de justification, et dans ce cas on le trouve, comme ici, accompagné

où il allait être crucifié, après tant de miracles, après avoir donné tant de fois des preuves[1] de sa puissance, lorsqu'il eut dit : « Vous verrez le Fils de l'homme venant sur les nuées », le grand-prêtre ne supportant pas ce qu'il avait dit « déchira ses vêtements[v] ». Comment aurait-il fallu leur parler à eux qui ne supportaient rien d'élevé ? S'il n'a rien dit sur lui-même de grand et d'élevé, ce n'est pas étonnant devant des hommes rampant sur la terre et se comportant avec tant de faiblesse.

Nécessité d'un langage simple

Ce que nous avons dit suffirait à montrer qu'il y avait une raison d'être et une explication du peu d'élévation des paroles prononcées alors ; mais je m'efforcerai de rendre la chose évidente en me plaçant à un autre point de vue. En effet, de même que vous les avez vus scandalisés, troublés, reculant, lui faisant des reproches, s'enfuyant si jamais le Christ leur tenait un langage noble et élevé, de même je m'efforcerai de vous les montrer accourant et accueillant son enseignement lorsqu'il parlait de façon humble et ordinaire. Ceux-là, ceux-là mêmes qui s'enfuyaient, lorsqu'il leur dit une fois : « Je ne fais rien de moi-même, mais je parle comme mon Père m'a enseigné[w] », aussitôt ils accoururent. Et l'évangéliste voulant nous montrer qu'ils crurent à cause de l'humilité de ses paroles l'explique en disant : « Lorsqu'il eut ainsi parlé, beaucoup crurent en lui[x][2]. » Et on pourrait constater que la chose se reproduisit ailleurs et plusieurs fois. C'est pourquoi il disait souvent bien des choses dans un langage d'homme et d'autres fois non pas dans un langage d'homme, mais dans un langage de Dieu et digne de sa

de σημεῖα, *signes, miracles*. par exemple en hom. I, 144 ; il peut signifier aussi *démonstration*, laquelle s'appuie essentiellement pour Jean sur les Écritures.

2. A la place de λαλήσαντος, les éditions critiques du quatrième évangile donnent λαλοῦντος qu'on retrouve chez Chrysostome dans les mss R et P. On est donc ici devant deux traditions différentes.

ἄξια τῆς ἑαυτοῦ, τὸ μὲν τῇ τῶν ἀκουόντων συγκαταβαίνων ἀσθενείᾳ, τὸ δὲ τῆς τῶν δογμάτων προνοῶν ὀρθότητος. Ἵνα γὰρ μὴ ἡ συγκατάβασις διαπαντὸς γινομένη εἰς τὴν περὶ τῆς ἀξίας αὐτοῦ δόξαν παραβλάψειε τοὺς μετὰ ταῦτα, οὐδὲ
255 ἐκείνου τοῦ μέρους ἠμέλησεν· ἀλλὰ καίτοι προειδὼς ὅτι οὐκ ἀκούσονται, ἀλλὰ καὶ λοιδορήσονται αὐτῷ καὶ ἀποπηδήσουσιν, ὅμως εἶπεν, αὐτό τε τοῦτο ὅπερ εἶπον κατασκευάζων καὶ δεικνὺς τὴν αἰτίαν δι' ἣν καὶ τὰ ταπεινὰ αὐτοῖς ἀνέμιξε ῥήματα. Αὕτη δὲ ἦν τὸ μηδέπω δύνασθαι δέξασθαι τὸ
260 μέγεθος τῶν λεγομένων. Εἰ δὲ μὴ τοῦτο κατασκευάσαι ἐβούλετο, περιττὴ τῶν ὑψηλῶν δογμάτων ἦν ἡ διδασκαλία τοῖς οὐκ ἀκουσομένοις οὐδὲ προσέξουσιν· νῦν δὲ εἰ καὶ ἐκείνους μηδὲν ὠφέλει, ἀλλ' ἡμᾶς ἐπαίδευε καὶ τὴν προσήκουσαν περὶ αὐτοῦ δόξαν ἔχειν παρεσκεύαζε καὶ ἔπειθεν ὅτι
265 διὰ τὸ μὴ δύνασθαι μηδέπω τὸ μέγεθος τῶν λεγομένων δέχεσθαι ἐκείνους, ἐπὶ τὸ ταπεινότερον τὸν λόγον μετήγαγεν. Ὅταν οὖν ἴδῃς αὐτὸν ταπεινὰ λέγοντα, μὴ τῆς εὐτελείας τῆς κατὰ τὴν οὐσίαν, ἀλλὰ τῆς ἀσθενείας τῆς κατὰ τὴν διάνοιαν τῶν ἀκροατῶν εἶναι νόμιζε τὴν συγκα-
270 τάβασιν.

Βούλεσθε εἴπω καὶ τρίτην αἰτίαν; Οὐ γὰρ δὴ μόνον διὰ τὴν τῆς σαρκὸς περιβολήν, οὐδὲ διὰ τὴν ἀσθένειαν τῶν ἀκροατῶν, ἀλλὰ καὶ διὰ τὸ βούλεσθαι διδάσκειν ταπεινοφρονεῖν τοὺς ἀκούοντας, πολλὰ ταπεινὰ καὶ ἐποίει καὶ
275 ἔλεγε· ἔστι καὶ αὕτη τρίτη πάλιν αἰτία. Ὁ γὰρ ταπεινο-

MYOΞQS IVRP

260 εἰ : καὶ εἰ O || εἰ δὲ μὴ : εἰ μὴ γὰρ RP || τοῦτο] + οὖν I || 265-266 μηδέπω — δέχεσθαι om. O P || 274 καὶ[1] om. MYOQ || 275 καὶ om. Ξ

---

1. Les mots de la famille de συγκατάβασις ont une importance capitale dans nos homélies. Ils servent d'argument apologétique pour justifier tous les cas où le Christ se trouve dans une situation d'infériorité et ils sont liés généralement dans les textes à ταπεινός, humble.

noble origine ; d'une part il condescendait[1] à la faiblesse de ceux qui l'écoutaient, d'autre part il veillait à la rectitude de la doctrine. En effet, pour que sa condescendance devenue constante ne nuise pas, aux yeux des hommes à venir, à la gloire concernant sa dignité, il ne néglige pas ce point de vue ; mais tout en prévoyant qu'ils ne l'écouteraient pas, qu'ils lui feraient des reproches, qu'ils reculeraient, il parla néanmoins, préparant ainsi ce que j'ai dit tout à l'heure et leur montrant la raison pour laquelle il entremêlait aussi parfois à leur intention un langage humble. Et cette raison c'était qu'ils ne pouvaient pas encore comprendre la grandeur de ce qu'il leur disait. S'il n'avait pas voulu[2] consentir à cette préparation, vain eût été l'enseignement de vérités sublimes à des gens qui n'allaient pas l'écouter ni lui prêter attention ; mais en réalité s'il n'était pour ces gens-là d'aucune utilité, du moins il nous éduquait et nous préparait à avoir à son sujet l'opinion qui convenait et il nous amenait à comprendre que leur incapacité à accueillir à ce moment l'élévation de ses paroles le faisait passer à un langage plus humble. Donc, lorsque tu le vois parler de façon humble, pense que l'abaissement ne résulte pas de l'infériorité de sa condition, mais de la faiblesse d'esprit des auditeurs.

Troisième raison : pour enseigner l'humilité

Voulez-vous que je vous donne encore une troisième raison ? En effet, ce n'est pas surtout parce qu'il s'est revêtu de chair ni à cause de la faiblesse des auditeurs, mais parce qu'il voulait apprendre à ceux qui l'écoutaient à être humbles. C'est à cause de cela qu'il faisait et qu'il disait beaucoup de choses humbles. C'est en cela que consiste encore une troisième raison. En effet, celui qui

2. Tous les mss collationnés portent Εἰ δὲ μή. F. D. donne καὶ εἰ μή, d'après le *Paris. gr. 809*.

φρονεῖν διδάσκων, οὐχὶ διὰ ῥημάτων μόνον, ἀλλὰ καὶ διὰ τῶν πραγμάτων τοῦτο παιδεύει, καὶ λόγῳ καὶ ἔργῳ μετριάζων· «Μάθετε γάρ, φησίν, ἀπ' ἐμοῦ ὅτι πρᾶός εἰμι καὶ ταπεινὸς τῇ καρδίᾳ», καὶ πάλιν ἀλλαχοῦ· «Ὁ Υἱὸς
280 τοῦ ἀνθρώπου οὐκ ἦλθε διακονηθῆναι, ἀλλὰ διακονῆσαι.» Ὁ τοίνυν ταπεινοὺς διδάσκων γίνεσθαι καὶ μηδαμοῦ τοῖς πρωτείοις ἐπιτρέχειν, ἀλλὰ καταδέχεσθαι τὸ ἐλαττοῦσθαι πανταχοῦ καὶ διὰ ῥημάτων καὶ διὰ πραγμάτων εἰς τοῦτο ἐνάγων, πολλὰς εἶχε προφάσεις τοῦ ταπεινὰ φθέγγεσθαι.
285 Ἔστι καὶ τετάρτην αἰτίαν εἰπεῖν, οὐκ ἐλάττω τῶν εἰρημένων. Τίς δέ ἐστιν αὕτη; Τὸ μὴ διὰ τὴν πολλὴν ἐγγύτητα καὶ ἄφατον τῶν ὑποστάσεων εἰς ἑνὸς προσώπου ποτὲ ὑπόνοιαν ἡμᾶς ἐμπεσεῖν, ὅπου γε καὶ νῦν ὀλιγάκις αὐτοῦ τι τοιοῦτον εἰπόντος, πρὸς τὴν ἀσέβειαν ταύτην ἤδη τινὲς ἐξώλισθον.
290 Σαβέλλιος γοῦν ὁ Λίβυς ἀκούσας αὐτοῦ λέγοντος· «Ἐγὼ καὶ ὁ Πατὴρ ἕν ἐσμεν» καὶ «Ὁ ἑωρακὼς ἐμὲ ἑώρακε τὸν Πατέρα», τὴν ἀπὸ τῶν ῥημάτων τούτων ἐγγύτητα πρὸς τὸν γεγεννηκότα ἐμφαινομένην εἰς ἀσεβείας ὑπόθεσιν, καὶ ἑνὸς προσώπου καὶ μιᾶς ὑποστάσεως ὑπόνοιαν ἥρπασεν. Οὐχ
295 αὗται δὲ μόνον εἰσὶν αἱ προφάσεις, ἀλλὰ καὶ τὸ μηδένα νομίσαι αὐτὸν εἶναι τὴν πρώτην καὶ ἀγέννητον οὐσίαν καὶ μείζονα τοῦ γεγεννηκότος αὐτὸν ὑπολαβεῖν. Καὶ γὰρ καὶ ὁ

MYOΞΩS IVRP

296 οὐσίαν : ὑπόστασιν MYOΩ

y Matth. 11, 29 || z Matth. 20, 28 || a Jn 10, 30 || b Jn 14, 9

---

1. On trouve ici le schéma de tous les développements suivants sur le comportement du Christ, qui enseigne non seulement *par ses paroles* mais aussi *par ses actes*.

2. Sur le sens de ὑπόστασις, voir B. Sesboüé, *l'Apologie d'Eunome de Cyzique*... p. 85-92.

3. Sabellius adopte une position qui devait dans la suite porter le nom de *modalisme*. Il enseigne que le Père, le Fils et l'Esprit ne sont

enseigne à être humble ne l'enseigne pas seulement par des discours, mais encore par des faits[1], étant mesuré en paroles et en actes. « Apprenez de moi que je suis doux et humble de cœur[y] » ; et ailleurs encore : « Le Fils de l'homme n'est pas venu pour être servi, mais pour servir[z]. » Or celui qui leur enseignait à être humbles et à ne jamais se précipiter aux premières places, mais à accepter d'être partout comptés pour rien et qui, par ses discours et par ses manières d'agir, y incitait avait bien des motifs pour parler le langage de l'humilité.

Quatrième raison : distinguer les personnes de la Trinité

On peut encore donner une quatrième raison qui n'a pas moins de valeur que les précédentes. Quelle est-elle ? C'est pour que la parenté étroite et indicible des hypostases[2] ne nous fasse pas succomber un jour à l'idée d'une personne unique. C'est la raison pour laquelle, bien qu'il ait rarement parlé à ce sujet, certains se sont laissés aller actuellement à l'impiété que voici : Sabellius, le Lybien[3], pour l'avoir entendu dire : « Moi et le Père nous sommes un[a] », et « celui qui m'a vu a vu le Père[b] », s'est emparé de la parenté manifestée dans ces paroles avec celui qui l'a engendré pour concevoir une impiété et pour imaginer une seule personne[4] et une seule hypostase. Ces motifs ne sont pas les seuls, mais c'est pour que nul ne pense qu'il est l'essence première et inengendrée[5] et qu'on ne le suppose pas plus grand que celui qui l'a engendré. En

que des *modes*, des formes prises par le Dieu unique, ceci en vue de sauvegarder le monothéisme (voir homélie V, *SC* 28 *bis*, p. 281, n. 5). Jean a réfuté l'hérésie de Sabellius : *In Io. hom.* LXXV, 1, *PG* 59, 403-404, et LXXXI, 2, *PG* 59, 444 s. Dans *Sur le Sacerdoce*, *SC* 272, IV, 4, p. 256-258, il montre la nécessité pour le prêtre d'être à la fois instruit et mesuré pour voir et réfuter les hérésies, entre autres celles d'Arius et de Sabellius. EUNOME, de son côté, cite Sabellius parmi ceux qui essaient de corrompre le sens exact des mots : *Apol.* 6, li. 15.

4. Sur le sens de πρόσωπον, voir *supra*, p. 122, n. 2.

5. La variante ὑπόστασιν est intéressante et prouve l'équivalence des termes ὑπόστασις et οὐσία (voir *supra*, p. 136, n. 2).

Παῦλος αὐτὸ τοῦτο φαίνεται δεδοικὼς μή τις ὑποπτεύσῃ ποτὲ τὸ ἀσεβὲς τοῦτο δόγμα καὶ πονηρόν. Εἰπὼν γοῦν·
300 «Δεῖ γὰρ αὐτὸν βασιλεύειν ἄχρις οὗ ἂν θῇ τοὺς ἐχθροὺς ὑπὸ τοὺς πόδας αὐτοῦ», καὶ προσθεὶς ὅτι «Πάντα ὑπέταξεν ὑπὸ τοὺς πόδας αὐτοῦ», ἐπήγαγεν· «Ἐκτὸς τοῦ ὑποτάξαντος αὐτῷ τὰ πάντα»· οὐκ ἂν ἐπαγαγών, εἰ μὴ ἔδεισε μή που διαβολικὴ τοιαύτη τις ἔννοια γένηται.
305 Πολλαχοῦ δὲ καὶ τὸν τῶν Ἰουδαίων φθόνον παραμυθούμενος καθυφίησι τοῦ τῶν ῥημάτων ὕψους, καὶ πρὸς τὴν ὑπόνοιαν δὲ τῶν διαλεγομένων αὐτῷ πολλάκις ἀποκρινάμενος, ὡς ὅταν λέγῃ· «Ἂν ἐγὼ μαρτυρῶ περὶ ἐμαυτοῦ ἡ μαρτυρία μου οὐκ ἔστιν ἀληθής.» Πρὸς τὴν ἐκείνων γὰρ ὑπόνοιαν
310 ἀποτεινόμενος· οὐ γὰρ δὴ τοῦτο ἠθέλησε δεῖξαι ὅτι οὐκ ἔστιν ἀληθής, ἀλλ' ὡς ὑμεῖς νομίζετε καὶ ὑποπτεύετε, φησί, μὴ βουλόμενοί με παραδέξασθαι αὐτὸν περὶ ἑαυτοῦ λέγοντα.

Καὶ ἄλλας δὲ πλείους αἰτίας ἔστιν εὑρεῖν. Τῆς μὲν οὖν
315 ταπεινότητος τῶν ῥημάτων πολλὰς ἂν ἔχοιμεν εἰπεῖν προφάσεις· σὺ δὲ εἰπὲ τῶν ὑψηλῶν δογμάτων μίαν πρόφασιν ἑτέραν, πλὴν ἧς ἡμεῖς εἰρήκαμεν· αὕτη δὲ ἦν τὸ βούλεσθαι αὐτὸν τὴν οἰκείαν εὐγένειαν ἡμῖν ἐνδείκνυσθαι· ἀλλ' οὐκ ἂν ἔχοις ἑτέραν εἰπεῖν. Ὁ μὲν γὰρ μέγας δύναιτ'
320 ἂν καὶ μικρόν τι περὶ ἑαυτοῦ λέγειν, καὶ οὐκ ἔστιν ἔγκλημα· ἐπιεικείας γὰρ τοῦτό ἐστιν· ὁ δὲ μικρός, εἰ μέγα τι περὶ ἑαυτοῦ εἴποι ποτέ, οὐ διαφεύξεται κατηγορίαν· ἀλαζονεία γάρ ἐστι. Διὰ τοῦτο τὸν μὲν ὑψηλὸν ἅπαντες ἐπαινοῦμεν, ὅταν περὶ ἑαυτοῦ ταπεινὰ λέγῃ· τὸν δὲ ταπεινὸν οὐδεὶς
325 ἐπαινέσεται, εἴ ποτέ τι μέγα περὶ ἑαυτοῦ εἴποι. Ὥστε εἰ

ΜΥΟΞΩΣ IVRP

298 φαίνεται : ἐμφαίνεται ΜΥΟΞΣ || 310 ἀποτεινόμενος] + οὕτως εἶπεν V || 314 ἄλλας — εὑρεῖν om. RP || πλείους : πλείονας ΜΞΣ || οὖν om. RP || 315 ἂν om. RP || 317 ἧς om. Q || 324 ταπεινὰ περὶ ἑαυτοῦ ~ Y VP

effet, Paul lui-même semble avoir craint qu'on en vienne un jour à cette croyance impie et perverse. Certes, après avoir dit : « Il faut qu'il règne jusqu'à ce qu'il mette ses ennemis sous ses pieds [c] », et encore : « il a tout mis sous ses pieds », il a ajouté « à l'exception de celui qui lui a soumis toutes choses ». Il ne l'aurait pas ajouté s'il n'avait pas craint de voir naître cette idée diabolique. Bien souvent aussi, cherchant à calmer la jalousie des Juifs, il baisse le ton élevé de ses paroles et il répond souvent en fonction des soupçons de ceux qui s'entretenaient avec lui. Ainsi lorsqu'il dit : « Si je rends témoignage sur moi-même, mon témoignage n'est pas vrai [d]. » En effet, c'est eu égard à leurs soupçons qu'il parlait ainsi, car il n'a pas voulu montrer par là que son témoignage n'était pas vrai, mais c'est en fonction de ce que vous pensez et soupçonnez, dit-il, puisque vous ne voulez pas m'écouter, lorsque je parle de moi-même.

On peut encore trouver beaucoup d'autres raisons. Nous pourrions donner beaucoup de motifs de l'humilité de ses paroles ; mais toi [1], donne-nous un seul motif de ses enseignements élevés autre que celui que nous avons donné : c'est qu'il voulait nous montrer la noblesse particulière de sa naissance ; mais tu ne saurais en trouver un autre. En effet, un grand personnage pourrait donner sur lui-même un détail sans importance ; il n'y a pas lieu de le lui reprocher, c'est une marque de modération. Mais un homme de condition modeste, s'il venait jamais à parler de lui en termes pompeux, n'échappera pas au blâme, car c'est de la vantardise. C'est pourquoi nous louons tous l'homme qui occupe une situation élevée, lorsqu'il parle modestement de lui, tandis que personne ne félicite l'homme de condition modeste s'il vient à parler de lui en termes pompeux.

c I Cor. 15, 25 et 27 || d Jn 5, 31

1. On trouve ici un des procédés de la diatribe : la provocation de l'adversaire. Voir introd. p. 32.

πολλῷ καταδεέστερος ἦν τοῦ Πατρὸς ὁ Υἱός, ὡς ὑμεῖς φατέ, οὐκ ἔδει ῥήματα αὐτὸν λέγειν δι' ὧν ἐδείκνυ τῷ γεγεννηκότι ἴσον ὄντα ἑαυτόν· ἀλαζονεία γὰρ τοῦτο ἦν· τὸ μέντοι ἴσον ὄντα τοῦ γεγεννηκότος λέγειν τινὰ ταπεινὰ καὶ εὐτελῆ,
330 οὐδεμία μέμψις, οὐδὲ αἰτία· ἔπαινος γὰρ τοῦτό ἐστι καὶ θαῦμα μέγιστον.

Καὶ ἵνα σαφέστερα γένηται τὰ εἰρημένα καὶ μάθητε πάντες ὑμεῖς ὅτι οὐ καταστοχαζόμεθα τῶν θείων Γραφῶν, φέρε δὴ τῶν εἰρημένων αἰτιῶν τούτων τὴν πρώτην μεταχειρι-
335 σώμεθα νῦν καὶ δείξωμεν ποῦ διὰ τὴν τῆς σαρκὸς περιβολὴν φανερῶς καταδεέστερα τῆς οὐσίας τῆς ἑαυτοῦ ῥήματα φθέγγεται· καί, εἰ δοκεῖ, τὴν εὐχὴν αὐτὴν εἰς μέσον ἀγάγωμεν ἣν ηὔξατο τῷ Πατρί. Ἀλλὰ προσέχετε μετὰ ἀκριβείας ἡμῖν· μικρὸν γὰρ ἄνωθεν ὑμῖν τὸ πᾶν διηγήσασθαι
340 βούλομαι. Δεῖπνον ἐγένετό ποτε κατὰ τὴν ἱερὰν νύκτα ἐκείνην καθ' ἣν παραδίδοσθαι ἔμελλεν· ἱερὰν γὰρ αὐτὴν ἐγὼ καλῶ, ἐπειδὴ τὰ μυρία ἀγαθὰ ἃ κατὰ τὴν οἰκουμένην ἐγένετο τὴν ἀρχὴν ἐκεῖθεν ἐλάμβανε. Τότε τοίνυν καὶ ὁ προδότης μετὰ τῶν ἕνδεκα ἀνέκειτο μαθητῶν καὶ δειπνούν-
345 των αὐτῶν, φησὶν ὁ Χριστός· « Εἷς ἐξ ὑμῶν παραδώσει με. » Τούτων μνημονεύετέ μοι τῶν ῥημάτων, ἵν' ὅταν ἐπὶ τὴν εὐχὴν ἔλθωμεν, ἴδωμεν τίνος ἕνεκεν οὕτως εὔχεται. Καὶ σκόπει μοι κηδεμονίαν Δεσπότου· οὐκ εἶπεν ὅτι ὁ Ἰούδας παραδώσει με, ὥστε μὴ τῇ περιφανείᾳ τῶν ἐλέγχων
350 ἀναισχυντότερον αὐτὸν ἐργάσασθαι· ὡς δὲ ἐκεῖνος ὑπὸ τοῦ συνειδότος κεντούμενός φησι· « Μή τι ἐγώ εἰμι, Κύριε ; » λέγει αὐτῷ· « Σὺ εἶπας », καὶ οὐδὲ τότε αὐτοῦ κατηγορῆσαι ἠνέσχετο, ἀλλ' αὐτὸν ἑαυτοῦ κατέστησεν ἔλεγχον· ἀλλ'

ΜΥΟΞΩS IVRP

342 καλῶ ἐγὼ ~ ΜΥΟΞΩS || 346 ὅταν : ὅτε RP || 349 παραδίδωσι V

e Matth. 26, 21 || f Matth. 26, 25

Il s'ensuit que si le Fils était bien inférieur au Père, comme vous le dites, il n'aurait pas dû prononcer à son sujet des paroles par lesquelles il montrait qu'il était égal à celui qui l'a engendré. Ç'aurait été vantardise. Mais que tout en étant égal à celui qui l'a engendré il prononce des paroles humbles et simples, il n'y a pas à l'en blâmer ni à l'accuser ; en effet, c'est là un sujet de louange et de très grande admiration.

Retour à l'Incarnation

Et pour rendre plus clair ce que je viens de dire et que vous appreniez tous que nous ne contredisons pas les divines Écritures, allons, mettons-nous à réfléchir sur la première des raisons citées plus haut et montrons en quel endroit, à cause de la chair dont il était revêtu, il a prononcé des paroles qui étaient évidemment inférieures à son essence ; s'il vous plaît, citons justement la prière qu'il a adressée à son Père[1]. Mais écoutez-moi avec soin, car je veux reprendre avec vous l'ensemble du sujet d'un peu plus haut. Il y eut une fois un repas dans cette nuit sacrée où il devait être livré ; je l'appelle sacrée, puisque les biens multiples qui se sont répandus sur la terre tiraient de là leur origine. Le traître était alors à table avec les onze disciples et, tandis qu'ils dînaient, le Christ leur dit : « L'un de vous me trahira[e]. » Souvenez-vous de ces paroles, afin qu'au moment où nous arriverons à la prière, nous voyions pour quelle raison il prie ainsi. Et considère la sollicitude du Maître. Il n'a pas dit : Judas me trahira, de façon à ne pas le rendre plus abominable par la clarté de ses reproches ; mais celui-ci, aiguillonné par sa conscience, demande : « Est-ce moi, Seigneur ? » Il lui répond : « Tu l'as dit[f] » et pas même à ce moment il ne consentit à l'accuser, mais il fait de lui son propre accusateur ; et cependant,

1. Allusion à la prière du Christ au jardin des oliviers, *Matth.* 26, 39. On la trouve rappelée li. 437 et 520-521. Jean a prononcé une homélie entière sur les premières paroles de cette prière : *In illud : « Pater si possibile est ... »*, *PG* 51, 31-40.

ὅμως οὐδὲ οὕτως ἐγένετο βελτίων, ἀλλὰ λαβὼν τὸ ψωμίον
355 ἐξῆλθεν. Ἐπειδὴ τοίνυν ἐξῆλθε, λαβὼν ὁ Ἰησοῦς τοὺς μαθητάς φησι· «Πάντες ὑμεῖς σκανδαλισθήσεσθε ἐν ἐμοί.» Τοῦ Πέτρου δὲ ἀντιλέγοντος καὶ λέγοντος· «Κἂν πάντες σκανδαλισθήσωνται, ἀλλ' ἐγὼ οὐδέποτε σκανδαλισθήσομαι», πάλιν φησίν· «Ἀμὴν λέγω σοι, πρὶν ἀλέκτορα
360 φωνῆσαι, τρὶς ἀπαρνήσῃ με.» Ὡς δὲ πάλιν ἀντέλεγεν, εἴασεν αὐτὸν λοιπόν. Οὐ πείθῃ, φησί, διὰ τῶν ῥημάτων, ἀλλ' ἀντιλέγεις· πεισθήσῃ διὰ τῶν πραγμάτων αὐτῶν ὅτι Δεσπότῃ ἀντιλέγειν οὐ χρή. Καὶ τούτων μοι μέμνησθε τῶν ῥημάτων πάλιν· χρήσιμος γὰρ αὐτῶν ἡμῖν ἡ μνήμη τὴν
365 εὐχὴν ἐξετάζουσιν ἔσται.

Εἶπε τὸν προδότην, προεῖπε τὴν πάντων φυγὴν καὶ τὸν αὐτοῦ θάνατον· «Πατάξω, φησί, τὸν ποιμένα καὶ διασκορπισθήσεται τὰ πρόβατα»· προεῖπε τὸν μέλλοντα αὐτὸν ἀρνήσασθαι, καὶ πότε καὶ ποσάκις, καὶ μετὰ ἀκριβείας
370 ἅπαντα. Καὶ μετὰ ταῦτα πάντα ἱκανὴν αὐτοῦ τῆς προγνώσεως τῶν μελλόντων ἀπόδειξιν δούς, ἐλθὼν ἐπί τι χωρίον εὔχεται· καὶ ἐκεῖνοι μὲν λέγουσιν ὅτι τῆς θεότητός ἐστιν ἡ εὐχή, ἡμεῖς δὲ λέγομεν ὅτι τῆς οἰκονομίας. Δικάσατε τοίνυν καὶ πρὸς αὐτῆς τῆς τοῦ Μονογενοῦς δόξης μηδενὶ κεχαρισ-
375 μένην τὴν ψῆφον ἐνέγκητε. Εἰ γὰρ καὶ ἐν φίλοις δικάζομαι

MYOΞΩS IVRP

357 ἀντιλέγοντος : ἀντιτείνοντος V || 359 πάλιν] + ὁ ἰησοῦς V || 364 ἡ μνήμη ἡμῖν ~ M I || ἡμῖν om. OΞS

g Matth. 26, 31 et 33 || h Matth. 26, 34 || i Matth. 26, 31

---

1. C'est-à-dire Judas.
2. La conditionnelle est exprimée en termes différents : dans les éditions critiques par εἰ et l'indicatif futur, dans le texte que cite Chrysostome par ἐὰν et le subjonctif. D'autre part les éditions critiques reprennent l'expression du Christ ἐν ἐμοί par ἐν σοί, qu'ignore la citation faite par Chrysostome. Enfin ἀλλ' (li. 358) se trouve dans

même alors, il[1] n'en devint pas meilleur, mais après avoir pris la bouchée, il sortit. Lorsqu'il fut sorti, Jésus, ayant pris avec lui les disciples, leur dit : « Vous serez tous scandalisés à cause de moi. » Pierre protesta en disant : « Même si tous sont scandalisés, moi, du moins, je ne serai jamais scandalisé[g 2]. » Jésus[3] reprend : « En vérité, je te le dis, avant que le coq chante, tu me renieras trois fois[h 4]. » Comme l'autre protestait de nouveau, désormais il le laissa. Puisque tu n'es pas persuadé par mes paroles, dit-il, et que tu protestes, tu apprendras par les faits qu'il ne faut pas protester contre le Maître. Encore une fois, souvenez-vous de ces paroles ; le souvenir en sera utile, lorsque nous nous mettrons à examiner la prière.

Retour à la prière du Christ

Il a désigné le traître, il a prédit leur fuite à tous et sa mort : « Je frapperai le berger, dit l'Écriture, et les brebis seront dispersées[i]. » Il a prédit quel était celui qui devait le renier et quand et combien de fois et tout cela avec précision. Ensuite, ayant donné des preuves suffisantes de sa connaissance des choses futures, il va prier dans un jardin ; ces gens disent que la prière est le fait de la divinité[5], mais nous, nous disons qu'elle est le fait de l'économie[6]. Jugez-en donc et n'exprimez pas, au nom de la gloire du Monogène elle-même, un avis qui soit de complaisance. Car si je plaide actuellement devant des

certains mss cités par l'édition von Soden, p. 104. On voit combien la reconstitution d'une version dite « antiochienne » est aléatoire.

3. La mention de Jésus qui précise le sujet de φησίν n'est pas indispensable, mais le ms. V l'a jugée nécessaire à cause de la suite du texte où le sujet de ἀντέλεγεν est, cette fois, Pierre et celui de εἴασεν de nouveau Jésus.

4. Le texte de *Matth.* précise ἐν ταύτῃ τῇ νυκτὶ que ne mentionne pas la version employée par Chrysostome.

5. C'est l'opinion des Anoméens qui s'appuient sur ce texte pour prouver que le Christ est inférieur à son Père. Voir p. 365-367 la liste des textes utilisés par les deux partis adverses.

6. Voir introd. p. 41-42. On saisit sur le vif l'opposition radicale qui existe entre les deux partis en présence.

νῦν, ἀλλ' ἀντιβολῶ καὶ δέομαι ἀδέκαστον γενέσθαι τὴν κρίσιν, καὶ μήτε πρὸς ἐμὴν χάριν, μήτε πρὸς ἐκείνων ἀπέχθειαν. Μάλιστα μὲν γὰρ καὶ αὐτόθεν δῆλον ὅτι οὐκ ἔστι τῆς θεότητος ἡ εὐχή· Θεὸς γὰρ οὐκ εὔχεται· Θεοῦ γὰρ
380 τὸ προσκυνεῖσθαί ἐστι, Θεοῦ τὸ εὐχὴν δέχεσθαι, οὐ τὸ εὐχὴν ἀναφέρειν· ἀλλ' ὅμως ἐπειδὴ ἀναισχυντοῦσιν, ἀπ' αὐτῶν τῶν ῥημάτων τῆς εὐχῆς ὑμῖν ποιῆσαι πειράσομαι φανερὸν ὅτι τὸ ὅλον τῆς οἰκονομίας ἐστὶ καὶ τῆς κατὰ τὴν σάρκα ἀσθενείας. Ὅταν γὰρ φθέγγηταί τι ταπεινὸν ὁ Χριστός,
385 οὕτω φθέγγεται ταπεινὸν καὶ εὐτελὲς ὡς τὴν ὑπερβολὴν τῆς ταπεινότητος τῶν λεγομένων καὶ τοὺς σφόδρα φιλονεικοῦντας δυνηθῆναι πεῖσαι ὅτι πολὺ τῆς ἀπορρήτου καὶ ἀφράστου οὐσίας ἐκείνης ἀποδεῖ τά ῥήματα.

Ἴωμεν τοίνυν ἐπ' αὐτὰ τὰ ῥήματα τῆς εὐχῆς· «Πάτερ,
390 εἰ δυνατόν, παρελθέτω ἀπ' ἐμοῦ τὸ ποτήριον τοῦτο· πλὴν οὐχ ὡς ἐγὼ θέλω, ἀλλ' ὡς σύ.» Ἐρωτήσωμεν τοίνυν αὐτοὺς ἐνταῦθα· ἀγνοεῖ, εἴτε δυνατόν, εἴτε οὐ δυνατόν, ὁ πρὸ μικροῦ λέγων ἐν τῷ δείπνῳ· «Εἷς ἐξ ὑμῶν παραδώσει με;» ὁ πρὸ μικροῦ λέγων· «Γέγραπται· ʽπατάξω τὸν ποιμένα,
395 καὶ διασκορπισθήσεται τὰ πρόβατα»· καὶ ὅτι «Πάντες ὑμεῖς σκανδαλισθήσεσθε ἐν ἐμοί». Ὁ τῷ Πέτρῳ εἰπὼν ὅτι «Ἀρνήσῃ με, καὶ ἀρνήσῃ με τρίς», οὗτος ἀγνοεῖ νῦν, εἰπέ μοι; Καὶ τίς ἂν τοῦτο εἴποι καὶ τῶν ὁπωσοῦν καθεστηκότων; Καὶ γὰρ ὅταν μὲν ᾖ τὸ ἀγνοούμενον μηδενὶ δῆλον μήτε
400 προφητῶν, μήτε ἀγγέλων, μήτε ἀρχαγγέλων, ἴσως παρέξει τινὰ τοῖς φιλονεικοῦσι λαβήν· ὅταν μέντοι τὸ ἀγνοούμενον

MYOΞΩS IVRP

377 καὶ om. YOΞΩS || 382 πειράσομαι ποιῆσαι ~ MΞS || 384 ὁ χριστὸς ταπεινόν ~ I || 384-385 τι — φθέγγεται om. R || 385 οὕτω — ταπεινὸν om. IP || 392 οὐ δυνατὸν : ἀδύνατον Y RP || 397 ἀρνήσῃ με καὶ om. R || 399 μήτε] + τῶν Q

j Matth. 26, 39 || k Matth. 26, 21 || l Matth. 26, 31 || m Matth. 26, 34

amis, cependant je vous supplie et je vous demande d'émettre un jugement, objectif qui ne soit dicté ni par l'amitié que vous me portez, ni par votre hostilité à leur égard. En effet, il est tout à fait évident d'après ce passage même que la prière n'est pas le fait de la divinité. En effet, Dieu ne prie pas, car il appartient à Dieu de recevoir l'adoration, à Dieu d'accueillir la prière, non de la formuler. Cependant, puisque telle est leur impudence, je m'efforcerai de vous montrer par les paroles mêmes de la prière qu'elle relève totalement de l'économie et de la faiblesse de la chair. En effet, lorsque le Christ parle en des termes humbles, s'il emploie des termes si humbles et si simples, c'est pour pouvoir persuader ceux qui lui reprochent violemment l'humilité extrême de ses propos que ses paroles sont sans commune mesure avec son essence ineffable et inexprimable[1].

Venons-en donc aux paroles mêmes de la prière : « Père, s'il est possible, que cette coupe s'éloigne de moi ; cependant, non pas comme je veux, mais comme tu veux[j]. » Interrogeons-les donc alors ; ignore-t-il si la chose est possible ou impossible celui qui disait, il y a un instant, au cours du repas : « Un de vous me trahira[k] », celui qui disait, il y a un instant : « Il est écrit : ' Je frapperai le berger et les brebis seront dispersées ' » et aussi : « Vous serez tous scandalisés à mon sujet[l] », celui qui a dit à Pierre : « Tu me renieras, et tu me renieras trois fois[m 2] », celui-là est-il à cet instant dans l'ignorance, dis-moi ? Qui donc le prétendrait, même ceux qui sont de toute façon nos adversaires ? En effet, quand l'objet de l'ignorance n'est évident à personne, ni aux prophètes, ni aux anges, ni aux archanges, il

1. On entend ici un écho des quatre premières homélies, ainsi qu'aux lignes 399-400, qui affirment l'impossibilité radicale où se trouve toute créature de connaître l'essence de Dieu.

2. Le texte cité par Chrysostome insiste sur le reniement par une répétition qui ne se trouve pas dans le texte évangélique, mais qui est tout à fait dans les habitudes oratoires du prédicateur.

οὕτως ᾖ φανερὸν καὶ γνώριμον ἅπασιν ὡς καὶ ἀνθρώπους αὐτὸ εἰδέναι μετὰ ἀκριβείας, ποία ἀπολογία καὶ ποία συγγνώμη τοῖς λέγουσιν ὅτι αὐτὸς ἀγνοῶν ταῦτα ἔλεγε;
405 Τοῦτον τοίνυν τὸν περὶ τοῦ σταυροῦ λέγω λόγον καὶ δοῦλοι αὐτοῦ φαίνονται μετὰ ἀκριβείας εἰδότες, καὶ ὅτι ἀποθανεῖν, καὶ ὅτι διὰ σταυροῦ τοῦτο παθεῖν αὐτὸν ἔδει καὶ πρὸ τοσούτων ἐτῶν ἀμφότερα ταῦτα δηλῶν ὁ Δαυῒδ ἔλεγεν ἐκ προσώπου τοῦ Χριστοῦ· «Ὤρυξαν χεῖράς μου καὶ πόδας
410 μου» καὶ τὸ μέλλον ὡς γεγενημένον ἀπήγγειλε, δεικνὺς ὅτι καθάπερ τὰ συμβάντα ἀμήχανον μὴ γενέσθαι, οὕτω καὶ τοῦτο ἀμήχανον μὴ γεγενῆσθαι. Πάλιν ὁ Ἠσαΐας αὐτὸ τοῦτο προαναφωνῶν ἔλεγεν· «Ὡς πρόβατον ἐπὶ σφαγὴν ἤχθη καὶ ὡς ἀμνὸς ἐναντίον τοῦ κείροντος αὐτὸν ἄφωνος.»
415 Τοῦτον πάλιν ὁ Ἰωάννης τὸν ἀμνὸν ἰδὼν ἔλεγεν· «Ἴδε ὁ ἀμνὸς τοῦ Θεοῦ ὁ αἴρων τὴν ἁμαρτίαν τοῦ κόσμου», ἐκεῖνος ὁ προρρηθεὶς φησί. Καὶ οὐχ ἁπλῶς εἴρηται ὁ ἀμνός, ἀλλὰ πρόσκειται «τοῦ Θεοῦ». Ἐπειδὴ γὰρ καὶ ἕτερος ἦν ἀμνὸς ὁ Ἰουδαϊκός, διὰ τοῦτο φησίν· «Οὗτος τοῦ Θεοῦ ἐστίν.» Ἐκεῖ-
420 νος ὑπὲρ τοῦ ἔθνους προσεφέρετο μόνον, οὗτος ὑπὲρ τῆς οἰκουμένης προσηνέχθη πάσης· κἀκείνου μὲν τὸ αἷμα πληγὴν σωματικὴν ἐκώλυσεν ἐξ Ἰουδαίων μόνον, τούτου δὲ τὸ αἷμα τῆς οἰκουμένης ἁπάσης κοινὸς γέγονε καθαρμός. Καὶ τοῦτο δὲ τὸ αἷμα τὸ τοῦ Ἰουδαϊκοῦ ἀμνοῦ ἴσχυσεν ὅπερ
425 ἴσχυσεν, οὐ παρὰ τὴν οἰκείαν φύσιν, ἀλλ' ἐπειδὴ τούτου τύπος ἦν, τὴν δύναμιν ἔσχεν ἐκείνην.

MYOΞΩS IVRP

408 ἔλεγεν ὁ δαυῒδ ~ Q || 411 γενέσθαι : γεγενῆσθαι ΞQ RP || 417 καὶ] + ὅρα V || εἴρηται — ἀλλὰ V om. cett. || 419 διὰ — ἐστίν : δηλῶν ὅτι οὗτος τοῦ θεοῦ ἐστιν διὰ τοῦτο οὕτως εἶπεν V || 421 πάσης IVRP : ἁπάσης cett.

n Ps. 21, 17 || o Is. 53, 7 || p Jn 1, 29

1. Tous les mss collationnés portent τοῦ σταυροῦ ainsi que F. D. et

donnera peut-être prise aux amateurs de querelles ; mais lorsque l'objet de l'ignorance est tellement clair et connu de tous que les hommes le connaissent même avec exactitude, quelle défense et quelle excuse pour ceux qui disent : il disait cela par ignorance ? Oui, je parle ici de la croix [1] et ses serviteurs [2] semblent avoir su avec exactitude qu'il lui fallait mourir et subir cette épreuve par la croix. Annonçant l'une et l'autre chose bien des années auparavant, David disait, en se mettant à la place du Christ : « Ils ont percé mes mains et mes pieds [n] », il annonçait le futur comme si c'était le passé, montrant que de même qu'il était impossible que les événements passés n'aient pas eu lieu, de même il était impossible que le futur n'ait pas lieu. Et encore Isaïe, faisant la même prédiction, disait : « Comme un agneau il a été mené à la boucherie et il était comme une brebis sans voix devant les tondeurs [o]. » A son tour à la vue de cet agneau, Jean disait : « Voici l'agneau de Dieu qui enlève les péchés du monde [p] », c'est lui qui a été annoncé à l'avance, dit-il. Et il n'a pas dit simplement : « l'agneau », mais il ajoute « de Dieu ». En effet, comme il y avait encore un autre agneau, celui des Juifs, c'est pour cela qu'il dit : « Celui-ci est l'agneau de Dieu. » Celui-là était offert seulement pour le peuple, celui-ci a été offert pour la terre entière ; le sang de celui-là a préservé les Juifs simplement d'un fléau qui menaçait leur vie, mais le sang de celui-ci a été pour toute la terre une purification commune. De plus, le sang de l'agneau des Juifs eut l'effet qu'il eut non par sa propre nature, mais c'est parce qu'il était la figure de celui-ci qu'il posséda cette puissance.

Savile. Il n'y a donc pas lieu de retenir la variante οὐ donnée par Montfaucon, qui ne se lit d'ailleurs dans aucun des mss qu'il dit avoir consultés, mais qu'on trouve dans l'édition bénédictine qui la lui a empruntée. Sur cette édition, voir *supra* p. 59, n. 2.

2. Si l'on en croit les paroles de Jésus lui-même, c'était le terme par lequel il désignait ses disciples, mais leur fidélité et leur amour pour leur maître les fera juger dignes du nom d'*amis, Jn* 15, 15.

Ποῦ τοίνυν εἰσὶν οἱ λέγοντες ὅτι καὶ αὐτὸς Υἱὸς λέγεται, καὶ ἡμεῖς υἱοί, καὶ ἀπὸ τῆς κατὰ τὴν προσηγορίαν κοινωνίας εἰς εὐτέλειαν αὐτὸν ἄγειν ἡμετέραν ἐπιχειροῦντες; Ἰδοὺ γὰρ
430 καὶ ἀμνός, καὶ ἀμνός, καὶ ἓν μὲν τὸ ὄνομα, τὸ δὲ μέσον τῆς φύσεως ἑκατέρας ἄπειρον. Ὥσπερ οὖν ἀκούων ἐνταῦθα προσηγορίας κοινωνίαν οὐδὲν ἴσον φαντάζῃ, οὕτω δὴ καὶ ἐνταῦθα ἀκούων υἱὸν καὶ υἱόν, μὴ πρὸς τὴν σὴν εὐτέλειαν κάταγε τὸν Μονογενῆ. Ἀλλὰ τί χρὴ λέγειν περὶ τῶν δήλων;
435 Εἰ γὰρ τῆς θεότητός ἐστιν ἡ εὐχή, εὑρεθήσεται καὶ αὐτὸς ἑαυτῷ περιπίπτων καὶ ἐναντιολογῶν καὶ μαχόμενος. Οὗτος γὰρ ὁ ἐνταῦθα εἰπών· «Πάτερ, εἰ δυνατόν, παρελθέτω ἀπ' ἐμοῦ τὸ ποτήριον τοῦτο» καὶ ὀκνῶν καὶ ἀναδυόμενος πρὸς τὸ πάθος, ἀλλαχοῦ εἰπών ὅτι «δεῖ τὸν Υἱὸν τοῦ ἀνθρώπου
440 παραδοθῆναι καὶ μαστιγωθῆναι», ἐπειδὴ Πέτρου ἤκουσε λέγοντος· «Ἵλεώς σοι, οὐ μὴ ἔσται σοι τοῦτο», οὕτω σφόδρα ἐπετίμησεν ὡς εἰπεῖν· «Ὕπαγε ὀπίσω μου, Σατανᾶ· σκάνδαλόν μου εἶ, ὅτι οὐ φρονεῖς τὰ τοῦ Θεοῦ, ἀλλὰ τὰ τῶν ἀνθρώπων.» Καίτοι γε πρὸ βραχέος ἦν αὐτὸν ἐπαινέσας καὶ
445 μακαρίσας, ἀλλ' ὅμως Σατανᾶν αὐτὸν ἐκάλεσεν, οὐχὶ τὸν ἀπόστολον ὑβρίσαι βουλόμενος, ἀλλὰ διὰ τῆς ὕβρεως δεῖξαι θέλων ὡς οὐ κατὰ γνώμην αὐτῷ τὸ εἰρημένον ἦν, ἀλλ' οὕτως ἀλλότριον ὡς τὸν ταῦτα εἰρηκότα, καίτοι Πέτρον ὄντα, μὴ ὀκνῆσαι Σατανᾶν ὀνομάσαι. Πάλιν ἀλλαχοῦ φησιν· «Ἐπι-

MYOΞΩS IVRP

428 τῆς — κοινωνίας : τῆς κοινωνίας τῆς κατὰ τὴν προσηγορίαν IR || 437 πάτερ om. Q || 439 πάθος : παθεῖν OQ || 441 οὔτω : οὕτως IRP || 442 σφόδρα : σφοδρῶς MYOΞS

q Matth. 26, 39 || r Matth. 16, 22 || s Matth. 16, 23

1. F. D., suivi par Savile, ajoute ἡμέτεραν pour préciser εὐτέλειαν. Cette addition paraît, en effet, utile pour préciser la pensée.

2. Tous les mss collationnés donnent δούλων. La correction en δηλῶν a été proposée par Savile que Montfaucon n'a malheureusement pas suivi.

Retour à la discussion sur le mot *fils*

Où sont donc ceux qui disent : s'il est appelé Fils, nous aussi nous avons été appelés fils et qui essayent, à cause de cette communauté d'appellation, de l'amener à notre[1] niveau. Voici, en effet, un agneau et un agneau qui sont désignés par un mot unique, mais infinie est la distance entre la nature de l'un et la nature de l'autre. Donc, de même qu'en entendant ici une commune appellation, tu ne te représentes pas la même chose, de même là aussi en entendant Fils et fils, ne ramène pas le Fils unique à ton niveau. Mais pourquoi faut-il parler de choses évidentes[2] ? Car si la prière est le fait de la divinité, on le trouvera se donnant un démenti, se contredisant, entrant en conflit avec lui-même. En effet, celui qui a dit ici : « Père, si c'est possible, que cette coupe s'éloigne de moi[q] » et qui hésite et qui se dérobe devant la souffrance, c'est le même qui a dit ailleurs : « Il faut que le Fils de l'homme soit livré et flagellé[3] » ; lorsqu'il entendit Pierre lui répliquer : « Dieu t'en préserve ! cela ne sera pas[r] », il le réprimanda si vivement qu'il lui dit : « Retire-toi de moi, Satan, tu es pour moi un objet de scandale, car tes pensées ne sont pas celles de Dieu, mais celles des hommes[s]. » Et certes un instant avant, il l'avait loué et félicité, mais cependant il ne l'appela pas moins Satan, non pas avec l'intention d'outrager l'Apôtre, mais voulant lui montrer par cet outrage que ce qu'il (Pierre) avait dit n'était pas conforme à sa pensée, mais tellement étranger qu'il n'hésitait pas à traiter de Satan celui qui avait prononcé de telles paroles, même s'il s'agissait de Pierre. Il dit ailleurs : « J'ai désiré d'un désir

3. Dans les évangiles, Jésus annonce trois fois sa Passion en utilisant des verbes qui en évoquent les différentes péripéties. On les retrouve partiellement dans le texte cité par Chrysostome. Δεῖ se lit dans la première annonce chez *Matthieu* 16, 21 et *Luc* 9, 22. Παραδίδοσθαι se lit dans les deuxième et troisième annonces chez les trois synoptiques, ainsi que μαστιγωθῆναι dans la troisième annonce. La formule donnée ici semble donc une contamination de textes.

450 θυμίᾳ ἐπεθύμησα τὸ πάσχα τοῦτο φαγεῖν μεθ' ὑμῶν.» Τίνος ἕνεκεν τὸ πάσχα τοῦτό φησι; καίτοι καὶ ἄλλοτε τὴν ἑορτὴν ταύτην ἐπετέλεσε μετ' αὐτῶν. Τίνος οὖν ἕνεκεν τοῦτό φησι τὸ Πάσχα; Ἐπειδὴ μετ' αὐτὸ ὁ σταυρὸς ἦν; Καὶ πάλιν· «Πάτερ, δόξασόν σου τὸν Υἱόν, ἵνα καὶ ὁ Υἱός σου δοξάσῃ 455 σε.» Καὶ πολλαχοῦ καὶ προλέγοντα τὸ πάθος καὶ ἐπιθυμοῦντα γενέσθαι αὐτὸ εὑρίσκομεν, καὶ διὰ τοῦτο παραγενόμενον. Πῶς οὖν ἐνταῦθά φησιν· «Εἰ δυνατόν»; Τῆς ἀνθρωπίνης φύσεως τὴν ἀσθένειαν ἡμῖν ἐνδείκνυται, οὐχ αἱρουμένης ἁπλῶς ἀπορραγῆναι τῆς παρούσης ζωῆς, ἀλλ' 460 ἀναδυομένης καὶ ὀκνούσης διὰ τὴν ἐξ ἀρχῆς ἐντεθεῖσαν αὐτῇ φιλίαν παρὰ τοῦ Θεοῦ πρὸς τὸν παρόντα βίον. Εἰ γὰρ τοσαῦτα καὶ τηλικαῦτα εἰπόντος αὐτοῦ, ἐτόλμησαν εἰπεῖν τινες ὅτι σάρκα οὐκ ἀνέλαβεν, εἰ μηδὲν τούτων εἴρητο, τί οὐκ ἂν εἶπον; Διὰ τοῦτο προλέγει μὲν ὡς Θεὸς ἐκεῖ 465 καὶ ἐπιθυμεῖ γενέσθαι τὸ πάθος· φεύγει δὲ καὶ παραιτεῖται ἐνταῦθα, ὡς ἄνθρωπος : Ὅτι γὰρ ἑκὼν ἐπὶ τὸ πάθος ἤρχετο, φησίν· «Ἐξουσίαν ἔχω θεῖναι τὴν ψυχήν μου, καὶ ἐξουσίαν ἔχω λαβεῖν αὐτήν. Οὐδεὶς αὐτὴν αἴρει ἀπ' ἐμοῦ, ἐγὼ ἀπ' ἐμαυτοῦ τίθημι αὐτήν.» Πῶς οὖν λέγει· «Οὐχ ὡς 470 ἐγὼ θέλω, ἀλλ' ὡς σύ;» Καὶ τί θαυμάζεις εἰ πρὸ τοῦ σταυροῦ τοσαύτην ἐποιήσατο σπουδήν, πιστώσασθαι τῆς σαρκὸς τὴν ἀλήθειαν, ὅπου γε καὶ μετὰ τὴν ἀνάστασιν τὸν μαθητὴν ἰδὼν ἀπιστοῦντα οὐ παρῃτήσατο αὐτῷ καὶ τραύματα καὶ τύπον ἥλων ἐπιδεῖξαι καὶ χειρὸς ἁφῇ τὰς ὠτειλὰς

ΜΥΟΞΩS IVRP

451 καὶ : γε Q || 452 οὖν om. V || φησὶ τοῦτο ~ Q || 452-453 τοῦτο — πάσχα om. V || 453 ὁ σταυρὸς μετ' αὐτὸ ~ R || 465-466 ἐνταῦθα καὶ παραιτεῖται ~ Q || 467 ἤρχετο : ἔρχεται Q || φησίν deletur in Ξ || 471 ἐποιήσατο : ἐποίησεν V || 474 τύπον : τύπους V

t Lc 22, 15 || u Jn 17, 1 || v Jn 10, 18 || w Matth. 26, 39

ardent manger cette Pâque avec vous[t].» Pourquoi[1] dit-il «cette Pâque». Cependant d'autres fois, il avait célébré cette fête avec eux. Pourquoi donc dit-il «cette Pâque[2]»? Parce qu'après elle, c'était la croix. Et une autre fois : «Père, glorifie ton Fils, pour que ton Fils te glorifie[u].» Souvent nous le trouvons en train d'annoncer la Passion et désirant qu'elle ait lieu, car il est venu pour cela. Comment donc dit-il : «Si cela est possible?» Il nous montre la faiblesse de l'humaine nature qui ne désire pas être arrachée à la vie présente, mais qui se dérobe et qui hésite à cause de l'amour de la vie présente déposé en elle par Dieu dès le commencement. Alors qu'il a tenu de tels propos et si souvent, certains ont osé dire qu'il n'avait pas pris chair[3]. S'il n'avait rien dit sur ce point, que ne prétendraient-ils pas? C'est pour cela qu'il annonce sa Passion en tant que Dieu et qu'il désire qu'elle ait lieu; mais il la fuit et l'écarte dans ce passage par sa prière, en tant qu'homme. Qu'il se soit acheminé de son plein gré vers sa Passion, il le dit : «J'ai le pouvoir de donner ma vie et j'ai le pouvoir de la reprendre[v]. Personne ne me l'enlève, c'est moi qui m'en sépare.» Comment donc dit-il : «Non pas comme je veux, mais comme tu veux[w]?» Pourquoi t'étonner si, avant la croix, il a pris un tel soin de faire croire à la réalité de sa chair, alors qu'après sa résurrection, à la vue du disciple qui n'y croyait pas, il n'hésita pas à lui montrer ses plaies et la marque des clous, à le laisser toucher de sa main les

1. Dans ce passage, les différents éditeurs ont traité différemment la particule οὖν. F. D., suivant le *Paris. gr. 809,* ne la mentionne à aucun endroit. Montfaucon mentionne οὖν li. 450 et l'omet li. 452. Seul Savile a fait le bon choix en suivant la tradition manuscrite qui omet οὖν à la ligne 450, mais qui le donne li. 452.

2. Tous les mss sauf V donnent la phrase τοῦτό φησι τὸ πάσχα, mais avec une inversion dans le *Paris. gr. 809,* copie de V : τὸ πάσχα τοῦτο. C'est F. D. qui a supprimé cette phrase, suivi en cela par Montfaucon, tandis que Savile a gardé la répétition.

3. Il s'agit des docètes. Voir *supra*, p. 38, n. 3.

475 ὑποβαλεῖν καὶ εἰπεῖν· «Ἐρεύνησον καὶ ἴδε ὅτι πνεῦμα σάρκα καὶ ὀστέα οὐκ ἔχει»;

Διὰ τοῦτο οὐδὲ ἐξ ἀρχῆς τελείας ἡλικίας τὸν ἄνθρωπον ἀνέλαβεν, ἀλλ' ἠνέσχετο καὶ συλληφθῆναι καὶ τεχθῆναι καὶ γαλακτοτροφηθῆναι καὶ χρόνον τοσοῦτον ἐπὶ τῆς γῆς 480 διατρίψαι, ἵνα καὶ τῷ μήκει τοῦ χρόνου καὶ τοῖς ἄλλοις ἅπασιν αὐτὸ τοῦτο πιστώσηται. Ἐπειδὴ γὰρ ἄγγελοι πολλάκις ἐπὶ τῆς γῆς ἐφάνησαν ἐν ἀνθρώπου τύπῳ καὶ αὐτὸς δὲ ὁ Θεός, τὸ δὲ φαινόμενον οὐκ ἦν σαρκὸς ἀλήθεια, ἀλλὰ συγκατάβασις· ἵνα μὴ νομίσῃς καὶ ταύτην τὴν 485 παρουσίαν τοιαύτην εἶναι οἷαι ἐκεῖναι ἐγένοντο, ἀλλὰ πιστωθῇς ἀληθῶς ὅτι σὰρξ ἦν ἀληθινή καὶ συνελήφθη καὶ ἐτέχθη καὶ ἐτράφη καὶ ἐπὶ φάτνης ἐτέθη οὐκ ἐν οἰκίσκῳ τινί, ἀλλ' ἐν καταλύματι, πλήθους ἀπείρου παρόντος, ἵνα δημοσιεύηται αὐτοῦ ἡ γέννησις. Διὰ τοῦτο καὶ σπάργανα 490 καὶ προφητεῖαι ἄνωθεν αὐτὸ τοῦτο λέγουσαι οὐχ ὅτι ἄνθρωπος ἔσται μόνον, ἀλλ' ὅτι καὶ συλληφθήσεται καὶ τεχθήσεται καὶ τῷ τῶν παιδίων νόμῳ τραφήσεται. Καὶ τοῦτο ὁ Ἡσαΐας βοᾷ λέγων· «Ἰδοὺ ἡ παρθένος ἐν γαστρὶ ἕξει, καὶ τέξεται υἱόν, καὶ καλέσουσι τὸ ὄνομα αὐτοῦ Ἐμμανουήλ· 495 βούτυρον καὶ μέλι φάγεται.» Καὶ πάλιν· «Παιδίον ἐγεννήθη ἡμῖν, υἱὸς καὶ ἐδόθη ἡμῖν.» Ὁρᾷς πῶς καὶ τὴν προτέραν αὐτοῦ ἡλικίαν προανεφώνησαν;

Ἐρώτησον τοίνυν τὸν αἱρετικόν· Θεὸς δειλιᾷ, καὶ ἀναδύεται, καὶ ὀκνεῖ, καὶ λυπεῖται; Κἂν εἴπῃ ὅτι ναὶ ἀπόστηθι 500 λοιπὸν καὶ στῆσον αὐτὸν κάτω μετὰ τοῦ διαβόλου, μᾶλλον

MYOΞΩS IVRP

490 ὅτι om. Q ‖ 491 καὶ[1] del. Ξ

x Lc 24, 39 ‖ y Is. 7, 14-15 ‖ z Is. 9, 5

1. Chrysostome ne contredit pas ici l'évangile, *Luc* 2, 7, mais il situe la crèche dans l'étable attenante à l'hôtellerie.

cicatrices et à dire : « Examine et vois qu'un esprit n'a ni chair ni os[x]. »

Réalité de l'Incarnation

C'est pourquoi il ne prit pas dès le début la condition d'un homme dans la force de l'âge, mais s'il accepta d'être conçu, d'être mis au monde, d'être allaité et pendant si longtemps de vivre sur la terre, c'est pour que la longueur du temps et toutes les autres circonstances rendent le fait même crédible. Si en effet, les anges sont apparus souvent sur la terre sous forme humaine ainsi que Dieu lui-même, cependant cette apparition ne se produisait pas dans la réalité de la chair, mais c'était pure condescendance ; pour que tu ne croies pas que cette venue était pareille à celles qui s'étaient produites, mais pour que tu croies en toute vérité que sa chair était véritable, il a été conçu, il a été mis au monde, il a été nourri, il a été placé dans une crèche et non pas dans une petite pièce quelconque, mais dans une hôtellerie[1], aux yeux d'une foule innombrable, pour que sa naissance fût connue de tous. D'où ces langes et, dans le passé, les prophéties qui annonçaient non seulement qu'il serait un homme, mais qu'il serait conçu, mis au monde et nourri à la manière des petits enfants. Cela, Isaïe le proclame en disant : « Voici que la jeune femme portera dans son sein et qu'elle mettra au monde un fils et qu'on lui donnera le nom d'Emmanuel ; il mangera du beurre et du miel[y]. » Et aussi : « Un enfant nous est né, un fils nous a été donné[z]. » Vois-tu comment ils ont prédit sa petite enfance ?

Le monothélisme

Dès lors, interroge l'hérétique[2] : Dieu est-il saisi de crainte, se dérobe-t-il, éprouve-t-il du chagrin ? S'il dit que oui, éloigne-toi et laisse-le tomber au niveau du diable et même plus bas que

2. On a vu dans les homélies *Sur l'incompréhensibilité de Dieu* que Jean n'a pas employé le mot αἵρεσις avant l'homélie III, li. 11. Il s'agit de la position des Anoméens. Voir *SC* 28 bis, p. 187, n. 2.

δὲ καὶ ἐκείνου κατώτερον· οὐδὲ γὰρ ἐκεῖνος τολμήσει τοῦτο εἰπεῖν. Ἂν δὲ εἴπῃ ὅτι οὐδὲν τούτων ἄξιον Θεοῦ, εἰπέ· οὐκοῦν οὐδὲ εὔχεται Θεός· χωρὶς γὰρ τούτων καὶ ἕτερον ἄτοπον ἔσται, ἂν τοῦ Θεοῦ τὰ ῥήματα ᾖ. Οὔτε γὰρ ἀγωνίαν
505 μόνον ἐμφαίνει τὰ ῥήματα, ἀλλὰ καὶ δύο θελήματα, ἓν μὲν Υἱοῦ, ἓν δὲ Πατρός, ἐναντία ἀλλήλοις· τὸ γὰρ εἰπεῖν· «Οὐχ ὡς ἐγὼ θέλω, ἀλλ' ὡς σύ», τοῦτό ἐστιν ἐμφαίνοντος. Τοῦτο δὲ οὐδὲ ἐκεῖνοί ποτε συνεχώρησαν, ἀλλ' ἡμῶν ἀεὶ λεγόντων τὸ «Ἐγὼ καὶ ὁ Πατὴρ ἕν ἐσμεν», ἐπὶ τῆς δυνάμεως, ἐκεῖνοι
510 ἐπὶ τῆς θελήσεως τοῦτο εἰρῆσθαί φασι, λέγοντες Πατρὸς καὶ Υἱοῦ μίαν εἶναι βούλησιν. Εἰ τοίνυν Πατρὸς καὶ Υἱοῦ μία βούλησίς ἐστι, πῶς φησιν ἐνταῦθα· «Πλὴν οὐχ ὡς ἐγὼ θέλω, ἀλλ' ὡς σύ;» Ἂν μὲν γὰρ ἐπὶ τῆς θεότητος τὸ εἰρημένον ᾖ τοῦτο, ἐναντιολογία τις γίνεται, καὶ πολλὰ
515 ἄτοπα ἐκ τούτου τίκτεται· ἂν δὲ ἐπὶ τῆς σαρκός, ἔχει λόγον τὰ εἰρημένα, καὶ οὐδὲν γένοιτ' ἂν ἔγκλημα. Οὐ γὰρ τὸ μὴ θέλειν ἀποθανεῖν τὴν σαρκά ἐστὶ κατάγνωσις· φύσεως γάρ ἐστι τοῦτο· αὐτὸς δὲ τὰ τῆς φύσεως ἅπαντα χωρὶς ἁμαρτίας ἐπιδείκνυται, καὶ μετὰ πολλῆς τῆς περιουσίας, ὥστε τὰ τῶν
520 αἱρετικῶν ἐμφράξαι στόματα. Ὅταν οὖν λέγῃ· «Εἰ δυνατόν, παρελθέτω ἀπ' ἐμοῦ τὸ ποτήριον τοῦτο» καὶ «Οὐχ ὡς ἐγὼ θέλω, ἀλλ' ὡς σύ», οὐδὲν ἕτερον δείκνυσιν ἀλλ' ἢ ὅτι σάρκα ἀληθῶς περιβέβληται φοβουμένην θάνατον· τὸ γὰρ φοβεῖσθαι θάνατον καὶ ἀναδύεσθαι καὶ ἀγωνιᾶν ἐκείνης ἐστί.

ΜΥΟΞΩS IVRP

504 ᾖ : ἦν MYQ || 512 πλὴν om. MS || 517 τὴν σάρκα : τῆς σαρκός V || ἐστὶ VRP om. cett. || 519 ἐπιδείκνυται : ἐπεδείκνυτο Y P

a Matth. 26, 39 || b Jn 10, 30 || c Matth. 26, 39

---

1. Chrysostome fait ici allusion à ce qui devait être plus tard l'hérésie appelée *monothélisme* (μόνος, *un seul*, θέλω, *je veux*). C'est la doctrine de ceux qui ne reconnaissent qu'une seule volonté, un seul vouloir dans le Christ. Cette doctrine s'est développée au VIIe s. pour des raisons politiques, mais elle était en germe dans les hérésies

celui-ci, car ce dernier n'osera pas tenir de tels propos. S'il dit que tout cela n'est pas digne de Dieu, dis-lui : Alors, Dieu ne prie pas non plus, car, abstraction faite de ces détails, ce sera encore une absurdité que ces paroles soient celles de Dieu. En effet, ces paroles dénotent non seulement de l'angoisse, mais deux volontés, celle du Fils et celle du Père, opposées l'une à l'autre ; car le fait de dire : «non pas comme moi je veux, mais comme toi tu veux[a]», c'est le fait de quelqu'un qui veut mettre cela en évidence. Or cela, ces gens ne l'ont jamais admis, mais tandis que nous répétions : «Le Père et moi nous sommes un[b]» comme se rapportant à la puissance, eux ils prétendent que ces paroles se rapportent à la volonté en disant que le Père et le Fils n'ont qu'un seul vouloir[1]. Si donc le Père et le Fils n'ont qu'un seul vouloir, comment celui-ci dit-il ici : «Cependant non pas comme je veux, mais comme tu veux»? En effet, si ce qui a été dit se rapporte à la divinité, il y a là une contradiction et il en résulte bien des absurdités ; en revanche, si cette phrase se rapporte à la chair, ces paroles ont une raison d'être et il ne saurait y avoir place au reproche. En effet, ne pas vouloir mourir, ce n'est pas condamner la chair, c'est dans l'ordre de la nature ; or, le Christ fait preuve de toutes les réactions de la nature, à l'exception du péché et cela surabondamment pour fermer la bouche aux hérétiques. Donc, lorsqu'il dit : «S'il est possible que cette coupe s'éloigne de moi» et «non pas comme je veux, mais comme tu veux[c]», il montre simplement qu'il a revêtu en toute vérité une chair qui redoute la mort ; en effet, redouter la mort, se dérober, être saisi d'angoisse, c'est le fait de la chair. Tantôt donc il la

antérieures, soit que celles-ci refusent au Christ la réalité de son Incarnation, en le privant ainsi de la réalité de son énergie humaine et de sa volonté libre, soit qu'elles nient sa divinité en ne lui reconnaissant qu'une volonté humaine. Tout le passage qui suit, li. 504-528, réfute ces erreurs en expliquant que le Christ agit tantôt comme Dieu, ὡς θεός, li. 535, tantôt comme homme ὡς ἄνθρωπος *ibid.*

525 Νῦν μὲν οὖν ἐρήμην αὐτὴν ἀφίησι καὶ γυμνὴν τῆς οἰκείας ἐνεργείας, ἵνα αὐτῆς δείξας τὴν ἀσθένειαν, πιστώσηται αὐτῆς καὶ τὴν φύσιν· νῦν δὲ αὐτὴν ἀποκρύπτει, ἵνα μάθῃς ὅτι οὐ ψιλὸς ἄνθρωπος ἦν. Ὥσπερ γάρ, εἰ διὰ παντὸς τὰ ἀνθρώπινα ἐνεδείκνυτο, τοῦτο ἂν ἐνομίσθη, οὕτως, εἰ διὰ 530 παντὸς τὰ τῆς θεότητος ἐπετέλει, ἠπιστήθη ἂν ὁ τῆς οἰκονομίας λόγος. Διὰ τοῦτο ποικίλλει καὶ ἀναμίγνυσι καὶ τὰ ῥήματα καὶ τὰ πράγματα, ἵνα μήτε τῇ Παύλου τοῦ Σαμοσατέως, μήτε τῇ Μαρκίωνος καὶ Μανιχαίου νόσῳ καὶ μανίᾳ παράσχῃ πρόφασιν· διὰ τοῦτο καὶ προλέγει τὸ 535 ἐσόμενον ὡς Θεός, καὶ ἀναδύεται πάλιν ὡς ἄνθρωπος. Ἐβουλόμην καὶ ταῖς λοιπαῖς αἰτίαις ἐπεξελθεῖν καὶ δεῖξαι ἐπ' αὐτῶν τῶν πραγμάτων ὅτι ὥσπερ ἐνταῦθα τὴν ἀσθένειαν τῆς σαρκὸς ἐλέγχων ηὔξατο, οὕτω καὶ ἀλλαχοῦ πάλιν τὴν ἀσθένειαν τῶν ἀκουόντων διορθούμενος· οὐ γὰρ δὴ πάντα 540 τὰ ταπεινῶς εἰρημένα διὰ τὴν τῆς σαρκὸς περιβολὴν εἰρῆσθαι χρὴ νομίζειν μόνον, ἀλλὰ καὶ διὰ τὰς ἄλλας ἃς εἶπον αἰτίας· ἵνα δὲ μὴν τῶν εἰρημένων ἐπικλύσω τὸ πλῆθος τῇ περιουσίᾳ τῶν ῥηθήσεσθαι μελλόντων, ἐνταῦθα τὸν πρὸς ἐκείνους στήσας λόγον καὶ τὰ λειπόμενα εἰς ἑτέραν 545 ἀναβαλλόμενος ἡμέραν, πρὸς παραίνεσιν εὐχῆς τρέψομαι πάλιν.

Εἰ γὰρ καὶ πολλάκις ἡμῖν περὶ τῆς ὑποθέσεως ταύτης εἴρηται, ἀλλὰ καὶ νῦν ἀναγκαῖον εἰπεῖν. Καὶ γὰρ τῶν ἱματίων

ΜΥΟΞΩS IVRP

526 ἐνεργείας : δυνάμεως ΥΟ ‖ 542 ἐπικλύσω : ἐπικλύσῃ Ξ V

1. Le nom de Paul de Samosate, évêque d'Antioche vers 360, est joint à ceux des hérétiques déjà nommés, hom. VII, li. 170-171. Celui-ci affirmait que le Christ était purement et simplement un homme ψιλὸς ἄνθρωπος, pour défendre l'unicité de Dieu. Il a été condamné pour ses erreurs trinitaires et christologiques, mais les documents sur lesquels il a été jugé ne sont pas, aux yeux de la critique moderne, une base assez sûre pour le condamner. Voir G. Bardy, *Paul de Samosate*, Paris 1929², et H. de Riedmatten, *Les actes du procès de Paul de*

laisse à elle-même et privée de la force qu'il lui communique, afin qu'après avoir montré sa faiblesse, il fasse croire à sa nature à elle ; tantôt il la voile pour que tu apprennes qu'il n'était pas simplement un homme. De même, en effet, que s'il n'avait montré en toutes circonstances que des réactions d'homme, on l'aurait cru tel, de même, s'il accomplissait en toutes choses les actes de la divinité, la raison de l'économie aurait perdu toute crédibilité. C'est pourquoi il varie et mélange les paroles et les actes pour ne pas donner prétexte à la maladie et à la folie de Paul de Samosate[1], de Marcion, de Mani. C'est pourquoi il dit d'avance ce qui va se passer en tant que Dieu, et il revient ensuite à sa condition, en tant qu'homme. J'aurais voulu énumérer d'autres raisons et montrer, par les faits eux-mêmes, que s'il a prié dans cette circonstance pour prouver la faiblesse de la chair, ailleurs, en revanche, c'était pour corriger ses auditeurs ; car il ne faut pas croire que ce qu'il a dit en termes humbles c'était seulement parce qu'il était revêtu de chair, mais c'était aussi pour les autres raisons que j'ai énumérées ; cependant, pour ne pas submerger la qualité de choses qui ont été dites par la surabondance de ce qui va être dit, je bornerai ici mon discours à l'adresse de ces gens-là et remettant à un autre jour ce qui reste, je vous exhorterai de nouveau à la prière.

Éloge de la prière Bien que nous ayons parlé souvent de ce sujet, il est nécessaire d'en parler encore[2]. En effet, les vêtements qui ont été plongés une

Samosate, Étude sur la christologie du III*e au* IV*e siècle,* Fribourg (Suisse), 1952. — Sur Marcion et Mani, voir *supra,* p. 126, n. 2.

2. Cet hymne à la prière est à rapprocher d'un passage de Grégoire de Nysse, *De oratione dominica,* hom. I, PG 44, 1124 AB. Pour un plus ample développement sur le sujet, voir Origène, *Sur la prière, GCS* vol. II, p. 297-403. Outre les passages sur la prière appartenant à des homélies authentiques de Chrysostome, la *PG* donne deux homélies classées sous son nom parmi les *Spuria.* Elles ont été minutieusement étudiées par J. Weyer. Voir *supra,* p. 78, n. 2.

τὰ μὲν ἅπαξ βαφέντα ἐξίτηλον ἔχει τὴν βαφήν, ἃ δὲ
550 πολλάκις καὶ συνεχῶς καθέντες ἀνασπῶσιν οἱ δευσοποιοί,
ἀκίνητον διατηρεῖ τὸ τοῦ χρώματος ἄνθος· τοῦτο δὴ καὶ
ἐπὶ τῶν ψυχῶν συμβαίνει τῶν ἡμετέρων. Ὅταν γὰρ πολλάκις
τῶν αὐτῶν ἀκούσωμεν ῥημάτων, καθάπερ τινὰ βαφὴν τὴν
διδασκαλίαν ὑποδεξάμενοι, οὐκ ἂν ῥᾳδίως αὐτὴν ἀποπτύ-
555 σαιμεν. Μὴ τοίνυν παρέργως ἀκούωμεν· οὐ γάρ ἐστιν, οὐκ
ἔστιν οὐδὲν εὐχῆς δυνατώτερον οὐδὲ ἴσον. Οὐχ οὕτως ἐστὶ
βασιλεὺς λαμπρὸς ἁλουργίδα περιβεβλημένος ὡς ὁ εὐχόμε-
νος τῇ πρὸς τὸν Θεὸν ὁμιλίᾳ κοσμούμενος. Ὥσπερ γὰρ εἰ
στρατοπέδου παρόντος, στρατηγῶν, ἀρχόντων, ὑπάτων
560 πολλῶν, προσελθών τις κατ' ἰδίαν διαλεχθείη τῷ βασιλεῖ,
τὰς πάντων ὄψεις ἐπιστρέφει πρὸς ἑαυτόν, καὶ ταύτῃ
σεμνότερος γίνεται· οὕτω δὴ καὶ ἐπὶ τῶν εὐχομένων γένοιτ'
ἄν. Ἐννόησον γὰρ πηλίκον ἔσται ἀγγέλων παρόντων,
ἀρχαγγέλων παρεστώτων, τῶν Σεραφίμ, τῶν Χερουβίμ, τῶν
565 ἄλλων ἁπασῶν δυνάμεων, αὐτὸν ἄνθρωπον ὄντα μετὰ
πολλῆς δύνασθαι προσιέναι τῆς παρρησίας καὶ τῷ βασιλεῖ
τῶν δυνάμεων ἐκείνων διαλέγεσθαι· πόσης τοῦτο οὐκ ἂν
ἀντάξιον εἴη τιμῆς ;

Οὐ τιμὴ δὲ μόνον, ἀλλὰ καὶ ὠφέλεια μεγίστη γένοιτ' ἂν
570 ἡμῖν ἀπὸ τῆς εὐχῆς, καὶ πρὶν ἢ λαβεῖν ὅπερ αἰτοῦμεν. Ὁμοῦ
τε γάρ τις ἀνέτεινε τὰς χεῖρας εἰς τὸν οὐρανὸν καὶ τὸν Θεὸν
ἐκάλεσε καὶ πάντων εὐθέως ἀπέστη τῶν ἀνθρωπίνων πραγμάτων καὶ μετέστη τῇ διανοίᾳ πρὸς τὴν μέλλουσαν ζωὴν
καὶ τὰ ἐν τοῖς οὐρανοῖς φαντάζεται λοιπὸν καὶ οὐδὲν πρὸς
575 τὴν παροῦσαν ἔχει ζωήν, κατὰ τὸν καιρὸν τῆς εὐχῆς, ἐὰν
μετὰ ἀκριβείας εὔχηται· ἀλλὰ κἂν θυμὸς ἀναζέῃ, κοιμίζεται
ῥᾳδίως, κἂν ἐπιθυμία φλέγῃ, σβέννυται, κἂν φθόνος τήκῃ,
μετὰ πολλῆς τῆς εὐκολίας ἀπελαύνεται· καὶ τοῦτο γίνεται
ὅπερ ὁ προφήτης λέγει, ἀνίσχοντος τοῦ ἡλίου. Τί δὲ ἐκεῖνός
580 φησιν ; « Ἔθου σκότος, καὶ ἐγένετο νύξ· ἐν αὐτῇ διελεύσεται

MYOΞΩS IVRP

549 ἃ V : ἐπειδὰν cett. || 557 λαμπρὸς : λαμπρῶς R om. Q

seule fois dans la teinture perdent leur couleur, mais ceux que les teinturiers retirent après les avoir plongés souvent et longtemps conservent inaltéré l'éclat de leur couleur ; c'est ce qui arrive pour nos âmes. En effet, lorsque nous entendons souvent les mêmes paroles, c'est comme si l'enseignement était une sorte de teinture et nous ne saurions le rejeter facilement. Ne prêtons donc pas une oreille distraite ; car il n'y a, non, il n'y a rien de plus puissant que la prière, ni de comparable. L'empereur, revêtu d'une robe de pourpre, n'est pas plus resplendissant que celui qui est en prière paré de son entretien avec Dieu. Si, en présence de l'armée, de généraux, de magistrats, d'une foule de grands personnages, un homme s'avance pour s'entretenir personnellement avec l'empereur, il attire sur lui les regards de tous et par ce moyen, il est plus considéré ; de même en est-il sans doute pour ceux qui prient. Pense, en effet, combien ce sera grand si, en présence des anges, au milieu des archanges, des séraphins, des chérubins et de toutes les autres puissances, bien que tu sois homme, tu peux t'avancer en toute confiance et t'entretenir avec le souverain de ces puissances ; quel honneur pourrait être comparable à celui-là ?

Et ce serait pour nous non seulement un honneur, mais encore une très grande utilité qui résulterait de la prière, même avant d'avoir obtenu ce que nous demandons. En effet, lorsqu'un homme a levé les mains vers le ciel, qu'il a invoqué Dieu, qu'il a bientôt laissé loin de lui toutes les choses humaines, il est en contact par la pensée avec la vie future, il ne se représente désormais que les réalités célestes, il n'a plus de rapports avec la vie présente au moment où il prie, si du moins il prie avec attention ; même si la colère bouillonne, elle s'apaise facilement, même si le désir brûle, il s'éteint, même si la jalousie ronge, elle est aisément chassée ; il se passe ce dont parle le prophète au lever du soleil. Que dit-il ? « Tu as répandu de l'ombre et ce fut la nuit pendant laquelle toutes les bêtes de la forêt s'agitent, les lionceaux hurlent après leur proie

πάντα τὰ θηρία τοῦ δρυμοῦ, σκύμνοι ὠρυόμενοι τοῦ ἁρπάσαι καὶ ζητῆσαι παρὰ τῷ Θεῷ βρῶσιν αὐτοῖς· ἀνέτειλεν ὁ ἥλιος, καὶ συνήχθησαν καὶ εἰς τὰς μάνδρας αὐτῶν κοιτασθήσονται.» Ὥσπερ οὖν τῆς ἀκτῖνος ἀνισ-
585 χούσης πάντα φυγαδεύεται τὰ θηρία, καὶ πρὸς τοὺς φωλεοὺς τοὺς ἑαυτῶν καταδύεται, οὕτω δὴ τῆς εὐχῆς, ὥσπερ τινὸς ἀκτῖνος ἀπὸ τοῦ στόματος τοῦ ἡμετέρου καὶ τῆς γλώττης ἀναφανείσης, φωτίζεται μὲν ἡ διάνοια, πάντα δὲ τὰ ἄλογα καὶ θηριώδη πάθη δραπετεύει καὶ φυγαδεύεται,
590 καὶ πρὸς τοὺς οἰκείους καταδύεται φωλεούς, μόνον ἂν μετὰ ἀκριβείας εὐχώμεθα, ἂν μετὰ ψυχῆς διεγηγερμένης καὶ διανοίας νηφούσης. Τότε κἂν διάβολος παρῇ φυγαδεύεται, κἂν δαίμων, ἀναχωρεῖ. Εἰ γὰρ οἰκέτῃ δεσπότου διαλεγομένου, οὐδεὶς ἂν τῶν συνδούλων, οὔτε τις τῶν παρρησίαν
595 ἐχόντων προσελθεῖν τολμήσειε καὶ διενοχλῆσαι, πολλῷ μᾶλλον οὗτοι, τῶν προσκεκρουκότων ὄντες καὶ ἀπαρρησιάστων, οὐκ ἂν δυνηθεῖεν ἡμῖν ἐνοχλῆσαι τῷ Θεῷ διαλεγομένοις μετὰ τῆς προσηκούσης σπουδῆς.

Εὐχὴ χειμαζομένων λιμήν, κλυδωνιζομένων ἄγκυρα,
600 σαλευομένων βακτηρία, πενήτων θησαυρός, πλουτούντων ἀσφάλεια, νοσημάτων ἀναίρεσις, ὑγιείας φυλακή· εὐχὴ καὶ τὰ ἀγαθὰ ἡμῖν ἀκίνητα διατηρεῖ καὶ τὰ κακὰ μεταβάλλει ταχέως· κἂν πειρασμὸς ἐπέλθῃ, ῥᾳδίως ἀποκρούεται, κἂν ζημία χρημάτων, κἂν ὁτιοῦν ἕτερον τῶν λυπουμένων ἡμῶν
605 τὴν ψυχήν, ἅπαντα ἀπελαύνει ταχέως· εὐχὴ λύπης ἁπάσης φυγαδευτήριον, εὐθυμίας ὑπόθεσις, διηνεκοῦς ἡδονῆς ἀφορμή, φιλοσοφίας μήτηρ. Ὁ δυνάμενος εὔχεσθαι μετὰ

MYOΞQS IVRP

582 παρὰ τῷ θεῷ : ἀπὸ τοῦ θεοῦ V || 598 τῆς om. Q RP || προσηκούσης] + διανοίας καὶ Q || σπουδῆς : τιμῆς M

d Ps. 103, 20-22

1. On retrouve ici les recommandations faites par le prédicateur au début de l'homélie, li. 27.

et demandent à Dieu leur nourriture ; le soleil s'est levé et ils se sont rassemblés pour aller se coucher dans leurs repaires[d].» Donc, de même qu'au premier rayon du soleil toutes les bêtes sauvages s'enfuient et vont se tapir dans leurs tanières, de même, lorsque la prière jaillit comme un rayon de notre bouche et de notre langue, la pensée s'illumine, toutes les passions irrationnelles et bestiales s'enfuient et sont chassées, elles se tapissent dans leurs propres repaires, pourvu que nous fassions une prière attentive avec une âme éveillée et une pensée vigilante[1]. Alors, même si le diable est présent, il s'enfuit, même si le démon est là, il bat en retraite. En effet, lorsque le maître s'entretient avec un esclave, aucun des compagnons de celui-ci, pas même un de ceux qui jouissent d'une certaine liberté de parole, n'oserait s'avancer et troubler l'entretien ; à plus forte raison, ceux qui ont commis une offense et qui n'ont pas lieu d'avoir confiance[2] ne sauraient-ils nous troubler, lorsque nous parlons à Dieu avec le zèle qui convient.

La prière, c'est un port pour les naufragés, une ancre pour ceux qui sont dans la tempête, un bâton pour ceux qui chancellent, un trésor pour les pauvres, une sécurité pour les riches, un moyen de guérir les maladies, de conserver la santé ; la prière garde nos biens dans la stabilité et transforme rapidement les maux ; même si l'épreuve survient, elle est aisément repoussée, même si la ruine, même si n'importe quoi se produit parmi les choses qui affligent notre âme, elle chasse tout promptement ; la prière est un refuge contre tout chagrin, un gage de joie, la source d'un bonheur continuel, la mère de la philosophie[3]. Celui qui

2. Allusion à la conduite coupable envers Dieu des hérétiques contre lesquels Jean a combattu dans toute cette homélie.

3. Par ce mot, Jean désigne la vie chrétienne sous ses différents aspects, selon le contexte. Voir A.-M. MALINGREY, *« Philosophia ». Étude d'un groupe de mots dans la littérature grecque des Présocratiques au IVe s. après J.-C.*, Paris 1961, chap. VIII, p. 264-288.

ἀκριβείας, κἂν ἁπάντων πενέστερος ᾖ, πάντων ἐστὶ πλουσιώτερος· ὥσπερ ὁ τῆς εὐχῆς πάλιν ἐστερημένος, κἂν ἐν
610 αὐτῷ καθέζηται τῷ θρόνῳ τῷ βασιλικῷ, πάντων ἐστὶ πενέστερος. Καὶ γὰρ ὁ Ἀχαὰβ βασιλεὺς ἦν, καὶ χρυσίον εἶχεν ἄφατον καὶ ἀργύριον. Ἀλλ' ἐπειδὴ εὐχὴν οὐκ εἶχε, περιῄει Ἡλίαν ζητῶν, ἄνθρωπον οὐδὲ καταγώγιον ἔχοντα, οὐδὲ ἱμάτιον, ἀλλ' ἢ μηλωτὴν μόνην. Τί τοῦτο, εἰπέ μοι; ὁ
615 τοσαύτας ἔχων ἀποθήκας τὸν οὐδὲν ἔχοντα ζητεῖς; Ναί, φησί. Τί γάρ μοι τῶν ταμιείων ὄφελος, τούτου τὸν οὐρανὸν ἀποκλείσαντος καὶ πάντα ἄχρηστα ἐργασαμένου; Εἶδες πῶς οὗτος εὐπορώτερος ἦν ἐκείνου; Ἕως γὰρ οὗτος ἐφθέγξατο, ὁ βασιλεὺς ἦν ἐν πενίᾳ πολλῇ μετὰ τοῦ
620 στρατοπέδου παντός. Ὢ τοῦ θαύματος, οὐδὲ ἱμάτιον εἶχε, καὶ τὸν οὐρανὸν ἀπέκλεισε. Δι' αὐτὸ μὲν οὖν τοῦτο ἀπέκλεισε τὸν οὐρανόν, ἐπειδὴ ἱμάτιον οὐκ εἶχεν· ἐπειδὴ οὐδὲν ἐνταῦθα ἐκέκτητο, διὰ τοῦτο πολλὴν τὴν δύναμιν ἐπεδείξατο· ἀνοίξας γὰρ τὰ χείλη μόνον, μυρίους ἐποίησεν
625 ἄνωθεν κατενεχθῆναι θησαυροὺς ἀγαθῶν. Ὢ στόματος πηγὰς ὄμβρων ἔχοντος· ὢ γλώσσης νιφάδας ὑετῶν ἀφιείσης· ὢ φωνῆς μυρία ἀγαθὰ βρυούσης. Πρὸς δὴ τοῦτον ἀεὶ βλέποντες τὸν πένητα καὶ πλούσιον, τὸν διὰ τοῦτο πλούσιον, ἐπειδὴ πένης ἦν, ὑπερορῶμεν τῶν παρόντων,
630 ἐπιθυμῶμεν τῶν μελλόντων. Οὕτω γὰρ καὶ τῶν ἐνταῦθα καὶ τῶν ἐκεῖ πάντων ἐπιτευξόμεθα ἀγαθῶν· ὧν γένοιτο πάντας ἡμᾶς ἐπιτυχεῖν, χάριτι καὶ φιλανθρωπίᾳ τοῦ Κυρίου ἡμῶν Ἰησοῦ Χριστοῦ, μεθ' οὗ τῷ Πατρὶ δόξα, ἅμα τῷ ἁγίῳ Πνεύματι, νῦν καὶ ἀεὶ καὶ εἰς τοὺς αἰῶνας τῶν αἰώνων. Ἀμήν.

ΜΥΟΞQS IVRP

611 καὶ γὰρ : οὐχ V ‖ 619 ἐν πενίᾳ ἦν πολλῇ ~ P ‖ 623 τοῦτο] + ἐκεῖ Q IP ‖ 634 καὶ – ἀμήν om. M

peut prier avec attention, même s'il est le plus pauvre de tous, est plus riche que tous ; en revanche, celui qui est privé de la prière, même s'il siège sur le trône de l'empereur, est le plus pauvre de tous. Achab[1] était roi et avait de l'or en quantité impossible à évaluer ainsi que de l'argent. Cependant, comme il n'avait pas la prière, il allait partout cherchant Élie, un homme qui n'avait pas d'endroit pour s'abriter, pas de manteau, mais seulement une peau de mouton. Qu'est-ce que cela, dis-moi ? Toi qui as tant de réserves, tu cherches celui qui n'a rien[2] ? Oui, dit-il, à quoi me servent mes trésors, quand celui-ci a fermé le ciel et rendu tout inutile ? As-tu vu comme celui-ci (Élie) était plus riche que celui-là ? Jusqu'à ce que celui-ci ait parlé, le roi était dans une grande indigence avec toute son armée. Ô chose étonnante, il (Élie) n'avait pas de manteau et il ferma le ciel ! C'est donc pour cela qu'il ferma le ciel, parce qu'il n'avait pas de manteau ; parce qu'il ne possédait rien ici-bas, c'est à cause de cela qu'il déploya une grande puissance, car à peine avait-il ouvert les lèvres qu'il fit pleuvoir d'en haut une quantité de biens. Ô bouche qui fait jaillir les sources des ondées ! Ô langue qui fait tomber les gouttes de pluie ! Ô voix qui fait fleurir des biens à l'infini ! Les yeux toujours fixés sur cet homme pauvre et riche à la fois, et riche du fait qu'il était pauvre, méprisons les choses présentes, désirons les choses futures. De cette façon nous obtiendrons tous les biens, et ceux d'ici-bas et ceux d'en haut ; oui, qu'il nous soit donné à tous de les obtenir par la grâce et la bonté de Jésus-Christ notre Seigneur, avec lequel gloire soit au Père en même temps qu'au Saint-Esprit, maintenant et toujours et pour les siècles des siècles. Amen.

1. Achab, roi d'Israël (918-897) avait pour capitale Samarie. Il épousa Jézabel dont l'influence l'amena à introduire dans son royaume le culte de Baal. Le prophète Élie prédit au roi une sécheresse qui ruina le pays (*III Rois* 18) et qui ne cessa que grâce à son intercession.

2. L'expression désigne Élie.

HOMÉLIE VIII

Conspectus siglorum

V	Vaticanus gr. 1526	xe s.
Ξ	Mosquensis Bibl. nat. 232 (Vlad. 165)	
M	Parisinus gr. 607	
Y	Oxoniensis New College 81	
S	Hierosolymitanus Bibl. patr. S. Sabae 4	x^{e}-xie s.
K	Oxoniensis Barocci 55	xe s.
O	Vaticanus Palatinus gr. 577	
R	Atheniensis Bibl. nat. 414	x^{e}-xie s.
Q	Hierosolymitanus Bibl. patr. S. Sabae 36	
P	Parisinus gr. 581	xie s.

Stemma de l'homélie VIII

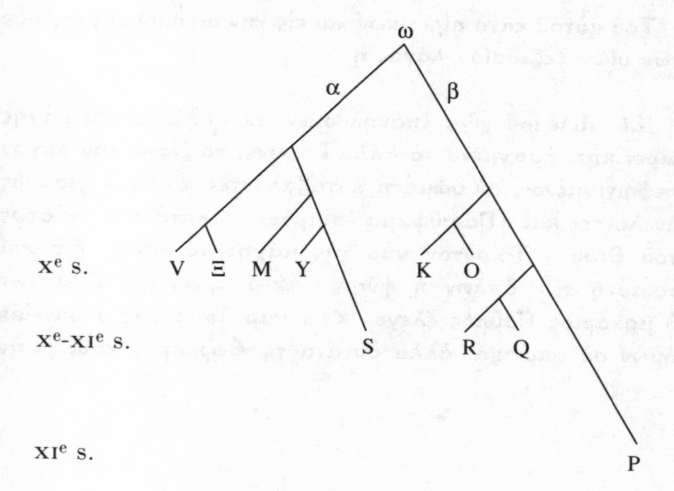

VIII

Τοῦ αὐτοῦ κατὰ αἱρετικῶν καὶ εἰς τὴν αἴτησιν τῆς μητρὸς τῶν υἱῶν Ζεβεδαίου λόγος η΄.

Ἐκ πολέμου χθὲς ἐπανήλθομεν, ἐκ πολέμου καὶ μάχης αἱρετικῆς, ᾑμαγμένα τὰ ὅπλα ἔχοντες, τὸ ξίφος τοῦ λόγου πεφοινιγμένον, οὐ σώματα καταβαλόντες, ἀλλὰ λογισμοὺς ἀνελόντες καὶ «Πᾶν ὕψωμα ἐπαιρόμενον κατὰ τῆς γνώσεως
5 τοῦ Θεοῦ.» Τοιοῦτον γὰρ τῆς μάχης τὸ εἶδος· διὸ καὶ τοιαύτη τῶν ὅπλων ἡ φύσις· ἅπερ ἀμφότερα διδάσκων ὁ μακάριος Παῦλος ἔλεγε· «Τὰ γὰρ ὅπλα τῆς στρατείας ἡμῶν οὐ σαρκικά, ἀλλὰ δυνατὰ τῷ Θεῷ πρὸς καθαίρεσιν

VΞMYS KORQP

Titulus. 1 τοῦ αὐτοῦ VYS KORP : τοῦ ἐν ἁγίοις πατρὸς ἡμῶν ἰωάννου τοῦ χρυσοστόμου M Q ἰῶ τοῦ χρυσοστόμου Ξ || αὐτοῦ] + εἰς τὰ ὑπόλοιπα V || κατὰ αἱρετικῶν om. RP || αἱρετικῶν] + καὶ περὶ κρίσεως καὶ ἐλεημοσύνης V || καὶ εἰς τὴν αἴτησιν om. KRP || τῆς μητρὸς om. S KORP || 2 τῶν υἱῶν ζεβεδαίου om. KRP || λόγος] + τὸ πῶς δεῖ νοεῖν τὸ καθῆσαι ἐκ δεξιῶν μου καὶ ἐξ εὐωνύμων οὐκ ἔστιν ἐμὸν δοῦναι ἀλλ᾽ οἷς ἡτοίμασται K || η΄ om. K.

1 χθὲς ἐκ πολέμου ~ MY ORQP || ἐπανήλθομεν : ἐπανελθόντες M OQ ἐπανελθόντας RP || 2 τὰ om. MR OQP || 5 θεοῦ : χριστοῦ VMY OQ || μάχης] + ταύτης V

a II Cor. 10, 5

VIII

Du même contre les hérétiques et sur la demande de la mère des fils de Zébédée, huitième discours.

Rappel du sujet traité la veille

Hier, nous sommes revenus de la guerre, de la guerre et du combat contre les hérétiques, tenant nos armes ensanglantées, le glaive de la parole[1] empourpré, non pas après avoir terrassé des corps, mais après avoir réfuté de faux raisonnements[2] et «tout ce qui s'élève contre la connaissance de Dieu[a 3]». Tel est, en effet, le genre du combat ; dès lors, telle est aussi la nature des armes ; dispensant son enseignement sur l'un et l'autre, le bienheureux Paul disait : «Car les armes de notre combat ne sont pas charnelles, mais capables, pour Dieu, de ren-

1. Cf. *Éphés.* 6, 17 ; «le glaive de l'Esprit qui est la parole de Dieu» et *Hébr.* 4, 12.

2. Le mot λογισμός a deux sens, soit *fruit de la raison, raisonnement,* soit *raisonnement faux* et, dans ce cas, il est accompagné d'un adjectif péjoratif, I, 343 ; IV, 382, ou bien, comme ici, il est rendu péjoratif par le contexte, le plus souvent par opposition à la Révélation, I, 343 ; III 23, 67 ; V, 284. Ici, ce sont les théories d'Eunome qui sont visées, de même qu'en VIII, 9.

3. Les mss VMY, OQ et F. D. remplacent θεοῦ par χριστοῦ. Le fait s'explique d'abord par la présence de χριστοῦ à la ligne suivante, ensuite par le désir d'adapter la citation au sujet de l'homélie. Mais dans la perspective du prédicateur où le Christ est Dieu, il semble que θεοῦ utilisé par S. Paul reste valable.

ὀχυρωμάτων, λογισμοὺς καθαιροῦντα καὶ πᾶν ὕψωμα ἐπαι-
10 ρόμενον κατὰ τῆς γνώσεως τοῦ Θεοῦ.» Ἔδει μὲν ὑμῖν τοῖς ἀπολειφθεῖσιν εἰπεῖν τὰ πτώματα τὰ χθὲς γενόμενα καὶ διηγήσασθαι τὴν παράταξιν, τὴν συμβολήν, τὴν νίκην, τὰ τρόπαια· ἀλλ' ἵνα μὴ ῥᾳθυμοτέρους ὑμᾶς ποιήσωμεν, ταῦτα παραδραμόντες, ὥστε τῇ ζημίᾳ τοὺς ἀπολειφθέντας ὑμᾶς
15 δηχθέντας σπουδαιοτέρους γενέσθαι, πάλιν τῶν ἑξῆς ἀψόμεθα σήμερον· εἰ δέ τις σπουδαῖος καὶ διεγηγερμένος ᾖ, παρὰ τῶν παραγενομένων εἴσεται τὰ λεχθέντα ἡμῖν τῇ χθὲς ἡμέρᾳ. Καὶ γὰρ τοσαύτην ἡμῖν οἱ ἀκροαταὶ τὴν προθυμίαν ἐπεδείξαντο ὡς πάντα λαβόντες οἴκαδε ἀναχωρῆσαι, καὶ μηδὲν
20 ἀφεῖναι διαρρυῆναι τῶν εἰρημένων. Ἐκεῖνα μὲν οὖν παρ' ἐκείνων εἴσεσθε· ἃ δὲ σήμερον ἀναγκαῖον εἰπεῖν, ταῦτα ἡμεῖς ἐροῦμεν ὑμῖν, τὴν ἀντίθεσιν ἣν οἱ τῶν αἱρετικῶν παῖδες ἀντεπήγαγον, εἰς μέσον προθέντες. Τίς οὖν ἐστιν αὕτη;

Ἐπειδὴ πρῴην περὶ τῆς τοῦ Μονογενοῦς ἐξουσίας
25 διελεγόμεθα, δεικνύντες ἴσην οὖσαν τὴν ἐξουσίαν τοῦ γεγεννηκότος αὐτὸν Πατρός, καὶ πολὺν ὑπὲρ τούτων ἀνηλώσαμεν λόγον, πληγέντες τοῖς εἰρημένοις ἐκεῖνοι, φωνήν τινα εὐαγγελικήν, ἑτέρως μὲν εἰρημένην, ἑτέρως δὲ παρ' αὐτῶν ὑποπτευθεῖσαν εἰρῆσθαι, ταύτην ἀντεπήγαγον
30 λέγοντες. Καὶ μὴν γέγραπται· «Τὸ δὲ καθίσαι ἐκ δεξιῶν μου καὶ ἐξ εὐωνύμων οὐκ ἔστιν ἐμὸν δοῦναι, ἀλλ' οἷς ἡτοίμασται ὑπὸ τοῦ Πατρός μου.» Ἐγὼ δὲ ὅπερ ἀεὶ

VΞMYS KORQP

9 καθαιροῦντα : καθαιροῦντες MY KQ || 10 θεοῦ : χριστοῦ VMY OQ || θεοῦ] + καὶ M K || μὲν] + οὖν ΞYS || ὑμῖν : om. KOQ || 14 ἀπολειφθέντας] + ὑμᾶς V Ξ in mg || 16 ᾖ V Ξ supp. in mg O om. cett. || 27 ἀνηλώσαμεν] + τὸν MY RQP

b II Cor. 10, 4-5

---

1. Le neutre pluriel καθαιροῦντα est une adaptation nécessaire du texte, parce que ce neutre se rapporte à ὅπλα, tandis que le masculin

verser des forteresses, en détruisant[1] de faux raisonnements et tout ce qui s'élève contre la connaissance de Dieu[b].» Il faudrait vous raconter, à vous qui étiez absents, les défaites survenues hier, décrire la ligne de bataille, la mêlée, la victoire, les trophées, mais pour ne pas vous rendre plus négligents, laissant ces détails de côté, afin que vous, les absents, piqués au vif par ce que vous avez perdu, vous deveniez plus zélés, nous aborderons aujourd'hui à leur tour les questions qui viennent ensuite. S'il se trouve quelqu'un de zélé et d'intéressé[2], il apprendra de ceux qui étaient présents ce que nous avons dit hier. En effet, les auditeurs nous ont montré une telle ardeur qu'ils sont rentrés à la maison ayant tout retenu et qu'ils n'ont rien laissé échapper de ce qui a été dit. Tout cela, vous l'apprendrez de leur bouche ; mais ce dont il nous faut parler aujourd'hui, nous allons vous le dire, c'est l'objection par laquelle les hérétiques[3] ont contre-attaqué en la jetant dans le débat. Quelle est-elle donc ?

Méthode d'interprétation

Lorsque dernièrement nous parlions du pouvoir du Fils de Dieu, montrant que ce pouvoir était égal à celui de son Père qui l'a engendré, nous avons longuement développé ce sujet ; eux, frappés par la force de nos arguments, nous ont opposé une parole de l'évangile qui a été dite dans un sens, mais qu'ils ont interprétée dans un autre en la citant pour contre-attaquer[4]. Et certes, il est écrit : «Siéger à ma droite et à ma gauche, il ne m'appartient pas de l'accorder, mais c'est pour ceux à qui mon Père l'a pré-

pluriel se rapporte à la première personne du pluriel qui a pour objet Paul dans le texte original, *II Cor.* 10, 4.

2. Le participe διηγεγηρμένος formé sur ἐγείρω, *réveiller,* désigne toujours dans le vocabulaire de Jean la qualité d'attention qu'il souhaite de son auditoire, VII, 591, mais ici, le contexte invite à ajouter au sens habituel la notion de *curiosité, d'intérêt.*

3. Voir introd. p. 22-23, sur le contenu du mot αἱρετικοί.

4. C'est tout le mécanisme de la controverse : même texte, interprétation différente. Voir introd. p. 36-37.

παρακαλῶ τὴν ὑμετέραν ἀγάπην, τοῦτο καὶ σήμερον παραινῶ καὶ συμβουλεύω, μὴ ἁπλῶς ἐπιέναι τὰ γράμματα,
35 ἀλλὰ διερευνᾶσθαι τὰ νοήματα· εἰ γάρ τις ἁπλῶς ταῖς λέξεσι παρακάθοιτο καὶ μηδὲν πλέον τῶν γεγραμμένων ἐπιζητοίη, πολλὰ ἁμαρτήσεται. Καὶ γὰρ καὶ πτέρυγας τὰ γράμματα ἔχειν φησὶ τὸν Θεόν, τοῦ προφήτου λέγοντος ὅτι « Ἐν σκέπῃ τῶν πτερύγων σου σκεπάσεις με. » Ἀλλ'
40 οὐ παρὰ τοῦτο πτερωτὴν φήσομεν εἶναι τὴν νοερὰν ἐκείνην καὶ ἀνώλεθρον οὐσίαν. Εἰ γὰρ ἐπ' ἀνθρώπων οὐκ ἔνι τοῦτο εἰπεῖν, πολλῷ μᾶλλον ἐπὶ τῆς ἀκηράτου καὶ ἀοράτου καὶ ἀκαταλήπτου φύσεως ἐκείνης. Τί οὖν ἐστιν ἀπὸ τῶν πτερύγων νοητέον ἡμῖν; Τὴν βοήθειαν, τὴν ἀσφάλειαν, τὴν
45 σκέπην, τὴν συμμαχίαν, τὸ ἀχείρωτον τῆς βοηθείας.

Πάλιν ὑπνοῦν αὐτόν φασιν αἱ Γραφαὶ οὕτω λέγουσαι· « Ἀνάστηθι, ἵνα τί ὑπνοῖς, Κύριε; » οὐχ ἵνα τὸν Θεὸν καθεύδειν ὑποπτεύωμεν — τοῦτο γὰρ ἐσχάτης ἀνοίας —, ἀλλὰ τῷ ὀνόματι τοῦ ὕπνου τὴν μακροθυμίαν καὶ τὴν
50 ἀνεξικακίαν ἡμῖν ἐμφαίνουσαι. Ἕτερος δὲ προφήτης φησί· « Μὴ ἔσῃ ὡς ἄνθρωπος ὑπνῶν; » Ὁρᾷς ὅτι πολλῆς ἡμῖν τῆς συνέσεως χρεία τὸν θησαυρὸν διερευνωμένοις τῶν θείων Γραφῶν, ὡς ἐὰν ἁπλῶς καὶ εἰκῇ καὶ ὡς ἔτυχεν ἀκούωμεν τῶν λεγομένων, οὐ μόνον τὰ ἄτοπα ἐκεῖνα ἕψεται, ἀλλὰ καὶ
55 πολλὴ μάχη ἐν τοῖς εἰρημένοις φανεῖται. Ὁ μὲν γὰρ ὑπνοῦν

VΞMYS KORQP

37 ἐπιζητοίη : ἐπιζητήσῃ V Q -ζητεῖ KP ‖ 39-40 ἀλλ' — πτερωτὴν om. R ‖ 40 εἶναι φήσομεν ~ MYS KO ‖ νοερὰν : ἱερὰν ΞS ‖ 40-41 ἐκείνην καὶ ἀνώλεθρον om. R ‖ 42 καὶ ἀοράτου del. R ‖ 44 ἡμῖν : ὑμῖν R ‖ 46 αἱ γραφαί φασι ~ Y ‖ οὕτω λέγουσαι V KRQ : οὕτως λέγουσιν P ὡς ἐν τῷ cett. ‖ 50 ἡμῖν : αὐτοῦ Y ὑμῖν RP ‖ ἐμφαίνουσαι : ἐμφαίνουσιν KRQP ἐμφήνωσι Ξ ‖ ἐμφαίνουσαι] + καὶ πάλιν ὁ S πάλιν O ‖ φησί om. MY ‖ 55 μάχη πολλὴ ~ MΞYS KO

c Matth. 20, 23 ‖ d Ps. 16, 8 ‖ e Ps. 43, 24 ‖ f Jér. 14, 9

1. L'A. T. appelle προφήτης tout homme qui transmet la parole de

paré[c].» Quant à moi, ce que je ne cesse de demander à votre charité, je vous le recommande et je vous le conseille encore aujourd'hui : de ne pas s'attacher simplement à la lettre, mais de scruter la pensée ; car si l'on s'arrête simplement aux mots sans chercher plus loin que ce qui est écrit, on fera beaucoup d'erreurs.

L'Écriture dit, en effet, que Dieu a des ailes, selon la parole du prophète[1] : «Tu m'abriteras à l'ombre de tes ailes[d]», mais nous ne dirons pas pour autant que cette essence spirituelle et incorruptible est ailée. En effet, s'il n'est pas possible de le dire à propos des hommes, à plus forte raison quand il s'agit de cette nature sans mélange, invisible et incompréhensible[2]. Que devons-nous donc penser à propos des ailes ? Qu'elles sont le secours, la sécurité, l'abri, l'aide et le secours qu'aucune main humaine ne peut apporter.

D'autres fois, les Écritures s'expriment comme s'il[3] dormait : «Lève-toi, pourquoi dors-tu, Seigneur[e] ?» non que nous supposions que Dieu s'est endormi — car ce serait de la dernière sottise —, mais elles nous suggèrent par le mot sommeil, sa longanimité, sa patience. Un autre prophète dit : «Seras-tu comme un homme qui dort[f] ?» Vois-tu qu'il nous faut beaucoup d'intelligence, quand nous scrutons le trésor des divines Écritures ? de sorte que si nous écoutons simplement, naïvement et comme elles se présentent les paroles qui ont été dites, non seulement il s'en suivra des choses étranges de ce genre, mais encore une quantité de contradictions[4] qui apparaîtront entre leurs affirmations.

Dieu, quelle que soit la forme dans laquelle il s'exprime. Ici, il s'agit du psalmiste.

2. Rappel du thème de l'incompréhensibilité de Dieu, un des deux points de désaccord entre Eunome et l'orthodoxie. Voir introd. p. 10 et *Sur l'incompréhensibilité de Dieu,* introd. p. 15-19, spécialement sur les épithètes apophatiques, p. 18 et 19.

3. αὐτὸν représente Dieu.

4. Parmi les sens de μάχη, on trouve celui de *contradiction dans les termes*. C'est le cas ici où le mot est opposé à ἀκολουθία, *suite logique*.

αὐτόν φησιν, ὁ δὲ μὴ ὑπνοῦν· ἀλλ' ἀμφότερα ἀληθῆ, ἂν τὴν προσήκουσαν ἔννοιαν ἐκλάβῃς. Ὁ μὲν γὰρ λέγων αὐτὸν ὑπνοῦν τὴν ἐπίτασιν τῆς μακροθυμίας ἐνδείκνυται, ὁ δὲ λέγων μὴ ὑπνοῦν, τὸ ἀκήρατον τῆς φύσεως ἡμῖν ἐμφαίνει.
60 Ἐπεὶ οὖν πολλῆς συνέσεως ἡμῖν χρεία, μηδὲ τοῦτο ἁπλῶς ἐκλάβωμεν τὸ εἰρημένον τὸ «Οὐκ ἔστιν ἐμὸν δοῦναι, ἀλλ' οἷς ἡτοίμασται ὑπὸ τοῦ Πατρός μου.» Οὐ γὰρ ἐξουσίας ἀναίρεσις τοῦτο, οὐδὲ αὐθεντίας ἀκρωτηριασμός, ἀλλὰ κηδεμονίας πολλῆς ἀπόδειξις καὶ σοφίας καὶ προνοίας τῆς
65 ὑπὲρ τοῦ γένους τοῦ ἡμετέρου. Ὅτι γὰρ κύριός ἐστι καὶ κολάζειν καὶ τιμᾶν, ἄκουσον τί φησιν αὐτὸς ὁ ταῦτα λέγων· «Ὅταν ἔλθῃ, φησίν, ὁ Υἱὸς τοῦ ἀνθρώπου ἐν τῇ δόξῃ τοῦ Πατρὸς αὐτοῦ, στήσει τὰ πρόβατα ἐκ δεξιῶν, καὶ τὰ ἐρίφια ἐξ εὐωνύμων καὶ ἐρεῖ τοῖς ἐκ δεξιῶν αὐτοῦ· «Δεῦτε οἱ
70 εὐλογημένοι τοῦ Πατρός μου, κληρονονμήσατε τὴν ἡτοιμασμένην ὑμῖν βασιλείαν ἀπὸ καταβολῆς κόσμου. Ἐπείνασα γάρ, καὶ ἐδώκατέ μοι φαγεῖν· ἐδίψησα, καὶ ἐποτίσατέ με· ξένος ἤμην, καὶ συνηγάγετέ με. Τοῖς δὲ ἐξ εὐωνύμων ἐρεῖ· Πορεύεσθε ἀπ' ἐμοῦ οἱ κατηραμένοι εἰς τὸ πῦρ τὸ
75 ἡτοιμασμένον τῷ διαβόλῳ καὶ τοῖς ἀγγέλοις αὐτοῦ. Ἐπείνασα γάρ, καὶ οὐκ ἐδώκατέ μοι φαγεῖν· ἐδίψησα, καὶ οὐκ ἐποτίσατέ με· ξένος ἤμην, καὶ οὐ συνηγάγετέ με.» Εἶδες κρίσιν ἀπηρτισμένην, καὶ πῶς καὶ τιμᾷ καὶ κολάζει καὶ στεφανοῖ καὶ τιμωρεῖται καὶ τοὺς μὲν εἰς τὴν βασιλείαν
80 εἰσάγει, τοὺς δὲ εἰς τὴν γέενναν ἀποπέμπει;

VΞMYS KORQP

66 ὁ ταῦτα λέγων om. MY O || 67 ὅταν] + γὰρ ΞY RQP || 69 αὐτοῦ om. KR || 71 ἀπὸ : πρὸ M K || 77 ξένος — με VMS KP om. cett. || 78 κρίσιν : χρῆσιν Q || 80 εἰσάγει : ἄγει S RP

g Matth. 20, 23 || h Matth. 25, 31.33-35 || i Matth. 25, 41-42

1. Le mot ἀκήρατος indique l'absence de mélange, la nature divine restant intacte dans l'Incarnation.

2. Le mot αὐθεντία, qui désigne la volonté libre, a une grande

En effet, l'un dit qu'il dort, l'autre qu'il ne dort pas ; mais tous les deux sont vrais, si l'on choisit l'interprétation convenable. C'est que l'un, en disant qu'il dort, nous montre la constance de sa longanimité, l'autre, en disant qu'il ne dort pas, fait apparaître la pureté de sa nature[1]. Donc, puisqu'il nous faut beaucoup d'intelligence, ne prenons pas sans réfléchir cette parole : « Ce n'est pas à moi d'accorder cela, mais c'est pour ceux auxquels mon Père l'a préparé[g]. » Ce n'est pas lui supprimer son pouvoir, ni l'amputer de sa volonté libre[2], mais c'est montrer sa grande sollicitude, sa sagesse, sa providence à l'égard de notre race. En effet, qu'il est maître de punir et de récompenser, écoute ce qu'il affirme lui-même en disant : « Lorsque le Fils de l'homme viendra, dit-il, dans la gloire de son Père[3], il mettra les brebis à sa droite et les boucs à sa gauche et il dira à ceux qui sont à sa droite : 'Venez les bénis de mon Père, prenez possession du royaume qui vous a été préparé depuis le commencement du monde ; car j'ai eu faim et vous m'avez donné à manger, j'ai eu soif et vous m'avez donné à boire, j'étais étranger et vous m'avez accueilli[h 4].' Mais à ceux qui seront à sa gauche, il dira : 'Allez loin de moi, maudits, au feu qui a été préparé pour le diable et pour ses anges, car j'avais faim et vous ne m'avez pas donné à manger ; j'avais soif et vous ne m'avez pas donné à boire ; j'étais étranger et vous ne m'avez pas accueilli[i].' » As-tu vu la sentence parfaitement adaptée et comment il récompense et châtie, couronne et punit, et introduit les uns dans le royaume et envoie les autres dans la géhenne ?

importance dans la controverse anoméenne, pour maintenir l'indépendance du Fils par rapport au Père dans son égalité.

3. La citation de Chrysostome ajoute, après δόξῃ, τοῦ πατρὸς que l'ensemble de la tradition manuscrite de *Matthieu* ignore.

4. Bien que ce soit une habitude fréquente chez les Pères de l'Église de ne pas donner le texte complet d'une citation, on doit suivre ici les mss qui donnent le texte *in extenso* pour assurer le parallélisme de la phrase suivante.

Σκόπει δὲ καὶ ἐνταῦθα τὴν πολλὴν περὶ τὸ γένος ἡμῶν κηδεμονίαν. Τοῖς μὲν γὰρ στεφανουμένοις ὅτε διελέγετο· «Δεῦτε, φησίν, οἱ εὐλογημένοι τοῦ Πατρός μου, κληρονομήσατε τὴν ἡτοιμασμένην ὑμῖν βασιλείαν ἀπὸ καταβολῆς κόσμου», τοῖς δὲ κολαζομένοις οὐκ εἶπε· Πορεύεσθε ἀπ' ἐμοῦ οἱ κατηραμένοι εἰς τὸ πῦρ τὸ ἡτοιμασμένον ὑμῖν, ἀλλὰ «Τὸ ἡτοιμασμένον τῷ διαβόλῳ.» Τὴν μὲν γὰρ βασιλείαν ἀνθρώποις ἡτοίμασε, τὴν δὲ γέενναν οὐκ ἀνθρώποις, φησίν, ἀλλὰ τῷ διαβόλῳ καὶ τοῖς ἀγγέλοις τοῖς ἐκείνου παρεσκεύασε. Εἰ δὲ ὑμεῖς τοιοῦτον ἐπεδείξασθε βίον, ὡς ἄξιοι γενέσθαι τῆς κολάσεως καὶ τῆς τιμωρίας, ἑαυτοῖς ἂν εἴητε τοῦτο λογίζεσθαι δίκαιοι. Καὶ σκόπει τὸ πρὸς φιλανθρωπίαν ἐπιρρεπές· οὔπω γὰρ τῶν ἀγωνιστῶν γενομένων, οἱ στέφανοι προητοιμάσθησαν καὶ τὰ βραβεῖα προπαρεσκευάσθησαν. «Κληρονομήσατε γάρ, φησί, τὴν ἡτοιμασμένην ὑμῖν βασιλείαν ἀπὸ καταβολῆς κόσμου.»

Καὶ ἐπὶ τῆς παραβολῆς δὲ τῶν δέκα παρθένων τὸ τοιοῦτον ἴδοι τις ἄν· ἐπειδὴ γὰρ ἔμελλε παραγενέσθαι ὁ νυμφίος, λέγουσιν αἱ μωραὶ ταῖς φρονίμοις· «Δότε ἡμῖν ἀπὸ τοῦ ἐλαίου ὑμῶν.» Αἱ δὲ πρὸς αὐτάς· «Μήποτε οὐκ ἀρκέσῃ ἡμῖν καὶ ὑμῖν», οὐ περὶ ἐλαίου καὶ πυρὸς ἐνταῦθα διαλεγομένη ἡ Γραφή, ἀλλὰ περὶ παρθενίας καὶ φιλανθρωπίας καὶ τὴν μὲν παρθενίαν ἐν τάξει πυρός, τὴν δὲ ἐλεημοσύνην ἐν τάξει ἐλαίου τίθησι, δεικνῦσα ὅτι σφόδρα δεῖται φιλανθρωπίας ἡ παρθενία καὶ ἄνευ ταύτης σωθῆναι

VΞMYS KORQP

81 περὶ : πρὸς K ὑπὲρ RQP || τὸ γένος ἡμῶν : ἡμᾶς αὐτοῦ V || 84 ἀπὸ : πρὸ V || 84-85 ἀπὸ καταβολῆς κόσμου om. MYS || 88 ἡτοίμασε : ἡτοίμασα V || φησίν del. Ξ || 89 ἐκείνου VΞ K : αὐτοῦ cett. || 89-90 παρεσκεύασε : παρεσκεύασα V || 95-96 τὴν — βασιλείαν : τὴν βασιλείαν τὴν ἡτοιμ. ὑμῖν V || 96 ἀπὸ : πρὸ VΞMYS Q || 97 τὸ om. V RQP || τοιοῦτον : αὐτὸ K || 98 παραγενέσθαι V ORQP : παραγίνεσθαι cett. || 99 ἀπὸ V RQP : ἐκ cett. || 101 ἐνταῦθα καὶ πυρὸς ~ V Q || 102 περὶ φιλ. καὶ παρθ. ~ KOP || 105 ταύτης ἄνευ ~ K || ταύτης] + τῆς αἰτίας ΞMYS

Considère aussi dans ce cas sa grande sollicitude à l'égard de notre race. En effet, lorsqu'il parlait à ceux qu'il avait couronnés : «Venez, dit-il, les bénis de mon Père prendre possession du royaume qui vous a été préparé depuis le commencement du monde[1].» Mais à ceux qu'il châtie il ne dit pas : Allez, maudits au feu qui vous a été préparé, mais «qui a été préparé pour le diable». En effet, il a préparé le royaume pour des hommes, mais la géhenne, ce n'est pas pour des hommes, dit-il, c'est pour le diable et ses anges qu'il l'a préparée. Si vous avez mené une vie telle que vous méritiez la punition et le châtiment, il serait juste que vous appliquiez cette phrase à vous-mêmes. Considère aussi son amour pour les hommes[2] ; alors que les combattants n'existent pas encore, les couronnes ont été apprêtées et les récompenses préparées : «Prenez possession, dit-il, du royaume qui vous a été préparé depuis le commencement du monde[j].»

Parabole des dix vierges

Au sujet de la parabole des dix vierges[3], on pourrait constater la même chose. En effet, au moment de l'arrivée de l'époux, les sages disent aux folles : «Donnez-nous de votre huile.» Mais les autres leur répondent : «Il n'y en aura jamais assez pour nous et pour vous[k].» Ce n'est pas d'huile et de feu dont parle l'Écriture ici, mais de virginité et d'amour pour les hommes. Elle compare la virginité au feu et l'aumône à l'huile pour montrer que la

j Matth. 25, 34 || k Matth. 25, 8-9

1. Il y a flottement dans les mss de Chrysostome entre ἀπὸ et πρὸ. La tradition manuscrite de Matthieu dans son ensemble donne ἀπό.
2. Voir hom. VII, li. 168 et note.
3. Jean a utilisé très souvent dans sa prédication la parabole des dix vierges, comme on pourra le constater dans une thèse que prépare Catherine Broc (Paris-Sorbonne) : *Les figures bibliques féminines dans l'œuvre de Jean Chrysostome. Exégèse et pastorale.* On y trouvera un relevé exhaustif des passages où il est question de cette parabole.

οὐκ ἔνι. Τίνες δὲ οἱ τὸ ἔλαιον τοῦτο πωλοῦντες ; Τίνες ἄλλοι ἀλλ' ἢ οἱ πένητες ; Οὐ γὰρ λαμβάνουσι μᾶλλον ἢ διδόασι. Μὴ δὴ νόμιζε τὴν ἐλεημοσύνην ἀνάλωμα εἶναι, ἀλλὰ πρόσοδον, μηδὲ δαπάνην, ἀλλὰ πραγματείαν· μείζονα γὰρ
110 λαμβάνεις ἢ δίδως. Δίδως ἄρτον, καὶ λαμβάνεις ζωὴν αἰώνιον· δίδως ἱμάτιον, καὶ λαμβάνεις ἀφθαρσίας περιβόλαιον· δίδως κοινωνίαν στέγης, καὶ λαμβάνεις βασιλείαν οὐρανῶν· παρέχεις τὰ ἀπολλύμενα, καὶ δέχῃ τὰ διηνεκῶς μένοντα. Καὶ πῶς ἂν δύναμαι ἐλεεῖν, πένης ὤν, φησίν ;
115 Μάλιστα ὅταν πένης ᾖς, τότε δύνασαι ἐλεεῖν. Ὁ μὲν γὰρ πλουτῶν μεθύων τῇ περιουσίᾳ τῶν πραγμάτων καὶ πυρετὸν χαλεπώτατον πυρέττων καὶ ἀκόρεστον ἔχων ἔρωτα, πλείονα ποιεῖν τὰ ὄντα βούλεται· ὁ δὲ πένης ταύτης ἀπηλλαγμένος τῆς νόσου καὶ τῆς ἀρρωστίας καθαρεύων, εὐκολώτερον ἐκ
120 τῶν ὄντων προήσεται. Οὐ γὰρ τὰ μέτρα τῆς οὐσίας, ἀλλὰ τὰ μέτρα τῆς γνώμης τὴν ἐλεημοσύνην ἐργάζεσθαι πέφυκεν· ἐπεὶ καὶ ἡ χήρα ἐκείνη τότε δύο κατέβαλεν ὀβολοὺς καὶ τοὺς τῷ πλούτῳ κομῶντας ὑπερηκόντισε, καὶ ἡ ἑτέρα χήρα ἐν δρακὶ ἀλεύρου καὶ ὀλίγῳ ἐλαίῳ τὴν οὐρανομήκη ἐκείνην
125 ψυχὴν ἐξενοδόχησε καὶ οὐδεμιᾷ τούτων γέγονεν ἡ πενία κώλυμα. Μὴ δὴ προφασίζου περιττὰ καὶ ἀνόνητα· οὐ γὰρ περιουσίαν εἰσφορᾶς ἀπαιτεῖ, ἀλλὰ πλοῦτον προαιρέσεως·

VΞMYS KORQP

109 μείζονα V KOQP : μείζω cett. || 123 τῷ om. MYS O || 124-125 ψύχὴν ἐκείνην ~ V || 127 προαιρέσεως] + ὁ θεὸς ἐπιζητεῖ ὁ δὲ πλοῦτος τῆς προαιρέσεως K

1. Le thème de la virginité et son fondement dans le Christ a été traité par Chrysostome dans son ouvrage *Sur la virginité, SC* 125, Paris 1966. Dans l'homélie *In Ioannem* L, 3 à fin, *PG* 59, 282, Jean développe ce thème que nos bonnes œuvres sont notre provision d'huile.

2. L'importance de l'aumône dans la vie spirituelle des chrétiens occupe une grande place dans la prédication de Jean qui donne à l'aumône son fondement théologique : le pauvre, c'est le Christ.

virginité[1] exige un grand amour des hommes et que, sans celui-ci, on ne peut être sauvé. Mais quels sont ceux qui vendent cette huile ? Quels sont-ils, sinon les pauvres ? Car ils ne reçoivent pas plus qu'ils ne donnent. Ne regarde pas l'aumône comme une perte, mais comme un gain, ni comme une dépense, mais comme une bonne affaire[2], car les choses que tu reçois ont plus de valeur que celles que tu donnes. Tu donnes du pain et tu reçois la vie éternelle ; tu donnes un manteau et tu reçois un vêtement d'incorruptibilité ; tu donnes de partager ton toit et tu reçois le royaume des cieux, tu offres des choses périssables et tu reçois des choses qui demeurent éternellement. Mais comment puis-je faire l'aumône, puisque je suis pauvre[3] ? dit-on. C'est justement parce que tu es pauvre que tu peux faire l'aumône, car celui qui est riche est enivré par l'abondance des biens[4], saisi de la fièvre la plus brûlante, éprouve un désir insatiable, veut toujours augmenter sa fortune, tandis que le pauvre est étranger à cette maladie et comme il est à l'abri de cette faiblesse, c'est plus facilement qu'il abandonne ce qu'il a. En effet ce n'est pas la mesure de la fortune, mais la mesure des dispositions de l'âme qui, d'ordinaire, pousse à faire l'aumône. Quand cette veuve[5] que nous connaissons bien donna deux oboles, elle dépassa ceux qui se paraient de leur fortune, et l'autre veuve, bien qu'elle n'eût qu'une mesure de farine et un peu d'huile, offrit l'hospitalité à cette âme céleste et la pauvreté ne fut un obstacle ni pour l'une ni pour l'autre. Ne donne pas de prétextes mauvais et inutiles, car il ne réclame pas l'abondance de ce qu'on donne, mais la valeur

3. L'ordre des mots est identique dans les mss et chez les trois premiers éditeurs. Ce sont les Bénédictins qui l'ont modifié en πένης φησὶ ὤν.

4. L'ensemble des mss donne πραγμάτων que Montfaucon a remplacé par un mot plus banal : χρημάτων.

5. La veuve dont il est question ici est citée par *Luc* 21, 1-4. Quant à «l'autre veuve» dont il est question plus loin, on la trouve en *III Rois* 17, 10 s., où elle nourrit le prophète Élie en lui offrant ses dernières provisions.

ὃς οὐκ ἀπὸ τοῦ μέτρου τῶν δεδομένων, ἀλλ' ἀπὸ τῆς προθυμίας τῶν παρεχόντων δείκνυται. Πένης εἶ καὶ πάντων
130 ἀνθρώπων πενέστερος; Ἀλλ' οὐκ εἶ τῆς χήρας ἐκείνης πτωχότερος, ἣ τοὺς πλουτοῦντας ἐκ πολλοῦ περιόντος ὑπερηκόντισεν. Ἀλλὰ καὶ αὐτῆς ἀπορεῖς τῆς ἀναγκαίας τροφῆς; Ἀλλ' οὐκ εἶ τῆς Σιδωνίας ἀπορώτερος, ἣ πρὸς αὐτὸν ἐλθοῦσα τοῦ λιμοῦ τὸν πυθμένα, τοῦ θανάτου
135 προσδοκωμένου λοιπὸν καὶ χοροῦ παίδων περιεστῶτος, οὐδὲ οὕτως ἐφείσατο τῶν ὄντων, ἀλλὰ διὰ τῆς ἐπιτεταμένης πενίας πλοῦτον ἄφατον ἐπρίατο, ἅλωνα τὴν χεῖρα καὶ ληνὸν τὴν ὑδρίαν ἐργασαμένη, ἐξ ὀλίγων πολλὰ πηγάζειν παρασκευάσασα.

140 Ἀλλ' ἐπὶ τὸ προκείμενον ἴωμεν, ἵνα μὴ συνεχεῖς τὰς παρεκτροπὰς ποιώμεθα. Ἐπειδὴ οὖν ἔμελλεν ὁ νυμφίος ἔρχεσθαι, ταῦτα πρὸς ἀλλήλας αἱ παρθένοι διελέγοντο. Καὶ ἐκεῖναι πρὸς τοὺς πωλοῦντας ἔπεμπον αὐτάς· ἀλλ' οὐκ ἦν καιρὸς οὐκέτι λοιπὸν ἀγοράζειν ἔλαιον. Οἱ γὰρ
145 πωλοῦντες ἐν τῷ παρόντι βίῳ μόνον εἰσί· μετὰ δὲ τὴν ἐντεῦθεν ἀποδημίαν καὶ τὸ λυθῆναι τὸ θέατρον οὐκ ἔστι λοιπὸν φάρμακον τοῖς γεγενημένοις εὑρεῖν, οὐδὲ συγγνώμην

VΞMYS KORQP

128 ὃς om. K ‖ 129 προθυμίας : προθέσεως V Q ‖ 139 παρασκευάσασα : παρασκευάζει P ‖ 140 ἴωμεν : ἐπανίωμεν O ‖ 143 καὶ ἐκεῖναι : ἐκεῖναι δὲ V ‖ 144 ἔλαιον] + εἰκότως V ‖ 147 τοῖς γεγ. εὑρεῖν V OQ : εὑρεῖν τοῖς γεγ. cett.

1. Le mot προαίρεσις indique un vœu, un désir, c'est dans ce sens qu'il est employé en IX, 128. La προαίρεσις joue un grand rôle dans la philosophie stoïcienne, chez Épictète en particulier. Voir M. Pöhlenz, *Die Stoa,* Göttingen 1948, p. 332-334. Jean aussi lui accorde une place importante dans la vie morale (voir *Indices Chrysostomici* vol. I et II). On trouvera une excellente mise au point sur la question dans L. Meyer, *Saint Jean Chrysostome, maître de perfection chrétienne,* Paris 1933, p. 108 et 109. E. Nowak a donné une analyse intéressante de la notion de προαίρεσις chez Chrysostome

de l'intention[1] qui n'est pas manifestée d'ordinaire par l'importance des dons, mais par l'empressement[2] de ceux qui offrent. Tu es pauvre et plus pauvre que tous les hommes ? Mais tu n'es pas plus pauvre que cette veuve qui a largement dépassé ceux qui étaient riches. Tu manques même de ce qui est nécessaire pour vivre ? Cependant tu n'es pas plus pauvre que la veuve de Sidon[3] qui était tombée au dernier degré de la faim, alors qu'elle n'avait plus qu'à attendre la mort, entourée du chœur de ses enfants ; elle n'épargna rien dans cette situation, mais de l'intensité de sa misère elle acheta un trésor indicible, elle fit de sa main une aire et de sa cruche un pressoir, s'étant arrangée pour faire couler de quelques gouttes des sources abondantes.

Retour à la parabole des dix vierges

Mais revenons à notre propos pour ne pas faire de continuelles digressions. Tandis que l'époux était sur le point d'arriver, voilà donc ce que les vierges disaient entre elles. Les unes envoyaient les autres chez les marchands, mais ce n'était plus le moment d'aller acheter de l'huile, cela va sans dire. Les marchands, en effet, ne se trouvent que dans la vie présente ; mais après le départ d'ici-bas et quand le théâtre est fini[4], ce n'est plus le moment de trouver un remède pour ce qui s'est passé, non plus qu'un par-

dans *Le chrétien devant la souffrance* (coll. *Théologie historique* 19), Paris, Beauchesne, 1973.

2. Jean affectionne le mot προθυμία, sans doute parce qu'il correspond à son tempérament et à son expérience spirituelle. Tantôt ce mot désigne le *zèle, l'ardeur à écouter,* par exemple VII, 9 ; XI, 230 ; XII, 116, tantôt il désigne le même mouvement en avant, *l'empressement,* mais pour donner ; c'est le cas ici et en XI, 230.

3. Sarepta, dont il est fait mention en *III Rois* 17, 7-24, était une ville située entre Tyr et Sidon, d'où l'expression « veuve de Sidon ».

4. La comparaison de la vie humaine avec une pièce de théâtre est banale dans la littérature grecque. Par exemple, PORPHYRE, *A Marcella,* 2, parle de « tragi-comédie » (éd. É. des Places, *CUF*, Paris 1982, p. 105).

καὶ ἀπολογίαν, ἀλλ' ἀνάγκη λοιπὸν κολάζεσθαι· ὅπερ καὶ τότε γέγονεν. Ἐπειδὴ γὰρ ἦλθεν ὁ νυμφίος, αἱ μὲν εἰσῆλθον
150 λαμπρὰς ἔχουσαι τὰς λαμπάδας, αἱ δέ, ὑστερήσασαι τῆς εἰσόδου, τὰς θύρας ἐπάτασσον τοῦ νυμφῶνος καὶ τὸ φοβερὸν ῥῆμα ἐκεῖνο ἤκουον· « Ὑπάγετε, οὐκ οἶδα ὑμᾶς. » Εἶδες αὐτὸν πάλιν καὶ τιμῶντα καὶ κολάζοντα, καὶ στεφανοῦντα καὶ τιμωροῦντα, καὶ δεχόμενον καὶ ἀποπέμποντα,
155 καὶ ἑκατέρου τοῦ μέρους τῆς κρίσεως ὄντα κύριον; Τοῦτο καὶ ἐπὶ τοῦ ἀμπελῶνος, τοῦτο καὶ ἐπὶ τῶν πέντε καὶ δύο ταλάντων, καὶ τοῦ ἑνὸς ἴδοι τις ἄν· τοὺς μὲν γὰρ ἀπεδέξατο καὶ εἰσήγαγεν ἐπὶ πλείοσι, τὸν δὲ ἐκέλευσε δεθέντα ἔξω βάλλεσθαι εἰς τὸ σκότος τὸ ἐξώτερον.

160 Ἀλλὰ τίς αὐτῶν ὁ δριμὺς λόγος, μᾶλλον δὲ πολλῆς ἀνοίας γέμων; Ἔχειν μὲν ἐξουσίαν καὶ κολάζειν καὶ στεφανοῦν, καὶ τιμωρεῖσθαι καὶ ἀμοιβὰς διδόναι. Ἀλλὰ τὴν ἀνωτάτω προεδρίαν, φησί, καὶ τὴν ὑψηλοτάτην τιμήν, ταύτην ἔφησεν οὐκ εἶναι αὐτοῦ δοῦναι· Τί οὖν ἐὰν μάθῃς ὅτι οὐδέν ἐστιν
165 ὑπεξῃρημένον αὐτοῦ τῆς ψήφου, καταθήσῃ ποτὲ τὴν ἄκαιρον ταύτην φιλονεικίαν; Οὐκοῦν αὐτοῦ πάλιν ἄκουε λέγοντος ὅτι « Ὁ Πατὴρ οὐ κρίνει οὐδένα, ἀλλὰ πᾶσαν τὴν κρίσιν δέδωκε τῷ Υἱῷ. » Εἰ τοίνυν πᾶσαν ἔχει τὴν κρίσιν, οὐδὲν ὑπεξῄρηται τῆς ψήφου· ὁ γὰρ πᾶσαν ἔχων τὴν κρίσιν,
170 κύριός ἐστι πάντας καὶ τιμωρεῖσθαι καὶ στεφανοῦν. Τὸ δὲ « ἔδωκεν », ἐνταῦθα μὴ ἀνθρωπίνως ἀκούσῃς, ἀγαπητέ· οὐ γὰρ οὐκ ἔχοντι ἔδωκεν, οὐδὲ ἀτελῆ ἐγέννησεν, οὐδὲ ὕστερον

VΞMYS KORQP

160 δριμὺς : πολὺς V || 162-163 τὴν — φησί : τὴν προεδρίαν, φησί, τὴν ἀνωτάτω MYS O || 165 καταθήσῃ : ἀποθήσῃ VΞ ἀφήσῃς K || 167 ὅτι om. V || οὐδένα om. K

l Matth. 25, 12 || m Jn 5, 22

don ni une excuse, il faut désormais être puni, c'est ce qui se produisit alors. En effet, lorsque l'époux arriva, les unes entrèrent avec leurs lampes allumées, les autres, s'étant mises en retard pour entrer, frappaient à la porte de la chambre nuptiale et elles entendaient cette parole redoutable : « Allez-vous-en, je ne vous connais pas[l]. » Ici encore l'as-tu vu récompenser et châtier, couronner et punir, accueillir et repousser, tout en étant maître à la fois de chaque sorte de jugement ? On en constaterait autant lorsqu'il s'agit de la vigne[1] et autant lorsqu'il s'agit des cinq talents, de deux ou d'un seul[2]. Il a reçu les uns et les a introduits dans de grands biens, il a ordonné de lier l'autre et de le jeter au dehors dans les ténèbres extérieures.

Raisonnement des adversaires

Mais quel est leur raisonnement astucieux ou mieux plein de folie ? Il a le pouvoir de châtier et de couronner, de punir et de donner des récompenses. Mais la première place, dit-on, et la dignité la plus haute, il a dit que ce n'était pas en son pouvoir de la donner. Eh quoi ! si tu apprends que rien n'est soustrait à sa décision, mettras-tu fin à cette contestation hors de propos ? Écoute-le donc encore quand il dit : « Le Père ne juge personne, mais il a accordé tout le pouvoir de juger au Fils[m]. » Si donc celui-ci possède tout le pouvoir de juger, rien n'échappe à sa décision ; en effet, celui qui a tout le pouvoir de juger est maître de châtier et de couronner tous les hommes. Quant à l'expression : « il a donné », ne l'interprète pas ici de façon humaine, cher ami ; il n'a pas donné à celui qui n'avait pas et il ne l'a pas engendré en état d'imperfection, pas plus

1. Cf. *Matth.* 20, 1-15.
2. Cf. *Matth.* 25, 14-30.

αὐτῷ προσεγένετο, ἀλλὰ τὸ «ἔδωκε» τοιοῦτόν ἐστι, τοιοῦτον αὐτὸν ἐγέννησε, τέλειον, ἀπηρτισμένον. Ταύτῃ δὲ
175 κέχρηται τῇ λέξει ἵνα μὴ δύο γεννητοὺς νομίσῃς θεούς, ἀλλ' ἵνα ἴδῃς καὶ τὴν ῥίζαν καὶ τὸν καρπόν· οὐχ ἵνα ὕστερον αὐτῷ προσγεγενῆσθαι νομίσῃς τοῦτο. Καὶ γὰρ ἐρωτώμενος ἀλλαχοῦ· «Βασιλεὺς εἶ;» οὐκ εἶπεν ὅτι ἔλαβον τὴν βασιλείαν· οὐκ εἶπεν ὅτι προσεγένετο αὐτῷ
180 ὕστερον ἡ βασιλεία, ἀλλ' ὅτι «Ἐγὼ εἰς τοῦτο γεγέννημαι.» Εἰ βασιλεὺς ἀπηρτισμένος ἐγεννήθη, εὔδηλον ὅτι καὶ κριτὴς καὶ δικαστής· βασιλέως γὰρ μάλιστα τὸ κρίνειν, καὶ δικάζειν καὶ τιμᾶν καὶ τιμωρεῖσθαι.

Καὶ ἑτέρωθεν δὲ τοῦτο ἴδοι τις ἂν ὅτι καὶ τὰς ἄνω τιμὰς
185 κύριος αὐτός ἐστι διδόναι. Ὅταν γὰρ παραγάγωμεν εἰς τὸ μέσον τὸν πάντων ἀνθρώπων ἀμείνω καὶ δείξωμεν τοῦτον ὑπ' αὐτοῦ στεφανούμενον, ποία λοιπὸν ὑπολειφθήσεται πρόφασις ὑμῖν; Τίς οὖν ἁπάντων ἀνθρώπων ἀμείνων; Τίς δὲ ἕτερος ἀλλ' ἢ ὁ σκηνοποιὸς ἐκεῖνος, ὁ τῆς οἰκουμένης
190 διδάσκαλος, ὁ γῆν καὶ θάλασσαν καθάπερ ὑπόπτερος περιδραμών, τὸ σκεῦος τῆς ἐκλογῆς, ὁ νυμφαγωγὸς τοῦ

VΞMYS KORQP

176 ἴδῃς : εἰδῇς VΞY KQ || 176 ἵνα[2] om. KR || 178 ἀλλαχοῦ] + οὐκοῦν VΞ || εἶ : εἴη MS ORP || εἶ] + σύ VΞ || 178 ὅτι om. V Ξ Q

n Jn 18, 37 || o Jn 18, 37

---

1. Jean reprend ici l'expression ὕστερον προσγίγνεσθαι employée par Basile pour exposer la position d'Eunome sur l'*inengendré* qui, selon Basile, entraîne des conséquences sur la situation du Fils par rapport au Père ... ἵνα ἐν τοῖς περὶ Υἱοῦ λόγοις προδιωμολογημένον ἔχῃ τὸ ὕστερον προσγεγενῆσθαι τῷ Πατρὶ τὸν Υἱόν. *C.E.* I, 5, 57-58, «Son but est qu'il soit convenu à l'avance que le Fils a été adjoint au Père plus tard» (trad. B. Sesboüé, *SC* 299, p. 175). On retrouve la même expression, mais sous forme d'interrogation dans *C.E.* II, 15, 2 : «Le Dieu Verbe était-il au commencement auprès de Dieu ou est-il survenu plus tard ?» (trad. B. Sesboüé, *SC* 305, p. 57). Le même verbe est employé par Basile au sujet de la bonté «qui lui est ajoutée de

qu'il ne lui a ajouté plus tard[1], mais voici ce que signifie « il a donné » : il l'a engendré tel quel, parfait et accompli. Il s'est servi de ce terme pour que tu ne croies pas qu'il y a deux dieux engendrés, mais que tu voies à la fois la racine et le fruit et que tu ne penses pas que cela lui a été ajouté plus tard. En effet, comme on lui demandait dans une autre occasion : « Es-tu donc[2] roi[n] ? », il n'a pas dit : J'ai reçu la royauté ; il n'a pas dit que la royauté lui avait été ajoutée plus tard, mais « c'est pour cela que je suis né[o] ». S'il est né roi accompli, il est évident qu'il est aussi juge et arbitre ; car c'est, par excellence, l'affaire d'un roi de juger et d'arbitrer, de récompenser et de punir.

Application du raisonnement au cas de Paul

D'ailleurs, on pourrait voir, d'une autre manière, qu'il est aussi maître de donner des récompenses célestes. Quand nous aurons fait comparaître le plus parfait de tous les hommes et que nous l'aurons montré couronné par lui[3], quelle mauvaise raison vous restera-t-il encore ? Et quel est donc le plus parfait de tous les hommes ? Qui donc sinon ce fameux fabricant de tentes[4], celui qui a enseigné l'univers, celui qui parcourait comme avec des ailes la terre et la mer, l'instrument choisi[5], le paranymphe[6] du Christ,

l'extérieur » *C.E.* III, 2, 21 (trad. Sesboüé, *SC* 305, p. 157). En réalité, Eunome n'utilise cette expression ni dans l'*Apologie*, ni dans l'*Eclesis* et ne prétend pas établir la génération du Fils par augmentation. Voir *Apol.* 14, 12-16.

2. La présence de οὐκοῦν en Ξ et en V est conforme au texte évangélique, de même la présence de σύ, li. 178.

3. C'est-à-dire le Christ.

4. Il est clair qu'il s'agit de saint Paul dont Chrysostome a prononcé sept panégyriques au cours de sa carrière. Voir *SC* 300, Paris 1982.

5. L'expression se retrouve dans le Ier Panégyrique, li. 4. Voir *SC* 300, la note *ad locum* et les lieux parallèles, p. 113.

6. Dans les noces, le paranymphe est l'ami et le compagnon du fiancé. Voir PAULY-WISSOWA, *Realencyklopädie*, art. παρανύμφιος, Band XVIII, 4.

Χριστοῦ, ὁ τῆς Ἐκκλησίας φυτουργός, ὁ σοφὸς ἀρχιτέκτων, ὁ κήρυξ, ὁ δρομεύς, ὁ ἀγωνιστής, ὁ στρατιώτης, ὁ παιδοτρίβης, ὁ πανταχοῦ τῆς οἰκουμένης ὑπομνήματα τῆς
195 οἰκείας ἀρετῆς καταλιπών, ὁ πρὸ τῆς ἀναστάσεως εἰς τρίτον ἁρπαγεὶς οὐρανόν, ὁ εἰς παράδεισον ἀπενεχθείς, ὁ ἀπορρήτων κοινωνήσας τῷ Θεῷ μυστηρίων, ὁ τοιαῦτα ἀκούσας καὶ λαλήσας ἃ ἀνθρωπίνῃ φύσει λαλῆσαι οὐκ ἔνι, ὁ καὶ χάριτος πλείονος ἀπολαύσας καὶ μείζονα κόπον ἐπιδειξάμενος ; Ὅτι
200 γὰρ πλεῖον ἁπάντων ἔκαμεν, ἄκουσον αὐτοῦ λέγοντος ὅτι « Περισσότερον αὐτῶν πάντων ἐκοπίασα. » Εἰ δὲ περισσότερον πάντων ἔκαμεν, περισσότερον καὶ στεφανοῦται · ἕκαστος γὰρ τὸν ἴδιον μισθὸν λήψεται κατὰ τὸν ἴδιον κόπον. Εἰ τοίνυν μείζονα τῶν ἀποστόλων λαμβάνει — στέφανον τῶν
205 δὲ ἀποστόλων ἴσος οὐδεὶς γέγονεν, οὗτος δὲ κἀκείνων μείζων —, εὔδηλον ὅτι τῆς ἀνωτάτω ἀπολαύσεται τιμῆς καὶ προεδρίας. Τίς οὖν ἐστιν ὁ αὐτὸν στεφανῶν ; Ἄκουσον αὐτοῦ λέγοντος · « Τὸν ἀγῶνα τὸν καλὸν ἠγώνισμαι, τὸν δρόμον τετέλεκα, τὴν πίστιν τετήρηκα · λοιπὸν ἀπόκειταί
210 μοι ὁ τῆς δικαιοσύνης στέφανος, ὃν ἀποδώσει μοι ὁ Κύριος ἐν ἐκείνῃ τῇ ἡμέρᾳ, ὁ δίκαιος κριτής. » « Ὁ Πατὴρ οὐ κρίνει οὐδένα, ἀλλὰ πᾶσαν τὴν κρίσιν δέδωκε τῷ Υἱῷ. » Οὐκ ἐντεῦθεν δὲ τοῦτο μόνον δῆλον, ἀλλὰ καὶ ἐκ τῶν ἑξῆς · « Οὐ μόνον δὲ ἐμοί, ἀλλὰ καὶ πᾶσι τοῖς ἠγαπηκόσι τὴν
215 ἐπιφάνειαν αὐτοῦ. » Τίνος δέ ἐστιν ἡ ἐπιφάνεια ; Ἄκουε αὐτοῦ λέγοντος · « Ἐπεφάνη ἡ χάρις τοῦ Θεοῦ, ἡ σωτήριος πᾶσιν ἀνθρώποις, παιδεύουσα ἡμᾶς, ἵνα ἀρνησάμενοι τὴν ἀσέβειαν καὶ τὰς κοσμικὰς ἐπιθυμίας, σωφρόνως καὶ δικαίως

VΞMYS KORQP

200 γὰρ : δὲ V Q ‖ 201-202 εἰ δὲ — ἔκαμεν om. P ‖ 207 στεφανῶν VΞ KQ : στεφανοῖ cett. ‖ 215 ἄκουε : ἄκουσον VY KQ ‖ 215-216 αὐτοῦ λεγ. ἄκουε ~ ΞMS O

p I Cor. 15, 10 ‖ q I Cor. 3, 8 ‖ r II Tim. 4, 7-8 ‖ s Jn 5, 22 ‖ t II Tim. 4, 8

le fondateur de l'Église, l'architecte habile, le héraut, le coureur, le lutteur, le soldat, le pédotribe[1], celui qui a laissé sur toute la terre des souvenirs de sa propre vertu, celui qui, avant la résurrection, a été ravi au troisième ciel, celui qui a été transporté au paradis, celui qui a partagé avec Dieu les mystères ineffables, celui qui les a entendus et qui a exprimé ce qu'il n'est permis à aucun être humain de dire, celui qui a été favorisé d'une grâce plus abondante, mais qui a aussi donné la preuve d'un plus grand effort. Qu'il ait peiné plus que tous, écoutons-le lorsqu'il dit : «J'ai travaillé beaucoup plus qu'eux tous[p].» S'il a peiné plus que tous, il reçoit aussi une plus belle couronne, «car chacun recevra son propre salaire selon sa propre peine[q]». S'il reçoit une couronne plus belle que celle des apôtres — personne n'est égal aux apôtres, mais lui est même plus grand qu'eux —, il est évident qu'il jouira de la dignité la plus haute et de la première place. Quel est donc celui qui le couronne ? Écoute-le dire : «J'ai combattu le bon combat, j'ai achevé ma course, j'ai gardé la foi ; désormais voici qu'est préparée pour moi la couronne de justice que le Seigneur me donnera en retour ce jour-là, lui qui est un juge équitable[r].» «Le Père ne juge personne, mais il a confié tout le pouvoir de juger au Fils[s].» Cela est évident, non seulement par ce qu'il vient de dire, mais encore par les paroles suivantes : «Et non seulement à moi, mais à tous ceux qui auront attendu avec amour sa manifestation[t].» De qui est la manifestation ? Écoute-le dire : «La grâce de Dieu s'est manifestée, celle qui apporte le salut à tous les hommes, nous apprenant à renoncer à l'impiété et aux convoitises de ce monde, pour vivre dans le siècle présent selon la tempérance, la justice, la piété, attendant la

1. Le pédotribe est l'entraîneur, le maître de gymnastique qui apprend la course, le saut, la lutte, la boxe sur le terrain de sports. Sur son rôle qui prend une importance grandissante dans l'éducation hellénistique, voir H.-I. Marrou, *Histoire de l'éducation dans l'antiquité*, 2 vol. (coll. Point-Histoire, n°s 56-57), Paris, Seuil, 1981.

καὶ εὐσεβῶς ζήσωμεν ἐν τῷ νῦν αἰῶνι, προσδεχόμενοι τὴν
220 μακαρίαν ἐλπίδα, καὶ ἐπιφάνειαν τῆς δόξης τοῦ μεγάλου
Θεοῦ καὶ Σωτῆρος ἡμῶν Ἰησοῦ Χριστοῦ.»

Ἀλλ' ἡ μὲν πρὸς τοὺς αἱρετικοὺς ἡμῖν μάχη τέλος
ἔχει καὶ τὸ τρόπαιον ἐστήσαμεν καὶ τὴν νίκην λαμπρὰν
ἠράμεθα, ἐκ τῶν εἰρημένων ἁπάντων ἀποδείξαντες ὅτι
225 κύριος καὶ τιμᾶν καὶ κολάζειν ἐστί, πᾶσάν τε τὴν κρίσιν
ἔχων, καὶ τῶν ἁπάντων ἀμείνω στεφανῶν καὶ ἀνακηρύττων,
καὶ ἐν ταῖς παραβολαῖς ἐκείναις ἑκάτερα αὐτὸς ἐργαζό-
μενος. Δεῖ δὲ λοιπὸν καὶ τὸν θόρυβον τῶν ἀδελφῶν ἐκβαλεῖν
καὶ διδάξαι τίνος ἕνεκεν οὕτως εἴρηκεν ὅτι «Οὐκ ἔστιν
230 ἐμὸν τοῦτο δοῦναι», καὶ γὰρ οἶμαι πολλοὺς ἐπαπορεῖν
τοῖς εἰρημένοις. Ἵν' οὖν καὶ τὴν ἀπορίαν λύσωμεν, συντεί-
νατέ μοι τὴν διάνοιαν, παρασκευάσατέ μοι τὴν γνώμην·
καὶ γὰρ πλείονός μοι πόνου δεῖ νῦν. Οὐ γάρ ἐστιν
ἴσον πολεμεῖν καὶ διδάσκειν, βάλλειν τὸν ἐχθρὸν καὶ
235 διορθοῦσθαι τὸν οἰκεῖον, ἀλλὰ πλείονός μοι χρεία ἐνταῦθα
τῆς σπουδῆς, ὥστε μὴ παριδεῖν τὸ μέρος χωλεῦον, μηδέ
τινα θορυβούμενον παραδραμεῖν. Λέγω γάρ — ἀλλὰ μὴ
θορυβεῖσθε πρὸς τὰ λεγόμενα, μηδὲ ταράττεσθε —, οὐ
μόνον γὰρ τοῦ Υἱοῦ φημι μὴ εἶναι, ἀλλ' οὐδὲ τοῦ
240 Πατρός· καὶ μεγάλῃ ταῦτα βοῶ τῇ φωνῇ καὶ σάλπιγγος
λαμπρότερον ὅτι οὐκ ἔστιν αὐτοῦ δοῦναι, οὔτε αὐτοῦ, οὔτε
τοῦ Πατρός. Εἰ γὰρ αὐτοῦ ἦν, καὶ τοῦ Πατρὸς ἦν· εἰ τοῦ
Πατρὸς ἦν, καὶ αὐτοῦ ἦν. Διὰ τοῦτο καὶ αὐτὸς οὐκ εἶπεν,
οὐκ ἔστιν ἐμὸν δοῦναι, ἀλλὰ τί; «Οὐκ ἔστιν ἐμὸν δοῦναι,

VΞMYS KORQP

224 τῶν : τὸν VΞ KP ‖ 226 ἀμείνω : ἀμείνον R ‖ ἀμείνω] + ἔχων MY RQ ‖ στεφανῶν : στέφανον MY RQ ‖ 228 λοιπὸν transp. post ἀδελρῶν M O ‖ 229 ὅτι om. O ‖ 230 γὰρ om. O ‖ 231 λύσωμεν] + καὶ τὸν θόρυβον τῆς ψυχῆς κατευνάσωμεν V ‖ 238 τὰ λεγόμενα : τὸ λεγόμενον ΞMYS O ‖ 239 γὰρ V QP : οὐ cett. ‖ μὴ V QP : om. cett. ‖ 243 εἶπεν] + ἁπλῶς V ‖ 244 δοῦναι] + ἀλλὰ τοῦ πατρὸς MYS KORQP del. Ξ

bienheureuse espérance et la manifestation et la gloire de notre grand Dieu et sauveur Jésus-Christ [u].»

Réponse du Christ à la demande des fils de Zébédée

Mais notre combat contre les hérétiques touche à sa fin, nous avons élevé le trophée et nous avons remporté une brillante victoire ; par tout ce qui a été dit, nous avons montré qu'il était maître de récompenser et de châtier, parce qu'il détient tout le pouvoir de juger, couronnant le meilleur de tous et publiant son nom, faisant lui-même l'un et l'autre dans ces paraboles. Mais il faut maintenant dissiper le trouble de nos frères et expliquer pourquoi il dit ainsi : «Ce n'est pas mon affaire d'accorder cela [v].» En effet, je pense que beaucoup sont embarrassés devant ces paroles. Pour résoudre cette difficulté, faites avec moi un effort de pensée, prêtez-moi votre attention, car ma tâche est maintenant plus lourde. Ce n'est pas la même chose de combattre et d'enseigner, de frapper un ennemi et de redresser son prochain, mais j'ai besoin maintenant de plus de zèle pour ne pas mépriser le membre boiteux et pour ne pas passer à côté de celui qui est troublé. Je dis en effet — mais ne soyez pas déconcertés ni troublés de mes paroles —, j'affirme que non seulement ce n'est pas l'affaire du Fils, mais que ce n'est pas non plus l'affaire du Père ; et je proclame, d'une voix forte et plus claire que la trompette, qu'il n'appartient ni à lui ni au Père d'accorder. Si cela lui appartenait, cela appartiendrait aussi au Père, si cela appartenait au Père, cela lui appartiendrait aussi. Voilà pourquoi il n'a pas dit : il ne m'appartient pas d'accorder, mais qu'a-t-il dit ? «Il ne m'appartient pas d'accorder, mais c'est pour ceux pour

u Tite, 2, 11-13 || v Matth. 20, 23

245 ἀλλ' οἷς ἡτοίμασται». Δείκνυσιν ὅτι οὔτε αὐτοῦ, οὔτε τοῦ Πατρός, ἀλλ' ἑτέρων τινῶν.

Τί οὖν ἐστι τὸ εἰρημένον; Οἶμαι γὰρ ὑμῖν ηὐξῆσθαι τὸν θόρυβον, καὶ πλείονα γενέσθαι τὴν ἀπορίαν, καὶ ἐναγωνίους εἶναι· ἀλλὰ μὴ δείσητε· οὐ γὰρ ἀποστήσομαι, ἕως ἂν 250 ἐπαγάγω τὴν λύσιν. Μικρὸν δὲ ἀνάσχεσθε ἀνωτέρω τὸν λόγον ἄγοντος· οὐ γὰρ ἑτέρως μετὰ σαφηνείας ἅπαντα ὑμῶν παρακαταθέσθαι τῇ γνώμῃ δυνατόν. Τί ποτ' οὖν ἐστι τὸ εἰρημένον; Ἡ μήτηρ τῶν υἱῶν Ζεβεδαίου, Ἰακώβου καὶ Ἰωάννου, ἀναχωροῦντι πρὸς τὰ Ἱεροσόλυμα τῷ Ἰησοῦ 255 προσῆλθε μετὰ τῶν παίδων λέγουσα· «Εἰπὲ ἵνα οἱ δύο υἱοί μου καθίσωσιν εἷς ἐκ δεξιῶν σου καὶ εἷς ἐξ εὐωνύμων σου.» Ἕτερος δὲ εὐαγγελιστής φησιν ὅτι οἱ παῖδες ταῦτα ᾐτοῦντο παρὰ τοῦ Χριστοῦ. Ἀλλ' οὐκ ἔστι διαφωνία — οὐδὲ γὰρ ταῦτα δεῖ τὰ μικρὰ παρατρέχειν —, ἀλλὰ τὴν μητέρα 260 προβαλλόμενοι, ἐπειδὴ εἶπεν ἐκείνη καὶ θύραν ἤνοιξε, καὶ αὐτοὶ τὴν ἱκετηρίαν προσήγαγον, οὐκ εἰδότες μὲν ἅπερ ἔλεγον, λέγοντες δὲ ὅμως. Εἰ γὰρ καὶ ἀπόστολοι ἦσαν, ἀλλ' ἀτελέστερον ἔτι διέκειντο, καθάπερ νεοττοὶ ὡς ἐν καλιᾷ πλανώμενοι οὐδέπω τοῦ πτεροῦ παγέντος αὐτοῖς. Καὶ ταῦτα

VΞMYS KORQP

251 ἄγοντος ΞV K : ἀναγάγοντος YS OQ ἀναγάγοντας M ἀγάγωμεν RP || 253-254 ἰακώβου καὶ ἰωάννου VM KQ : om. cett. || 264 πλανώμενοι nos : πλαττόμενοι KRP πλαζόμενοι cett. || ταῦτα : τοῦτο V K

w Matth. 20, 21

1. Pour appuyer son argumentation, Jean cite la réponse de Jésus non pas selon le texte de *Matth.* 20, 23 qu'il suit généralement, «c'est pour ceux à qui mon Père l'a destiné», mais selon *Mc* 10, 40 qui ne mentionne pas le Père. Il utilise cette omission pour orienter l'esprit de ses auditeurs dans une direction nouvelle : «ceux pour lesquels une place a été préparée». Ce sont les hommes qui, par leurs efforts, mériteront le royaume.

2. F. D., qui suit le *Paris. gr. 809,* insère Ἰακώβου καὶ Ἰωάννου dans le texte. Savile, qui n'a pas trouvé Ἰακ. καὶ Ἰω. dans les mss dont il

lesquels cela a été préparé.» Il montre que cela n'appartient ni à lui ni au Père, mais à d'autres personnes[1].

Retour au début de l'histoire des fils de Zébédée Que signifie donc ce qu'il a dit ? Je pense que votre trouble augmente, que votre embarras devient plus grand et que vous êtes saisis d'angoisse, mais ne craignez pas, car je ne m'en irai pas sans vous avoir donné la solution. Souffrez cependant que je reprenne le raisonnement d'un peu plus haut, car autrement, il n'est pas possible d'exposer clairement tout cela à votre réflexion. Que signifie donc ce langage ? La mère des fils de Zébédée, Jacques et Jean[2], vint avec ses enfants trouver Jésus qui montait à Jérusalem et lui dit : « Ordonne que mes deux fils siègent l'un à ta droite et l'autre à ta gauche[w].» Un autre évangéliste dit que ce sont les enfants qui demandaient cela au Christ[3]. Cependant il n'y a pas de contradiction — il ne faut pas en effet passer à côté de ces petits détails —, mais tout en poussant en avant la mère, puisque c'est elle qui a parlé et qui a ouvert la porte, eux aussi ont formulé leur demande sans savoir ce qu'ils disaient, mais en le disant cependant. En effet, bien qu'ils fussent apôtres, ils étaient encore dans un état bien imparfait, tels de petits oiseaux qui hésitent[4], pour ainsi dire, dans un nid avant que leurs ailes aient pris de la force. Il faut surtout que vous sachiez

s'est servi, *New Coll. 81* (Y) et *Vat. gr. 577* (D), mais dans le *Vat. gr. 1526* (V), met les deux noms dans la marge. Montfaucon les réintègre dans le texte, suivant en cela F. D. et le *Paris. gr. 809,* mais la *PG,* tout en les gardant dans le texte, les met entre crochets droits.

3. Dans *Mc* 10, 35-37, la mère des trois fils de Zébédée n'est pas nommée. C'est *Matth.* 20, 20 qui la mentionne. D'où le flottement dans la rédaction des intitulés de cette homélie. Les mss *Athheniensis 265, Cromwell 20, Vat. gr. 597, Hiérosolymitanus 104* ne font pas mention de la mère.

4. On ne voit pas le sens que le verbe πλάττω, *modeler,* donné par certains mss, peut avoir ici. Quant au verbe πλανῶ, *s'égarer,* il paraît peu compatible avec le complément ἐν καλιᾷ. Nous proposons la forme πλανώμενοι du verbe πλανῶ qui peut avoir le sens de *être incertain, être hésitant,* et qu'on trouve joint au verbe ταράττεσθαι, *être troublé,* dans Platon, *Hipp. maj.* 304e.

265 μάλιστα ὑμᾶς ἀναγκαῖον εἰδέναι ὅτι πρὸ τοῦ σταυροῦ ἐν πολλῇ ἦσαν ἀγνοίᾳ· διὸ καὶ ἐπιτιμῶν αὐτοῖς ἔλεγεν· «Ἀκμὴν καὶ ὑμεῖς ἀσύνετοί ἐστε; Οὔπω νοεῖτε οὐδὲ συνίετε ὅτι οὐ περὶ τῶν ἄρτων εἶπον ὑμῖν προσέχειν ἀπὸ τῆς ζύμης τῶν Φαρισαίων;» Καὶ πάλιν· «Πολλὰ ἔχω λέγειν ὑμῖν, ἀλλ'
270 οὐ δύνασθε βαστάζειν ἄρτι.» Οὐ μόνον δὲ ἠγνόουν τὰ ὑψηλότερα, ἀλλὰ καὶ ἃ ἤκουον ἀπέβαλλον ἀπὸ φόβου καὶ δειλίας πολλάκις· ὅπερ ὀνειδίζων αὐτοῖς ἔλεγεν· «Οὐδεὶς ἐξ ὑμῶν ἐρωτᾷ με· ποῦ ὑπάγεις; ἀλλ' ὅτι ταῦτα εἶπον ὑμῖν, ἡ λύπη πεπλήρωκεν ὑμῶν τὴν καρδίαν.» Καὶ πάλιν·
275 «Ἐκεῖνος ὑμᾶς ἀναμνήσει πάντα, καὶ διδάξει ὑμᾶς», περὶ τοῦ Παρακλήτου λέγων. Οὐκ ἂν δὲ εἶπεν «ἀναμνήσει», εἰ μὴ πολλὰ τῶν εἰρημένων ἐξέβαλον. Ταῦτα δέ μοι οὐχ ἁπλῶς εἴρηται, ἀλλ' ἐπειδὴ φαίνεται Πέτρος, νῦν μὲν ἀπηρτισμένην ὁμολογίαν ὁμολογῶν, νῦν δὲ πάντων ἐπιλελησμένος. Ὁ
280 γὰρ εἰπών· «Σὺ εἶ ὁ Χριστὸς ὁ Υἱὸς τοῦ Θεοῦ τοῦ ζῶντος», καὶ μακαρισθεὶς ἐπὶ τούτοις, τοιοῦτον ἥμαρτε μετὰ μικρὸν ὡς Σατανᾶς προσαγορευθῆναι· λέγει γάρ· «Ὕπαγε ὀπίσω μου, Σατανᾶ· σκάνδαλόν μου εἶ, ὅτι οὐ φρονεῖς τὰ τοῦ Θεοῦ, ἀλλὰ τὰ τῶν ἀνθρώπων.» Τί γένοιτ' ἂν ἀτελέστερον
285 τοῦ τὰ αὐτοῦ μὴ φρονοῦντος, ἀλλὰ τὰ τῶν ἀνθρώπων; Ἐπειδὴ γὰρ περὶ σταυροῦ αὐτῷ διελέγετο καὶ ἀναστάσεως, οὐκ εἰδὼς τῶν λεγομένων τὸ βάθος, οὐδὲ τῶν δογμάτων τὸ ἀπόρρητον, οὐδὲ τὴν μέλλουσαν τῇ οἰκουμένῃ σωτηρίαν καταλαμβάνειν, λαβὼν αὐτὸν κατ' ἰδίαν ἔλεγεν· «Ἵλεώς

VΞMYS KORQP

279 ὁμολογίαν ὁμολογῶν V KRQP : ἔχων ὁμολογίαν cett.

x Matth. 15, 16 ; 16, 11 || y Jn 16, 12 || z Jn 16, 5.6 || a Jn 14, 26 || b Matth. 16, 16 || c Matth. 16, 23

---

1. Le texte de *Matth.* 15, 17, cité par Chrysostome ajoute οὐδὲ συνίετε, sans que cette addition soit mentionnée dans l'apparat. Voir

une chose, c'est qu'avant la croix ils étaient dans une grande ignorance ; c'est pourquoi, en les reprenant, il leur disait : « Êtes-vous toujours, vous aussi, sans intelligence ? Vous ne comprenez pas encore et vous ne saisissez pas[1] qu'il ne s'agissait pas de pain, lorsque je vous disais de vous garder du levain des pharisiens[x] ? » Et une autre fois : « J'ai bien des choses à vous dire, mais vous ne pouvez maintenant les porter[y]. » Non seulement ils ignoraient des choses trop élevées pour eux, mais celles qu'ils entendaient, ils les oubliaient souvent par crainte ou par lâcheté ; ce qu'il leur reprochait en disant : « Personne d'entre vous ne me demande : Où vas-tu ? mais parce que je vous ai dit ces choses, la tristesse a rempli votre cœur[z]. » Et une autre fois : « Celui-ci vous rappellera[2] toutes choses et vous enseignera[a] » — il parlait du Paraclet. Il n'aurait pas dit : « Il vous rappellera », s'ils n'avaient pas oublié bien des choses qu'il leur avait dites. Ce n'est pas une simple affirmation de ma part, puisque Pierre semble tantôt lui accorder une adhésion complète, tantôt avoir tout oublié. Celui qui a dit : « Tu es le Christ, le fils de Dieu vivant[b] », et qu'on a proclamé bienheureux à cause de cela, c'est le même qui a commis peu après une si grande faute qu'il a été traité de Satan ; il lui dit en effet : « Passe derrière moi, Satan. Tu es pour moi un scandale, car tes pensées ne sont pas celles de Dieu, mais celles des hommes[c]. » Qu'y aurait-il de plus imparfait que de ne pas penser selon lui, mais selon les hommes ? En effet, comme il lui parlait de la croix et de la résurrection, sans voir la profondeur des paroles, ni le caractère ineffable de ses affirmations, ni le salut qui allait être apporté à toute la terre, Pierre le prit à part et lui dit : « Pitié pour toi, Seigneur, cela n'aura pas

Von Soden, p. 54. Il s'agit donc d'une version différente, ignorée des éditions critiques actuelles.

2. Le texte de *Jn* 14, 26 cité par Chrysostome comporte une légère variante : ἀναμνήσει, au lieu de ὑπομνήσει, et une alternance dans l'ordre des verbes.

290 σοι, Κύριε· οὐ μὴ ἔσται σοι τοῦτο.» Ὁρᾷς πῶς οὐδὲ περὶ ἀναστάσεως οὐδὲν ᾔδεισαν σαφές; Καὶ τοῦτο αὐτὸ ὁ εὐαγγελιστὴς ἐπισημαινόμενος ἔλεγεν· «Οὐδέπω γὰρ ᾔδεισαν ὅτι δεῖ αὐτὸν ἐκ νεκρῶν ἀναστῆναι.» Οἱ δέ, ταῦτα οὐκ ἐπιστάμενοι, πολλῷ μᾶλλον τὰ ἄλλα ἠγνόουν· τὰ περὶ 295 βασιλείας τῆς ἄνω, καὶ τῆς ἀπαρχῆς τῆς ἡμετέρας, καὶ τῆς ἀναλήψεως τῆς εἰς τὸν οὐρανόν, καὶ χθαμαλοί τινες ἦσαν ἔτι, οὐδέπω δυνάμενοι ὑψηλὰ πέτεσθαι.

Ἅτε οὖν τοιαύτην ἔχοντες ἔννοιαν, καὶ προσδοκῶντες ὅτι εὐθέως ἀπαντήσει αὐτῷ ἡ βασιλεία ἐν Ἱεροσολύμοις — 300 ταύτης γὰρ οὐδὲν πλέον ᾔδεισαν· ὅπερ οὖν καὶ ἕτερος ἐπισημαίνεται εὐαγγελιστὴς λέγων ὅτι ἐνόμιζον ἤδη παραγίνεσθαι αὐτοῦ τὴν βασιλείαν, ἀνθρωπίνην τινὰ αὐτὴν ὑποπτεύοντες καὶ προσδοκῶντες ἐπὶ τοῦτο αὐτὸν χωρεῖν, ἀλλ' οὐκ ἐπὶ σταυρὸν καὶ θάνατον· καὶ γὰρ μυριάκις ἀκούοντες, 305 σαφῶς εἰδέναι οὐκ εἶχον, ἐπεὶ οὖν τετρανωμένην μὲν τῶν δογμάτων οὐδέπω ἀκρίβειαν ἐκέκτηντο, ἐνόμιζον δὲ αὐτὸν ἐπὶ βασιλείαν χωρεῖν τὴν αἰσθητὴν ταύτην, καὶ βασιλεύειν ἐν Ἱεροσολύμοις —, ἀπολαβόντες αὐτὸν ἐπὶ τῆς ὁδοῦ, ὡς καιρὸν ἐπιτήδειον ἔχειν νομίσαντες, ταύτην αἰτοῦσι τὴν 310 αἴτησιν. Ἀπορρήξαντες γὰρ ἑαυτοὺς τοῦ χοροῦ τῶν μαθη-

VΞMYS KORQP

294 ἠγνόουν] + οἷον V || 296 χθαμαλοί : χαμηλοί MY RQP χαμαίζηλοι K || 297 πέτεσθαι VΞS K : πέτασθαι cett. || 301 εὐαγ. ἐπισημ. ~ ΞS R || λέγων om. R || 308 ἀπολαβόντες : ὑπο- Q || 309 αἰτοῦσι : αἰτοῦνται ΞYS O || 310 αἴτησιν] + ἵνα Y ORQP

d Matth. 16, 22 || e Jn 20, 9

1. Cette phrase se trouve deux fois dans nos homélies, en VII, 441 et ici. C'est une citation de *Matth.* 16, 22. En VII, 441, les mss sont d'accord pour supprimer κύριε. Les mss et F. D. suivent cette tradition, tandis que Montfaucon et la *PG*, après ἵλεώς σοι, ajoutent γίνου et suivent le texte évangélique en mentionnant κύριε. L'édition des Bénédictins imprime γίνου, κύριε, entre crochets droits.

lieu pour toi [d 1].» Vois-tu comment, même au sujet de la résurrection, ils ne savaient rien de clair. Et cela l'évangile l'a bien indiqué en disant : « Car ils ne savaient pas encore [2] qu'il lui fallait ressusciter d'entre les morts [e].» Or s'ils ne savaient pas cela, ils ignoraient bien davantage le reste, par exemple ce qui concernait le royaume d'en haut et nos prémices [3] et l'élévation dans le ciel ; certains étaient encore comme des êtres qui rampent à terre sans pouvoir s'envoler dans les hauteurs.

Ayant donc cette idée et s'attendant à ce que la royauté lui [4] soit bientôt offerte à Jérusalem — car ils ne savaient rien de plus ; c'est ce qu'un autre évangéliste [5] signifie en disant qu'ils croyaient que sa royauté était imminente, supposant que c'était une dignité humaine et s'attendant à ce qu'il y accède et non pas à la croix et à la mort ; en effet, ils en avaient entendu mille fois parler, mais ils ne pouvaient le savoir clairement, puisqu'ils n'avaient pas encore la notion exacte de ce qu'il leur avait enseigné [6], mais ils pensaient qu'il allait vers une royauté visible et qu'il régnerait à Jérusalem ; l'ayant pris à part sur la route, pensant que c'était une occasion favorable, ils lui font cette demande. Ils se séparent ainsi du groupe des disciples

2. Au sujet de l'emploi de γὰρ en tête de la citation, voir M.J. Lagrange, *Évangile selon S. Jean,* qui explique la nécessité de cette particule par la concision du texte. Quant à l'expression τὴν γραφὴν qui annonce la proposition complétive commençant par ὅτι, elle ne se trouve pas dans le texte utilisé par Chrysostome, mais dans les mss T et a et dans le syriaque. Voir Von Soden, p. 484.

3. Cf. *I Cor.* 15, 20-21, où Paul appelle le Christ « prémices de ceux qui se sont endormis dans la mort », liant ainsi indissolublement la résurrection des hommes à celle du Christ.

4. αὐτῷ c'est-à-dire le Christ. C'est à titre de roi (*Zach.* 9, 9) que Jésus entre à Jérusalem le jour des Rameaux, *Matth.* 21, 1-11.

5. Chrysostome interprète ici librement le passage de *Luc* 24, 31, où les disciples d'Emmaüs avouent leur déception.

6. Ici, le contexte impose d'interpréter δογμάτων comme représentant l'enseignement de Jésus. Voir dossier sur ce mot *Hom.* VII, *supra,* p. 127, n. 3.

τῶν καὶ εἰς ἑαυτοὺς τὸ πᾶν περιστήσαντες, ἀξιοῦσιν ὑπὲρ προεδρίας καὶ τοῦ πρῶτοι γενέσθαι τῶν ἄλλων, νομίζοντες ἤδη τὰ πράγματα εἰληφέναι τέλος καὶ τὸ πᾶν κατωρθῶσθαι καὶ στεφάνων εἶναι λοιπὸν καὶ ἀμοιβῶν καιρόν· ὅπερ καὶ
315 αὐτὸ τῆς ἐσχάτης ἀγνοίας ἦν. Καὶ ὅτι οὐ στοχασμοὶ ταῦτα εἰσιν, οὐδὲ λόγων πιθανότητες, παρ' αὐτοῦ τοῦ Ἰησοῦ, τοῦ τὰ ἀπόρρητα ἐπισταμένου, τὴν ἀπόδειξιν ὑμῖν ἐπαγάγω.

Ἐπειδὴ γὰρ ταῦτα ᾔτησαν, ἄκουσον τί φησι πρὸς αὐτούς· «Οὐκ οἴδατε τί αἰτεῖσθε.» Τί ταύτης σαφέστερον
320 τῆς ἀποδείξεως; Ὁρᾷς ὅτι οὐκ ᾔδεισαν ὅπερ ᾐτοῦντο, περὶ στεφάνων καὶ ἀμοιβῶν καὶ προεδρίας καὶ τιμῆς αὐτῷ διαλεγόμενοι, οὐδέπω τῶν ἀγώνων οὐδὲ ἀρχὴν εἰληφότων; Δύο τοίνυν αἰνίττεται διὰ τοῦ λέγειν· «Οὐκ οἴδατε τί αἰτεῖσθε», ἓν μὲν ὅτι περὶ βασιλείας διαλέγονται, ἧς οὐδεὶς
325 ἦν τῷ Χριστῷ λόγος· οὐ γὰρ δὴ περὶ ταύτης ἐπήγγελτο τῆς κάτω καὶ τῆς αἰσθητῆς· ἕτερον δὲ ὅτι προεδρίαν ζητοῦντες ἤδη καὶ τιμὰς τὰς ἀνωτάτω καὶ τῶν ἑτέρων βουλόμενοι λαμπρότεροι φανῆναι καὶ περιφανέστεροι, οὐδὲ ἐν καιρῷ ταῦτα ζητοῦσιν, ἀλλὰ καὶ σφόδρα ἀκαίρως. Ὁ
330 γὰρ καιρὸς ἐκεῖνος οὐχὶ στεφάνων, οὐδὲ ἐπάθλων, ἀλλ' ἀγωνισμάτων καὶ παλαισμάτων καὶ πόνων καὶ ἱδρώτων καὶ σκαμμάτων καὶ πολέμων. Ὃ οὖν λέγει, τοιοῦτόν ἐστιν· οὐκ οἴδατε τί αἰτεῖσθε, περὶ τούτων μοι διαλεγόμενοι, οὐδέπω καμόντες, οὐδὲ ἀποδυσάμενοι πρὸς τοὺς ἀγῶνας, ἔτι τῆς
335 οἰκουμένης ἀδιορθώτου μενούσης, τῆς ἀσεβείας ἐπικρα-

VΞMYS KORQP

311 περιστήσαντες : παραστήσωσι Y ORQP || ἀξιοῦσιν : ἀξιῶσιν Y ORQP || 315-316 στοχασμὸς ταῦτα ἐστιν K || 321 τιμῆς καὶ προεδρίας ~ ΞMYS O

f Mc 10, 38

1. Voir *supra*, p. 53, n. 2. F. D. a changé le pluriel en singulier, «e ms. regio Margaritae», c'est-à-dire d'après le *Paris. gr. 809,* le seul qui porte la mention «Margaritae» dans la bibliothèque du roi Henri II.

et, accaparant tout pour eux, ils demandent la place d'honneur et d'être les premiers de tous les autres, pensant déjà que les choses touchaient à leur fin, que tout était réglé, que c'était désormais le moment des couronnes et des récompenses ; ce qui était de la dernière ignorance. Que ce ne sont pas là des conjectures [1] et des formules destinées à persuader, je vous le montrerai en faisant appel à Jésus lui-même qui sait ce qui est inexprimable.

Réponse de Jésus aux fils de Zébédée

Lorsqu'ils lui firent cette demande, écoute ce qu'il leur répond [2] : « Vous ne savez pas ce que vous demandez [f]. » Qu'y a-t-il de plus clair que cette déclaration ? Vois-tu qu'ils ne savaient pas ce qu'ils demandaient en parlant de couronnes, de récompenses, de primauté et d'honneur, sans avoir encore compris que les combats n'avaient pas même commencé. En disant : « Vous ne savez pas ce que vous demandez », il laisse entendre deux choses : la première c'est qu'ils parlent d'une royauté dont le Christ n'avait nullement fait mention, car il n'annonçait pas une royauté terrestre et visible ; la seconde, c'est qu'ils cherchent alors la préséance et les honneurs du ciel et voulant surpasser tous les autres en éclat et en gloire, ils ne formulent pas leur demande au moment opportun, mais à un instant tout à fait contre-indiqué. En effet, ce n'est pas le moment des couronnes ni des prix, mais celui des combats, des luttes, des efforts, des sueurs, de l'entraînement, des guerres. Ce qu'il veut dire, le voici : Vous ne savez pas ce que vous demandez en vous adressant à moi à ce sujet sans avoir encore peiné, sans vous être dévêtus pour le combat, alors que la terre entière est dans l'erreur,

On trouve ici une confirmation du fait que le ms. utilisé par F. D. est bien le *Paris. gr. 809*.

2. On remarquera qu'à la demande émanant soit de la mère (*Matth.* 20, 21) soit des fils (*Mc* 10, 35-37), Jésus répond toujours en s'adressant aux fils.

τούσης, τῶν ἀνθρώπων ἁπάντων ἀπολωλότων· οὐδέπω τῆς βαλβῖδος ἐξεπηδήσατε· οὐδέπω πρὸς τὰ παλαίσματα ἀπεδύσασθε. «Δύνασθε πιεῖν τὸ ποτήριον, ὃ ἐγὼ μέλλω πίνειν, καὶ τὸ βάπτισμα ὃ ἐγὼ βαπτίζομαι βαπτισθῆναι;»
340 Ποτήριον ἐνταῦθα καὶ βάπτισμα καλῶν τὸν σταυρὸν τὸν ἑαυτοῦ καὶ τὸν θάνατον· ποτήριον μέν, ἐπειδὴ μεθ' ἡδονῆς αὐτῷ ἐπῄει, βάπτισμα δέ, ὅτι δι' αὐτοῦ τὴν οἰκουμένην ἐκάθηρεν· οὐ διὰ τοῦτο δὲ μόνον, ἀλλὰ καὶ διὰ τὴν εὐκολίαν τῆς ἀναστάσεως. Ὥσπερ γὰρ ὁ βαπτιζόμενος ὕδατι, μετὰ
345 πολλῆς ἀνίσταται τῆς εὐκολίας, οὐδὲν ὑπὸ τῆς φύσεως τῶν ὑδάτων κωλυόμενος· οὕτω καὶ ἐκεῖνος εἰς θάνατον καταβάς, μετὰ πλείονος ἀνέβη τῆς εὐκολίας· διὰ τοῦτο βάπτισμα αὐτὸ καλεῖ. Ὃ δὲ λέγει τοιοῦτόν ἐστι· δύνασθε σφαγῆναι καὶ ἀποθανεῖν; τούτων γὰρ ὁ καιρὸς νῦν, θανάτων καὶ
350 κινδύνων καὶ πόνων. Λέγουσιν ἐκεῖνοι· «Δυνάμεθα», οὐδὲ εἰδότες τί ποτε ἦν τὸ λεγόμενον, ἀλλὰ τῇ ἐλπίδι τῆς ἀπολήψεως ὑπισχνούμενοι. Λέγει πρὸς αὐτοὺς· «Τὸ μὲν ποτήριον πίεσθε, καὶ τὸ βάπτισμα, ὃ ἐγὼ βαπτίζομαι, βαπτισθήσεσθε», τὸν θάνατον λέγων· καὶ γὰρ Ἰάκω-
355 βος ἀπετμήθη μαχαίρᾳ, καὶ Ἰωάννης πολλάκις ἀπέθανε. «Τὸ δὲ καθίσαι ἐκ δεξιῶν μου, καὶ ἐξ εὐωνύμων μου, οὐκ ἔστιν ἐμὸν δοῦναι, ἀλλ' οἷς ἡτοίμασται.» Ὃ δὲ λέγει τοιοῦτόν ἐστιν· ἀποθανεῖσθε μὲν καὶ σφαγήσεσθε καὶ μαρτυρίῳ τιμηθήσεσθε· τὸ μέντοι πρώτους γενέσθαι, οὐκ

VΞMYS KORQP

338 ἀπεδύσασθε] + καὶ προεδρίας μέμνησθε K || 338-339 μέλλω πίνειν : πίνω K || 339 καὶ : ἢ K || βαπτίζομαι βαπτισθῆναι : μέλλω βαπτίσασθαι ΞMYS || 342 αὐτῷ V QP : αὐτὸ cett. || ἐπῄει : ἔπιεν ΞMS || 345-346 τῆς τῶν ὑδάτων φ. ~ Y O || 346 ἐκεῖνος : αὐτὸς V || 354 θάνατον] + οὕτω V || 357 ἡτοίμασται] + ὑπὸ [παρὰ K] τοῦ πατρός μου Y KOQ

g Mc 10, 38 || h Mc 10, 39 || i Mc 10, 39 || j Mc 10, 40

que l'impiété règne, que tous les hommes sont perdus ; vous n'avez pas encore franchi la ligne de départ, vous ne vous êtes pas dévêtus pour la lutte[1] : «Pouvez-vous boire la coupe que je vais boire, recevoir le baptême que je vais recevoir[g] ?» Il appelle ici coupe et baptême sa croix et sa mort, coupe puisqu'il allait vers elle[2] avec délices, baptême puisque, par lui, il purifiait la terre entière ; ce n'est d'ailleurs pas seulement à cause de cela, mais à cause de la facilité avec laquelle il est ressuscité. De même que celui qui est baptisé dans l'eau se relève avec beaucoup de facilité, sans en être empêché par la nature des eaux, de même celui qui est descendu dans la mort s'est relevé avec plus de facilité encore. C'est pourquoi il l'appelle un baptême. Ce qu'il veut dire c'est ceci : Êtes-vous capables d'être égorgés et de mourir ? C'est en effet maintenant le moment de la mort, des dangers, des souffrances. Ceux-ci répondent : «Nous le pouvons[h]», ne comprenant pas ce qu'il leur avait dit, mais comptant sur l'espoir d'être exaucés. Lui leur dit : «La coupe vous la boirez et du baptême dont je suis baptisé vous serez baptisés[i].» Il voulait parler de la mort, et en effet Jacques eut la tête tranchée par le glaive et Jean subit plusieurs fois la mort[3]. «Mais siéger à ma droite et à ma gauche, il ne m'appartient pas de vous l'accorder, c'est à ceux pour lesquels cela a été préparé[j].» Ce qu'il veut dire c'est ceci : Vous mourrez, vous serez égorgés, vous aurez l'honneur du martyre ; mais que vous

1. Voir J. A. Sawhill, *The use of the athletic metaphores in the biblical homilies of St. John Chrysostom*, Dissertation, Princeton 1928.

2. Savile, suivi par Montfaucon a corrigé αὐτῷ donné par V QP en αὐτὸν. La note de Montfaucon attribue à tort cette correction à F. D. La variante αὐτὸ donnée par les autres mss est plausible, si on fait rapporter αὐτὸ à ποτήριον.

3. D'après *Act.* 12, 1, Jacques le majeur fut le premier disciple martyrisé à Jérusalem, vers 44, sous Hérode Agrippa. De Jean l'évangéliste, la tradition rapporte qu'il fut arrêté en 95 par l'ordre de Domitien, conduit à Rome et qu'il mourut à Éphèse dans un âge avancé.

360 ἔστιν ἐμὸν δοῦναι, ἀλλὰ τῶν ἀγωνιζομένων λαβεῖν, διὰ πλείονος τῆς σπουδῆς, διὰ μείζονος τῆς προθυμίας.

Ἵνα δὲ ὃ λέγω γένηται σαφέστερον, ὑποθώμεθα εἶναί τινα ἀγωνοθέτην· εἶτα μητέρα ἀθλητὰς ἔχουσαν δύο παῖδας, προσελθεῖν μετὰ τῶν παίδων αὐτῆς τῷ ἀγωνοθέτῃ καὶ
365 λέγειν· εἰπὲ ἵνα οὗτοι οἱ δύο υἱοί μου τὸν στέφανον λάβωσι· τί τοίνυν ἐκεῖνος ἀποκρινεῖται; Τὸ αὐτὸ δὴ τοῦτο ὅτι οὐκ ἔστιν ἐμὸν δοῦναι· ἀγωνοθέτης εἰμί, οὐ χάριτι βραβεύων, οὐδὲ ἱκετηρίᾳ καὶ δεήσει τῶν προσιόντων, ἀλλὰ τῷ τέλει τῶν πραγμάτων. Τοῦτο γὰρ μάλιστα ἀγωνοθέτου, τὸ μὴ
370 ἁπλῶς καὶ ὡς ἔτυχε διδόναι τὰ βραβεῖα, ἀλλ' ἀνδρείαν τιμῶντος. Τοῦτο δὴ καὶ ὁ Χριστὸς φησί οὐκ ἐξαίρων τὰ τῆς οὐσίας ἀλλὰ τοῦτο δηλῶν ὅτι οὐκ αὐτοῦ μόνου ἐστὶ δοῦναι, ἀλλὰ καὶ τῶν ἀγωνιζομένων λαβεῖν. Εἰ γὰρ αὐτοῦ μόνου ἦν, πάντες ἄνθρωποι ἂν ἐσώθησαν καὶ εἰς
375 ἐπίγνωσιν ἀληθείας ἦλθον· εἰ αὐτοῦ μόνου ἦν, οὐκ ἂν ἐγένοντο διάφοροι τιμαί· πάντας γὰρ αὐτοὺς ἐποίησε καὶ πάντων ὁμοίως κήδεται. Ὅτι δέ εἰσι διάφοροι τιμαί, ἄκουε Παύλου τοῦτο δηλοῦντος καὶ λέγοντος· «Ἄλλη δόξα ἡλίου, καὶ ἄλλη δόξα σελήνης, καὶ ἄλλη δόξα ἀστέρων

VΞMYS KORQP

366 ἐκεῖνος : αὐτὸς V ‖ 371 τιμῶντος VΞ : τιμῶντα cett. ‖ φησί : ποιεῖ VΞ ‖ ἐξαίρων : ἐξαιροῦντα P ἐξαίρων ἑαυτὸν K ‖ τὰ : τὸ O om. K ‖ 372 οὐσίας : περιουσίας corr. s. l. Ξ ἐξουσίας K ‖ οὐσίας] + οὕτως εἶπεν V Ξ ‖ 374 μόνου : μόνον K ‖ 377 ἄκουε V : ἄκουσον K om. cett. ‖ 378 τοῦτο δηλοῦντος καὶ V om. cett. ‖ λέγοντος V K om. cett.

1. Le mot ἀγωνοθέτης a plusieurs sens. Il désigne soit celui qui institue les jeux, soit celui qui les finance, soit celui qui les dirige et distribue les récompenses. C'est le dernier sens qu'il a ici. On constate la même polysémie dans le mot χορηγός, chorège.

soyez les premiers, il ne m'appartient pas de l'accorder, c'est aux combattants de l'obtenir par un plus grand zèle, par une plus grande ardeur.

Exemple pris dans la vie quotidienne

Pour rendre plus clair ce que je dis, supposons un agonothète[1], puis une mère ayant deux fils athlètes et qu'elle vienne trouver l'agonothète avec ses enfants en disant : Dis un mot pour que mes deux fils obtiennent la couronne ; que lui répondra celui-ci ? Ceci, à savoir : Il ne m'appartient pas d'accorder quelque chose ; je suis agonothète et je n'accorde pas une récompense par faveur, ni à la prière, ni à la demande de ceux qui viennent me trouver, mais selon l'issue des épreuves. Voilà quel est le rôle essentiel de l'agonothète : ce n'est pas de donner des récompenses n'importe comment et au hasard, mais de récompenser le courage[2]. Voilà ce que dit aussi le Christ sans diminuer ce qui touche à son essence, mais il montre que ce n'est pas à lui seul d'accorder, mais aux combattants de conquérir. Si cela dépendait de lui seul, tous les hommes seraient sauvés et parviendraient à la connaissance de la vérité ; si cela dépendait de lui seul, il n'y aurait pas de récompenses différentes, car il a créé tous les hommes et prend soin de tous également. Or, quant au fait qu'il y a des honneurs différents, écoute Paul le montrer en disant[3] : « Autre est la gloire du soleil, autre est la gloire de la lune, autre la gloire des astres, dit-il, car un astre diffère

2. Les deux variantes sont défendables, τιμῶντα étant une apposition à l'accusatif, sujet de l'infinitif sous-entendu, τιμῶντος se rapportant à ἀγωνοθέτου. L'interprétation que donne Chrysostome de la demande faite au Christ et de sa réponse est conforme à la fois à son caractère et à son propos. Il y a chez lui un dynamisme qui explique sa résistance devant l'adversité (voir *Lettres à Olympias*, en particulier lettre IX, 3c : « Je me redressai sous l'effet du malheur » ...) et un désir de tirer des événements une leçon de courage.

3. Selon son habitude, le ms. V donne une phrase qui facilite la compréhension du texte : τοῦτο δηλοῦντος καὶ λεγοντος.

380 φησί· ἀστὴρ γὰρ ἀστέρος διαφέρει ἐν δόξῃ.» Καὶ πάλιν· «Εἴ τις ἐποικοδομεῖ ἐπὶ τὸν θεμέλιον τοῦτον χρυσόν, ἄργυρον, λίθους τιμίους...» Τὸ ποικίλον γὰρ τῆς ἀρετῆς ἐμφαίνων ὁ Παῦλος, οὕτω ἐβόα. Ταῦτα δὲ ἔλεγε, δεικνὺς ὅτι οὐκ ἔστι καθεύδοντας καὶ ῥέγχοντας εἰσελθεῖν εἰς
385 τὴν βασιλείαν τῶν οὐρανῶν, ἀλλὰ διὰ πολλῶν θλίψεων δεῖ λαβεῖν τὰ βραβεῖα ἐκεῖνα. Ἐπειδὴ γὰρ διὰ τὸ πολλῆς ἀπολαύειν φιλίας καὶ παρρησίας ἐνόμιζον ὅτι καὶ τῶν ἑτέρων προτιμηθήσονται, ἵνα μὴ ταῦτα ὑποπτεύοντες ῥᾳθυμότεροι γένωνται, ταύτης ἀπάγων αὐτοὺς τῆς ὑπονοίας,
390 φησίν· «Οὐκ ἔστιν ἐμὸν δοῦναι, ἀλλ' ὑμῶν, εἰ βουληθείητε, λαβεῖν»· ἵνα πλείονα ἐπιδείξησθε προθυμίαν, ἵνα μείζονα πόνον, ἵνα πολλὴν τὴν σπουδήν· τοῖς γὰρ ἔργοις τίθημι τοὺς στεφάνους, καὶ τοῖς πόνοις τὰς τιμάς, καὶ τῷ ἱδρῶτι τὰ βραβεῖα· αὕτη παρ' ἐμοὶ σύστασις ἀρίστη, ἡ ἀπὸ τῶν
395 ἔργων ἀπόδειξις.

Ὁρᾷς πῶς οὐ μάτην ἔλεγον ὅτι οὔτε αὐτοῦ ἐστιν, οὔτε τοῦ Πατρός, ἀλλὰ τῶν ἀγωνιζομένων καὶ πονούντων καὶ ταλαιπωρουμένων; Διὰ δὴ τοῦτο καὶ τῇ Ἱερουσαλὴμ ἔλεγε· «Ποσάκις ἠθέλησα ἐπισυναγαγεῖν τὰ τέκνα ὑμῶν, ὃν τρόπον
400 ὄρνις τὰ νοσσία ἑαυτῆς, καὶ οὐκ ἠθελήσατε; ἰδοὺ ἀφίεται

VΞMYS KORQP

380 φησί KRP om. cett. || 383 ἐβόα : τὸν λόγον διεσκεύασε V Ξ || 395 ἀπόδειξις ΞS : ἐπίδειξις cett.

k I Cor. 15, 41 || l I Cor. 3, 12

1. Λόγον διασκεδάζειν est une expression qui fait partie du vocabulaire de la rhétorique. Ici encore les mss Ξ et V donnent un terme plus recherché, que les autres ont remplacé par un terme plus banal : ἐβοᾷ.

d'un autre en gloire[k]. » Et encore : « Si quelqu'un élève sur ce fondement de l'or, de l'argent, des pierres précieuses ...[l] ». C'est en effet, pour mettre en relief la variété de la vertu que Paul parlait ainsi[1]. Il disait cela pour montrer qu'il n'est pas possible à ceux qui dorment et qui ronflent d'entrer dans le royaume des cieux, mais qu'il faut mériter de telles récompenses par beaucoup de souffrances. Comme ils jouissaient d'une grande amitié et d'une grande liberté de parole, ils croyaient qu'ils seraient mieux traités que les autres, mais pour qu'en imaginant cela ils ne tombent pas dans la négligence, il les détourne de cette idée en leur disant : Ce n'est pas à moi de vous l'accorder, c'est vous, si vous le voulez, qui devez le conquérir et cela pour que vous montriez plus d'ardeur, que vous fassiez plus d'efforts, que vous ayez beaucoup de zèle ; c'est en effet selon les actes que je donne des couronnes, selon les efforts, les honneurs, selon la peine, les récompenses ; pour moi, la meilleure recommandation auprès de moi, c'est la preuve[2] par les actes.

Nécessité de lutter pour obtenir le Royaume

Vois-tu comment ce n'est pas sans raison que je disais : cela n'appartient ni à lui ni à son Père, mais à ceux qui luttent, qui peinent, qui souffrent ? C'est évidemment à cause de cela qu'il disait aussi à Jérusalem : « Combien de fois ai-je voulu rassembler vos enfants comme un oiseau ses petits[3] et vous ne l'avez pas voulu ? Voici que votre

2. Bien qu'elle ne soit représentée que par deux mss, la variante ἀπόδειξις s'impose. Elle fait partie du vocabulaire apologétique de Jean. Sur l'importance de l'expression ἡ ἀπὸ τῶν ἔργων ἀπόδειξις, voir introd. p. 33 et, dans les homélies, VII, 227, 371 ; IX, 49.

3. La tradition manuscrite de *Lc* 13, 34 donne ἐπισυνάξαι τὰ τέκνα σου sans variante. Nous avons donc ici deux traditions différentes, ce qui est confirmé par la suite du texte de Luc qui donne τὴν ἑαυτῆς νοσσίαν et qui ajoute ὑπὸ τὰς πτέρυγας, membre de phrase absent du texte cité par Chrysostome.

ὁ οἶκος ὑμῶν ἔρημος.» Ὁρᾷς ὅτι τὸν ῥαθυμοῦντα καὶ ἀναπεπτωκότα καὶ ὑπτίον κειμένον οὐκ ἔνι σωθῆναί ποτε; Ἐκ τούτου καὶ ἕτερόν τι μανθάνομεν ἀπόρρητον ὅτι οὐκ ἀρκεῖ τὴν ἀνωτάτω δοῦναι τιμὴν καὶ τὴν ὑψηλοτάτην 405 προεδρίαν. Ἰδοὺ γοῦν τούτοις προεῖπεν ὅτι μαρτυρήσουσι μέν, οὐ πάντως δὲ τῶν πρωτείων τεύξονται· εἰσὶ γάρ τινες οἵ καὶ μείζονα δυνάμενοι ἐπιδείξασθαι. Καὶ τοῦτο δηλῶν ἔλεγε· «Τὸ μὲν ποτήριόν μου πίεσθε καὶ τὸ βάπτισμα ὃ ἐγὼ βαπτίζομαι βαπτισθήσεσθε· τὸ δὲ ἐκ δεξιῶν καθίσαι 410 καὶ ἐξ εὐωνύμων, οὐκ ἔστιν ἐμὸν δοῦναι.» Οὐχ ὅτι καθίζει, ἀλλὰ τὸ μείζονος ἀπολαῦσαι τιμῆς, τὸ τῶν πρωτείων ἐπιτυχεῖν, τὸ ἀνωτέρω πάντων γενέσθαι, τοῦτο ἔστι, τὸ δὲ καθίσαι ἐκ δεξιῶν καὶ ἐξ εὐωνύμων, συγκαταβαίνων αὐτοῖς ἐπὶ τῇ ὑπονοίᾳ φησίν. Ἐκεῖνοι γὰρ τὰ πρῶτα 415 ἐζήτουν, καὶ τὸ τῶν ἄλλων ἁπάντων μείζους φανῆναι. Τοῦτο οὖν αὐτό, φησί, τὸ τῶν ἄλλων ὑμᾶς μείζους φανῆναι, καὶ πάντων ἀνωτέρους, οὐκ ἔστιν ἀπὸ τούτου μόνου λαβεῖν· ἀποθανεῖσθε μὲν γάρ· τὸ δὲ τῆς ἀνωτάτω τιμῆς ἀπολαῦσαι οὐκ ἔστιν ἐμὸν δοῦναι, ἀλλ' ἐκείνοις οἷς ἡτοίμασται. Καὶ 420 τίσιν ἡτοίμασται, εἰπέ μοι; Ἴδωμεν τίνες οὗτοι οἱ μακάριοι καὶ τρισμακάριοι καὶ τῶν λαμπρῶν ἐκείνων ἀπολαύοντες στεφάνων. Τίνες οὖν εἰσιν οὗτοι καὶ τί ποιήσαντες οὕτω φανοῦνται λαμπροί; Ἄκουσον αὐτοῦ λέγοντος.

Ἐπειδὴ γὰρ ἠγανάκτησαν οἱ δέκα περὶ τῶν δύο, ὅτι δὴ 425 ἀπορραγέντες τοῦ χοροῦ, τὴν ἀνωτάτω τιμὴν εἰς ἑαυτοὺς περιστῆσαι ἐβούλοντο, ὅρα πῶς καὶ ἐκείνων διορθοῦται τὸ

VΞMYS KORQP

401-402 τὸν — κείμενον : τῶν ῥαθυμούντων καὶ ἀναπεπτωκότων καὶ ὑπτίων κειμένων V Q ‖ 402 ἔνι] + τινὰ V Q ‖ 412 ἔστι] + φησίν P ‖ τὸ² : τῷ V ‖ 413 δὲ : τοίνυν VΞ

m Lc 13, 34-35 ‖ n Matth. 20, 23

maison est laissée à l'abandon[m].» Vois-tu que si l'on est négligent, si on se laisse abattre et si l'on est plongé dans le sommeil, il n'est possible à personne d'être jamais sauvé ? De cela nous tirons encore une autre leçon, difficile à formuler, c'est que le martyre[1] ne suffit même pas pour obtenir la récompense la plus haute et la place la plus élevée. Voici ce qu'il leur a annoncé, c'est qu'ils seraient martyrisés et malgré cela qu'ils n'obtiendraient pas dans tous les cas les premières places, car il y a beaucoup de gens capables d'accomplir de plus grandes actions. C'est pour le prouver qu'il disait : « Vous boirez ma coupe et vous serez baptisés du baptême dont je suis baptisé ; quant à être assis à ma droite et à ma gauche, il ne m'appartient pas de l'accorder[n].» Ce n'est pas qu'il siège, mais il s'agit de jouir d'un plus grand honneur, d'obtenir les premières places, d'être plus haut que tous, cela est réel, dit-il ; quant à l'expression siéger à droite et à gauche, il l'emploie pour condescendre à leur façon de penser. En effet, eux ils cherchaient les premières places et à paraître plus grands que les autres. Or, dit-il, que vous paraissiez plus grands que tous les autres, que vous soyez plus haut que tous, il n'est pas possible de l'obtenir de cela (le martyr) seul — vous mourrez en effet —, mais obtenir la récompense la plus haute, ce n'est pas à moi de l'accorder, c'est pour ceux pour qui elle a été préparée. Et pour qui a-t-elle été préparée, dis-moi ? Voyons quels sont ces bienheureux et trois fois bienheureux et ceux qui obtiennent ces brillantes couronnes. Quels sont-ils donc et qu'ont-ils fait pour paraître en cet éclat ? Écoute ce qu'il leur dit.

Appel à l'humilité Comme les dix étaient irrités contre les deux frères, parce qu'ils s'étaient séparés du groupe et voulaient accaparer pour eux la dignité la plus haute, vois comment il corrige les senti-

1. Après ἀρκεῖ, F. D. a ajouté οὐδὲ μαρτύριον, d'après le *Paris. gr. 809*. Il semble bien que cette addition soit nécessaire pour la compréhension du texte.

πάθος καὶ τούτων. Καλέσας γὰρ αὐτούς φησιν· «Οἱ ἄρχοντες τῶν ἐθνῶν κατακυριεύουσιν αὐτῶν καὶ οἱ μεγάλοι αὐτῶν κατεξουσιάζουσιν αὐτῶν· παρὰ δὲ ὑμῖν οὐκ ἔσται
430 οὕτως, ἀλλ' ὁ θέλων ἐν ὑμῖν εἶναι πρῶτος, γενέσθω πάντων ἔσχατος.» Ὁρᾷς ὅτι τοῦτο ἐβούλοντο, τὸ πρῶτοι γενέσθαι καὶ μείζους καὶ ἀνώτεροι καὶ, ὡς ἂν εἴποι τις, ἄρχοντες αὐτῶν; Διὰ δὴ τοῦτο πρὸς τοῦτο ἱστάμενος, καὶ τὰ ἀπόρρητα αὐτῶν εἰς μέσον ἐξάγων ἔλεγεν· «Ὁ θέλων ἐν
435 ὑμῖν εἶναι πρῶτος, ἔστω πάντων διάκονος.» Εἰ προεδρίας ἐρᾶτε, φησί, καὶ τῆς ἀνωτάτω τιμῆς, τὰ ἔσχατα διώκετε, τὸ πάντων εὐτελέστεροι εἶναι, τὸ πάντων ταπεινότεροι, τὸ πάντων μικρότεροι, τὸ μετὰ τοὺς ἄλλους ἑαυτοὺς τάττειν. Αὕτη γὰρ ἡ ἀρετὴ ἐκείνην δίδωσι τὴν τιμὴν καὶ τὸ
440 παράδειγμα ἐγγύθεν, καὶ μετὰ πολλῆς τῆς περιουσίας. «Οὐ γὰρ ἦλθεν ὁ Υἱὸς τοῦ ἀνθρώπου διακονηθῆναι, ἀλλὰ διακονῆσαι καὶ δοῦναι τὴν ψυχὴν αὐτοῦ λύτρον ἀντὶ πολλῶν». Ὅτι γὰρ τοῦτο ποιεῖ λαμπροὺς καὶ ἐπισήμους, ὁρᾶτε ἐπ' ἐμοῦ, φησί, τὸ πρᾶγμα συμβαῖνον, τῷ μὴ δεομένῳ
445 τιμῆς μηδὲ δόξης· ἀλλ' ὅμως καὶ ἐγὼ τὰ μυρία ἀγαθὰ διὰ τούτου κατορθῶ. Πρὶν ἢ μὲν γὰρ λαβεῖν αὐτὸν τὴν σάρκα καὶ ταπεινῶσαι ἑαυτόν, πάντα ἀπολώλει καὶ διέφθαρτο· ἐπειδὴ δὲ καὶ ἐταπείνωσεν ἑαυτόν, πάντα εἰς ὕψος ἀνήγαγε, κατάραν ἠφάνισε, θάνατον ἔσβεσε, παράδεισον ἤνοιξεν,
450 ἁμαρτίαν ἐνέκρωσεν, οὐρανοῦ ἀψῖδας ἀνεπέτασε, τὴν ἀπαρχὴν ἡμῶν εἰς οὐρανὸν ἀνήγαγε, τὴν οἰκουμένην εὐσεβείας ἐπλήρωσε, τὴν πλάνην ἀπήλασε, τὴν ἀλήθειαν ἐπανήγαγε,

VΞMYS KORQP

440 ἐγγύθεν V ΞS K : ἐκεῖθεν cett. || 440-441 οὐ γὰρ VΞS K : καθάπερ οὐκ MY ORP || οὐ — ἀνθρώπου : καὶ ὁ υἱὸς τοῦ ἀνθρώπου οὐκ ἦλθεν K

o Matth. 20, 25-26 || p Matth. 20, 27 || q Matth. 20, 28

ments des uns et des autres. En effet, les ayant appelés, il leur dit : «Les chefs des nations leur commandent en maîtres et les grands font sentir leur pouvoir ; chez vous, il n'en sera pas ainsi ; mais celui qui veut être le premier parmi vous, qu'il soit le dernier de tous[o] [1].» Vois-tu que ce qu'ils voulaient c'est être les premiers et plus grands et plus haut et, pour ainsi dire, être leurs chefs ? C'est pourquoi, en s'opposant à cela et en mettant au jour des vérités difficiles à formuler, il disait : «Celui qui veut être le premier de tous, qu'il soit le serviteur de tous[p].» Si vous briguez la première place, dit-il, ainsi que la plus haute dignité, recherchez la dernière place, le fait d'être plus pauvre que tous, plus humble que tous, plus petit que tous, de prendre rang après les autres. La voilà, en effet, la vertu qui procure cette récompense ; vous en avez un exemple près de vous et qui vous est généreusement donné : «car le Fils de l'homme est venu non pour être servi, mais pour servir et donner sa vie en rançon pour la multitude[q].» En effet, que cela rend illustre et glorieux, constatez-le, dit-il, par ce qui est arrivé à mon sujet, à moi qui ne recherchais ni honneur ni gloire ; et cependant c'est grâce à cela que je réalise une foule de bienfaits. Avant qu'il ne prît chair et qu'il ne s'abaissât lui-même, tout allait à la mort et à la corruption, mais lorsqu'il s'est abaissé lui-même, il a tout élevé, il a supprimé la mort, il a ouvert le paradis, il a détruit le péché, il a roulé comme un voile la voûte du ciel, il a introduit dans le ciel nos prémices[2], il a rempli la terre de piété, il a chassé l'erreur, il a

1. Chrysostome modifie la citation de *Matth.* 20, 26-27. Il change ἔσται en γενέσθω et διάκονος en ἔσχατος emprunté à *Matth.* 20, 16. En 20, 27, il change ἔσται en ἔστω et ὑμῶν en πάντων, donnant ainsi à la citation une portée universelle. De plus, les versets 26 et 27 qui se suivent dans le texte de *Matthieu* se trouvent séparés par le commentaire qu'en fait Chrysostome. On ne s'étonnera pas de constater une certaine contamination dans les termes des deux citations. Voir apparat critique des éditions de Von Soden, p. 75, et de Wettstein, p. 458.

2. Voir *supra*, p. 193, n. 3.

τὴν ἀπαρχὴν ἡμῶν εἰς θρόνον ἀνεβίβασε βασιλικόν, τὰ μυρία ἀγαθὰ εἰργάσατο, ἃ μήτε ἐγώ, μήτε πάντες ἄνθρωποι
455 δύναιντ' ἂν τῷ λόγῳ παραστῆσαι. Καὶ πρὶν ἢ μὲν ταπεινῶσαι ἑαυτόν, ἄγγελοι μόνον αὐτὸν ἐγίνωσκον· ἐπειδὴ δὲ ἐταπείνωσεν ἑαυτόν, ἅπασα ἡ τῶν ἀνθρώπων φύσις ἐπέγνω αὐτόν. Ὅρα πῶς ἡ ταπείνωσις οὐκ ἐλάττωσιν εἰργάσατο, ἀλλὰ μυρία κέρδη, μυρία κατορθώματα καὶ μεῖζον αὐτοῦ
460 τὴν δόξαν διαλάμψαι ἐποίησεν. Εἰ δ' ἐπὶ τοῦ Θεοῦ τοῦ ἀνενδεοῦς καὶ μηδενὸς προσδεομένου τὸ ταπεινωθῆναι τοσοῦτον γέγονεν ἀγαθὸν καὶ πλείους αὐτῷ τοὺς οἰκέτας προσήγαγε καὶ τὴν βασιλείαν ἐπέτεινε, τί δέδοικας αὐτὸς μὴ ἀπὸ τοῦ ταπεινωθῆναι ἐλαττωθῇς; Τότε ὑψηλὸς ἔσῃ,
465 τότε μέγας, τότε λαμπρός, τότε περιφανής, ὅταν σεαυτὸν ἐξευτελίσῃς, ὅταν μὴ τῶν πρωτείων ἐρᾷς, ὅταν ἐλαττωθῆναι καταδέξῃ καὶ σφαγῆναι καὶ κινδυνεῦσαι· ὅταν τὴν διακονίαν τῶν πολλῶν μεταδιώξῃς καὶ τὴν θεραπείαν καὶ τὴν κηδεμονίαν, καὶ ὑπὲρ τούτου πάντα καὶ ποιῆσαι καὶ παθεῖν ᾖς
470 παρεσκευασμένος.

Ταῦτα οὖν ἐννοοῦντες, ἀγαπητοί, διώκωμεν ταπεινοφροσύνην μετὰ πολλῆς τῆς προθυμίας, καὶ ὅταν ὑβριζώμεθα καὶ καταπτυώμεθα, καὶ τὰ ἔσχατα πάντα ὑπομένωμεν, καὶ ἀτιμαζώμεθα καὶ καταφρονώμεθα, πάντα μεθ' ἡδονῆς φέρω-
475 μεν. Οὐδὲν γὰρ οὕτω ποιεῖν ὕψος εἴωθε καὶ δόξαν καὶ τιμὴν καὶ μέγαν δεικνύναι ὡς ἡ τῆς ταπεινοφροσύνης ἀρετή· ἣν

VΞMYS KORQP

454 μήτε ... μήτε VΞS RP : μηδὲ ... μηδὲ M KO μηδὲ ... μήτε Y Q ‖ 454-455 ἃ — παραστῆσαι : οὐκ ἂν λόγῳ παραστήσαιμι R ‖ 462 τοσοῦτον ... ἀγαθὸν V KQP : τοσοῦτον ... ἀγαθῶν R τοσούτων ... ἀγαθῶν ΞMYS O ‖ γέγονεν om. V Q ‖ 464 ὑψηλὸς : ὑψηλότερος V Q ‖ 472 προθυμίας Montf. : περιουσίας mss ‖ 476 ἣν VΞ P : ἧς MYS ORP

ramené la vérité[1], il a fait monter celui qui était nos prémices sur le trône royal, il a réalisé une multitude de bienfaits que ni moi, ni les autres hommes dans leur ensemble ne pourraient énumérer. Et avant qu'il ne s'abaisse lui-même, les anges seuls le connaissaient, mais depuis qu'il s'est abaissé, la race tout entière des hommes l'a reconnu[2]. Vois comment son abaissement n'a pas été une cause de diminution, mais de mille avantages, de mille bonnes actions et a rendu sa gloire plus éclatante. Si, quand il s'agit de Dieu qui n'a aucun besoin et à qui rien ne manque, le fait de s'abaisser a été si profitable et lui a amené de plus nombreux serviteurs, a étendu sa royauté, pourquoi crains-tu, toi d'être diminué en t'abaissant? Alors tu seras élevé, alors tu seras grand, alors tu seras resplendissant, alors tu seras illustre, quand tu te compteras toi-même pour rien, quand tu ne te tiendras pas aux premières places, quand tu consentiras à être méprisé, à être égorgé, à être exposé au danger, lorsque tu assumeras le service, les soins, la protection à l'égard de tous et que, pour cela, tu seras prêt à tout faire et à tout souffrir.

Exhortation finale

En réfléchissant à cela, mes bien-aimés, recherchons l'humilité avec beaucoup d'ardeur et, lorsque nous sommes en butte à l'injure et au mépris, que nous subissons les pires traitements, que nous sommes dédaignés et méprisés, supportons tout avec joie[3]. Rien n'est aussi capable d'attirer élévation gloire et honneur et de nous exalter que la vertu d'humi-

1. Il semble qu'on entend ici, comme à l'origine, la joie qui éclate encore de nos jours pendant la veillée pascale dans le chant de l'*Exsultet*.

2. Ainsi cette homélie se termine par une exhortation à l'humilité dont le Christ a donné l'exemple par son Incarnation et sur laquelle Chrysostome, dans les homélies VII à XII, fait reposer toute sa réfutation d'Eunome. Voir introd. p. 42.

3. Voir *Matth.* 5, 11-12.

γένοιτο μετὰ ἀκριβείας κατορθοῦντας τῶν ἐπηγγελμένων τυχεῖν ἀγαθῶν, χάριτι καὶ φιλανθρωπίᾳ τοῦ Κυρίου ἡμῶν Ἰησοῦ Χριστοῦ, μεθ' οὗ δόξα καὶ τιμὴ τῷ Πατρὶ καὶ τῷ
480 **ἁγίῳ Πνεύματι, νῦν καὶ ἀεὶ καὶ εἰς τὰς αἰῶνας τῶ αἰώνων. Ἀμήν.**

477 γένοιτο] + πάντας Ξ ‖ κατορθοῦντας] + ἡμᾶς V ‖ 479 μεθ' οὗ] + ἡ ΞMS Q ‖ τιμὴ] + τῷ πάντων οἰκτίρμωνι θεῷ RP καὶ κράτος K καὶ προσκύνησις V ‖ πατρὶ] + καὶ τῷ υἱῷ MΞS sed del. M.

lité. En la pratiquant avec zèle, puissions-nous obtenir les biens qui nous sont promis par la grâce et la bonté de notre Seigneur Jésus-Christ avec lequel gloire, honneur et adoration soient au Père et au Saint-Esprit, maintenant et toujours et pour les siècles des siècles. Amen.

HOMÉLIE IX

Conspectus siglorum

A	Parisinus gr. 766	IXe s.
B	Oxoniensis Barocci 199	Xe s.
C	Vaticanus Ottobonianus gr. 14	Xe-XIe s.
D	Ambrosianus C 55 sup. (193)	
E	Parisinus gr. 1447	XIe-XIIe s.
F	Parisinus gr. 1196	XIe-XIIe s.
G	Parisinus gr. 771	XIIIe-XIVe s.
H	Monacensis gr. 524	XIVe s.
I	Sinaïticus gr. 380	
J	Parisinus gr. 816	
K	Parisinus gr. 897 *	XVe s.

* Il suffit de jeter un coup d'œil sur l'apparat critique de cette homélie pour constater que la tradition manuscrite forme un bloc en face du Parisinus gr. 897 (K). A l'intérieur de ce bloc, les groupements de manuscrits sont trop instables pour permettre de dessiner un stemma.

IX

Τοῦ αὐτοῦ λόγος εἰς τὸν τετραήμερον Λάζαρον.

Σήμερον ἐκ νεκρῶν ἐγειρόμενος ὁ Λάζαρος πολλῶν καὶ διαφόρων σκανδάλων τὴν λύσιν ἡμῖν χαρίζεται. Καὶ γὰρ οὐκ οἶδ' ὅπως τὸ ἀνάγνωσμα τοῦτο καὶ τοῖς αἱρετικοῖς δέδωκε λαβὴν καὶ τοῖς Ἰουδαίοις ἀντιλογίας ἀφορμήν, οὐκ 5 ἐξ ἀληθείας, μὴ γένοιτο, ἀλλ' ἐκ τῆς ἐκείνων κακοτέχνου ψυχῆς.

Πολλοὶ μὲν γὰρ τῶν αἱρετικῶν λέγουσιν ὅτι οὐχ ὅμοιος ὁ Υἱὸς τῷ Πατρί. Διὰ τί; Ὅτι ἐδεήθη, φησί, προσευχῆς ὁ Χριστὸς εἰς τὸ ἐγεῖραι τὸν Λάζαρον· εἰ μὴ γὰρ προσηύξατο, 10 οὐκ ἂν ἤγειρε τὸν νεκρόν. Καὶ πῶς ἐστί, φησίν, ὅμοιος ὁ

ABCDEFGHIJ K

Titulus. τοῦ αὐτοῦ CI : τοῦ χρυσοστόμου B τοῦ ἐν ἁγίοις πατρὸς ἡμῶν ἰωάννου ἀρχιεπισκόπου κωνσταντινουπόλεως [ἀρχ- κωνστ- om. EF] τοῦ χρυσοστόμου [τοῦ χρυσοστόμου post ἰωάννου transp. F] ADEFGHJ K || εἰς τὸν τετραήμερον λάζαρον] + κύριε [πατὲρ K] εὐλόγησον DJ K εἰς τὴν ἔγερσιν τοῦ δικαίου λαζάρου. εὐλόγησον πάτερ H.

1 ἐκ νεκρῶν om. A || 4 λαβὴν EIJ : λαβεῖν H βλαβὴν cett. arm || 7 μὲν om. F || 8-9 ὁ χριστὸς om. CE || 10 νεκρόν : λάζαρον K edd. || ἐστί : ἔσται I K || φησίν ἐστὶν ~ E

1. La tradition liturgique faisait lire le texte sur la résurrection de Lazare la veille des Rameaux et cette tradition est conservée encore

IX

Du même, discours sur Lazare mort depuis quatre jours.

Exode

Aujourd'hui[1], Lazare, en ressuscitant d'entre les morts, nous permet de mettre fin à des scandales nombreux et divers. En effet, je ne sais comment cette lecture a donné prise[2] aux hérétiques et un prétexte de contestation de la part des Juifs, non à juste titre, à Dieu ne plaise ! mais par suite de l'habileté perverse de leur âme.

Objection des hérétiques

En effet, d'une part beaucoup d'hérétiques disent que le Fils n'est pas égal au Père. Pourquoi ? parce que, disent-ils, le Christ a eu besoin de prier pour ressusciter Lazare ; s'il n'avait pas prié, il n'aurait pas ressuscité le

aujourd'hui dans l'Église orientale. Sur le récit évangélique, on lira avec intérêt une étude de A. Marchadour : *Lazare, Histoire d'un récit, récits d'une histoire*, coll. *Lectio divina* 132, Paris, éd. du Cerf, 1988, qui fait état des travaux des exégètes modernes et des procédés d'analyse structurale. Bien que l'auteur n'ait mentionné de Chrysostome que les homélies LXII, LXIII et LXIV *In Ioannem*, son enquête peut aider à jeter sur notre texte un regard neuf.

2. Malgré le nombre restreint de mss qui portent λαβὴν, c'est la variante qu'il faut choisir, puisqu'elle donne l'expression courante, de préférence à ceux qui ont βλάβην. Parmi eux, Savile a suivi le *Paris. gr. 897* (K), mais F. D. a corrigé en λαβὴν, peut-être d'après le *Paris. gr. 1447* (E) et Montfaucon s'est rangé à son avis.

προσευξάμενος τῷ δεξαμένῳ τὴν ἱκεσίαν; Ὁ μὲν γὰρ προσεύχεται, ὁ δὲ τὴν προσευχὴν παρὰ τοῦ ἱκετεύοντος ἐδέξατο. Βλασφημοῦσι δὲ μὴ νοοῦντες ὅπως συγκατα-βάσεως ἦν καὶ τῆς τῶν παρόντων ἕνεκα ἀσθενείας ἡ
15 **προσευχή. Ἐπεί, εἰπέ μοι, τίς μείζων, ὁ νίπτων τοὺς πόδας ἢ ἐκεῖνος οὗ νίπτει τοὺς πόδας; Πάντως ἐκεῖνος μείζων οὗ ἔνιψε τοὺς πόδας ὁ νίπτων. Ἀλλ' ὁ Σωτὴρ ἔνιψε τοὺς πόδας τοῦ προδότου Ἰούδα· μετὰ γὰρ τῶν μαθητῶν ἦν. Τί οὖν; ἄρα μείζων ὁ προδότης Ἰούδας τοῦ Χριστοῦ, ἐπείπερ**
20 **ὁ Χριστὸς ἔνιψε τοὺς πόδας αὐτοῦ; Μὴ γένοιτο. Τί δὲ ταπεινότερόν ἐστι, τὸ νίψαι τοὺς πόδας ἢ τὸ προσεύξασθαι; Πάντως ὅτι τὸ νίψαι τοὺς πόδας. Ὁ τοίνυν τὸ ταπεινότερον μὴ παραιτησάμενος ποιῆσαι, πῶς τὸ ὑψηλότερον παρῃτήσατο ἂν ποιῆσαι; Ἀλλὰ πάντα διὰ τὴν τῶν παρόντων ἀσθένειαν**
25 **ἐγένετο καὶ ὅτι διὰ τὴν τῶν παρόντων ἀσθένειαν ἐγίνετο προϊὼν ὁ λόγος ἀποδείξει.**

ABCDEFGHIJ K

15-20 ἐπεί — γένοιτο om. EG arm || 16 πάντως] + ὅτι CFI K || 18 μαθητῶν] + κἀκεῖνος C || 18-19 τί οὖν; ἄρα τίς οὖν ἄρα I τίς ἄρα AJ K || 19 χριστοῦ : δεσπότου χριστοῦ AJ K || 20 ἔνιψε ὁ χριστὸς ~ H || δὲ] + τὸ CI || 21 ἐστι — προσεύξασθαι : ἢ τὸ νίψαι τοὺς πόδας; ταπεινότερον τοῦ προσεύξασθαι G || τὸ[1] om. HIJ K || 22 πάντως — πόδας om. K || τοίνυν : ὅτι νῦν K οὖν C || 23-24 πῶς — ποιῆσαι om. H || 24 πάντα : ἅπαντα D πᾶν C παιδία K || 25 καὶ — ἐγίνετο om. BD || παρόντων] + ἰουδαίων CEFGI || ἐγίνετο : ἐγένετο I ἐγένετο ἰουδαίων K || 26 προϊὼν — ἀποδείξει om. F || ἀποδείξει : ἀπέδειξεν I

1. L'ensemble des mss donne νεκρόν, ce qui évite la répétition de Λάζαρον. Dans cette homélie, le prédicateur répond à deux objections : la première qu'il prête aux hérétiques : Si le Christ est l'égal du Père, pourquoi a-t-il besoin de prier ? (li. 7-26) ; la seconde qu'il prête

mort[1]. Et comment, dit-on, celui qui a adressé une prière est-il égal à celui qui a reçu la supplication ? En effet, l'un prie, mais c'est l'autre qui a reçu la prière de celui qui suppliait. Or, ils blasphèment, car ils ne comprennent pas comment la prière était un acte de condescendance et qu'elle avait pour cause la faiblesse d'esprit des assistants[2]. Et puis, dis-moi, qui est le plus grand, celui qui lave les pieds ou celui dont on lave les pieds ? De toute évidence celui-là est plus grand dont celui qui lave a lavé les pieds. Mais le Sauveur a lavé les pieds du traître Judas, car celui-ci était parmi les disciples. Eh quoi ! Le traître Judas est-il plus grand que le Christ du fait que le Christ lui a lavé les pieds ? A Dieu ne plaise ! Qu'est-ce qui est plus humiliant, laver les pieds ou formuler une prière ? De toute évidence, c'est laver les pieds. Celui donc qui n'a pas refusé d'accomplir une action plus humiliante, comment aurait-il refusé d'accomplir une action plus relevée ? Mais tous ces faits se sont produits à cause de la faiblesse d'esprit des assistants, et que c'est à cause de la faiblesse d'esprit des assistants[3], la suite de notre discours le montrera.

aux Juifs : S'il était Dieu, pourquoi ignorait-il le lieu où était Lazare ? (li. 27-32). Jean répond d'abord à la seconde objection (li. 32-78), puis à la première, à quoi il emploie le reste de l'homélie (li. 79-218).

2. C'est l'argument essentiel sur lequel va reposer toute l'argumentation dans les homélies suivantes. Il a déjà été évoqué dans l'homélie VII, comme deuxième raison qui justifie l'emploi de l'Écriture pour prouver l'égalité du Père et du Fils. L'homélie IX se trouve ainsi solidement implantée dans la série de celles que nous étudions.

3. La reprise de la phrase καὶ ὅτι ἀσθένειαν ne s'impose pas ; mais le mouvement est dans les habitudes oratoires de Jean. Cf. X, 511 ; XI, 197-200. Cette reprise se trouve dans les mss les plus anciens, à l'exception de BD, et dans l'arménien. Ce sont deux raisons suffisantes pour rétablir cette phrase dans le texte. A la ligne 26, Savile a ajouté ὡς devant προΐων, bien qu'il ne puisse s'appuyer sur aucun ms. à notre connaissance.

Ἀλλὰ καὶ Ἰουδαῖοι λαβόντες ἐντεῦθεν ἀντιλογίας ἀφορμήν λέγουσι· πῶς τοῦτον οἱ Χριστιανοὶ Θεὸν ἔχουσι, τὸν καὶ τὸν τόπον ἀγνοήσαντα ἐπειδήπερ ἔλεγεν ὁ Σωτὴρ
30 ταῖς περὶ Μάρθαν καὶ Μαρίαν ἀδελφαῖς Λαζάρου· «Ποῦ τεθείκατε αὐτόν;» Εἶδες, φησίν, ἄγνοιαν; Εἶδες ἀσθένειαν; ὁ καὶ τὸν τόπον ἀγνοήσας, οὗτος Θεός; Ἀλλ' ἐρῶ πρὸς αὐτούς, οὐχ οὕτως ἔχων, ἀλλὰ τὴν ἀντίθεσιν αὐτῶν καταισχῦναι βουλόμενος· ἠγνόησε, λέγεις, ὁ Χριστὸς τὸν
35 τόπον, ὦ Ἰουδαῖε, διὰ τὸ εἰπεῖν· «Ποῦ τεθείκατε αὐτόν;» Οὐκοῦν καὶ ὁ Πατὴρ ἠγνοησεν ἐν τῷ παραδείσῳ · περιήρχετο γὰρ ὥσπερ ἐπιζητῶν αὐτὸν ἐν τῷ παραδείσῳ καὶ λέγων· «Ἀδὰμ, ποῦ εἶ;» ἀντὶ τοῦ· ποῦ ἐκρύβης; Διὰ τί οὐκ εἶπε τὸν τόπον τὸ πρότερον ὅθεν μετὰ παρρησίας ὡμίλει
40 τῷ Θεῷ ὁ Ἀδάμ; «Ἀδὰμ, ποῦ εἶ;» Κἀκεῖνος τί; «Τῆς φωνῆς σου ἤκουσα περιπατοῦντος ἐν τῷ παραδείσῳ καὶ ἐφοβήθην, ὅτι γυμνός εἰμι, καὶ ἐκρύβην.» Εἰ ταύτην ἄγνοιαν καλεῖς, κἀκείνην κάλεσον ἄγνοιαν. Ἔλεγε ὁ Χριστὸς ταῖς περὶ Μάρθαν καὶ Μαρίαν· «Ποῦ τεθείκατε

ABCDEFGHIJ K

27 καὶ] + οἱ C || λαβόντες : λαμβάνοντες BCD || 29 ἀγνοήσαντα] + ἔνθα τεθνηκὼς κατέκειτο λάζαρος K edd. || σωτὴρ : χριστὸς H || 33 ἀντίθεσιν AEGHIJ K : ἀντιθεσίαν F ἀσθένειαν BCD || 35 ὦ ἰουδαῖε BD K om. cett. || αὐτὸν : τὸν ἀδάμ AJ K || 36 παραδείσῳ] + ποῦ κέκρυπτο ὁ ἀδαμ K edd. || 37 παραδείσῳ] + περιερχόμενος AF || καὶ om. G || 38 ἀντὶ τοῦ om. J || 39 τὸ πρότερον οὐκ εἶπε τὸν τόπον ~ K edd. || 40-41 τῆς φωνῆς CDGH : τὴν φωνὴν cett. || 42 εἰμι : ἤμην J || ταύτην] + ὦ ἰουδαῖε K edd. || 43-45 κἀκείνην — καλεῖς om. F || 43-48 κἀκείνην — κάλεσον om. G

a Jn 11, 34 || b Gen. 3, 9 || c Gen. 3, 10

---

1. Six mss sur dix n'ont pas la relative explicative qui suit τόπον. L'arménien et l'arabe ne l'ont pas non plus, mais l'article τὸν devant τόπον appelle cette précision donnée par K.

2. Si l'on garde τὸν τόπον à la li. 32, il faut le garder ici aussi, bien que le verbe ἀγνοέω puisse s'employer dans un sens absolu. C'est Savile qui a supprimé τὸν τόπον d'après K.

Objection des Juifs

Mais les Juifs aussi tirent de là un prétexte à contestation et disent : «Comment les chrétiens regardent-ils comme Dieu celui qui ignorait le lieu où était déposé le corps de Lazare après sa mort[1], puisque le Sauveur disait à Marthe et à Marie, sœurs de Lazare : «Où l'avez-vous mis[a] ?» As-tu vu, dit-on, l'ignorance ? As-tu vu la faiblesse ? Celui qui ignorait même le lieu, celui-là est Dieu ? Mais je leur dirai, sans être de leur avis, mais voulant les faire rougir de leur opposition : Le Christ, dis-tu, ô Juif, ignorait le lieu[2], puisqu'il a dit : «Où l'avez-vous mis ?» Alors dans ce cas, le Père ignorait l'endroit où Adam s'était caché[3] dans le paradis, car il allait et venait comme[4] s'il le cherchait dans le paradis, en disant : «Adam, où es-tu[b] ?» au lieu de[5] : Où t'es-tu caché ? Pourquoi n'a-t-il pas indiqué tout de suite le lieu où Adam, plein de confiance, s'entretenait avec Dieu ? «Adam, où es-tu ?» Et ce dernier, que dit-il ? «J'ai entendu ta voix lorsque tu te promenais dans le paradis, j'ai eu peur, parce que je suis nu et je me suis caché[c].» Si dans ce cas tu parles d'ignorance, parle aussi d'ignorance dans l'autre[6]. Le Christ disait[7] à Marthe et à Marie[8] : «Où

3. Ποῦ κέκρυπτο ὁ Ἀδάμ est omis par presque tous les mss et par l'arménien, mais le texte précédent invite à suivre la leçon de K.

4. Tous les mss ont ὥσπερ qui ne porte pas sur λέγων, mais seulement sur ἐπιζητῶν. C'est Savile qui a corrigé à tort en ὡς.

5. ἀντὶ τοῦ · Ποῦ ἐκρύβης est omis par tous les mss sauf K, par l'arménien et par l'arabe. Ce membre de phrase est peut-être une glose, mais il est utile dans l'argumentation et nous le gardons.

6. Après ταύτην, Savile ajoute ὦ Ἰουδαῖε d'après K ; sa place dans la phrase, quelque peu maladroite, invite à penser qu'il s'agit d'une addition postérieure et inutile.

7. Après ἔλεγε, on trouve γὰρ, mais seulement dans le *Monacensis 524* auquel Savile l'a emprunté, bien que cette particule n'ait guère de raison d'être là.

8. Οἱ περὶ est une expression qui peut signifier soit l'entourage d'une personne, soit cette personne elle-même. Ici, l'article au féminin invite à choisir la seconde interprétation.

45 αὐτόν;» Ταύτην ἄγνοιαν καλεῖς; Τί οὖν λέγεις, ὅταν ἀκούσῃς τοῦ Θεοῦ λέγοντος τῷ Κάϊν· «Ποῦ Ἄβελ ὁ ἀδελφός σου;» Εἰ ταύτην ἄγνοιαν καλεῖς, κἀκείνην ἄγνοιαν κάλεσον.

Λάβε καὶ ἑτέραν ἀπόδειξιν ἀπὸ τῆς θείας Γραφῆς. Εἶπεν 50 ὁ Θεὸς τῷ Ἀβραάμ· «Κραυγὴ Σοδόμων καὶ Γομόρρας ἥκει πρός με. Καταβὰς οὖν ὄψομαι εἰ κατὰ τὴν κραυγὴν αὐτῶν τὴν ἐρχομένην πρός με συντελοῦνται· εἰ δὲ μή, ἵνα γνῶ.» Ὁ εἰδὼς τὰ πάντα πρὶν γενέσεως αὐτῶν, ὁ ἐτάζων καρδίας καὶ νεφροὺς ὁ Θεός, ὁ εἰδὼς τοὺς διαλογισμοὺς τῶν 55 ἀνθρώπων μονώτατος, ἔλεγε· «Καταβὰς οὖν ὄψομαι εἰ κατὰ τὴν κραυγὴν αὐτῶν τὴν ἐρχομένην πρός με συντελοῦνται· εἰ δὲ μή, ἵνα γνῶ.» Εἰ ἐκεῖνο ἀγνοίας, καὶ τοῦτο ἀγνοῆσαί ἐστιν. Ἀλλ' οὔτε ὁ Πατὴρ κατὰ τὴν παλαιὰν Διαθήκην ἠγνόησεν, οὔτε ὁ Υἱὸς κατὰ τὴν καινήν. Τί οὖν ἐστι· 60 «Καταβάς ὄψομαι εἰ κατὰ τὴν κραυγὴν αὐτῶν τὴν ἐρχομένην πρός με συντελοῦνται· εἰ δὲ μή, ἵνα γνῶ;» Ἀκοή, φησίν, ἦλθε πρός με. Ἀλλὰ θέλω πάλιν ἀκριβέστερον δι' αὐτῶν τῶν πραγμάτων τὴν πεῖραν λαβεῖν, οὐχ ὅτι ἐγὼ ἀγνοῶ, ἀλλ' ὅτι διδάξαι βούλομαι τοὺς ἀνθρώπους μὴ 65 ἁπλῶς τοῖς λόγοις προσέχειν, μηδέ, ἐὰν εἴπῃ τίς τι κατὰ

ABCDEFGHIJ K

45 τί οὐν λέγεις om. H || 45-46 ὅταν ἀκούσῃς : ἀκούσας E || 47 σου] + τί λέγεις; H || εἰ : καὶ εἰ μὴ I || 51 αὐτῶν : ἀνθρώπων AEG || 55 μονώτατος : μονότατος A K || 57-61 εἰ ἐκεῖνο — γνῶ om. F || 58-59 ἠγνόησεν κατὰ τὴν παλαιὰν διαθήκην ~ G || 59 οὔτε — καινὴν om. K || καινὴν] + διαθήκην codd. quod delevi ex arm. || 64 τοὺς ἀνθρώπους : τοῖς ἀνθρώποις H || 65 ἐὰν : ἂν G || εἴπῃ : εἴποι H

d Gen. 4, 9 || e Gen. 18, 20-21

1. Après ταύτην, J ajoute οὖν s. 1. Il n'y a pas lieu de garder cette addition qui semble due à une confusion avec οὖν de la phrase précédente.

l'avez-vous mis ?» Tu appelles cela[1] de l'ignorance ? Alors que dis-tu quand tu entends Dieu dire à Caïn : «Où est ton frère Abel[d] ?» Si dans ce cas tu parles d'ignorance, parle aussi d'ignorance dans l'autre.

Témoignage de l'Écriture

Écoute encore une autre preuve tirée de la divine Écriture. Dieu dit à Abraham : «Le cri de Sodome et de Gomorrhe est venu jusqu'à moi. Je descendrai donc pour voir s'ils agissent selon le cri poussé par eux qui est parvenu jusqu'à moi ; sinon, c'est pour que je le sache[e 2].» Celui qui connaît toutes choses avant qu'elles n'arrivent, le Dieu qui sonde les cœurs et les reins, celui qui, lui seul, connaît les pensées des hommes disait : «Je descendrai donc pour voir s'ils agissent selon le cri poussé par eux qui est parvenu jusqu'à moi ; sinon, c'est pour que je le sache.» Si[3], dans le premier cas, c'est de l'ignorance, alors, dans celui-ci c'est ignorer aussi. Mais selon l'Ancien Testament, le Père n'ignore rien et selon le Nouveau le Fils n'ignore rien non plus. Que signifie donc : «Je descendrai pour voir s'ils agissent selon le cri poussé par eux qui est parvenu jusqu'à moi ; sinon c'est pour que le sache ?» Un bruit, dit-il, est venu jusqu'à moi, mais je veux en avoir une connaissance plus précise au moyen des faits eux-mêmes ; ce n'est pas que je sois dans l'ignorance, mais je veux enseigner aux hommes à ne pas s'attacher simplement aux paroles et à ne pas ajouter foi[4] à ce qu'untel dit contre un

2. Pour le commentaire de ce passage, voir M. Harl, *La Bible d'Alexandrie, La Genèse,* Paris 1986, p. 177.

3. Avant εἰ Savile ajoute : Τί λέγεις, d'après le *Monacensis 524* (H). Il n'y a pas lieu de garder cette interrogation.

4. Les adverbes εὐχερῶς, et ἀκριβῶς à la ligne suivante, se trouvent en K et peuvent être considérés comme une addition postérieure. Le balancement entre les deux adverbes, qui est un procédé de rhétorique, est conforme au style de Jean, mais l'absence de ces adverbes en arménien invite à les supprimer, d'autant plus que les verbes qu'ils modifient ont un sens suffisamment précis en eux-mêmes.

τοῦ ἑτέρου, πιστεύειν· ἀλλὰ πρότερον αὐτοὺς ψηλαφήσαντας καὶ δι' αὐτῶν τῶν πραγμάτων τὴν πεῖραν καταμαθόντας, οὕτω πιστεύειν χρή. Καὶ διὰ τοῦτο ἐν Γραφῇ ἑτέρᾳ ἔλεγε· « Μὴ πιστεύετε παντὶ λόγῳ. » Οὐδὲν γὰρ οὕτως
70 **ἀνατρέπει τὴν ζωὴν τῶν ἀνθρώπων ὡς τὸ ταχέως πιστεύειν τινὰ τοῖς λεγομένοις. Τοῦτο καὶ ὁ προφήτης Δαυΐδ προφητεύων ἔλεγε· « Τὸν καταλαλοῦντα λάθρᾳ τὸν πλησίον αὐτοῦ, τοῦτον ἐξεδίωκον. » Εἶδες πῶς οὐκ ἐγένετο ἄγνοια τῷ Σωτῆρι τὸ εἰπεῖν· « Ποῦ τεθείκατε αὐτόν ; » ὡς οὐδὲ**
75 **τῷ Πατρὶ τὸ εἰπεῖν τῷ Ἀδάμ· « Ποῦ εἶ ; » ἢ τῷ Κάϊν· « Ποῦ Ἄβελ ὁ ἀδελφός σου ; » ἢ τῷ Ἀβραάμ· « Καταβὰς ὄψομαι εἰ κατὰ τὴν κραυγὴν αὐτῶν τὴν ἐρχομένην πρός με συντελοῦνται· εἰ δὲ μή, ἵνα γνῶ. »**

Οὐκοῦν ὥρα δὴ λοιπὸν πρὸς ἐκείνους παρατάξασθαι τοὺς
80 **λέγοντας ὅτι δι' ἀσθένειαν ὁ Χριστὸς προσευξάμενος ἤγειρε τὸν Λάζαρον. Οὐκοῦν ἄκουε μετὰ πάσης ἀκριβείας, παρακαλῶ. Ἐτελεύτησε τοίνυν ὁ Λάζαρος, καὶ οὐκ ἦν ἐν τοῖς τόποις ἐκείνοις ὁ Ἰησοῦς, ἀλλ' ἐν τῇ Γαλιλαίᾳ, καὶ λέγει**

ABCDEFGHIJ K

66 πιστεύειν] + εὐχερῶς K edd. om. arm. || ψηλαφήσαντας] + ἀκριβῶς K edd. om. arm. || 68 διὰ τοῦτο καὶ ~ BCDI || καὶ om. J || 69-70 παντὶ — τὸ om. K || 72 προφητεύων om. H || ἔλεγε : λέγει H || 73 εἶδες : ἴδες ABC || 74 τὸ ABE : ἐν τῷ DFG K τῷ HI om. C || εἰπεῖν : εἰπόντι G || ὡς οὐδὲ : ὅσον δὲ F K || 75 τὸ ABCE : τῷ DGHI K ἐν τῷ F || τῷ ² DEH K om. cett. || 76 ἢ : οὐδὲ ABCJ καὶ E || ὁ ἀδελφός σου ἄβελ ~ F K || ἄβελ om. E || τῷ ἀβραάμ E K arm. om. cett. || 77 τὴν ² — με om. E || 79 δὴ om. J || 81-82 οὐκοῦν — παρακαλῶ : προσέχετε δὴ ἀγαπητοί K add. arm. || 81 πάσης BEGIJ : ἁπάσης H om. cett. || 83 ἐκείνοις om. I

f Sir. 19, 15 || g Ps. 100, 5

1. Le verbe ψηλαφάω signifie *tâter dans l'obscurité*. Il est difficile d'utiliser cette traduction dans le contexte. Le mot doit donc être employé de façon imagée pour suggérer une vérification soupçonneuse. En tout cas, le pronom αὐτοὺς représente λόγους exprimé sous forme de datif à la ligne 65.

autre ; mais c'est seulement quand on les a bien vérifiées[1] et quand par les faits eux-mêmes on a acquis l'expérience, c'est alors qu'il faut ajouter foi. Et c'est pourquoi dans un autre passage de l'Écriture il (Dieu) disait : « N'ajoutez pas foi à n'importe quelle parole[f]. » Rien ne bouleverse autant la vie des hommes que d'ajouter foi tout de suite à leurs propos. Le prophète David le disait en s'exprimant ainsi : « Celui qui dénigre en secret son prochain, celui-là je le poursuivais sans merci[g]. » As-tu vu comme ce n'était pas ignorance chez le Sauveur que de dire[2] : « Où l'avez-vous mis ? » pas plus que chez le Père de dire à Adam : « Où es-tu ? » ou à Caïn : « Où est ton frère Abel[3] ? » ou à Abraham : « Je descendrai pour voir s'ils agissent selon le cri poussé par eux qui est parvenu jusqu'à moi ; sinon c'est pour que je le sache. »

Réfutation de la première objection

Le moment est venu de combattre ceux qui disent que c'est par impuissance que le Christ a prié[4], avant de ressusciter Lazare. Écoute-moi[5] donc, je te prie, avec toute ton attention. Ainsi, Lazare mourut et Jésus n'était pas en ces lieux, mais en Galilée, et il dit à ses disciples :

2. Les mss donnent ici deux tournures aussi plausibles l'une que l'autre (τὸ ou ἐν τῷ). Nous choisissons la tournure donnée par les mss les plus anciens.

3. Dans le texte de *Gen.* 4, 9, le verbe ἐστίν est exprimé après ποῦ, mais non pas dans la version utilisée par Jean, si l'on en croit la tradition manuscrite.

4. L'emploi du verbe προσεύχομαι (li. 80) et du nom προσεύχη (li. 98) souligne la dépendance où les Anoméens placent le Christ en face de son Père, alors que, dans l'évangile, la prière adressée par Jésus au Père, *Jn* 11, 41, est une prière d'action de grâces pour un fait qui n'a pas encore eu lieu, mais dont Jésus sait, dans sa prescience divine, qu'il se réalisera. Voir A. Marchadour, *Lazare* ..., p. 131-132.

5. Il est difficile de choisir entre les deux tournures, singulier ou pluriel. L'arménien emploie le singulier et, si l'on se réfère à la ligne 173, Jean emploie là le singulier sans qu'aucune variante ne soit indiquée. Pour cette double raison, nous choisissons le singulier.

τοῖς μαθηταῖς αὐτοῦ· «Λάζαρος ὁ φίλος ἡμῶν κεκοίμηται.»
85 Ἐκεῖνοι δὲ νομίζοντες ὅτι περὶ τοῦ ὕπνου τούτου διαλέγεται, λέγουσιν αὐτῷ· «Κύριε, εἰ κεκοίμηται, σωθήσεται.» Λέγει αὐτοῖς φανερῶς ὁ Ἰησοῦς· «Λάζαρος ἀπέθανεν.» Ἔρχεται λοιπὸν ἐν τοῖς Ἱεροσολύμοις εἰς τὸν τόπον ὅπου ὁ Λάζαρος ἔκειτο, καὶ ἀπαντᾷ αὐτῷ ἡ ἀδελφὴ
90 τοῦ Λαζάρου καὶ λέγει αὐτῷ· «Κύριε, εἰ ἦς ὧδε, οὐκ ἂν ἀπέθανέ μου ὁ ἀδελφός.» «Εἰ ἦς ὧδε.» Ἀσθενὴς ἡ γυνὴ οὐκ ἐπισταμένη ὅτι καὶ μὴ παρὼν ὁ Χριστός, παρῆν τῇ τῆς θεότητος ἐξουσίᾳ· ἀλλὰ τῇ τοῦ σώματος παρουσίᾳ ἐπιμετρεῖται τοῦ διδασκάλου τὴν δύναμιν. Λέγει αὐτῷ ἡ Μάρθα·
95 «Κύριε, εἰ ἦς ὧδε, οὐκ ἂν ἀπέθανέ μου ὁ ἀδελφός. Καὶ νῦν, φησίν, οἶδα ὅτι ὅσα ἂν αἰτήσῃ τὸν Θεόν, δίδωσί σοι.» Ὁ Σωτὴρ οὖν πρὸς τὴν αἴτησιν αὐτῆς ποιεῖ τὴν προσευχήν. Οὐ γὰρ προσευχῆς ἐδέετο ὁ Θεὸς ἵνα τὸν νεκρὸν διεγείρῃ. Μὴ γὰρ καὶ ἄλλους νεκροὺς οὐκ ἤγειρεν; Ὅτε ὑπήντησέ
100 τινα ἐκφερόμενον ἐν τῇ πύλῃ νεκρόν, μόνον ἥψατο τῆς σοροῦ, καὶ ἀνέστησε τὸν νεκρόν. Μὴ προσευχῆς ἐδεήθη τότε εἰς τὸ διεγεῖραι τὸν τεθνεκότα; Καὶ πάλιν ἄλλοτε μόνον

ABCDEFGHIJ K

88 λοιπὸν] + ὁ σωτὴρ K edd. || 91-92 ἀσθενὴς ἡ γυνὴ οὐκ ἐπισταμένη : ἀσθενὴς ἡ γυνὴ οὖσα καὶ οὐκ ἐπιστ. HI ἀσθενεῖς ἡ γυνὴ οὐκ ἐπίστασαι νῦν ἡ γύνη K edd. ἠσθένει ἡ γυνή οὐκ ἐπίστατο arm. || 92 χριστὸς] + σωματικῶς K edd. || 94 δύναμιν] + καὶ I || ἡ μάρθα om. I K || 95 εἰ ἦς ὧδε om. AD || 96 ὅσα ἂν : ὃ ἂν AB ὁ ἐὰν F ὅτι ἂν I || αἰτήσῃ AEG : αἰτήσῃς BCHI αἰτήσεις DF αἰτήσει K || θεόν : πατέρα BDFHI || δίδωσι : δώσει C δώῃ H || 97 προσευχήν : εὐχήν K edd. || 98 διεγείρῃ ABD : διεγείρει EFG ἐγείρῃ CH K || 99 ὑπήντησεν] + ἐν τῇ πόλει καὶ C || 102 διεγεῖραι AG : ἐγεῖραι cett. || τεθνηκότα : τεθνεῶτα K edd. || καὶ om. J

h Jn 11, 11 || i Jn 11, 12 || j Jn 11, 14 || k Jn 11, 21 || l Jn 11, 21-22

1. L'apostrophe à la seconde personne qu'on trouve en K rend le texte plus vivant. Un exemple analogue se rencontre à la li. 119. Ces tournures sont fréquentes dans la diatribe et prouvent que le ms. K représente ici une tradition qui relève de ce genre littéraire. Mais l'ensemble des mss, l'arménien, l'arabe présentent un texte à la

«Lazare, notre ami, dort[h].» Eux, pensant qu'il parlait du sommeil ordinaire, lui disent : «Seigneur, s'il dort, il guérira[i].» Jésus leur dit clairement : «Lazare est mort[j].» Il vint alors à Jérusalem à l'endroit où Lazare reposait ; la sœur de Lazare vient le trouver et lui dit : «Seigneur, si tu avais été ici, mon frère ne serait pas mort[k].» Si tu avais été ici... Elle est faible d'esprit, la femme[1], elle ne sait pas que, même si le Christ n'était pas présent[2], il était présent par la puissance de sa divinité ; mais c'est par la présence de son corps qu'elle mesure le pouvoir du maître. Marthe lui dit : «Seigneur, si tu avais été là, mon frère ne serait pas mort. Et maintenant, dit-elle, je sais que tout ce que tu demandes à Dieu il te le donne[l3].» Le Sauveur, sur la demande de la femme, formule donc la prière. Dieu n'avait certes pas besoin de prière pour ressusciter le mort[4]. N'a-t-il pas ressuscité d'autres morts ? Lorsqu'il rencontra à la porte de la ville un mort qu'on portait en terre, il n'eut qu'à toucher le cercueil[5] et le mort se leva[6]. Eut-il besoin de prière alors pour voir se lever celui qui était mort ? Une autre fois encore, il dit seulement un mot à la jeune fille :

3e personne du singulier exprimant simplement une réflexion du prédicateur. Nous les suivons. Cependant, à cette époque, la diatribe a pris une importance considérable dans l'exégèse dite «dramatisée» qui a été étudiée par J. Kecskeméti, «Exégèse chrysostomienne et exégèse engagée», dans *Studia patristica,* vol. XXII, Louvain 1989, p. 136-147 et, plus récemment, «Doctrine et drame dans la prédication grecque» dans *Euphrosyne,* Revista de filologia clássica, nova serie, vol. XXI. Lisbonne 1993, p. 29-67.

2. L'adverbe σωματικῶς ne se trouve ni dans l'ensemble des mss, ni en arménien. Il est possible que ce soit une glose. Elle fait double emploi avec σώματος, li. 93.

3. La plupart des mss de Chrysostome donnent ici un présent, alors que le texte de *Jn* 11,22 donne un futur sans variante.

4. A partir d'ici et dans les lignes suivantes, il y a un flottement constant dans les mss entre ἐγείρω et διεγείρω, sans qu'on puisse trouver un critère de choix, sinon l'ancienneté des mss.

5. La forme σοφοῦ est une faute d'impression de l'édition Bareille.

6. La résurrection du fils de la veuve est rapportée par *Luc* seul (7, 13-15). Chrysostome la raconte plus brièvement que le texte évangélique.

λόγῳ εἶπεν ἐπὶ τῆς κόρης· «Ταλιθὰ κοῦμ», καὶ παρέδωκεν αὐτὴν τοῖς γονεῦσιν ὑγιῆ. Μὴ προσευχῆς ἐδεήθη τότε;

105 Καὶ τί λέγω περὶ τοῦ διδασκάλου; οἱ μαθηταὶ αὐτοῦ λόγῳ τοὺς νεκροὺς ἤγειραν. Πέτρος τὴν Ταβιθὰν οὐ λόγῳ διήγειρε; Παῦλος οὐ διὰ τῶν ἱματίων αὐτοῦ πολλά σημεῖα πεποίηκε; Καὶ μάθε τὸ παράδοξον. Ἡ σκιὰ τῶν ἀποστόλων νεκροὺς ἤγειρεν· «Ἔφερον ἐπὶ κραββάτων τοὺς κακῶς 110 ἔχοντας, ἵνα κἂν ἡ σκιὰ Πέτρου ἐπισκιάζῃ τινὶ αὐτῶν, καὶ εὐθέως διηγείροντο.» Τί οὖν; Ἡ σκιὰ τῶν μαθητῶν διήγειρε τοὺς νεκρούς, καὶ ὁ διδάσκαλος προσευχῆς ἐδέετο, ἵνα τὸν νεκρὸν διεγείρῃ; Ἀλλὰ διὰ τὴν ἀσθένειαν τῆς γυναικὸς ποιεῖ τὴν προσευχήν· λέγει γὰρ αὐτῷ· «Κύριε, εἰ 115 ἦς ὧδε, οὐκ ἂν ἀπέθανέ μου ὁ ἀδελφός· καὶ νῦν οἶδα ὅτι

ABCDEFGHIJ K

103 ταλιθὰ : ταβιθὰ D ταβητὰ I || κοῦμ FH : κοῦμι D κούμη cett. || καὶ] + εὐθέως K edd. || 104 γονεῦσιν] + αὐτῆς K edd. || 106 λόγῳ] + μόνῳ K edd. || 108 παράδοξον : παραδοξότερον τούτων K edd. || 109 ἤγειρεν : διέγειρεν FG || ἔφερον] + γάρ, φησίν K edd. || 111 τί οὖν om. K || 113 διεγείρῃ : ἐγείρῃ K edd. || 114 προσευχὴν] + ὁ σωτήρ K edd. || 114 κύριε om. K || 115 νῦν] + φησί K

m Mc 5, 41 || n Act. 5, 15

1. Outre le flottement courant entre ι et η : Ταλιθα et Ταληθα, il y a confusion dans les mss entre Ταλιθα et Ταβιθα. Or les deux mots représentent des personnages différents. Ταλιθα, mot araméen qui signifie *jeune fille* et dont Marc donne aussitôt la traduction en grec, désigne la fille de Jaïre, le chef de la synagogue, ressuscitée par Jésus; Tabitha est la chrétienne de Joppée ressuscitée par Pierre en *Act.* 9, 36-38. De plus, l'araméen possède deux formes différentes pour l'impératif : κουμ, masculin, et κουμι, féminin. Voir Franz RESENTHAL, *A grammar of biblical aramaic,* Wiesbaden 1963[5], p. 61 (trad. française par Paul Hébert, Paris 1988). Les mss F et H donnent la forme κοῦμ, D la forme κουμι, d'autres la forme κουμη. Voir Bruce M. METZGER, *A textual commentary on the greek Testament,* Londres-New York 1975[3], p. 87. Les commentateurs voient dans la forme κουμι, qu'on devrait logiquement attendre après *Talitha,* le résultat d'une correction et choisissent la *lectio difficilior* : κουμ. On pourrait

« Talitha, koum m[1] » et il la rendit[2] en bonne santé à ses parents[3]. » Eut-il besoin de prier alors ?

Puissance miraculeuse des disciples

Et pourquoi parler du maître ? D'un seul mot les disciples réveillèrent les morts. Pierre, d'une parole, ne réveilla-t-il pas Tabitha[4] ? Paul n'a-t-il pas fait beaucoup de miracles grâce à ses vêtements[5] ? Apprends quelque chose de plus extraordinaire encore. L'ombre des apôtres réveillait les morts. « Ils apportaient sur des grabats ceux qui étaient malades, pour que l'ombre de Pierre s'étende sur l'un d'eux et aussitôt ils se relevaient n[6]. » Quoi donc ? L'ombre des disciples réveillait les morts et le Maître avait besoin de prier pour ressusciter le mort ? Mais c'est à cause de la faiblesse d'esprit de la femme que le Sauveur formule la prière, car elle lui dit : « Seigneur, si tu avais été là, mon frère ne serait pas mort ; maintenant je

aussi supposer que ce mot est employé de façon adverbiale, sans allusion au sexe, dans le sens de *debout*. Les mss de notre homélie reflètent cette diversité, comme le montre l'apparat critique.

2. Aucun des mss collationnés ne donne εὐθέως qu'on trouve dans l'édition Savile devant παρέδωκεν. Il est possible que ce soit une réminiscence du texte évangélique καὶ εὐθὺς ἀνέστη τὸ κοράσιον. On retrouve cet adverbe li. 113 et li. 191 dans un contexte analogue. Sur l'addition de εὐθύς, voir METZGER, *op. cit.*, p. 87.

3. C'est Marc qui raconte ce miracle avec le plus de détail 5, 22-24 et 35-43. Dans ce récit, il insère celui de la guérison de l'hémorroïsse. Dans les lignes suivantes, on trouve de nombreux exemples de corrections apportées par le rédacteur du *Paris. gr. 897*, ou son ancêtre, pour rendre plus clair à la lecture ce qui l'était insuffisamment à l'audition.

4. Voir *Act.* 9, 40.

5. Voir *Act.* 19, 11-12.

6. Chrysostome cite ici (φησί) un texte qui est une interprétation libre de *Act.* 5, 15 et qui ajoute : καὶ εὐθέως διεγείροντο.

ὅσα ἂν αἰτήσῃ τὸν Θεόν, δίδωσί σοι ὁ Θεός.» Προσευχὴν ἤτησας, προσευχὴν δίδωμι. Κεῖται ἡ πηγή· οἷον, ἐάν τις προσενέγκῃ ἀγγεῖον, γεμίζει αὐτό· ἐὰν ᾖ μέγα, μέγα λαμβάνει· ἐὰν ᾖ μικρόν, μικρὸν λαμβάνει. Αὕτη προσευχὴν
120 ἤτησε, καὶ δίδωσι προσευχήν. Ἄλλος εἶπεν. «Εἰπὲ λόγῳ καὶ ἰαθήσεται ὁ παῖς μου καὶ εἶπεν αὐτῷ κατὰ τὴν πίστιν σου γενηθήτω σοι.» Ἄλλος εἶπεν. «Οὐκ εἰμὶ ἄξιος ἵνα μου ὑπὸ τὴν στέγην εἰσέλθῃς» καὶ εἶπεν αὐτῷ «γενηθήτω σοι ὡς θέλεις». Πρὸς τὰς αἱρέσεις τῶν ἀνθρώπων ἡ θεραπεία τοῦ
125 ἰατροῦ προσάγεται. Ἄλλη ἥψατο τοῦ κρασπέδου τοῦ ἱματίου αὐτοῦ λάθρᾳ καὶ λάθρᾳ τὴν θεραπείαν ἐκαρπώσατο. Ἕκαστος ὡς ἐπίστευσε καὶ τὴν θεραπείαν ἐλάμβανε. Αὕτη λέγει· «Οἶδα ὅτι ὅσα ἂν αἰτήσῃ τὸν Πατέρα, δίδωσι σοι ὁ Πατήρ»· καὶ ἐπειδὴ προσευχὴν ἤτησεν, προσευχὴν δίδωσιν,
130 οὐκ αὐτὸς τῆς προσευχῆς ἐπιδεόμενος, ἀλλὰ τῇ ἀσθενείᾳ τῆς γυναικὸς συμπεριφερόμενος, καὶ ἵνα δείξῃ ὅτι οὐκ ἔστιν ἀντίθεος, ἀλλ' ὅτι καὶ ὃ ἂν αὐτὸς ποιῇ, τοῦτο καὶ ὁ Πατὴρ ποιεῖ. Ἔπλασεν ὁ Θεὸς ἐξ ἀρχῆς τὸν ἄνθρωπον· ἀμφοτέρων ἐγένετο τὸ πλάσμα· «Ποιήσωμεν ἄνθρωπον

ABCDEFGHIJ K

116 ὅσα ἂν : ὃ ἐὰν J ‖ 118 αὐτό : τὸ ἀγγεῖον CD ‖ 119 αὕτη] + τοίνυν K edd. ‖ 120 προσευχὴν] + ὁ σωτήρ K edd. ‖ λόγῳ : λόγον G ‖ 121 εἶπέν : λέγει H ‖ αὐτῷ] + ὁ σωτήρ K ‖ 122 σοι] + ὡς θέλεις IJ K ‖ 122-124 ἄλλος — ὡς θέλεις om. K ‖ 124 θέλεις] + ἄλλος εἶπεν δεῦρο θεράπευσον μου τὴν θυγάτερα καὶ εἶπεν αὐτῷ ἀκολουθήσω σοι CI K ‖ 125 προσάγεται : ἄγεται I ‖ ἄλλη] + πάλιν K ‖ 126 λαθρᾳ² om. K ‖ ἐκαρπώσατο : ἔλαβεν K ‖ 127 ἐπίστευσε : ἐπίστευε K edd. ‖ 128 ὅσα ἂν : ὃ ἐὰν J ‖ 129 ἤτησεν] + ἡ μάρθα K edd. ‖ δίδωσιν] + ὁ σωτήρ K edd. ‖ 130-131 τῇ ἀσθενείᾳ τῆς γυναικὸς : τὴν τῆς γυναικὸς ἀσθένειαν K edd.

o Jn 11, 21-22 ‖ p Matth. 8, 13 ‖ q Matth. 8, 8

---

1. Le ms K rétablit le texte évangélique en employant θεόν, alors que l'ensemble des mss donne πατέρα qui répond aux besoins de

sais que tout ce que tu demandes à Dieu[1], Dieu te le donne[o].» Tu as demandé une prière, je t'accorde une prière. La source est là. Par exemple, si quelqu'un apporte un vase quel qu'il soit, il le remplit. S'il est grand, il reçoit une grande quantité, s'il est petit, il reçoit une petite quantité. Elle a réclamé une prière et il lui accorde une prière. Un autre a dit[2] : «Dis un mot et mon serviteur sera guéri» et il lui dit : «Qu'il te soit fait selon ta foi[p].» Un autre a dit[3] : «Je ne suis pas digne que tu entres sous mon toit[q]» et il lui dit : «Qu'il te soit fait comme tu le désires.» L'action du médecin s'accorde aux vœux des hommes. Une autre toucha un jour secrètement la frange de son vêtement et secrètement elle obtint la guérison[4] ; chacun recevait la guérison dans la mesure de sa foi. Quant à elle[5], elle dit : «Je sais que tout ce que tu demandes au Père, le Père te le donne» et lorsqu'elle a réclamé une prière, il lui donne une prière, non qu'il eut lui-même besoin de prière, mais tenant compte de la faiblesse d'esprit de la femme et pour montrer qu'il ne s'oppose pas à Dieu, mais que tout ce qu'il fait le Père le fait aussi. Dieu a créé l'homme au commencement. Cette création est commune à tous les deux : «Faisons un homme selon notre image et selon notre

l'argumentation. Le texte de *Jn* 11, 12 donne un futur (δώσει), alors que le texte cité par Chrysostome comporte un présent (δίδωσι).

2. Le texte donné par l'ensemble des mss et par l'arménien est gravement perturbé, comme on peut le constater en se reportant à l'apparat critique. Savile avait comme manuscrit de base le *Paris. gr. 897* (K) qui donne un texte plus proche du récit évangélique, tout en gardant vis-à-vis de celui-ci une certaine liberté, par exemple κατὰ τὴν πίστιν σου (peut-être par contamination avec *Matth.* 9, 29 : κατὰ τὴν πίστιν ὑμῶν) au lieu de ὡς ἐπίστευσας.

3. L'ensemble des mss prête à un second personnage un verset prononcé par le centurion et donne une réponse de Jésus qu'on ne trouve pas dans les évangiles : ὡς θέλεις.

4. Il s'agit de la guérison de l'hémorroïsse dont le récit s'insère dans celui de la résurrection de la fille de Jaïre. C'est chez Marc qu'il est le plus développé (5, 23-34).

5. Chrysostome revient à Marthe par le pronom Αὕτη.

135 κατ' εἰκόνα ἡμετέραν καὶ καθ' ὁμοίωσιν.» Πάλιν ἠθέλησε τὸν λῃστὴν εἰς τὸν παράδεισον εἰσενεγκεῖν, καὶ εὐθέως λόγον εἶπε, καὶ τὸν λῃστὴν εἰς τὸν παράδεισον εἰσήγαγε, καὶ οὐκ ἐδεήθη προσευχῆς, καίτοι γε πάντας τοὺς μετὰ τὸν Ἀδὰμ κωλύσας ἣν ὁ Θεὸς ἐξ ἐκείνης τῆς εἰσόδου· ἔθηκε
140 γὰρ τὴν φλογίνην ῥομφαίαν φυλάττειν τὸν παράδεισον. Ἀλλ' αὐθεντίᾳ Χριστὸς τὸν παράδεισον ἠνέῳξε καὶ τὸν λῃστὴν εἰσήγαγε. Λῃστήν, Δέσποτα, εἰσάγεις εἰς τὸν παράδεισον; Ὁ Πατὴρ ὁ σὸς διὰ μόνην ἁμαρτίαν τὸν Ἀδὰμ ἐξήγαγεν ἐκ τοῦ παραδείσου, καὶ σὺ τὸν λῃστὴν εἰσάγεις,
145 τὸν μυρίοις κακοῖς καὶ μυρίαις παρανομίαις ὑπεύθυνον; Καὶ ἁπλῶς οὕτω διὰ μίαν φωνὴν εἰς τὸν παράδεισον αὐτὸν εἰσάγεις; Ἀλλ' οὔτε ἐκεῖνο χωρὶς ἐμοῦ γέγονεν, οὔτε τοῦτο χωρὶς τοῦ Πατρός μου· ἀλλὰ καὶ τοῦτο ἐμὸν κἀκεῖνο τοῦ Πατρός μου. «Ἐγὼ γὰρ ἐν τῷ Πατρὶ καὶ ὁ Πατὴρ ἐν
150 ἐμοί.»

Καὶ ἵνα ἴδῃς ὅτι οὐκ ἐγένετο προσευχῆς ἔργον τὸ ἀναστῆναι τὸν νεκρόν, ἄκουσον τῆς προσευχῆς. Τί γάρ φησιν; «Εὐχαριστῶ σοι, Πάτερ, ὅτι ἤκουσάς μου.» Τί γὰρ εἶπεν; Οὐδὲν πρὸς τὸν Πατέρα πρὸ τοῦ ῥήματος τούτου. Καὶ λέγει
155 ὅτι Ἤκουσάς μου. Οὐδὲν ἐφθεξατο πρὸ τῆς φωνῆς ταύτης καὶ λέγει· «Εὐχαρίστω σοι ὁτι ἠκουσας μου.» Τί οὖν;

ABCDEFGHIJ K

136-137 καὶ εὐθέως — εἰσηγαγε om. G || 139 θεὸς : χριστὸς E || 142-143 λῃστήν[2] — παράδεισον J K edd. : om. cett. || 146 οὕτω : οὕτως J || 147 ἀλλ' : ναί K edd. || οὔτε] + γὰρ K edd. || 148-149 ἀλλὰ — μου om. C || 149 μου om. F || καὶ om. AF || μου om. AF || 152-153 τί γὰρ — μου om. DE || 154-155 οὐδὲν — μου om. K

r Gen. 1, 26 || s Jn 14, 10 || t Jn 11, 41

---

1. Le texte de *Gen.* 1, 26 cité par Chrysostome ne répète pas καὶ devant καθ' ὁμοίωσιν. Pour le commentaire de ce passage, voir M. Harl, *La Bible d'Alexandrie,* Paris, Cerf, 1986, p. 85 et

ressemblance[r1].» Une autre fois il a voulu faire entrer le larron dans le paradis et à peine eut-il dit un mot qu'il introduisit le larron dans le paradis[2] ; il n'eut pas besoin de prière, bien que Dieu eût écarté de cette merveilleuse entrée tous les hommes après Adam ; il plaça, en effet, le glaive de feu pour garder le paradis[3]. Mais c'est de sa propre autorité que le Christ a ouvert le paradis et qu'il y a introduit le larron. Tu introduis le larron dans le paradis, ô Maître[4] ? Le Père, ton Père, à cause d'une seule faute a chassé Adam du paradis et toi tu introduis le larron, celui qui est coupable d'une multitude de fautes et d'une multitude de transgressions ! Et ainsi, tout simplement, d'un seul mot, tu l'introduis dans le paradis ? Oui, c'est que cela n'a pas été fait sans moi, ni ceci sans mon Père ; mais ceci, c'est mon œuvre et cela l'œuvre du Père, «car je suis dans mon Père et mon Père est en moi[s]».

Retour à la prière du Christ en faveur de Lazare

Et pour que tu voies que le fait de ressusciter Lazare qui était mort n'a pas été le résultat d'une prière, écoute la prière[5]. Que dit-il en effet ? «Je te rends grâce, Père, de ce que tu m'as écouté[t].» Qu'a-t-il dit ? Rien au Père avant cette parole. Et il dit : «Tu m'as écouté.» Il n'a pas prononcé un mot avant cette phrase et il dit : «Je te rends grâce de ce que tu m'as écouté.» Est-ce là une forme de

M. Alexandre, *Le commencement du Livre, Genèse I-V. La version grecque de la Septante et sa réception,* Paris, Beauchesne, 1988 (coll. *Christianisme antique* 3), p. 175-188.

2. *Lc* 23, 43.

3. *Gen.* 3, 24.

4. On retrouve ici l'apostrophe à la seconde personne qui se lisait dans un certain nombre de mss, li. 92, mais cette fois, c'est l'ensemble des mss qui témoigne de ce procédé employé dans la diatribe et qui annonce l'exégèse dramatisée. Voir *supra,* p. 223, n. 1.

5. Dans les lignes suivantes, l'ensemble des mss donne ici l'exemple d'un texte plus développé qui est sans doute l'écho du passage pris à l'audition. Sa suppression s'explique par un saut du même au même. Le ms. K, ou son ancêtre, a adopté, selon son habitude, le texte bref.

Τοῦτο προσευχῆς εἶδός ἐστι, τοῦτο τύπος ἱκεσίας; «Εὐχαριστῶ σοι, ὅτι ἤκουσάς μου. Ἐγὼ δέ, φησίν, ᾔδειν ὅτι πάντοτέ μου ἀκούεις.» Εἰ οὖν οἶδας, ὦ Κύριε, ὅτι πάντοτέ σου
160 ἀκούει ὁ Πατήρ, τί λοιπὸν περὶ ὧν οἶδας παρενοχλεῖς; «Ἐγὼ μέν, φησίν, οἶδα ὅτι πάντοτέ μου ἀκούει ὁ Πατήρ, ἀλλὰ διὰ τὸν περιεστῶτα ὄχλον εἶπον, ἵνα γνῶσι πάντες, ὅτι αὐτός με ἀπέστειλε.» Μή τι διὰ τὸν νεκρὸν προσηύξατο; Μὴ ἱκέτευσεν ἵνα ἀναστῇ ὁ Λάζαρος; Μὴ εἶπε· Πάτερ, κέλευσον
165 τὸν θάνατον ὑπακοῦσαι· Μὴ εἶπε· Πάτερ, κέλευσον τῷ ᾅδῃ μὴ τὰς πύλας ἀποκλείσῃ, ἀλλὰ προθύμως τὸν νεκρὸν ἀποδοῦναι; «Ἀλλὰ διὰ τὸν περιεστῶτα τοῦτον ὄχλον εἶπον, φησίν, ἵνα γνῶσι πάντες ὅτι σύ με ἀπέστειλας.» Οὐκοῦν οὐκ ἔστι τὸ γινόμενον σημεῖον, ἀλλὰ κατήχησις τῶν
170 παρόντων. Εἶδες πῶς οὐκ ἐγένετο ἡ προσευχὴ διὰ τὸν νεκρόν, ἀλλὰ διὰ τοὺς παρόντας ἀπίστους, «ἵνα γνῶσι, φησίν, ὅτι σύ με ἀπέστειλας»; Καὶ πῶς ἔχομεν γνῶναι, φησίν, ὅτι αὐτός σε ἀπέστειλε; Πρόσεχε, παρακαλῶ, μετὰ πάσης ἀκριβείας. Ἰδού, φησί, μετὰ τῆς ἐμῆς αὐθεντίας
175 καλῶ τὸν νεκρόν· ἰδοὺ τῇ οἰκείᾳ ἐξουσίᾳ ἐπιτάττω τῷ θανάτῳ· καλῶ τὸν Πατέρα πατέρα. Εἰ οὐκ ἐστί μου πατὴρ ὁ Πατήρ ἐμποδίσει τῇ τοῦ νέκρου ἀναστάσει, εἰ οὐκ ἐστί μου πατὴρ ὁ Πατήρ κωλύσει τὸν θάνατον ἀποδοῦναι τὸν νέκρον. Καλῶ τὸν Πατέρα πατέρα καλῶ καὶ τὸν Λάζαρον
180 ἐκ τοῦ τάφου. Εἰ οὐκ ἔστι τὸ πρῶτον ἀληθές, μηδὲ τοῦτο γενέσθω· εἰ δὲ ἀληθῶς ὁ Πατὴρ πατήρ, ὑπακουέτω καὶ ὁ νεκρὸς πρὸς διδασκαλίαν τῶν παρόντων. Τί γὰρ ὁ Χριστὸς ἔλεγε; «Λάζαρε, δεύρο ἔξω.» Ὅτε γέγονεν ἡ προσευχή, οὐκ ἀνέστη ὁ νεκρός· ἀλλ' ὅτε εἶπε· «Λάζαρε, δεῦρο ἔξω»,

ABCDEFGHIJ K

158 φησίν post σοι transp. F || 159-160 εἰ — πατήρ K edd. om. cett. || 160 λοιπὸν K : οὖν cett. || 161 ἐγὼ — πατήρ K edd. om. cett. || 162 πάντες K edd. om. cett. || 163 αὐτός με ἀπέστειλε K edd. : σύ με ἀπέστειλας cett. || 168-172 οὐκοῦν — ἀπέστειλας om. H || 176-179 εἰ οὐκ —

prière ? Est-ce là un exemple de supplication ? « Je te rends grâce de ce que tu m'as écouté. » « Mais moi, dit-il, je savais que tu m'écoutes toujours[u]. » Si donc tu sais, ô Seigneur, que le Père t'écoute toujours, pourquoi te préoccupes-tu de ce que tu sais ? Moi je sais, dit-il, que le Père m'écoute toujours, j'ai parlé à cause de la foule qui nous entourait, pour que tous sachent que tu m'as envoyé[v]. Est-ce qu'il a prié en faveur du mort ? Est-ce qu'il a supplié pour que Lazare ressuscite ? Est-ce qu'il a dit : Père ordonne à la mort d'obéir ? Est-ce qu'il a dit : Père ordonne à l'Hadès de ne pas fermer ses portes, mais de rendre de bon gré celui qui est mort ? « C'est à cause de cette foule qui m'entoure que j'ai parlé, dit-il, pour que tous sachent que tu m'as envoyé. » Donc ce qui est arrivé n'est pas un prodige, mais un enseignement à l'adresse des assistants. As-tu vu comment la prière n'était pas faite pour le mort, mais pour les assistants qui manquaient de foi « afin qu'ils sachent, dit-il, que tu m'as envoyé ». Et comment pouvons-nous savoir, dit-on, que c'est lui qui t'a envoyé ? Écoute, je te prie, avec toute ton attention. Voici, dit-il que j'appelle le mort de ma propre autorité : voici que je donne par mon propre pouvoir un ordre à la mort. J'appelle le Père père. Si le Père n'est pas mon père, il empêchera la résurrection du mort. Si le Père n'est pas mon père, il empêchera la mort de rendre le cadavre. J'appelle aussi Lazare hors de la tombe. Si la première chose n'est pas vraie, que la seconde ne s'accomplisse pas ; mais si le Père est vraiment mon père, que le mort aussi obéisse pour l'enseignement des assistants. En effet, que disait le Christ ? « Lazare, ici dehors[w]. » Ce ne fut pas lorsque la prière a été faite que le mort est ressuscité, mais lorsqu'il dit : « Lazare ici dehors »,

πατέρα² mss arm. om. K || 180 τοῦ τάφου : τῶν τάφων CF || 184-185 ἀλλ' ὅτε — νεκρός om. A

u Jn 11, 41-42 || v Jn 11, 42 || w Jn 11, 43

185 τότε ἀνέστη ὁ νεκρός. Ὦ τυραννὶς τοῦ θανάτου· ὢ τυραννὶς τῆς δυνάμεως ἐκείνης τῆς κατεχούσης τὴν ψυχήν· προσευχὴ γέγονε, καὶ οὐκ ἀπολύεις τὸν νεκρόν; Οὐχί, φησί. Διὰ τί; Ὅτι οὐ προσετάχθην. Δέσμιός εἰμι αὐτόθι κατέχων τὸν ὑπεύθυνον· ἐὰν μὴ προσταχθῶ, φησίν, οὐκ ἀπολύω. Ἡ
190 γὰρ προσευχή, φησίν, οὐ δι' ἐμὲ γέγονεν, ἀλλὰ διὰ τοὺς παρόντας ἀπίστους. Ἐγὼ γάρ, ἐὰν μὴ προσταχθῶ, οὐκ ἀπολύω τὸν ὑπεύθυνον· ἀναμένω τὴν φωνήν, ἵνα ἀπολύσω τὴν ψυχήν. «Λάζαρε, δεῦρο ἔξω.» Ἤκουσε τοῦ προστάγματος ὁ νεκρός, καὶ τοῦ θανάτου τοὺς νόμους παρέλυσεν.

195 Αἰσχυνέσθωσαν οἱ αἱρετικοί. Καὶ γὰρ ἀπέδειξεν ὁ λόγος ὅτι οὐ διὰ τὴν τοῦ νεκροῦ ἀνάστασιν γέγονεν ἡ προσευχή, ἀλλὰ διὰ τὴν τῶν τότε παρόντων ἀπίστων ἀσθένειαν. «Λάζαρε, δεῦρο ἔξω.» Καὶ διὰ τί ὀνομαστὶ τὸν νεκρὸν ἐκάλεσε; Διὰ τί; Ἵνα μὴ τὴν φωνὴν ἀπολελυμένην εἰς τοὺς
200 νεκροὺς ἀποτείνας, πάντας τοὺς ἐν τοῖς τάφοις ἐγείρῃ, διὰ τοῦτό φησι· «Λάζαρε, δεῦρο ἔξω.» Σὲ μόνον ἐπὶ τοῦ παρόντος τέως ἀνακαλοῦμαι ὄχλου, ἵνα διὰ τοῦ μέρους καὶ τὴν τῶν μελλόντων ἐπιδείξω δύναμιν· ὁ γὰρ τὸν ἕνα διεγείρας ἐγώ, τὴν οἰκουμένην ἀνιστῶ· «Ἐγὼ γάρ εἰμι ἡ
205 ἀνάστασις καὶ ἡ ζωή. Λάζαρε, δεῦρο ἔξω.» Καὶ ἐξῆλθεν ὁ νεκρὸς δεδεμένος κειρίας. Ὦ τῶν παραδόξων θαυμάτων· ὁ τὴν ψυχὴν ἐκ τῶν τοῦ θανάτου δεσμῶν λύσας, ὁ τὰς πύλας τοῦ ᾅδου διαρρήξας, ὁ πύλας χαλκᾶς καὶ μοχλοὺς σιδηροῦς συντρίψας καὶ τὴν ψυχὴν ἐκ τῶν δεσμῶν τοῦ θανάτου
210 ἐλευθερώσας, οὐκ ἠδύνατο καὶ τὰς κειρίας λῦσαι τοῦ νεκροῦ; Ναί, ἠδύνατο· ἀλλὰ κελεύει τοῖς Ἰουδαίοις λῦσαι τὰς

ABCDEFGHIJ K

186 ψυχὴν] + ὢ ᾅδη K edd. || 189-192 ἡ — ἀπολύω om. K || 192 ἀναμένω] + τοίνυν K edd. || 193 τοῦ] + δεσποτικοῦ K edd. || 194 καὶ] + εὐθέως K edd. || 195 αἱρετικοί] + καὶ ἀπολέσθωσαν ἀπὸ προσώπου τῆς γῆς K edd. || 203 τὸν om. K edd. || 204 διεγείρας : ἐγείρας K || 205 ἔξω] + ἤκουσε τοῦ πράγματος ὁ νέκρος D || 206 θαυμάτων : πραγμάτων FJ K || 207 δεσμῶν τοῦ θανάτου ~ CG || 209-211 τοῦ — ἀλλὰ om. E || τοῦ νεκροῦ K om. cett.

c'est alors que le mort se leva. Ô tyrannie de la mort ! ô tyrannie de cette puissance qui retient l'âme[1] ! Une prière a été faite et tu ne relâches pas le mort ? Non, dit-elle. Pourquoi ? parce que je n'en ai pas reçu l'ordre. Je suis un geôlier retenant celui qui est en mon pouvoir. Si je ne reçois pas l'ordre, je ne relâche pas. En effet, dit-elle, la prière a été faite non à cause de moi, mais à cause des assistants incrédules, car moi, si je ne reçois pas l'ordre, je ne relâche pas celui qui est en mon pouvoir. Pour libérer l'âme, j'attends la parole : « Lazare, ici dehors. » Le mort a entendu l'ordre et il s'est affranchi des lois de la mort[2].

Péroraison Que les hérétiques soient couverts de honte ! En effet, le discours a montré que la prière n'a pas été faite pour ressusciter le mort, mais à cause de la faiblesse d'esprit des assistants incrédules. « Lazare, ici dehors. » Pour l'instant, c'est toi que j'appelle devant la foule présente, pour montrer, dans un cas particulier, la puissance qui se manifestera dans les temps à venir, car moi qui ai rappelé à la vie celui qui était seul en cause, c'est la terre entière que je ferai se relever, car « je suis la résurrection et la vie[x] ». « Lazare ici, dehors[y] » et le mort sortit enveloppé de ses bandelettes. Ô chose déconcertante ! Celui qui a affranchi l'âme des liens de la mort, celui qui a brisé les portes de l'Hadès, celui qui a fracassé les portes d'airain et leurs barres de fer, celui qui a libéré l'âme des liens de la mort n'a donc pas pu délier les bandelettes du mort ? Si, il le pouvait, mais il ordonne aux Juifs de délier les bandelettes dont ils avaient entouré le

x Jn 11, 25 || y Jn 11, 43

1. Après εὐχὴν, K ajoute ὦ Ἅδη qui est superflu.
2. On a ici un nouvel exemple d'un texte qui porte les traces d'un discours plus long avec des répétitions qui soulignent le fait essentiel que le prédicateur veut mettre en relief : le Christ n'a pas eu besoin de prier pour ressusciter Lazare.

κειρίας ἃς αὐτοὶ πρότερον ἐνταφιάζοντες ἔσφιγξαν, ἵνα τῶν οἰκείων δεσμῶν ἐπιγνώσωσι τὰ γνωρίσματα, ἵνα τὴν πεῖραν λάβωσιν, ἐξ ὧν ἔπραξαν, ὅτι Λάζαρός ἐστιν ὁ παρ' αὐτῶν
215 **ἐνταφιασθεὶς καὶ Χριστός ἐστιν ὁ κατ' εὐδοκίαν του Πατρὸς παραγενόμενος, ὁ ζωῆς καὶ θανάτου τὴν ἐξουσίαν ἔχων. Αὐτῷ ἡ δόξα σὺν τῷ Πατρὶ καὶ τῷ ἁγίῳ Πνεύματι, νῦν καὶ ἀεὶ καὶ εἰς τοὺς αἰῶνας τῶν αἰώνων. Ἀμήν.**

ABCDEFGHIJ K

212 αὐτοὶ : αὐτῇ K || ἐνταφιάζοντες : -σαντες E || ἵνα om. K || 213 ἐπιγνώσωσι : ἐπιγνώσει K || τήν πεῖραν : τῇ πείρᾳ J || 214 λάβωσιν : παραλάβωσιν CDEF K μάθωσιν coni. Sav. || ἐξ ὧν ἔπραξαν om. BDEG || 215 ἐνταφιασθεὶς] + ἵνα μὴ τὸ πρᾶγμα ὡς φάντασμα διαβάλλωσιν H || 216 παραγενόμενος] + εἰς τὸν κόσμον K edd. || ἔχων] + καὶ πάντα ἐνεργῶν τῇ συνεργείᾳ καὶ βουλῇ καὶ θελήσει τοῦ πατρὸς αὐτοῦ καὶ ζωοποιοῦ πνεύματος H || 217 δόξα] + καὶ τὸ κράτος K edd. || τῷ [1]] + ἀνάρχῳ A ἀνάρχῳ σου K edd. || ἁγίω] + ζωοποίῳ A K ζωοποίῳ σου K edd.

mort en l'ensevelissant, pour qu'ils reconnaissent la signification des liens dont il était entouré, pour qu'ils aient la connaissance expérimentale, d'après ce qu'ils avaient fait, que c'était bien ce Lazare qui avait été enseveli par eux[1] et que le Christ, qui s'est rendu présent[2] par la volonté bienveillante du Père, a pouvoir sur la vie et sur la mort. A lui soit la gloire avec le Père et l'Esprit Saint[3], maintenant et toujours et dans les siècles des siècles. Amen.

1. Après ἐνταφιάζεσθαι, le *Monacensis gr. 524* ajoute une phrase qu'il faut considérer probablement comme une glose.

2. Un exemple de plus d'un complément apporté par K à un texte où chacun comprenait à l'audition ce qui était sous-entendu.

3. Le texte donné par Savile reproduit la doxologie du *Paris. gr. 897*. Avec ses épithètes ἀνάρχῳ, παναγίῳ, ζωοποιῷ, elle est curieusement conforme à celle du *Paris. gr. 766* (A) daté du IXe s. et à celle du *Paris. gr. 816* (J) daté du XIVe s., celui-ci ayant probablement transmis cette tradition. Mais la répétition de σου après ἀνάρχῳ et ζωοποιῷ est propre au *Paris. gr. 897*. C'est une addition maladroite que Savile et Montfaucon ont eu tort de reproduire.

HOMÉLIE X

Conspectus siglorum

A	Hierosolymitanus Bibl. patr. S. Sabae 36	IXe-Xe s.
D	Parisinus gr. 800	XIe s.
E	Vindobonensis sup. gr. 165	
F	Matritensis gr. 4747	XVIe s.
H	Oxoniensis Bodl. Auct. T.3.4.	
B	Sinaïticus gr. 376	XIe s.
C	Monacensis gr. 352	
G	Oxoniensis Bodl. Auct. E.3.10	XVIe s.

Stemma de l'homélie X

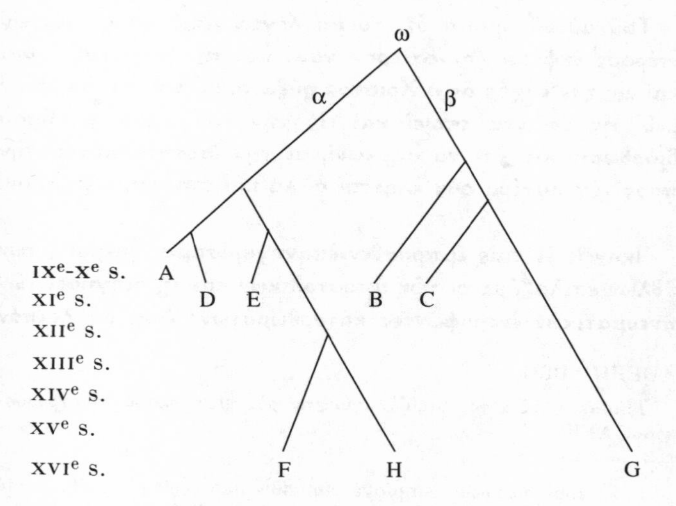

X

Τοῦ αὐτοῦ ὁμιλία ὅτι τὸ μὴ λέγειν ἅπερ ἴσμεν καὶ εἰς ἑτέρους ἐκφέρειν πενέστερον ποιεῖ καὶ τὴν χάριν σβέννυσι καὶ εἰς τὰς εὐχὰς ἃς ὁ Χριστὸς ηὔξατο καὶ εἰς τὴν ἐξουσίαν μεθ' ἧς ἅπαντα ἐποιεῖ καὶ εἰς τὴν τοῦ παλαιοῦ νόμου διόρθωσιν καὶ ὅτι τὸ σαρκωθῆναι τὴν ἰσότητα αὐτοῦ τὴν πρὸς τὸν πατέρα οὐκ ἐλαττοῖ ἀλλὰ καὶ συνίστησι μᾶλλον.

Ἱκανῶς ἐν ταῖς ἔμπροσθεν ἐπανηγυρίσαμεν ἡμέραις, τῶν ἄθλων ἐπιλαβόμενοι τῶν ἀποστολικῶν καὶ τῇ διηγήσει τῶν πνευματικῶν ἐντρυφῶντες κατορθωμάτων· ὥρα δὴ λοιπὸν

ADEFH BCG

Titulus. 1 τοῦ αὐτοῦ : τοῦ ἐν ἁγίοις πατρὸς ἡμῶν ἰωάννου τοῦ χρυσοστόμου AEF

---

1. Le mot διόρθωσις employé cinq fois dans cette homélie a été retenu à juste titre par les éditeurs pour attirer l'attention sur un des thèmes essentiels développés ici : l'attitude du Christ à l'égard de la Loi mosaïque. Il ne la *corrige* pas au sens de *redresser une erreur*, ce qu'évoque le plus souvent le mot διορθόω, mais il rectifie une fausse interprétation de la Loi qui l'opposerait à son propre message. On verra dans le texte même l'importance du mot pris dans ce sens pour réfuter l'erreur des Anoméens.

2. Cette entrée en matière devrait aider à fixer la date à laquelle a été prononcée l'homélie X. Ἔμπροσθεν indique, sans préciser, un temps antérieur, mais l'expression διὰ τῶν ἡμερῶν πλῆθος donne à penser qu'il s'est écoulé un certain laps de temps entre l'homélie IX où Jean avait promis de continuer à réfuter les Anoméens et l'homélie X. De fait, E. Schwartz, *Christliche und judische OsterTafeln,* Berlin 1905, p. 171, place entre les homélies IX et X l'homélie sur *II Cor.* 5, *De resurrectione mortuorum, PG* 50, 417-432. — Quant à l'adjectif ἀποστολικός, il semble qu'on ne doit pas le prendre au sens

X

Du même, homélie sur le fait que de ne pas dire ce que nous savons et de ne pas le transmettre aux autres nous rend plus pauvres et éteint la grâce, sur les prières que le Christ a prononcées et sur le pouvoir qu'il avait de faire toutes choses, sur la juste interprétation[1] de l'ancienne Loi et que l'Incarnation ne diminue pas son égalité avec le Père, mais que, de plus, elle la confirme.

Rappel des éloges des martyrs

Dans nos réunions des jours précédents[2], nous nous sommes suffisamment occupés de célébrer les luttes des apôtres et nous avons pris plaisir à la narration de leurs hauts faits spirituels[3]; l'heure est venue maintenant de

strict : les douze apôtres choisis par le Christ, mais au sens large : ceux qui ont donné leur vie au Christ. Jean fait ici allusion à des éloges de saints, entre autres *In sanctum Meletium* prononcé à l'occasion de la célébration de la mémoire de l'évêque d'Antioche, le 12 février. C'est Montfaucon qui a réuni pour la première fois les homélies IX et X, «comme invitent à le faire le sujet et l'époque où elles ont été prononcées». *Opera*... t. I, Monitum, p. 523.

3. Le mot κατόρθωμα qui appartient au vocabulaire stoïcien a été adopté par le vocabulaire chrétien pour parler d'actions vertueuses. Chrysostome en fait grand usage. Voir A.-M. Malingrey, *Indices chrysostomici*, Hildesheim-New York 1978 et 1982, vol. I et II *ad locum*.

ἀποδοῦναι τὸ χρέος ὑμῖν· καὶ γὰρ τὸ κωλῦον οὐδέν. Καὶ
5 οἶδα μὲν ὅτι ἐπιλέλησθε τῶν ὀφλημάτων ὑμεῖς τῶν ἐμῶν
διὰ τὸ τῶν ἡμερῶν πλῆθος· οὐ μὴν διὰ τοῦτο αὐτὰ ἐγὼ
ἀποκρύψομαι, ἀλλὰ μετὰ πάσης ὑμῖν ταῦτα ἀποδώσω τῆς
προθυμίας. Ποιῶ δὲ τοῦτο, οὐ δι' εὐγνωμοσύνην μόνον,
ἀλλὰ καὶ δι' ὠφέλειαν τὴν ἐμήν. Ἐπὶ μὲν γὰρ τῶν
10 σωματικῶν συναλλαγμάτων κέρδος τῷ δεδανεισμένῳ τὸ τὸν
δεδανεικότα ἐπιλαθέσθαι· ἐπὶ δὲ τῶν πνευματικῶν συμβο-
λαίων κέρδος τῷ μέλλοντι καταβαλεῖν τὸ χρέος μέγιστον,
τὸ τοὺς ὑποδέχεσθαι μέλλοντας διηνεκῶς μεμνῆσθαι τῶν
ὀφλημάτων. Ἐκεῖ μὲν γὰρ τὸ δάνεισμα ἀποδοθὲν τὸν μὲν
15 καταβαλόντα ἀφίησι, μεθίσταται δὲ πρὸς τὸν ὑποδεξάμενον,
καὶ τοῦ μὲν ἠλάττωσε, τοῦ δὲ ἐπλεόνασε τὴν οὐσίαν· ἐπὶ
δὲ τῶν πνευματικῶν οὐχ οὕτως, ἀλλὰ δυνατὸν αὐτὸ καὶ
καταβάλλειν καὶ ἔχειν· καὶ τὸ δὴ θαυμαστότερον ὅτι τότε
μάλιστα αὐτὸ ἔχομεν, ὅταν καταβάλωμεν ἑτέροις. Ἂν μὲν
20 γὰρ ἐν τῇ διανοίᾳ κατορύξας φυλάξω διηνεκῶς μηδενὶ
μεταδιδούς, ἐλαττοῦταί μοι τὸ κέρδος, μειοῦται τὰ τῆς
περιουσίας· ἂν δὲ εἰς ἅπαντας ἐξενέγκω καὶ ποιήσω
μεριστὰς πολλοὺς καὶ κοινωνοὺς ὧν αὐτὸς ἐπίσταμαι
πάντων, αὔξεταί μοι τὰ τοῦ πνευματικοῦ πλούτου. Καὶ ὅτι
25 ταῦτα οὕτως ἔχει, καὶ ὁ μὲν ἑτέροις μεταδιδοὺς αὔξει τὴν
παρακαταθήκην, ὁ δὲ ἀποκρύπτων ἐλαττοῖ τὴν ἐργασίαν
ἅπασαν, μάρτυρες οἱ τὰ τάλαντα ἐγχειρισθέντες ἐκεῖνοι, ὁ
τὰ πέντε καὶ ὁ τὰ δύο καὶ ὁ τὸ ἕν. Οἱ μὲν γὰρ διπλασίονα
τὰ ἐμπιστευθέντα προσήγαγον καὶ ἐτιμῶντο διὰ τοῦτο· ὁ

ADEFH BCG

9 τὴν om. C || 12 καταβαλεῖν : καταβάλλειν BD || 13 τῶν om. D || 18 καταβάλλειν : καταβαλεῖν BD || θαυμαστότερον : θαυμαστὸν C || 19 καταβάλλωμεν D

1. καταβαλεῖν donné par l'ensemble des mss et par Savile a été corrigé par Montfaucon en καταβάλλειν d'après le *Paris. gr. 800*.

m'acquitter de ce que je vous dois ; en effet, rien ne s'y oppose. Je sais bien que vous avez oublié mes dettes depuis tant de jours ; cependant je ne veux pas pour autant les dissimuler, mais vous les payer en toute bonne volonté. Je fais cela non seulement par bienveillance, mais encore pour mon utilité personnelle. En effet, dans les contrats de ce monde, le débiteur gagne à ce que le créancier ait oublié ; mais dans les conventions spirituelles au contraire, il est avantageux pour celui qui doit acquitter[1] une dette importante que ceux à qui elle doit être payée se souviennent constamment de celle-ci. Dans le premier cas, en effet, la somme rendue quitte celui qui paye et passe à celui qui reçoit[2] et l'avoir de l'un diminue, tandis qu'augmente celui de l'autre ; dans les affaires spirituelles, il n'en va pas ainsi, mais il est possible à la fois de s'acquitter de sa dette[3] et de garder son avoir ; mais ce qui est encore plus admirable, c'est que, si nous payons nos dettes aux autres, c'est alors surtout que nous possédons ce bien. En effet, si, après l'avoir enfoui dans ma pensée, je le garde constamment sans partager avec personne, mon gain diminue, les ressources s'amoindrissent ; mais si je les offre à tous, si je les fais partager à beaucoup et si je mets en commun tout ce que je sais, les richesses spirituelles augmentent à mon profit. Et qu'il en soit ainsi et que celui qui partage avec les autres augmente son trésor, tandis que celui qui cache tout le produit de son travail le fait diminuer, en sont témoins ceux-là auxquels ont été confiés les talents, l'un cinq, l'autre deux, l'autre un[4]. Les uns ont doublé l'avoir qui leur avait été confié et ils recevaient pour cela des félicitations ; l'autre le garda par devers lui, ne partagea avec

2. Tous les mss collationnés et les trois éditeurs donnent ὑποδεξάμενον. Les Bénédictins ont corrigé en ὑποδεξόμενον.

3. Ici, le *Sinaïticus 376* utilisé par Savile et le *Paris. gr. 800* utilisé par Montfaucon donnent καταβαλεῖν. D'où la présence de cette forme dans leurs éditions.

4. Cf. *Matth.* 25, 14-30.

30 δὲ ἐπειδὴ ἐφύλαξε παρ' ἑαυτῷ, καὶ οὐδενὶ μετέδωκε, διπλοῦν τε αὐτὸ ποιῆσαι οὐκ ἴσχυσε, διὰ τοῦτο ἐκολάζετο.

Ταῦτα οὖν ἀκούοντες ἅπαντες καὶ τὴν κόλασιν τὴν ἐκεῖθεν δεδοικότες, ὅπερ ἂν ἔχωμεν ἀγαθὸν εἰς τοὺς ἀδελφοὺς ἐκφέρωμεν καὶ εἰς τὸ μέσον ἅπασι καταβάλλωμεν,
35 ἀλλὰ μὴ ἀποκρύπτωμεν. Ὅταν γὰρ ἑτέροις μεταδῶμεν, τότε πλουτοῦμεν αὐτοὶ μειζόνως· ὅταν κοινωνοὺς ποιησώμεθα τῆς ἐμπορίας πολλούς, τότε τὴν ἡμετέραν αὔξομεν περιουσίαν. Ἀλλ' ἐλαττοῦσθαί σοι τὰ τῆς δόξης νομίζεις, ὅταν μετὰ πολλῶν ᾖς εἰδὼς ἃ μόνος οἶδας αὐτός. Καὶ μὴν τότε
40 αὔξεται καὶ τὰ τῆς δόξης καὶ τὰ τῆς ὠφελείας, ὅταν τὸν φθόνον καταπατήσῃς, ὅταν τὴν βασκανίαν σβέσῃς, ὅταν φιλαδελφίαν ἐπιδείξῃ πολλήν· ἂν δὲ μόνος εἰδὼς περιίῃς, ἄνθρωποι μὲν ὡς βάσκανον καὶ μισάδελφον ἀποστραφήσονται καὶ μισήσουσιν, ὁ δὲ θεὸς ὡς πονηρὸν τὴν ἐσχάτην
45 ἀπαιτήσει σε δίκην· καὶ χωρὶς τούτων, καὶ αὐτή σε ταχέως ἡ χάρις ἔρημον ἐγκαταλιποῦσα οἰχήσεται.

Ἐπεὶ καὶ ὁ σῖτος, ἐὰν μὲν ἐν ταῖς ἀποθήκαις ᾖ διηνεκῶς κείμενος, δαπανᾶται, σητὸς αὐτὸν κατεσθίοντος· ἐὰν δὲ ἐξενεχθεὶς εἰς τὰς ἀρούρας καταβάλληται, πολυπλασιάζεται
50 καὶ ἀνανεοῦται πάλιν· οὕτω καὶ λόγος πνευματικός, ἐὰν ἔνδον διαπαντὸς ἀποκλείηται, φθόνῳ καὶ ὄκνῳ καὶ τηκεδόνι φθειρομένης τῆς ψυχῆς καὶ κατεσθιομένης, κατασβέννυται ταχέως· ἂν δέ, ὥσπερ εἰς ἄρουραν εὔφορον, εἰς τὰς τῶν ἀδελφῶν ψυχὰς διασπείρηται, πολυπλασίων ὁ θησαυρὸς
55 καὶ τοῖς ὑποδεχομένοις καὶ τῷ κεκτημένῳ. Καὶ καθάπερ πηγὴ συνεχῶς μὲν ἐξαντλουμένη καθαίρεται μᾶλλον καὶ ἀναβλύζει πλέον, καταχωννυμένη δὲ ἀποπνίγεται· οὕτω καὶ χάρισμα πνευματικὸν καὶ λόγος διδασκαλικὸς συνεχῶς μὲν

ADEFH BCG

35 μεταδῶμεν : μεταδίδωμεν AD ‖ 37 ἐμπορίας : εὐπορίας C ‖ 42 περιίῃς : περιείῃς ADEFH ‖ 45 καὶ χωρὶς : χωρὶς δὲ C ‖ σε om. A ‖ 47 ἐὰν : ἂν C ‖ 48 ἐὰν : ἂν C ‖ 51 διαπαντὸς ἔνδον ∼ D

personne et ne s'efforça pas de le faire doubler ; c'est pour cette raison qu'il était puni.

Partager la parole

Si tous nous écoutons cela et si nous craignons le châtiment qui en découle, apportons à nos frères ce que nous avons de bon et mettons-le en commun avec tous, mais ne le dissimulons pas. En effet, lorsque nous partageons avec d'autres, c'est alors que nous nous enrichissons davantage nous-mêmes ; lorsque nous ferons participer beaucoup de gens à notre opulence[1], c'est alors que nous augmenterons notre avoir. Mais tu penses que ta gloire diminue si tu te trouves savoir avec beaucoup de gens ce que tu sais dans ton particulier. En vérité, le moment où tu augmenteras ta gloire et ton profit, c'est lorsque tu fouleras aux pieds l'envie, lorsque tu éteindras la jalousie, lorsque tu montreras un grand amour pour tes frères ; mais si tu restes seul à savoir, les hommes se détourneront de toi comme d'un jaloux et d'un homme qui n'aime pas ses frères et ils te haïront, tandis que Dieu te punira du plus cruel châtiment comme un homme méchant, sans compter que la grâce s'en ira bientôt, te laissant solitaire.

Puisque le blé, s'il reste constamment dans les réserves, s'épuise parce qu'un ver le ronge, mais si on le sort et si on le répand dans les champs se multiplie et se renouvelle[2], ainsi le discours spirituel, si on le conserve toujours au dedans, tandis que l'âme est corrompue et rongée par l'envie, la nonchalance, la mollesse, se gâte bientôt ; mais si, comme dans une terre féconde, il est répandu dans les âmes de nos frères, le trésor se multiplie pour ceux qui le reçoivent et pour celui qui le possédait. Et comme une source qui coule constamment se répand toujours davantage et jaillit plus abondante, mais si on la couvre de terre, on l'étouffe ; ainsi la grâce spirituelle et le discours destiné

1. Les deux mots ont un sens voisin, mais l'ensemble des mss invite à choisir ἐμπορία de préférence à la seule variante de C.
2. Dans l'édition Bareille ἀνανέουνται est une faute d'impression.

ἀντλούμενος καὶ διδοὺς ἀρύεσθαι τοῖς βουλομένοις, ἀνα-
60 βλύζει πλέον· βασκανίᾳ δὲ καὶ φθόνῳ καταχωσθείς, ἐλαττοῦται καὶ σβέννυται τέλεον. Ἐπεὶ οὖν τοσοῦτον τὸ κέρδος
ἡμῖν, ὅπερ ἂν ἔχωμεν, φέρε εἰς μέσον καταθέντες, πᾶσαν
ὑμῖν ἀποδῶμεν τὴν ὀφειλήν, πρότερον ἀναμνήσαντες τῆς
ἀκολουθίας τῶν ὀφλημάτων τούτων ἁπάσης.

65 Ἴστε τοίνυν καὶ μέμνησθε πρῴην ὅτι περὶ τῆς τοῦ
Μονογενοῦς δόξης διαλεγόμενοι, πολλὰς ἠριθμοῦμεν αἰτίας
τῆς ἐν τοῖς ῥήμασι συγκαταβάσεως· καὶ ἐλέγομεν ὅτι οὐ
μόνον διὰ τὴν σαρκὸς περιβολήν, οὐδὲ διὰ τὴν ἀσθένειαν
μόνον τῶν ἀκουόντων ταπεινὰ φθέγγεται πολλάκις ὁ
70 Χριστός, ἀλλὰ πολλαχοῦ καὶ ταπεινοφρονεῖν διδάσκων.
Κἀκείναις μὲν ἱκανῶς τότε ἐπεξήλθομεν ταῖς αἰτίαις, καὶ τῆς
ἐπὶ τῷ Λαζάρῳ καὶ τῆς πρὸς αὐτῷ τῷ σταυρῷ γενομένης
εὐχῆς μνημονεύσαντες, καὶ δείξαντες σαφῶς ὅτι τὴν μέν,
ἵνα τὴν οἰκονομίαν πιστώσηται, τὴν δέ, ἵνα τὴν τῶν
75 ἀκουόντων ἀσθένειαν διορθώσηται, πεποίηται, οὐδεμιᾶς
αὐτὸς δεόμενος βοηθείας. Ὅτι δὲ πολλὰ καὶ ταπεινοφρονεῖν
αὐτοὺς διδάσκων ἐποίει, καὶ τοῦτο ἄκουσον. Ἔβαλεν ὕδωρ
εἰς τὸν νιπτῆρα· καὶ ὡς οὐκ ἀρκοῦν τοῦτο, ἔτι καὶ λεντίῳ
διεζώσατο, πρὸς τὴν ἐσχάτην εὐτέλειαν κατάγων ἑαυτόν,
80 καὶ ἤρξατο νίπτειν τοὺς πόδας τῶν μαθητῶν, μετὰ δὲ τῶν

1. Le mot ἀκολουθία, employé la plupart du temps dans le vocabulaire chrétien avec le sens technique de *commentaire suivi de l'Écriture,* est ici employé dans un sens tout à fait banal de *ordre régulier, compte.*

2. On voit apparaître ici un troisième argument pour expliquer l'abaissement du Christ : son désir d'enseigner aux hommes l'humilité. Cet argument a déjà été donné dans l'homélie VII, 273-275.

à enseigner, lorsqu'on le creuse à fond constamment et qu'on donne à puiser à ceux qui le désirent, jaillit plus abondant ; mais s'il est enseveli sous la jalousie et l'envie, il diminue et finit par perdre son éclat. Donc, puisque le gain est si grand pour nous, allons, après avoir mis en commun ce que nous possédons, acquittons envers vous notre dette, après nous être remis d'abord en mémoire tout le compte[1] de ce que nous devons.

Rappel du sujet traité dans l'homélie VII

Vous savez sans doute et vous vous rappelez que, vous entretenant naguère de la gloire du Monogène, nous avons trouvé dans ses paroles de nombreuses raisons de sa condescendance manifeste et que, disions-nous, si le Christ s'exprime souvent dans des termes humbles, ce n'est pas seulement à cause de la chair dont il était revêtu, ni à cause de la faiblesse d'esprit de ses auditeurs, mais parce qu'il veut dans bien des cas nous enseigner à être humbles[2]. Et nous avons suffisamment explicité ces raisons en rappelant la prière qu'il fait auprès de Lazare et celle qu'il fit sur la croix elle-même[3], ayant montré clairement qu'il a fait[4] l'une pour rendre crédible l'économie, l'autre pour remédier à la faiblesse d'esprit de ses auditeurs, sans avoir lui-même besoin d'aucun secours. Qu'il a fait bien des choses pour leur enseigner l'humilité[5], écoute-le aussi. Il versa de l'eau dans un bassin et, comme si cela ne suffisait pas, il se ceignit encore d'un linge, s'abaissant jusqu'à la plus extrême simplicité[6], il commença à laver les pieds de ses disciples et, après ses

3. Voir *Jean* 11, 41 : « Père, je te rends grâce ... » et *Matth.* 26, 39 : « Père, s'il est possible ... » Chrysostome a prononcé une homélie sur ces dernières paroles : *In illud « Pater si possibile est »*, *PG* 51, 31-40.

4. C'est Montfaucon qui a corrigé πεποίηται en πεποίηκεν contre l'ensemble de la tradition manuscrite.

5. En particulier, le lavement des pieds. Voir *Jn* 13, 4-11.

6. Sur les nuances diverses de εὐτέλεια, voir *supra*, p. 119, n. 4.

μαθητῶν καὶ τοῦ προδότου τοὺς πόδας ἔνιψε. Τίς οὐκ ἂν ἐκπλαγείη καὶ θαυμάσειε;

Καὶ τὸν Πέτρον διακρουόμενον καὶ λέγοντα· «Κύριε, οὐ μή μου νίψῃς τοὺς πόδας», οὐ παρατρέχει, ἀλλὰ τί φησι
85 πρὸς αὐτόν· «Ἐὰν μὴ νίψω σου τοὺς πόδας, οὐ μὴ ἔχῃς μέρος μετ' ἐμοῦ.» Ὁ δὲ φησί· «Κύριε, μὴ τοὺς πόδας μόνον, ἀλλὰ καὶ τὰς χεῖρας καὶ τὴν κεφαλήν.» Εἶδες εὐλάβειαν μαθητοῦ δι' ἀμφοτέρων, καὶ διὰ τῆς παραιτήσεως, καὶ διὰ τῆς συγκαταθέσεως; Εἰ γὰρ καὶ ἐναντία τὰ ῥήματα,
90 ἀλλ' ὑπὸ ζεούσης ἀμφότερα γνώμης ἐλέγετο. Ὁρᾷς πῶς πανταχοῦ θερμὸς ἦν καὶ διεγηγερμένος;

Ἀλλ' ὅπερ ἔλεγον, ἵνα μὴ διὰ τὴν τοῦ πράγματος εὐτέλειαν τῆς φύσεως καταγνῷς εὐτέλειαν, μετὰ τὸ νίψαι τί φησι πρὸς αὐτούς ἄκουσον. «Γινώσκετε τί πεποίηκα
95 ὑμῖν; Ὑμεῖς καλεῖτέ με, ὁ Κύριος, καὶ ὁ διδάσκαλος, καὶ καλῶς λέγετε· εἰμὶ γάρ. Εἰ οὖν ἐγὼ ὁ Κύριος καὶ ὁ διδάσκαλος ἔνιψα ὑμῶν τοὺς πόδας, οὕτω καὶ ὑμεῖς ὀφείλετε ἀλλήλοις ποιεῖν. Ὑπόδειγμα γὰρ ἔδωκα ὑμῖν, ἵνα ὡς ἐγὼ ἐποίησα ὑμῖν, καὶ ὑμεῖς ἀλλήλοις ποιῆτε.»

100 Ὁρᾷς ὅτι πολλὰ ὑποδείγματος ἕνεκεν ἐποίει; Καθάπερ γάρ τις διδάσκαλος σοφίας πεπληρωμένος παιδίοις ψελλίζουσι συμψελλίζει, καὶ ὁ ψελλισμὸς οὐ τῆς ἀμαθίας τοῦ διδασκάλου, ἀλλὰ τῆς κηδεμονίας τῆς πρὸς τοὺς παῖδάς ἐστι τεκμήριον, οὕτω δὴ καὶ ὁ Χριστὸς οὐ δι' εὐτέλειαν τῆς
105 οὐσίας ταῦτα ἐποίει, ἀλλὰ διὰ συγκατάβασιν. Καὶ δεῖ ταῦτα οὐχ ἁπλῶς παρατρέχειν· καὶ γὰρ αὐτὸ τοῦτο εἰ καθ' ἑαυτὸ

ADEFH BCG

82 θαυμάσειε] + τοῦ μέλλοντος αὐτὸν προδιδόναι νίπτει τοὺς πόδας CG || 84 νίψῃς : νίψεις C || τί om. C || 85-86 οὐ μὴ ἔχῃς : οὐκ ἔχεις C || 86 φησί om. G || 90 γνώμης ἀμφότερα ~ B || 99 ποιῆτε B G : ποιεῖτε cett. || 103 τῆς² — παῖδάς BCG : τῶν παίδων cett.

a Jn 13, 8 || b Jn 13, 9 || c Jn 13, 12-14

1. Bien que le témoignage de C ne soit pas à négliger, le membre de

disciples, il lava aussi les pieds du traître. Qui ne serait frappé de stupeur et d'admiration[1] ?

Et loin de compter pour rien Pierre qui l'écarte et dit : «Seigneur, tu ne me laveras pas les pieds», que lui dit-il ? «Si je ne te lave pas les pieds[2], tu n'auras pas de part avec moi[a].» Mais l'autre de répondre[3] : «Seigneur, non seulement les pieds, mais aussi les mains et la tête[b].» As-tu vu la piété du disciple dans les deux cas, celui où il refuse et celui où il accepte ? Si les réponses se contredisent, il les faisait du moins l'une et l'autre dans la ferveur de son âme. Vois-tu comme, en toutes circonstances, il était brûlant et attentif ?

Mais, je le disais, pour que tu n'ailles pas conclure devant l'humble niveau de son geste à l'humble niveau de sa nature, écoute ce qu'il dit après leur avoir lavé les pieds : «Comprenez-vous ce que j'ai fait pour vous ? Vous m'appelez Seigneur et Maître et vous dites bien, car je le suis. Si donc moi qui suis Seigneur et Maître, je vous ai lavé les pieds, vous devez en faire autant les uns pour les autres. Je vous ai donné l'exemple, afin que ce que je vous ai fait vous le fassiez, vous aussi, les uns pour les autres[c].»

Vois-tu qu'il faisait bien des choses à titre d'exemple ? En effet, de même qu'un maître rempli de sagesse balbutie avec les enfants qui balbutient et que le balbutiement ne vient pas de l'ignorance du maître, mais qu'il est la preuve de sa sollicitude envers les enfants, de même le Christ aussi faisait cela, non à cause de l'infériorité de son essence, mais par condescendance. Et il ne faut pas se contenter d'effleurer ce sujet, car si nous examinons[4] le fait en lui-même,

phrase τοῦ μέλλοντος — πόδας qui ne se trouve ni dans les autres mss, ni dans le syriaque est probablement à considérer comme une glose.

2. Le texte de *Jn* 13, 8 donne ἐὰν μὴ νίψω σε sans variante. Chrysostome utilise une autre version : ἐὰν μὴ νίψω σου τοὺς πόδας.

3. L'absence de φησί en G explique l'absence du mot dans Savile.

4. La forme ἐξετάσωμεν est manifestement une erreur de copiste qui, par G et Savile, est passée dans les éditions suivantes.

νῦν ἐξετάσομεν, ὅρα ὅσον ἄτοπον ἕψεται. Εἰ γὰρ ὁ νίπτων τοῦ νιπτομένου εὐτελέστερος εἶναι δοκεῖ — ἔστι δὲ ὁ μὲν νίπτων ὁ Χριστός, οἱ μαθηταὶ δὲ οἱ νιπτόμενοι — ἄρα
110 εὐτελέστερος ἔσται ὁ Χριστὸς τῶν μαθητῶν. Ἀλλ' οὐδεὶς ἂν τοῦτο οὐδὲ μαινόμενος εἴποι. Ὁρᾷς ὅσον ἐστὶ κακὸν τὰς αἰτίας ἀγνοεῖν δι' ἃς ὁ Χριστὸς ἐποίει πάντα ἅπερ ἐποίει; ἐστὶν ἀγαθὸν πάντα μετὰ ἀκριβείας ἐξετάζειν, καὶ μὴ ἁπλῶς ὅτι εἶπέ τι ταπεινὸν ἢ ἐποίησεν, ἀλλὰ καὶ τίνος
115 ἕνεκεν καὶ διὰ τί προσθεῖναι;

Οὐκ ἐνταῦθα δὲ μόνον τοῦτο ἐποίησεν, ἀλλὰ καὶ ἀλλαχοῦ τὸ αὐτὸ τοῦτο ᾐνίξατο. Εἰπὼν γάρ· «Τίς ἐστι μείζων, ὁ ἀνακείμενος ἢ ὁ διακονῶν;» ἐπήγαγεν· «Οὐχὶ ὁ ἀνακείμενος; Ἐγὼ δέ εἰμι ἐν μέσῳ ὑμῶν ὡς ὁ διακονῶν.» Καὶ
120 τοῦτο δὲ εἶπε, κἀκεῖνο ἐποίησε, δεικνὺς ὅτι πολλαχοῦ τὰ ἐλάττονα ἁρπάζει εἰς διδασκαλίαν τῶν μαθητῶν, μετριάζειν τε ὁμοῦ πείθων αὐτοὺς καὶ δηλῶν ὅτι οὐ διὰ τὸ τῆς φύσεως καταδεέστερον, ἀλλὰ διὰ τὴν ἐκείνων διδασκαλίαν ταῦτα πάντα ἀνέχεται. Καὶ γὰρ ἀλλαχοῦ φησιν· «Οἱ ἄρχοντες
125 τῶν ἐθνῶν κατακυριεύουσιν αὐτῶν, παρὰ δὲ ὑμῖν οὐχ οὕτως, ἀλλ' ὁ θέλων ἐν ὑμῖν εἶναι πρῶτος, ἔστω πάντων διάκονος. Καὶ γὰρ ὁ Υἱὸς τοῦ ἀνθρώπου οὐκ ἦλθε διακονηθῆναι, ἀλλὰ διακονῆσαι.» Εἰ τοίνυν διακονῆσαι ἦλθε καὶ ταπεινοφροσύνην διδάξαι, μὴ θορυβοῦ, μηδὲ κατάπιπτε, εἰ τὰ τῶν
130 διακόνων ἴδοις αὐτὸν ἐπιτελοῦντά που καὶ φθεγγόμενον. Οὕτω καὶ πολλὰς τῶν εὐχῶν ἀπὸ τῆς αὐτῆς ἐπιτελεῖ

ADEFH BCG

107 ἐξετάσομεν C : ἐξετάσωμεν BG ἐξετάσαιμεν cett. || 112 ἐποίει] + μᾶλλον δὲ βλέπεις C || 115 προσθεῖναι : προστιθέναι C || 120 δεικνὺς : δηλῶν C || 127 καὶ γὰρ : ὥσπερ AB

d Luc 22, 27 || e Matth. 20, 25-28

---

1. Voir *hom.* IX, 15-17, où le même problème est posé dans les mêmes termes.

vois quelle absurdité s'en suivra. Si celui qui lave est d'une condition inférieure à celui qui est lavé[1] — le Christ est celui qui lave et les disciples sont ceux qui sont lavés —, certes le Christ sera inférieur à ses disciples. Mais personne, même s'il est fou, ne dirait cela. Vois-tu quel dommage c'est d'ignorer les raisons pour lesquelles le Christ faisait tout ce qu'il faisait ? Combien il est bon d'examiner toutes choses avec soin et non pas simplement le fait qu'il a dit ou fait quelque chose d'humiliant, mais d'en chercher le motif et le but ?

Paroles et actes du Christ

Il n'a pas agi ainsi seulement dans cette circonstance, mais dans d'autres cas il a laissé entendre la même chose. En effet, ayant dit : « Quel est le plus grand celui qui est à table ou celui qui sert ? N'est-ce pas celui qui est à table ? Quant à moi, je suis au milieu de vous comme un serviteur[d]. » Il a dit ceci et il a fait cela, montrant que partout il saisit les choses les plus insignifiantes pour l'enseignement de ses disciples, les persuadant en même temps de se maintenir dans une juste mesure, leur montrant[2] que ce n'était pas à cause de l'infériorité de sa nature, mais pour leur enseignement qu'il supporte toutes ces contraintes. En effet, il leur dit autre part : « Les chefs des nations exercent sur elles leur pouvoir[3]. Quant à vous il n'en sera pas de même ; mais celui qui veut être le premier parmi vous, qu'il soit le serviteur de tous, car le Fils de l'homme n'est pas venu pour être servi, mais pour servir[e]. » Si donc il est venu pour servir et pour enseigner l'humilité, ne te trouble pas, ne te laisse pas abattre s'il arrive que tu le voies accomplir ou exprimer des choses qui conviennent à des serviteurs. Ainsi c'est dans le même esprit qu'il prononce

2. La ponctuation est à modifier. Il n'y a pas lieu de séparer par un point les deux participes πειθῶν et δηλῶν. Ici encore le texte de Savile dans *Auct. E.3.10* (G) est fautif.

3. Le texte a déjà été cité en VIII, 427, mais Chrysostome supprime la phrase καὶ οἱ μέγαλοι ... αὐτῶν et reprend la phrase citée en VIII, 435 ὁ θέλων εἶναι πρῶτος ἔστω πάντων διάκονος qui est ici essentielle.

γνώμης. Καὶ γὰρ προσῆλθον αὐτῷ λέγοντες· «Κύριε, δίδαξον ἡμᾶς προσεύχεσθαι, ὥσπερ Ἰωάννης ἐδίδαξε τοὺς μαθητὰς αὐτοῦ.» Τί οὖν ἐχρῆν ποιεῖν, εἰπέ μοι; Μὴ διδάξαι
135 αὐτοὺς προσεύχεσθαι; Ἀλλὰ διὰ τοῦτο ἦλθεν, ἵνα εἰς πᾶσαν αὐτοὺς ἐναγάγῃ φιλοσοφίαν. Ἀλλ' ἐχρῆν διδάξαι; Οὐκοῦν εὔξασθαι ἔδει. Ἀλλ' ἔδει ῥήματι τοῦτο μόνον ποιῆσαι, φησίν. Ἀλλ' οὐχ οὕτως ἡ διὰ τῶν ῥημάτων ὡς ἡ διὰ τῶν πραγμάτων διδασκαλία τοὺς μαθητευομένους ἐνάγειν εἴωθε.
140 Διά τοι τοῦτο οὐχὶ διδάσκει αὐτοὺς εὐχὴν μόνον τὴν διὰ τῶν ῥημάτων, ἀλλὰ καὶ αὐτὸς διατελεῖ τοῦτο ποιῶν, καὶ εὔχεται διανυκτερεύων ἐν ταῖς ἐρημίαις, ἡμᾶς παιδεύων καὶ νουθετῶν, ἐπειδὰν μέλλωμεν ὁμιλεῖν τῷ Θεῷ, φεύγειν θορύβους καὶ τὰς ἐν μέσῳ ταραχὰς καὶ πρὸς ἐρημίαν
145 ἀναχωρεῖν, οὐχὶ τόπων μόνον, ἀλλὰ καὶ καιρῶν. Ἐρημία δὲ οὐχὶ ὄρος μόνον ἐστίν, ἀλλὰ καὶ οἰκίσκος κραυγῆς ἀπηλλαγμένος.

Καὶ ἵνα μάθητε ὅτι συγκαταβάσεώς ἐστιν ἡ εὐχή, μάλιστα μὲν καὶ ἤδη διὰ τῶν περὶ τὸν Λάζαρον συμβάντων
150 ἀπεδείξαμεν· πλὴν ἀλλὰ καὶ ἑτέρωθεν δῆλον. Τίνος γὰρ ἕνεκεν ἐπὶ τῶν μειζόνων οὐκ εὔχεται θαυμάτων, ἀλλ' ἐπὶ τῶν ἐλαττόνων; Εἰ γὰρ δεόμενος βοηθείας ηὔχετο καὶ οὐκ ἔχων αὐτοτελῆ δύναμιν, ἐπὶ πάντων εὔχεσθαι ἔδει καὶ τὸν Πατέρα καλεῖν· εἰ δὲ μὴ ἐπὶ πάντων, κἂν ἐπὶ τῶν μειζόνων.
155 Νῦν δὲ τὸ ἐναντίον ποιεῖ· ἐπὶ τῶν μειζόνων πραγμάτων οὐκ εὔχεται, ἵνα δείξῃ ὅτι τοὺς ἄλλους παιδεύων τοῦτο ἐποίει, οὐχὶ δυνάμεως δεόμενος. Ὅτε γοῦν τοὺς ἄρτους εὐλόγησεν,

ADEFH BCG
134 ποιεῖν C om. cett. || 135 ἀλλὰ] + καὶ D || 138 οὐχ : οὐχὶ A

f Luc 11, 1

1. Sur le mot φιλοσοφία et ses dérivés chez Chrysostome, voir hom. VII, li. 606 et p. 161, n. 3.

2. On retrouve le mot dans *Sur le sacerdoce, SC* 272, VI, 12, 58, où Jean parle de la petite chambre, οἰκίσκος, où il se confine dans la crise de conscience qu'il traverse.

beaucoup de ses prières. En effet, ils vinrent à lui en disant : « Seigneur, enseigne-nous à prier comme Jean a enseigné à ses disciples[f]. » Que fallait-il faire, dis-moi ? Ne pas leur enseigner à prier ? Mais s'il est venu, c'est pour les amener à une vie religieuse parfaite[1]. Fallait-il alors les enseigner ? Il lui fallait donc prier. Mais il fallait le faire seulement en paroles, dit-on. Mais l'enseignement par les paroles n'a pas, d'ordinaire, autant d'efficacité que l'enseignement par les actes pour entraîner ceux qui sont à former. Bien sûr, c'est à cause de cela qu'il ne leur enseigne pas la prière seulement par ses paroles, mais il ne cesse lui-même de s'y adonner et il prie en passant la nuit dans les solitudes, nous instruisant et nous exhortant, lorsque nous allons nous entretenir avec Dieu, à fuir les agitations et les troubles du monde et à nous retirer dans la solitude qui ne dépend pas seulement des lieux, mais aussi des circonstances. Car la solitude ne se trouve pas seulement dans la montagne, mais aussi dans une petite chambre où l'on est éloigné du bruit[2].

Pourquoi le Christ a-t-il prié ?

Pour que vous appreniez que sa prière est le fait de sa condescendance, nous l'avons déjà amplement montré par ce qui est arrivé à Lazare[3] ; mais c'est évident aussi dans d'autres cas. Pourquoi prie-t-il non pas quand il s'agit de miracles importants, mais d'autres moins importants ? Si, en effet, il priait parce qu'il avait besoin d'aide et parce qu'il n'avait pas une puissance pleinement indépendante, il faudrait qu'il prie dans tous les cas et qu'il appelle le Père ; et si ce n'était pas dans tous les cas, du moins devrait-il l'appeler pour les plus importants. En réalité, il fait le contraire ; dans les cas plus importants, il ne prie pas, pour montrer qu'il agissait ainsi pour instruire les autres et non par défaut de puissance. Par exemple, lors-

3. Il s'agit de la prière faite par le Christ sur la demande de Marthe, *Jn* 11, 41-42. Voir *hom.* IX, li. 149-194.

ἀναβλέψας εἰς τὸν οὐρανὸν ηὔξατο, ἡμᾶς παιδεύων τραπέζης μὴ πρότερον ἀπογεύεσθαι, ἕως ἂν εὐχαριστήσωμεν τῷ
160 τοὺς καρποὺς πεποιηκότι Θεῷ· καὶ πολλοὺς νεκροὺς ἀναστήσας, οὐκ ηὔξατο, ἐπὶ δὲ Λαζάρου μόνον. Καὶ τὴν αἰτίαν τότε εἰρήκαμεν, ὅτι τὴν ἀσθένειαν τῶν παρόντων διορθούμενος ἦν καὶ αὐτὸς εἶπε, σαφῶς οὕτω προσθεὶς ὅτι «διὰ τὸν ὄχλον τὸν περιεστῶτα εἶπον.» Καὶ ὅτι οὐχ
165 ἡ εὐχή, ἀλλ' ἡ φωνὴ τὸν νεκρὸν ἤγειρεν, ἱκανῶς ἀπεδείξαμεν τότε· καὶ ἵνα μάθῃς τοῦτο σαφέστερον, ὅρα. Ὅταν γὰρ κολάζειν δέῃ, καὶ ὅταν τιμᾶν, καὶ ὅταν ἁμαρτήματα ἀφιέναι, καὶ ὅταν νομοθετεῖν, καὶ ὅταν τι τῶν πολλῷ μειζόνων δέῃ ποιεῖν, οὐδαμοῦ τὸν Πατέρα καλοῦντα αὐτὸν
170 εὑρήσεις, οὐδὲ εὐχόμενον, ἀλλὰ μετὰ αὐθεντίας ἅπαντα πράττοντα.

Καὶ τούτων ἕκαστον ἀπαριθμήσομαι· σὺ δὲ σκόπει μετὰ ἀκριβείας πῶς οὐδαμοῦ δεῖται εὐχῆς. «Δεῦτε, φησίν οἱ εὐλογημένοι τοῦ Πατρός μου, κληρονομήσατε τὴν
175 ἡτοιμασμένην ὑμῖν βασιλείαν.» Καὶ πάλιν· «Πορεύεσθε ἀπ' ἐμοῦ οἱ κατηραμένοι εἰς τὸ πῦρ τὸ ἡτοιμασμένον τῷ διαβόλῳ καὶ τοῖς ἀγγέλοις αὐτοῦ.» Ἰδοὺ κολάζει καὶ τιμᾷ μετὰ αὐθεντίας ἁπάσης καὶ εὐχῆς οὐδεμιᾶς δεῖται. Πάλιν, ὅταν διορθῶσαι σῶμα δέῃ διαλελυμένον· «Ἐγερθεὶς ἆρον τὸν
180 κράββατόν σου καὶ περιπάτει»· ὅταν ἀπαλλάξαι θανάτου· «Ταλιθὰ κοῦμ, ἀνάστηθι»· ὅταν ἐλευθερῶσαι ἁμαρτημάτων· «Θάρσει, τέκνον, ἀφέωνταί σου αἱ ἁμαρτίαι»· ὅταν

ADEFH BCG

167 καὶ ὅταν : ὅταν γὰρ ‖ 170 αὐθεντίας : αὐθεντείας FH BC ‖ 172 ἕκαστον] + ἐγὼ μὲν C ‖ 175 καὶ C om. cett.

---

g Jn 11, 42 ‖ h Matth. 25, 34 ‖ i Matth. 25, 41 ‖ j Mc 2, 9 ‖ k Mc 5, 41 ‖ l Matth. 9, 2

qu'il bénit les pains, ayant levé les yeux au ciel il pria, nous enseignant ainsi à ne pas goûter aux mets avant d'avoir rendu grâce à Dieu qui a créé les fruits[1]; de plus il a ressuscité bien des morts sans avoir prié, sauf dans le cas de Lazare. Nous en avons déjà vu la raison. C'était pour remédier à la faiblesse d'esprit des assistants qu'il a lui-même dénoncée en ajoutant de façon claire : « C'est pour la foule qui m'entoure que j'ai parlé[g]. » Ce n'était pas sa prière, mais sa voix qui a ressuscité le mort, nous l'avons déjà suffisamment démontré; et pour que tu le comprennes plus clairement, regarde. En effet, lorsqu'il lui faut punir ou récompenser ou remettre les péchés ou établir une loi, ou lorsqu'il lui faut faire des choses beaucoup plus importantes, tu ne le trouveras jamais appelant son Père ou le priant, mais faisant toutes choses avec autonomie[2].

Le Christ dans sa manière d'agir

Je vais énumérer chacune de ses actions; toi, de ton côté, aie soin de remarquer qu'en aucun cas la prière ne lui est nécessaire. « Venez, dit-il, les bénis de mon Père, prenez possession du royaume qui vous a été préparé[h]. » Et encore : « Éloignez-vous de moi, maudits, vers le feu qui a été préparé pour le diable et pour ses anges[i]. » Voici qu'il punit et récompense avec une totale autonomie, qu'il n'a nullement besoin de prier. Une autre fois, lorsqu'il lui faut remettre debout le corps d'un impotent : « Lève-toi, prends ton grabat et marche[j] »; lorsqu'il veut éloigner la mort : « Jeune fille[3], lève-toi[k] »; lorsqu'il veut délivrer des péchés : « Courage enfant, que tes péchés soient remis[l 4] »;

1. Cf. *Matth.* 14, 19.

2. La contemplation des actes et des paroles du Christ amène à une conclusion identique à celle qu'impose l'argumentation purement théologique où se limitent Basile et Grégoire de Nysse pour rester sur le terrain choisi par Eunome.

3. Cf. IX, 103-105, et p. 224, n. 1.

4. La forme ἀφέωνται est citée parmi les variantes relevées pour ce passage par Wittstein, p. 357, et Von Soden, p. 24.

ἐπιτιμῆσαι δαίμοσι· «Σοὶ λέγω, τὸ πονηρὸν δαιμόνιον, ἔξελθε ἀπ' αὐτοῦ», ὅταν καταστεῖλαι τὴν θάλασσαν·
185 «Σιώπα, πεφίμωσο»· ὅταν καθᾶραί τινα λέπρᾳ κατεχόμενον· «Θέλω, καθαρίσθητι»· ὅταν νομοθετῆσαι, «Ἠκούσατε ὅτι ἐρρέθη τοῖς ἀρχαίοις· 'οὐ φονεύσεις'· ἐγὼ δὲ λέγω ὑμῖν· ὃς ἂν εἴπῃ τῷ ἀδελφῷ αὐτοῦ, μωρέ, ἔνοχος ἔσται εἰς τὴν γέενναν τοῦ πυρός.» Εἶδες πάντα μετὰ αὐθεντίας
190 ποιοῦντα δεσποτικῆς, καὶ εἰς γέενναν ἐκβάλλοντα καὶ εἰς βασιλείαν εἰσάγοντα καὶ παράλυσιν διορθούμενον καὶ θάνατον ἀπελαύνοντα καὶ ἁμαρτίας ἀφιέντα καὶ δαίμοσιν ἐπιτιμῶντα καὶ τὴν θάλατταν καταστέλλοντα; Καίτοι τί μεῖζον, εἰπέ μοι, εἰς βασιλείαν εἰσαγαγεῖν καὶ εἰς γέενναν
195 ἐμβαλεῖν καὶ ἁμαρτίας ἀφιέναι καὶ νόμους θεῖναι μετὰ αὐθεντίας ἢ ἄρτους ποιῆσαι; Οὐκ εὔδηλον καὶ ὡμολογημένον ἅπασιν ὅτι ταῦτα ἐκείνων μείζω; Ἀλλ' ὅμως ἐπὶ τῶν μειζόνων οὐκ εὔχεται, δεικνὺς ὅτι καὶ ἐπὶ τῶν ἐλαττόνων οὐ δι' ἀσθένειαν δυνάμεως τοῦτο ἐποίει, ἀλλὰ διὰ διδα-
200 σκαλίαν τῶν τότε παρόντων.

Καὶ ἵνα μάθῃς ὅσον ἐστὶν ἁμαρτίας ἀφιέναι, οὐδενὸς ἑτέρου τοῦτο φησὶ ὁ προφήτης ἢ τοῦ Θεοῦ μόνου. «Τίς γὰρ Θεός, φησίν, ὥσπερ σύ, ἐξαίρων ἀνομίας, ὑπερβαίνων ἀδικίας»; Καὶ τὸ εἰς βασιλείαν δὲ εἰσαγαγεῖν τοῦ τὸν
205 θάνατον λῦσαι πολλῷ μεῖζόν ἐστι· ἀλλ' ὅμως κἀκεῖνο μετ' ἐξουσίας ποιεῖ. Καὶ τὸ νομοθετεῖν δέ, οὐ τῶν ὑποτεταγμένων, ἀλλὰ τῶν βασιλευόντων ἐστί· καὶ τοῦτο βοᾷ μὲν αὐτὴ τῶν πραγμάτων ἡ φύσις· βασιλέων γοῦν μόνον ἐστὶ τιθέναι νόμους· δείκνυσι δὲ καὶ ὁ ἀπόστολος, οὕτω λέγων·
210 «Περὶ δὲ τῶν παρθένων ἐπιταγὴν Κυρίου οὐκ ἔχω, γνώμην δὲ δίδωμι ὡς ἠλεημένος ὑπὸ Κυρίου πιστὸς εἶναι.» Ἐπειδὴ

ADEFH BCG

188 εἰς EF om. cett. || 191 διορθούμενον : διορθοῦντα F in mg H || καὶ [2]] + εἰς EF || 201 ἀφιέναι] + παράγω σοι μάρτυρα τὸν προφήτην H C || οὐδενὸς] + γὰρ C || 202 φησὶ : δείκνυσιν C || 203 φησί, Θεὸς ~ AD || 208 γοῦν : γάρ C || ἐστὶ μόνον ~ H

lorsqu'il veut donner des ordres aux démons : « Je te le dis, esprit mauvais, sors de cet homme[m] » ; lorsqu'il veut apaiser la mer : « Silence, tais-toi[n] » ; lorsqu'il veut guérir quelqu'un de la lèpre : « Je le veux, sois guéris[o] » ; lorsqu'il veut établir une loi : « Vous avez entendu qu'il a été dit aux Anciens ' tu ne tueras pas ', mais moi, je vous dis : Celui qui dit à son frère : fou, sera passible de la géhenne du feu[p]. » As-tu vu qu'il fait toutes choses avec l'autonomie d'un maître, précipitant dans la géhenne, introduisant dans le royaume, mettant debout le paralytique, chassant la mort, pardonnant la faute, châtiant les démons et apaisant la mer ? Et cependant qu'y a-t-il de plus important que d'introduire dans le royaume des cieux, de précipiter dans la géhenne, de pardonner les péchés, d'établir une loi avec indépendance ou de multiplier les pains ? N'est-il pas évident et reconnu de tous que ces choses sont plus importantes que les autres ? Et cependant, quand il s'agit de choses plus importantes, il ne prie pas, montrant que dans les choses moins importantes, il le faisait moins par défaut de force que pour l'enseignement des assistants.

Et pour que tu comprennes comme c'est une chose importante de pardonner les péchés, le prophète dit que cela n'appartient à personne d'autre qu'à Dieu seul : « Qui est Dieu comme toi, dit-il, effaçant les iniquités, ne tenant pas compte des impiétés[q] ? » Faire entrer quelqu'un dans le royaume, c'est beaucoup plus important que de délivrer de la mort, et cependant il a le pouvoir de le faire. Établir des lois, ce n'est pas le fait des sujets, mais de ceux qui règnent. La nature des choses elle-même le proclame : ce n'est qu'aux rois qu'il appartient d'établir des lois ; l'Apôtre le montre bien en disant : « Au sujet des vierges, je n'ai pas de prescription du Seigneur, mais je donne mon avis, parce que j'ai été choisi par le Seigneur comme digne de confiance[r]. » Comme il était esclave et serviteur il n'a

m Mc 5, 8 || n Mc 4, 39 || o Matth. 8, 3 || p Matth. 5, 21-22 || q Mi. 7, 18 || r I Cor. 7, 25

γὰρ δοῦλος ἦν καὶ διάκονος, οὐκ ἐτόλμησε προσθεῖναι τοῖς ἐξ ἀρχῆς νομοθετηθεῖσιν. Ὁ δὲ Χριστὸς οὐχ οὕτως, ἀλλὰ μετὰ πολλῆς τῆς αὐθεντίας τοὺς παλαιοὺς ἀναγινώσ-
215 κει νόμους καὶ τοὺς παρ' αὐτοῦ πάλιν εἰσάγει. Εἰ δὲ τὸ νόμους ἁπλῶς τιθέναι, βασιλικῆς μόνον ἐστὶν ἐξουσίας, ὅταν εὑρίσκηται μὴ μόνον νόμους τιθεὶς οὗτος, ἀλλὰ καὶ τοὺς παλαιοὺς διορθούμενος, τίς ὑπολείπεται λόγος τοῖς ἀναισχυντεῖν βουλομένοις; Ἀπὸ γὰρ τούτου δῆλον ὅτι τῆς
220 αὐτῆς οὐσίας ἐστὶ τῷ γεγεννηκότι.

Καὶ ἵνα σαφέστερον ὃ λέγω γένηται, ἐπ' αὐτὸ τῆς Γραφῆς ἔλθωμεν τὸ χωρίον. Ἀνελθὼν εἰς τὸ ὄρος, φησίν, ἐκάθητο καὶ περιεστώτων πάντων ἤρξατο λέγειν· Μακάριοι οἱ πτωχοὶ τῷ πνεύματι, οἱ πραεῖς, οἱ ἐλεήμονες, οἱ καθαροὶ
225 τῇ καρδίᾳ. Εἶτα μετὰ τοὺς μακαρισμοὺς ἐκείνους φησί· «Μὴ νομίσητε ὅτι ἦλθον καταλῦσαι τὸν νόμον ἢ τοὺς προφήτας· οὐκ ἦλθον καταλῦσαι, ἀλλὰ πληρῶσαι.» Τίς γὰρ τοῦτο ὑπώπτευσεν; ἢ τί τῶν εἰρημένων ἐναντίον ἦν τοῖς προτέροις, ἵνα τοῦτο εἴπῃ; «Μακάριοι, φησίν, οἱ
230 πτωχοὶ τῷ πνεύματι», τουτέστιν, οἱ ταπεινόφρονες. Ἀλλὰ τοῦτο καὶ ἡ Παλαιὰ εἶπε· «Θυσία γὰρ τῷ Θεῷ πνεῦμα συτετριμμένον· καρδίαν συντετριμμένην καὶ τεταπεινωμένην ὁ Θεὸς οὐκ ἐξουδενώσει.» Καὶ πάλιν· «Μακάριοι οἱ πραεῖς.» Καὶ τοῦτο Ἡσαΐας πάλιν βοᾷ ἐκ προσώπου τοῦ
235 Θεοῦ λέγων· «Ἐπὶ τίνα ἐπιβλέψω, ἀλλ' ἢ ἐπὶ τὸν πρᾶον καὶ ἡσύχιον καὶ τρέμοντά μου τοὺς λόγους»; «Μακάριοι οἱ ἐλεήμονες.» Καὶ τοῦτο πάλιν πανταχοῦ διέσπαρται· «Μὴ ἀποστερήσῃς γάρ, φησί, τὴν ζωὴν τοῦ πτωχοῦ, ἱκέτην θλιβόμενον μὴ ἀπαναίνου»· καὶ πολὺς πανταχοῦ περὶ

ADEFH BCG

216-217 ἁπλῶς — νόμους om. AD || 221-222 ἐπ' αὐτὸ τῆς γραφῆς om. AD || 225 φησί : λέγει C || 233 καὶ B om. cett.

---

s Matth. 5, 17 || t Matth. 5, 3 || u Ps. 50, 19 || v Matth. 5, 5 || w Is. 66, 2 || x Matth. 5, 7 || y Sir. 4, 4

pas osé ajouter aux lois qui avaient été édictées dès le commencement. Quand il s'agit du Christ, il n'en est pas ainsi, mais en toute indépendance il lit les lois anciennes et il en introduit encore de son chef. Si le simple fait d'établir des lois est le propre du pouvoir royal, lorsqu'on le trouve non seulement établissant des lois, mais encore interprétant les anciennes, quel argument reste-t-il à ceux qui veulent impudemment contester? D'après ce que je viens de dire, il est évident qu'il est de la même essence que celui qui l'a engendré.

Harmonie des deux Testaments

Et pour rendre plus clair ce que je vais dire, pénétrons sur le terrain même de l'Écriture. Étant monté sur la montagne, dit l'évangile, il s'assit et il se mit à dire à tous ceux qui l'entouraient : Bienheureux les pauvres en esprit, les doux, les miséricordieux, les purs de cœur[1]. Puis après ces béatitudes il dit : « Ne pensez pas que je suis venu détruire la Loi et les prophètes; je ne suis pas venu détruire, mais accomplir[s]. » Qui, en effet, a conçu pareille idée? Qu'y avait-il dans les paroles précédentes de contraire à ce qui avait été dit auparavant pour qu'il dise : « Bienheureux les pauvres en esprit[t] », c'est-à-dire les humbles. Mais l'Ancien Testament aussi a dit : « Le sacrifice agréable à Dieu, c'est un cœur brisé; Dieu ne dédaignera pas un cœur brisé et humilié[u]. » Et encore « Bienheureux les doux[v]. » Isaïe le proclame à son tour en disant de la part de Dieu : « Sur qui vais-je jeter les yeux sinon sur l'homme doux, paisible et craignant mes paroles[w] ? » « Bienheureux les miséricordieux[x] », cela encore se trouve mentionné partout : « Ne prive pas le pauvre de la vie, dit l'Écriture, ne te détourne pas du suppliant au cœur brisé[y] », et partout il est abondamment question de

1. On trouve ici un résumé libre de *Matth.* 5, 1-8 que Chrysostome reprend ensuite par des citations littérales de l'A. et du N. Testament.

240 φιλανθρωπίας ἐστὶν ὁ λόγος. « Μακάριοι οἱ καθαροὶ τῇ καρδίᾳ. » Τοῦτο καὶ ὁ Δαυΐδ φησι· « Καρδίαν καθαρὰν κτίσον ἐν ἐμοί, ὁ Θεός, καὶ πνεῦμα εὐθὲς ἐγκαίνισον ἐν τοῖς ἐγκάτοις μου. » Καὶ τοὺς λοιποὺς δὲ εἴ τις ἐπέλθοι μακαρισμούς, εὑρήσει πολλὴν οὖσαν τὴν συμφωνίαν. Τίνος
245 οὖν ἕνεκεν, μηδὲν ἐναντίον εἰρηκὼς τοῖς προτέροις, φησί· « Μὴ νομίσητε ὅτι ἦλθον καταλῦσαι τὸν νόμον ἢ τοὺς προφήτας » ; Οὐ διὰ τὰ εἰρημένα, ἀλλὰ διὰ τὰ μέλλοντα ῥηθήσεσθαι ταύτην τὴν διόρθωσιν τίθησιν. Ἐπειδὴ γὰρ ἔμελλεν ἐμβαίνειν εἰς ἐπίτασιν ἐντολῶν, ἵνα μὴ νομίσωσι
250 τὴν αὔξησιν ἐναντίωσιν εἶναι, μηδὲ τὴν προσθήκην μάχην, διὰ τοῦτο φησί· « Μὴ νομίσητε ὅτι ἦλθον καταλῦσαι τὸν νόμον ἢ τοὺς προφήτας », τουτέστι, μέλλω τινὰ λέγειν τελεώτερα τῶν πρότερον εἰρημένων· οἷον ὅτι « Ἠκούσατε· 'οὐ φονεύσεις'· ἐγὼ δὲ λέγω· οὐκ ὀργισθήσῃ· ἠκούσατε
255 ὅτι οὐ μοιχεύσεις, ἐγὼ δὲ λέγω ὅτι ὁ ἐμβλέψας γυναῖκα πρὸς τὸ ἐπιθυμῆσαι αὐτήν, ἤδη ἐμοίχευσε » καὶ ὅσα τοιαῦτα.

Μὴ τοίνυν νομίσητε κατάλυσιν εἶναι τὴν τελείωσιν· οὐ γάρ ἐστι κατάλυσις, ἀλλὰ πλήρωσις· καὶ ὅπερ ἐπὶ τῶν
260 σωμάτων ἐποίησε, τοῦτο καὶ ἐπὶ τοῦ νόμου ποιεῖ. Τί δὲ ἐπὶ τῶν σωμάτων εἰργάσατο ; Ἐλθὼν καὶ εὑρὼν ἀνάπηρα πολλὰ μέλη, καὶ ἐνδεῶς ἔχοντα, πάντα ἀπήρτισε καὶ εἰς τὴν προσήκουσαν εὐκοσμίαν ἐπανήγαγε, διὰ τῶν πραγμάτων αὐτῶν ἅπασι ποιῶν φανερὸν ὅτι καὶ τοὺς ἀρχαίους αὐτὸς

ADEFH BCG

244 εὑρήσει : εὑρήσῃ B || 245 φησί : ἐπήγαγε C || 251 φησί : εἶπε C || 256 ἐμοίχευσεν] + αὐτὴν B αὐτὴν ἐν τῇ καρδίᾳ αὐτοῦ AD || 260 καὶ om. C

z Matth. 5, 8 || a Ps. 50, 12 || b Matth. 5, 17 || c Matth. 5, 21-22 || d Matth. 5, 27-28

---

1. Sur le mot φιλανθρωπία employé ici dans le sens d'*amour de Dieu pour les hommes*, voir *hom.* VII, 168 et p. 126, n. 1.

l'amour des hommes[1]. «Bienheureux les cœurs purs[z].» Voici ce que dit aussi David : «Crée en moi un cœur pur, ô Dieu, et renouvelle un esprit de droiture dans mes entrailles[a].» Si l'on poursuivait la lecture des béatitudes, on découvrirait que l'accord des voix est total[2]. Pourquoi donc, n'ayant rien dit contre les préceptes antérieurs, a-t-il ajouté : «Ne pensez pas que je suis venu détruire la Loi et les prophètes[b].» Ce n'est pas contre ce qui a été dit, mais à cause de ce qui allait être dit qu'il donne la juste interprétation. En effet, lorsqu'il allait se mettre à expliquer les commandements, pour qu'ils ne croient pas que le commentaire équivalait à une contradiction et l'addition à un conflit, c'est pour cette raison qu'il dit : «Ne pensez pas que je suis venu détruire la Loi et les prophètes», c'est-à-dire : je vais formuler des commandements qui visent à une plus grande perfection que ce qui avait été dit auparavant, par exemple : «Vous avez entendu dire : 'Tu ne tueras pas' et moi je vous dis : 'Tu ne te mettras pas en colère'[c]. Vous avez entendu dire : 'Tu ne commettras pas d'adultère' et moi je vous dis : 'Celui qui a regardé une femme pour la désirer, a déjà commis l'adultère'[d]» et d'autres choses semblables.

Accomplissement de la Loi et non abrogation

Ne pensez donc pas que l'achèvement soit une abrogation. En effet, ce n'est pas une abrogation, mais un accomplissement[3], et ce qu'il a fait pour les corps, il le fait aussi pour la Loi. Qu'a-t-il fait pour les corps ? Il vint et il trouva beaucoup de membres estropiés et toutes choses en état de déficience ; il les rajusta et les remit dans le bon ordre, montrant clairement à tous, par ses actes mêmes,

2. Voir A.-M. MALINGREY, Communication à la XIe Conférence d'études patristiques, Oxford 1991 : «L'harmonie de l'Ancien et du Nouveau Testament dans les homélies *Contre les Anoméens*.» Cf. mêmes procédés de rapprochement dans *Sur la providence de Dieu, SC* 79, Paris 1961, chap. XIII, paragr. 13-19.

3. Cf. *Matth.* 5, 17.

265 τέθεικε νόμους καὶ τὴν φύσιν τὴν ἡμετέραν ἐδημιούργησε. Καὶ ὅτι τοῦτο ἐσπούδαζεν ἀποδεῖξαι, δῆλον ἀπὸ τῆς τοῦ τυφλοῦ θεραπείας μάλιστα. Παριὼν γὰρ καὶ ἰδών τινα τυφλόν, ἐποίησε πηλὸν καὶ τὸν τοιοῦτον πηλὸν τοῖς πεπηρωμένοις ἐπέχρισεν ὄμμασι καὶ φησίν αὐτῷ· «Ὕπαγε, 270 νίψαι εἰς τὸν Σιλωάμ.» Τίνος γὰρ ἕνεκεν ὁ νεκροὺς ἐπιτάγματι ψιλῷ συνεχῶς ἐγείρων καὶ πολλὰ ἕτερα τοιαῦτα θαυματουργῶν, ἐνταῦθα καὶ ἔργον τι προστίθησι, πηλὸν ποιῶν καὶ διαπλάττων αὐτῷ τοὺς ὀφθαλμούς, ἵν' ὅταν ἀκούσῃς ὅτι ἔλαβεν ὁ Θεὸς χοῦν ἀπὸ τῆς γῆς καὶ ἔπλασεν 275 τὸν ἄνθρωπον, μάθῃς διὰ τοῦ νῦν γινομένου ὅτι οὗτος ἐκεῖνός ἐστιν ὁ παρὰ τὴν ἀρχὴν πλάσας τὸν ἄνθρωπον, ἐπεὶ εἰ μὴ τοῦτο δεῖξαι ἐβούλετο, περιττὸν ἦν ὅπερ εἰργάζετο. Εἶτα ἵνα μάθῃς ὅτι οὐχ ἡ τοῦ πηλοῦ χρεία συνέπραξεν αὐτῷ πρὸς τὴν ἀνάβλεψιν τοῦ πεπηρωμένου, ἀλλ' ἤρκει καὶ χωρὶς 280 τῆς ὕλης ἐκείνης προστάγματι μόνῳ διαπλάσαι τοὺς ὀφθαλμούς φησί· «Ὕπαγε, νίψαι εἰς τὸν Σιλωάμ.» Μετὰ γὰρ τὸ δεῖξαι ἡμῖν διὰ τοῦ τρόπου τῆς δημιουργίας τίς ἦν ὁ καὶ ἐξ ἀρχῆς τὸν ἄνθρωπον ποιήσας, τότε λέγει αὐτῷ· «Ὕπαγε, νίψαι εἰς τὸν Σιλωάμ.» Καθάπερ γὰρ ἀνδριαν-285 τοποιὸς ἄριστος βουλόμενος διὰ τῶν ἔργων ἐπιδείξασθαι τὴν ἑαυτοῦ τέχνην, ἀφίησι τὸν ἀνδριάντα ἀτέλεστον, ἵν' ὕστερον διαπλάττων τὸ μέρος, καὶ περὶ τῆς τοῦ παντὸς τέχνης ἀπόδειξιν ἐν τῷ λείποντι δῷ, οὕτω καὶ ὁ Χριστός, ὅτι τὸν ὅλον ἄνθρωπον αὐτὸς ἐποίησε δεῖξαι βουλόμενος,

ADEFH BCG

268 τοιοῦτον BC F om. cett. || 269 ὄμμασι] + τοῦ τυφλοῦ B || φησίν : εἶπεν C || 273 ὀφθαλμοὺς] + οὐκ εὔδηλον C || 281 φησί : προστίθησι καὶ λέγει C || 284 γὰρ : οὖν C || 286 ἀτέλεστον : ἀτελέστερον H G || 286-287 ἵνα transp. post τὸ μέρος B || 287 ὕστερον om. B C

e Jn 9, 7

---

1. La participation du Christ à l'établissement de la Loi et à la création est une preuve de son égalité avec le Père.

qu'il a établi lui aussi les lois anciennes et qu'il a été l'artisan de notre nature[1]. Qu'il s'est efforcé de le prouver, la chose est évidente et surtout dans sa manière de guérir l'aveugle[2]. En effet, étant venu, il vit un aveugle, il fit de la boue, il enduisit de cette boue les yeux malades et il lui dit : « Va te laver à Siloé[e]. » Pourquoi donc celui qui avait l'habitude de ressusciter les morts sur une simple injonction et qui faisait beaucoup d'autres miracles ajoute-t-il ici un acte en faisant de la boue et en lui enduisant les yeux ? C'est pour qu'après avoir entendu dire que Dieu prit de l'argile et forma l'homme, tu apprennes par ce qui vient de se passer que c'est bien lui qui a formé l'homme dès le commencement, car s'il n'avait pas voulu le prouver, ce qu'il faisait était superflu. Ensuite, pour que tu apprennes que ce n'est pas l'emploi de la boue qui a contribué à la guérison de l'infirme, mais qu'il suffisait, sans l'emploi de cette matière et par un seul commandement, de lui remodeler les yeux, il ajoute ces paroles[3] : « Va te laver à Siloé[4]. » En effet, après avoir montré par un geste créateur quel était celui qui, aux origines, a créé l'homme, il lui dit alors : « Va te laver à Siloé. » Ainsi donc, comme un excellent sculpteur[5], qui veut montrer son art par ses œuvres, laisse la statue inachevée, afin qu'en exécutant ensuite le détail, il donne la preuve de l'ensemble de son art dans ce qui reste, ainsi le Christ, voulant montrer qu'il a fait l'homme tout entier, a laissé cet aveugle privé d'un

2. Voir l'épisode de l'aveugle né, *Jn* 9, 1-12, d'où l'orateur va tirer la preuve que l'action du Fils s'est exercée en même temps que celle du Père dans la création de l'homme.

3. La présence des deux verbes de sens analogue est un hébraïsme que n'a pas retenu le traducteur syriaque.

4. Le texte de *Jn* 9,7, εἰς τὴν κολυμβήθραν τοῦ Σιλωάμ, est plus développé que celui qui est cité par Chrysostome.

5. Les textes donnés par Savile et par Montfaucon dans ce passage sont gravement perturbés. En omettant ἀτέλεστον ἵν' ὕστερον, ils enlèvent à la comparaison l'essentiel de sa portée. Cependant Montfaucon rétablit ἀτέλεστον, mais le transporte devant περὶ, tout en supprimant καὶ. Les mss permettent de rétablir un texte plus satisfaisant.

290 ἀφῆκεν ἀτελῆ τοῦτον, ἵν' ἐλθὼν καὶ τοὺς ὀφθαλμοὺς ἀποδούς, διὰ τοῦ μέρους τὴν περὶ τοῦ παντὸς ἡμῖν ἐγκαταβάλῃ πίστιν.

Καὶ ὅρα ποῦ τοῦτο ἐποίησεν· οὐκ ἐπὶ χειρὸς καὶ ποδός, ἀλλ' ἐπὶ ὀφθαλμῶν, τοῦ καλλίστου καὶ ἀναγκαιοτάτου τῶν 295 μελῶν τῶν ἡμετέρων, καὶ οὗ τιμιώτερον ἡμῖν οὐδέν ἐστι μέλος. Ὁ δὲ τὸ κάλλιστον καὶ ἀναγκαιότατον διαπλάσαι δυνηθείς, τοὺς ὀφθαλμοὺς λέγω, εὔδηλον ὅτι καὶ χεῖρα καὶ πόδα καὶ τὰ λοιπὰ δύναται κατασκευάσαι μέλη. Ὦ μακαρίων ὀφθαλμῶν ἐκείνων οἳ θέατρον ἐγένοντο τοῖς 300 παροῦσιν ἅπασι, καὶ πάντας πρὸς ἑαυτοὺς ἐπεσπάσαντο καὶ φωνὴν διὰ τοῦ κάλλους ἀφῆκαν, διδάσκουσαν τοὺς παρόντας ἅπαντας τὴν τοῦ Χριστοῦ δύναμιν. Καὶ ἦν παράδοξον τὸ γινόμενον· ὁ γὰρ τυφλὸς τοὺς ὁρῶντας βλέπειν ἐδίδασκεν. Ὅπερ οὖν καὶ ὁ Χριστὸς ἔλεγεν· 305 «Εἰς κρίμα ἦλθον εἰς τὸν κόσμον τοῦτον, ἵνα οἱ μὴ βλέποντες βλέψωσι καὶ οἱ βλέποντες τυφλοὶ γένωνται.» Ὦ πηρώσεως μακαρίας· οὓς γὰρ οὐκ ἔλαβε παρὰ τῆς φύσεως, ἔλαβε παρὰ τῆς χάριτος, οὐδὲν ἐκ τῆς ἀναβολῆς ζημιωθεὶς τοσοῦτον ὅσον ἐκέρδανε τοῦ κατὰ τὴν δημιουργίαν τρόπου. 310 Τί γὰρ ἂν γένοιτο τῶν ὀφθαλμῶν θαυμαστότερον ἐκείνων οὓς ἄμωμοι καὶ ἅγιαι χεῖρες διαπλάσαι κατηξίωσαν; Καὶ ὅπερ ἐπὶ τῆς στείρας συνέβη, τοῦτο καὶ ἐνταῦθα ἐγένετο. Καθάπερ γὰρ ἐκείνη οὐδὲν τῆς μελλήσεως παρεβλάπτετο, ἀλλὰ καὶ λαμπροτέρα μᾶλλον ἐγένετο, οὐ νόμοις φύσεως, 315 ἀλλὰ νόμοις χάριτος τὸ παιδίον ἀπολαβοῦσα, οὕτω δὴ καὶ ὁ τυφλὸς οὐδὲν ἐκ τῆς παρελθούσης παρεβλάβη πηρώσεως, ἀλλὰ καὶ τὰ μέγιστα ἐντεῦθεν ἐκέρδανε, τὸν τῆς δικαιοσύνης ἥλιον πρότερον ἰδεῖν καταξιωθεὶς καὶ τότε τοῦτον τὸν αἰσθητόν.

ADEFH BCG

301 διδάσκουσαν : διδάσκοντας C ‖ 304 χριστὸς] + δηλῶν C

f Jn 9, 39

sens, pour qu'après sa venue et après lui avoir rendu ses yeux, il suscite en nous, grâce à une partie, la foi en ce qui concerne le tout.

Éloge de l'œil Et remarque où s'est portée son action, non pas sur la main ou sur le pied, mais sur les yeux, le plus beau et le plus nécessaire de nos organes, en comparaison duquel aucun autre n'est plus précieux [1]. Celui qui a pu modeler ce qu'il y a de plus beau et de plus nécessaire, je veux dire les yeux, il est évident qu'il peut aussi créer une main, un pied et les autres membres. Bienheureux ces yeux vers lesquels se tournaient les regards de tous les assistants, qui les attiraient tous à lui et qui, à cause de leur beauté, firent entendre une voix enseignant à tous les assistants la puissance du Christ. Ce qui arriva était déconcertant, car l'aveugle enseignait à voir à ceux qui voyaient. C'est ce que le Christ disait : « Je suis venu au monde pour le jugement, afin que ceux qui ne voient pas voient et que ceux qui voient deviennent aveugles [f]. » Ô bienheureuse infirmité ! car ces yeux qu'il n'a pas reçus de la nature il les a reçus de la grâce, et il fut moins lésé par l'attente de cette création qu'il ne gagna par la manière dont elle se réalisa. Que pourrait-il y avoir de plus admirable que ces yeux que ces mains pures et saintes ont daigné modeler ? Et ce qui arriva pour la femme stérile [2] arriva aussi dans le cas présent. De même, en effet, que celle-ci ne subissait aucun tort par suite de l'attente, mais devint plus illustre après avoir reçu son enfant, non pas selon les lois de la nature, mais selon les lois de la grâce, de même l'aveugle ne subit aucun tort du fait de sa cécité passée, mais il en tira le plus grand profit ayant été jugé digne de voir d'abord le soleil de justice et ensuite celui que les sens perçoivent.

1. On trouve un éloge de l'œil développé selon les méthodes de la rhétorique dans *Ad pop. antioch. hom.* XI, 3, *PG* 49, 122-123.

2. Cette allusion peut viser plusieurs femmes de la Bible ; par exemple Sarah enfantant Isaac, Anne enfantant Samuel ou Elisabeth enfantant Jean-Baptiste.

320 Ταῦτα λέγω ἵνα μὴ δυσχεραίνωμεν, ἐπειδὰν ἴδωμεν ἢ ἑαυτοὺς ἢ ἑτέρους τινὰς ἐν συμφοραῖς ὄντας. Ἂν γὰρ εὐχαρίστως καὶ γενναίως φέρωμεν τὰ συμπίπτοντα ἅπαντα, πάντως εἰς τέλος χρηστὸν καὶ πολλὰ ἔχον ἀγαθὰ πᾶσα ἡμῖν ἀπαντήσεται ἡ συμφορά. Ἀλλ' ὅπερ ἠβουλήθην εἰπεῖν, 325 ὅτι ὥσπερ τὰ σώματα ἐνδεῶς ἔχοντα ἀπηρτισμένα κατεσκεύασεν, οὕτω καὶ τὸν νόμον ἀτελῆ λαβὼν ἐρρύθμιζε καὶ διέπλαττε καὶ πρὸς τὸ βέλτιον ἐξῆγε. Μηδεὶς δὲ ἀκούων ὅτι ὁ νόμος ἀτελὴς ἦν, τοῦ θέντος αὐτὸν κατηγορεῖν ἡμᾶς νομιζέτω. Ἀτελὴς γὰρ ἐκεῖνος οὐ παρὰ τὴν οἰκείαν φύσιν, 330 ἀλλὰ παρὰ τὸν χρόνον λοιπὸν ἐγίνετο· ἐπεὶ κατὰ τὸν καιρὸν ὃν εἰσηνέχθη, σφόδρα τέλειος ἦν καὶ τοῖς δεχομένοις αὐτὸν κατάλληλος· ἐπειδὴ δὲ πρὸς τὸ βέλτιον ὑπ' ἐκείνου παιδευθεῖσα λοιπὸν ἡ φύσις ἐπιδέδωκεν, ἀτελέστερος, οὐ παρὰ τὴν οἰκείαν φύσιν, ἀλλὰ παρὰ τὴν ἐπίδοσιν τῆς 335 ἀρετῆς τῶν ὑπ' αὐτοῦ διδαχθέντων οὗτος ἐγένετο· Καὶ καθάπερ τόξα καὶ βέλη, παιδίῳ κατασκευασθέντα βασιλικῷ πρὸς γυμνασίαν μᾶλλον ἢ πρὸς μάχην καὶ πόλεμον, αὐξηθέντος δὲ τοῦ παιδίου καὶ μαθόντος ἀριστεύειν ἐν πολέμοις, ἄχρηστα γίνεται, οὕτω δὴ καὶ ἐπὶ τῆς φύσεως 340 συνέβη τῆς ἡμετέρας· ἡνίκα ἀτελέστερον διεκείμεθα καὶ γυμνάζεσθαι ἐμανθάνομεν, κατάλληλα ἡμῖν ἔδωκεν ὅπλα ἅπερ ἠδυνάμεθα φέρειν μετ' εὐκολίας· ἐπειδὴ δὲ ηὐξήθημεν λοιπὸν κατὰ τὸν τῆς ἀρετῆς λόγον, ἀπὸ τῆς ἡμετέρας τελειότητος ἐκεῖνα λοιπὸν ἀτελῆ γέγονε. Διόπερ ἦλθεν 345 ὁ Χριστὸς ἕτερα μείζονα ἐγχειρίζων ἡμῖν.

ADEFH BCG

321 γὰρ : οὖν D ‖ 325-326 κατεσκεύασεν : -ζεν C ‖ 326 λαβὼν : λαβεῖν D ‖ 340 τῆς ἡμετέρας συνέβη ~ EF ‖ 344 διόπερ : διὰ τοῦτο C

La Loi se perfectionne avec le temps

Je dis cela pour que nous ne nous irritions pas lorsque nous nous voyons nous-mêmes ou que nous voyons les autres dans le malheur. En effet, si nous supportons avec action de grâces et courageusement tout ce qui nous arrive, le malheur aura finalement pour nous un résultat excellent et comportant pour nous beaucoup d'avantages. Mais ce que j'ai voulu dire, c'est ceci : de même qu'il a remis en bon état des corps déficients, de même, ayant reçu la Loi imparfaite, il la remettait en ordre, il la modelait et l'améliorait. Que personne, pour nous entendre dire que la Loi était imparfaite, ne pense que nous accusons celui qui l'a établie. En effet, si elle fut imparfaite, ce n'était pas par sa propre nature, mais à cause du temps qui restait à courir, car au moment où elle a été instituée elle était vraiment parfaite et adaptée à ceux qui la recevaient ; mais lorsque la nature formée autrefois par celui-ci[1] progressa vers le mieux, la Loi devint imparfaite, non par sa propre nature, mais à cause des progrès dans la vertu faits par ceux qu'elle avait instruits. Et de même que les flèches et les traits préparés pour un enfant royal en vue de son entraînement plutôt que pour le combat et la guerre, une fois l'enfant grandi et habitué à exceller dans les batailles, deviennent inutiles, de même c'est ce qui s'est produit pour notre nature ; lorsque nous étions imparfaits et que nous apprenions à nous entraîner, il (Dieu) nous a donné des armes adaptées à nous, que nous pouvions porter avec aisance, mais lorsque ensuite nous avons grandi dans le domaine de la vertu, en raison de notre perfection, ces armes sont devenues désormais imparfaites. C'est pourquoi le Christ est venu pour nous mettre en mains d'autres meilleures.

1. C'est-à-dire Dieu.

Καὶ σκόπει μεθ' ὅσης συνέσεως καὶ τοὺς παλαιοὺς ἀναγινώσκει νόμους καὶ τοὺς νέους παρατίθησιν. « Ἠκούσατε, φησίν, ὅτι ἐρρέθη τοῖς ἀρχαίοις· 'οὐ φονεύσεις'. » Εἰπὲ παρὰ τίνος ἐρρέθη· σὺ εἶπες τοῦτο ἢ ὁ Πατὴρ ὁ σός;
350 Ἀλλ' οὐ λέγει. Τίνος οὖν ἕνεκεν τοῦτο ἐσίγησε καὶ τὸν εἰπόντα οὐκ ἐποίησε φανερόν, ἀλλ' ἀπρόσωπον τὴν νομοθεσίαν εἰσήγαγεν; Ὅτι εἰ μὲν ὁ πατὴρ ἐμοῦ εἶπεν· « οὐ φονεύσεις », ἐγὼ δὲ λέγω ὑμῖν· « οὐκ ὀργισθήσῃ », ἔδοξεν ἂν βαρὺ τὸ λεγόμενον εἶναι διὰ τὴν ἀπόνοιαν τῶν ἀκουόντων
355 μηδέπω συνιέναι δυναμένων, ὅτι οὐκ ἀνατρέπων τὰ πρότερα, ἀλλ' αὔξων ταῦτα ἐνομοθέτει· καὶ εἶπον ἂν πρὸς αὐτόν· Τί λέγεις; ὁ Πατήρ σου εἶπεν· « Οὐ φονεύσεις », σὺ δὲ λέγεις· « οὐκ ὀργισθήσῃ ». Ἵν' οὖν μή τις ἐναντίον αὐτὸν τῷ Πατρὶ νομίσῃ εἶναι ἢ ὡς σοφώτερόν τι πλέον εἰσφέρειν
360 ἐκείνου, οὐκ εἶπεν ὅτι ἠκούσατε παρὰ τοῦ Πατρός. Πάλιν εἰ εἶπεν· Ἠκούσατε ὅτι ἐγὼ εἶπον τοῖς ἀρχαίοις, ἀφόρητον ἔδοξεν ἂν εἶναι, καὶ τοῦτο οὐκ ἔλαττον ἢ τὸ πρότερον. Εἰ γάρ, ἐπειδὴ εἶπε· « Πρὸ τοῦ Ἀβραὰμ γενέσθαι ἐγώ εἰμι », λιθάσαι αὐτὸν ἐπεχείρησαν, εἰ προσέθηκεν ὅτι καὶ Μωϋσῇ
365 αὐτὸς τὸν νόμον ἔδωκε, τί οὐκ ἂν ἐποίησαν; Διὰ τοῦτο οὔτε περὶ ἑαυτοῦ, οὔτε περὶ τοῦ Πατρὸς οὐδὲν εἰπών, ἀλλὰ μέσον ἀφεὶς καὶ εἰπών· « Ἠκούσατε ὅτι ἐρρέθη τοῖς ἀρχαίοις· 'Οὐ φονεύσεις' »· ὅπερ ἐπὶ τῶν σωμάτων ἐποίησε,

ADEFH BCG

349 εἰπὲ] + καὶ C ‖ εἶπες : εἶπας B C ‖ 351 ἀλλ' ἀπρόσωπον : ἀλλὰ πρόσωπον DF A C ‖ 352 ὁ — εἶπεν om. H C ‖ ὅτι post εἶπεν transp. A EF B ‖ 366 εἰπὼν οὐδὲν ~ B

g Matth. 5, 21 ‖ h Jn 8, 58 ‖ i Matth. 5, 21

Reprise du thème : Loi ancienne, Loi nouvelle

Et vois avec quelle intelligence il rappelle les lois anciennes et propose les nouvelles. « Vous avez entendu, dit-il, qu'il a été dit aux Anciens : 'Tu ne tueras pas[g]'. » Et, dis-moi, par qui cela a-t-il été dit ? Est-ce toi qui l'as dit ou ton Père ? Mais il ne le précise pas. Pourquoi donc a-t-il passé cela sous silence et n'a-t-il pas fait savoir qui l'avait dit, mais a-t-il présenté l'institution sans préciser son auteur[1] ? C'est parce que s'il avait dit : Mon Père a dit[2] : « Tu ne tueras pas », mais moi je vous dis : « Tu ne te mettras pas en colère », son langage aurait paru difficile à comprendre à ses auditeurs à cause de leur manque d'intelligence, car ils ne pouvaient pas encore comprendre qu'il ne venait pas abolir les lois du passé, mais que c'est en y ajoutant qu'il faisait acte de législateur ; et ils lui auraient dit : Que dis-tu ? Ton Père t'a dit : « Tu ne tueras pas » et toi tu dis : « Tu ne te mettras pas en colère ! » Pour que nul ne pense qu'il s'oppose au Père ou qu'il établit une loi plus sage que celui-ci, il ne dit pas : Vous avez appris de mon Père ... Encore une fois il aurait dit : Vous avez entendu que j'ai dit aux Anciens ... cela eût semblé intolérable et non moins que la formule précédente. Si, en effet, lorsqu'il a dit : « Avant qu'Abraham fût, je suis[h] », ils essayèrent de le lapider ; s'il avait ajouté qu'il avait donné la Loi à Moïse, que n'auraient-ils pas fait ? C'est pourquoi il n'a mentionné ni lui-même, ni son Père, mais il a pris une solution moyenne en disant : « Vous avez entendu qu'il a été dit aux Anciens : Tu ne tueras pas[i]. » Ce qu'il a fait

1. La variante ἀλλὰ πρόσωπον est évidemment une mélecture, cf. li. 377.

2. Le texte proposé par la famille β apporte un complément utile, sinon indispensable à l'intelligence du texte. C'est ainsi que καὶ ὅτι — λέγοντος (li. 387-389) est à rétablir.

διὰ τῆς τοῦ λείποντος ἀναπληρώσεως διδάξας αὐτοὺς καὶ
370 τὸν ἐν ἀρχῇ δημιουργήσαντα τὸν ἄνθρωπον, τοῦτο καὶ
ἐνταῦθα ποιεῖ, διὰ τῆς τοῦ νόμου διορθώσεως καὶ τῆς τοῦ
ἐνδέοντος προσθήκης διδάσκων τίς ἐστιν ὁ καὶ παρὰ τὴν
ἀρχὴν τὸν νόμον δεδωκώς.

Διὰ τοῦτο καὶ περὶ τῆς τοῦ ἀνθρώπου δημιουργίας
375 διαλεγόμενος, οὔτε ἑαυτοῦ, οὔτε τοῦ Πατρὸς ἐμνήσθη, ἀλλὰ
καὶ ἐνταῦθα ἀπρόσωπόν τε καὶ ἀδιόριστον ποιεῖται τὸν
λόγον, εἰπών· « Ὁ ποιήσας ἐξ ἀρχῆς ἄρσεν καὶ θῆλυ ἐποίησεν αὐτούς » καὶ τῷ μὲν ῥήματι ἐσίγησε τὸν ποιήσαντα,
τῷ δὲ ἔργῳ ἐδίδαξε τὰ λείποντα τῶν σωμάτων ἀναπληρῶν.
380 Οὕτω καὶ ἐνταῦθα εἰπὼν ὅτι « Ἠκούσατε ὅτι ἐρρέθη τοῖς
ἀρχαίοις » παρὰ μὲν τίνος ἐρρέθη ἐσίγησε, διὰ δὲ τῶν ἔργων
αὐτῶν ἐδήλωσεν ἑαυτόν. Ὁ γὰρ τὸ λεῖπον ἀναπληρώσας,
οὗτός ἐστιν ὁ καὶ ἐξ ἀρχῆς αὐτὸν εἰσενεγκών. Καὶ αὐτοὺς
δὲ τοὺς παλαιοὺς ἀναγινώσκει νόμους, ἵνα τῇ παραθέσει
385 μάθωσιν οἱ ἀκούοντες ὅτι οὔτε ἐναντιώσεώς ἐστι τὰ λεγόμενα καὶ ὅτι τῷ γεγεννηκότι τὴν αὐτὴν ἐξουσίαν ἔχει. Καὶ
ταῦτα καὶ οἱ Ἰουδαῖοι συνῆκαν καὶ ἐθαύμαζον. Καὶ ὅτι
ἐθαύμαζον, ἄκουε τοῦ εὐαγγελιστοῦ τοῦτο δηλοῦντος καὶ
λέγοντος· « Ἐξεπλήσσοντο, γὰρ οἱ ὄχλοι ἐπὶ τῇ διδαχῇ
390 αὐτοῦ, ὅτι ἐδίδασκεν αὐτοὺς ὡς ἐξουσίαν ἔχων, καὶ οὐχ ὡς
οἱ γραμματεῖς αὐτῶν καὶ οἱ Φαρισαῖοι. » Τί οὖν, εἰ κακῶς
τοῦτο ὑπώπτευον ἐκεῖνοι; φησί. Καὶ μὴν οὐκ ἐνεκάλεσεν
αὐτοῖς, οὐδὲ ἐπετίμησεν, ἀλλὰ καὶ ἐκύρωσεν αὐτῶν τὴν
γνώμην. Προσελθόντος γὰρ εὐθέως τοῦ λεπροῦ καὶ λέγον-

ADEFH BCG

371 ποιεῖ C : om. cett. || 386 καὶ² om. C || 387-389 Καὶ ὅτι — λέγοντος C om. cett. || 389 γάρ : φησίν C || 392 φησί C om. cett. || καὶ μὴν : οὐ μόνον δὲ AD || 393 αὐτοῖς om. AD

j Matth. 19, 4 || k Matth. 7, 28-29

pour les corps : en suppléant à ce qui était déficient, il les a instruits, lui qui au début avait créé l'homme, il le fait aussi dans ce cas : il donne la juste interprétation de la Loi et il ajoute à ce qui lui manquait, enseignant ainsi quel est celui qui, au commencement, a donné la Loi.

C'est pourquoi également, parlant de la création de l'homme[1], il n'a mentionné ni lui, ni le Père, mais il prend une tournure anonyme et indéterminée en disant : « Celui qui au commencement les a faits[2] mâle et femelle[j]. » En paroles il a passé sous silence le créateur, mais il l'a indiqué en acte, suppléant à ce qui manquait aux corps. Et de même qu'en disant dans un cas : « Vous avez entendu qu'il a été dit aux Anciens ... », il a passé sous silence qu'il était l'auteur de ces paroles, par ses actes il a montré que c'était lui. Celui qui remédia à la déficience est aussi celui qui, tout d'abord, a amené l'homme[3] à la vie. Et il rappelle les lois anciennes pour que les auditeurs apprennent, par comparaison, que ce qui a été dit ne vient pas d'une opposition, mais qu'il possède le même pouvoir que celui qui l'a engendré. Cela les Juifs l'ont compris et s'en sont étonnés. Et qu'ils s'en sont étonnés, écoute l'évangéliste le montrer par ces paroles : « En effet les foules étaient frappées de stupeur devant son enseignement, parce qu'il les enseignait comme ayant autorité et non pas comme leurs scribes et les pharisiens[k]. » Quoi d'étonnant, dit-on[4], s'ils avaient à son égard de mauvais soupçons ? Cependant il ne les reprit pas, il ne les punit pas, mais il confirma leur façon de penser. En effet, le lépreux s'étant avancé aussi-

1. Chrysostome introduit un nouvel exemple pour appuyer sa démonstration, celui de la *Genèse* où une tournure impersonnelle est aussi employée.

2. Le texte de Nestlé donne κτίσας, mais avec la variante ποίησας utilisée par l'*Alexandrinus* et plusieurs Pères, entre autres Chrysostome. Sur la nuance κτίζω-ποιέω, voir M. Alexandre, *Le commencement du Livre,* p. 192-194.

3. αὐτὸν, c'est-à-dire l'homme.

4. φησί est à garder contre l'ensemble des mss pour signaler qu'il s'agit d'une objection faite par un interlocuteur.

395 τος· «Κύριε, ἐὰν θέλῃς, δύνασαί με καθαρίσαι», τί φησι; «Θέλω, καθαρίσθητι.» Καὶ τίνος ἕνεκεν οὐκ εἶπεν ἁπλῶς, «Καθαρίσθητι»; καίτοι ὁ λεπρὸς ἐμαρτύρησεν αὐτῷ ἐξουσίαν ἔχειν, εἰπών, «Ἐὰν θέλῃς.» Ἀλλ' ἵνα μὴ νομίσῃς τῆς τοῦ λεπροῦ γνώμης εἶναι τό· «Ἐὰν θέλῃς» προσέθηκε καὶ
400 αὐτὸς λέγων· «Θέλω, καθαρίσθητι.» Οὕτως ἐπίτηδες πανταχοῦ τὴν ἐξουσίαν ἐδείκνυε τὴν ἑαυτοῦ καὶ ὅτι πάντα ἀπὸ αὐθεντίας ποιεῖ· ἐπεὶ εἰ μὴ τοῦτο ἦν, περιττὸν ἦν τὸ λεγόμενον.

Μαθόντες τοίνυν διὰ πάντων αὐτοῦ τὴν ἐξουσίαν, ἂν
405 ἴδωμεν ἑτέρωθι ταπεινόν τι ποιοῦντα καὶ λέγοντα, διά τε τὰς αἰτίας ἃς ἠριθμήσαμεν πρῴην, καὶ διὰ τὸ βούλεσθαι τοὺς ἀκούοντας εἰς ταπεινοφροσύνην ἐναγαγεῖν, μὴ διὰ τοῦτο αὐτὸν εἰς εὐτέλειαν οὐσίας διαβάλλωμεν. Καὶ γὰρ αὐτὸ τὸ σάρκα ἀναλαβεῖν ἀπὸ ταπεινοφροσύνης ὑπέμεινεν,
410 οὐ διὰ τὸ καταδεέστερον εἶναι τοῦ Πατρός. Καὶ πόθεν τοῦτο δῆλον; Καὶ γὰρ καὶ τοῦτο περιφέρουσιν οἱ τῆς ἀληθείας ἐχθροί, λέγοντες ὅτι εἰ ἴσος ἦν τῷ γεγεννηκότι, τίνος ἕνεκεν ὁ Πατὴρ οὐκ ἀνέλαβε σάρκα, ὁ δὲ Υἱὸς ὑπέδυ τὴν τοῦ δούλου μορφήν; Ἆρα οὐκ εὔδηλον ὅτι ἐπειδὴ καταδεέστε-
415 ρος ἦν; Καὶ μήν, εἰ διὰ τοῦτο τὴν ἡμετέραν ὑπέδυ φύσιν, τὸ Πνεῦμα ὅ φασιν αὐτοὶ τοῦ Υἱοῦ ἔλαττον εἶναι — οὐ γὰρ ἂν ἡμεῖς εἴποιμεν —, ἐκεῖνο σαρκωθῆναι ἔδει. Εἰ γὰρ διὰ τοῦτο λαμπρότερος τοῦ Υἱοῦ ὁ Πατήρ, ἐπειδὴ ὁ μὲν ἐσαρκώθη, ὁ δὲ οὐκ ἐσαρκώθη, ἔσται καὶ τὸ Πνεῦμα αὐτοῦ διὰ
420 τὴν αὐτὴν αἰτίαν μεῖζον· οὐδὲ γὰρ αὐτὸ σάρκα ἀνέλαβεν.

ADEFH BCG

401 ἐδείκνυε C : ἐνδείκνυται cett. || 413 ὁ δὲ : ἀλλ' ὁ C || 414 ἆρα : ἆρ C || 418 λαμπρότερος : μείζων C || 419 ὁ δὲ οὐκ ἐσαρκώθη om. AD

1 Matth. 8, 2-3

---

1. L'imparfait donné par CG paraît préférable au présent comme situant l'action du Christ dans le temps par rapport à l'affirmation générale.

tôt et lui disant : «Seigneur, si tu veux, tu peux me guérir», que dit-il ? : «Je le veux, sois guéri[1].» Et pourquoi n'a-t-il pas dit seulement : «Sois guéri», alors que le lépreux atteste qu'il en avait reçu le pouvoir en disant : «Si tu veux.» Mais pour que tu ne penses pas que «Si tu veux» vient de la pensée du lépreux, il ajoute aussitôt lui-même cette parole : «Je le veux, sois guéri.» Il montrait[1] ainsi suffisamment en toutes circonstances son pouvoir et qu'il faisait toutes choses avec autonomie ; car si cela n'était pas, ce qu'il a dit était vain.

Le Christ a pris chair par humilité

Puisque nous avons appris par tous ces détails que tel est son pouvoir, si nous le voyons dans d'autres cas faire et dire quelque chose d'humble pour les raisons que nous avons énumérées précédemment et parce qu'il veut amener ses auditeurs à l'humilité, ne concluons pas fausssement à cause de cela à l'infériorité de son essence. En effet, il a assumé le fait de prendre chair par humilité et non parce qu'il était inférieur à son Père[2]. Et quelle en est la preuve ? En effet les ennemis de la vérité répandent cela partout en disant : s'il était égal à celui qui l'a engendré, pourquoi le Père n'a-t-il pas pris chair, tandis que le Fils a pris la forme d'un esclave ? N'est-il pas évident que celui-ci était inférieur ? De fait, si c'est pour cette raison qu'il a revêtu notre nature, il aurait fallu que l'Esprit qu'ils disent être moins grand que le Fils — non pas que nous le disions-nous — s'incarnât lui aussi. Si, en effet, le Père jouit d'une gloire plus grande[3] que celle du Fils parce l'un s'est incarné et que l'autre ne s'est pas incarné, l'Esprit sera plus grand que lui pour la même raison, car il n'a pas pris chair.

2. L'adjectif εὐτελέστερον exprime par un terme courant la position théologique défendue par Eunome en termes philosophiques.
3. L'adjectif λαμπρός, employé par l'ensemble des mss en face de μείζων plus banal qu'offre C, évoque la gloire de Dieu telle qu'elle s'est révélée dans la Transfiguration, par exemple.

Ἀλλ' ἵνα μὴ ἀπὸ συλλογισμῶν τοῦτο ἀποφαινώμεθα, φέρε ἀπ' αὐτῶν τῶν Γραφῶν αὐτὸ παραστήσωμεν, δεικνύοντες ὅτι διὰ ταπεινοφροσύνην σάρκα ἀνέλαβεν. Ὁ γὰρ Παῦλος ὁ ταῦτα εἰδὼς ἀκριβῶς, ἐπειδὰν μέλλῃ τι τῶν
425 χρησίμων ἡμῖν παραινεῖν, τὰ ὑποδείγματα ἄνωθεν ἡμῖν κατάγει τῆς ἀρετῆς· οἷον, συμβουλεύει πολλάκις περὶ ἀγάπης, καὶ βουλόμενος ἐναγαγεῖν τοὺς μαθητὰς εἰς τὸ ἀγαπᾶν ἀλλήλους, Χριστὸν εἰς μέσον παράγει λέγων· «Οἱ ἄνδρες, ἀγαπᾶτε τὰς γυναῖκας, καθὼς καὶ ὁ Χριστὸς
430 ἠγάπησε τὴν Ἐκκλησίαν.» Πάλιν, ἐπειδὰν περὶ ἐλεημοσύνης διαλέγηται, τοῦτο αὐτὸ ποιεῖ· διὸ γὰρ λέγει· «Γινώσκετε τὴν χάριν τοῦ Κυρίου ἡμῶν Ἰησοῦ Χριστοῦ, ὅτι δι' ὑμᾶς ἐπτώχευσε πλούσιος ὤν, ἵνα ὑμεῖς τῇ ἐκείνου πτωχείᾳ πλουτήσητε.» Ὃ δὲ λέγει τοιοῦτόν ἐστιν· ὥσπερ ὁ
435 Δεσπότης σου ἐπτώχευσε, σάρκα περιβαλόμενος, οὕτω σὺ πτώχευσον ἐν χρήμασι· ὥσπερ γὰρ ἐκεῖνον οὐδὲν ἔβλαψεν ἡ πτωχεία τῆς δόξης, οὕτως οὐδὲ σὲ βλάψαι δυνήσεται ἡ τῶν χρημάτων πτωχεία, ἀλλὰ πολὺν ἐργάσεταί σοι τὸν πλοῦτον. Οὕτω περὶ ταπεινοφροσύνης πάλιν
440 Φιλιππησίοις διαλεγόμενος τὸν Χριστὸν εἰς μέσον ἄγει. Εἰπὼν γὰρ : «Τῇ ταπεινοφροσύνῃ ἀλλήλους ἡγούμενοι ὑπερέχοντας ἑαυτῶν» ἐπήγαγε· «Τοῦτο γὰρ φρονείσθω ἐν ὑμῖν ὃ καὶ ἐν Χριστῷ Ἰησοῦ, ὃς ἐν μορφῇ Θεοῦ ὑπάρχων οὐχ ἁρπαγμὸν ἡγήσατο τὸ εἶναι ἴσα Θεῷ, ἀλλ' ἑαυτὸν ἐκένωσε
445 μορφὴν δούλου λαβών.»

Καίτοι εἰ διὰ τὸ ἐλάττω εἶναι κατὰ φύσιν κατεδέξατο σάρκα φορέσαι, οὐκ ἔτι ταπεινοφροσύνης τὸ γενόμενον, ἀλλὰ περιττῶς αὐτὸ παρήγαγεν ὁ Παῦλος εἰς ταπεινο-

ADEFH BCG

431 γὰρ : καὶ C om. D ‖ 431-432 γινώσκετε] + γὰρ D ‖ 432-495 τὴν — κατα[λυετω om. D ‖ 435 περιβαλόμενος : -βαλλόμενος AFH ‖ 436 ὥσπερ γὰρ : καὶ γὰρ ὥσπερ C ‖ 439 οὕτω] + καὶ C ‖ 441 εἰπὼν γὰρ : καὶ εἰπὼν C

Mais pour ne pas le démontrer par des raisonnements, allons, établissons-le d'après les Écritures elles-mêmes, en montrant qu'il a pris chair par humilité. En effet, Paul qui savait très bien cela, lorsqu'il veut nous adresser quelque exhortation profitable, fait toujours descendre du ciel pour nous ses exemples de vertu. C'est ainsi qu'il donne souvent des conseils au sujet de la charité et, voulant amener les disciples à s'aimer les uns les autres, il introduit le Christ en disant : « Maris, aimez vos femmes comme le Christ a aimé l'Église [m]. » Une autre fois, lorsqu'il parle de l'Église, il fait de même ; c'est pourquoi il dit : « Vous connaissez la grâce de notre Seigneur Jésus-Christ : étant riche, il s'est fait pauvre à cause de vous pour vous enrichir par sa pauvreté [n]. » Ce qu'il veut dire c'est ceci : De même que le Maître s'est fait pauvre, ayant revêtu une chair, de même, toi, fais-toi pauvre pour ce qui est des richesses ; et en effet, de même que la pauvreté n'a pas nui à sa gloire, de même la pénurie de biens ne pourra jamais te nuire, mais augmentera beaucoup ta richesse. De même aussi, parlant de l'humilité aux Philippiens, il introduit le Christ et, après avoir dit : « ... pensant par humilité que les autres sont plus élevés ... [o] », il a ajouté : « Ayez en vous les sentiments du Christ Jésus qui, étant de condition divine, n'a pas retenu comme une proie le fait d'être égal à Dieu, mais s'est anéanti lui-même, ayant pris la forme d'un esclave [p]. »

Définition de l'humilité

Et cependant, si c'était parce qu'il est inférieur par nature qu'il a accepté de prendre chair, ce ne serait plus de l'humilité, alors que Paul a excellemment cité cet exemple,

m Éphés. 5, 25 || n II Cor. 8, 9 || o Phil. 2, 3 || p Phil. 2, 5-7

φροσύνην παρακαλῶν· ταπεινοφροσύνη γάρ ἐστιν ὅταν ἴσος
450 ὑπακούῃ τῷ ἴσῳ. Τοῦτο οὖν καὶ αὐτὸς δεικνὺς λέγει· «Ὃς
ἐν μορφῇ Θεοῦ ὑπάρχων οὐχ ἁρπαγμὸν ἡγήσατο τὸ εἶναι
ἴσα Θεῷ, ἀλλ' ἑαυτὸν ἐκένωσε μορφὴν δούλου λαβών.» Τί
ἐστιν «Οὐχ ἁρπαγμὸν ἡγήσατο τὸ εἶναι ἴσα Θεῷ, ἀλλ'
ἑαυτὸν ἐκένωσε μορφὴν δούλου λαβών»; Ὁ ἁρπάσας τι
455 τῶν μὴ προσηκόντων κατέχει τοῦτο διηνεκῶς καὶ ἀποθέσθαι
οὐκ ἂν ἕλοιτο, δεδοικὼς καὶ θαρρεῖν οὐκ ἔχων ὑπὲρ τῆς
κτήσεως· ὁ δὲ ἀναφαίρετον ἔχων ἀγαθόν, κἂν ἀποκρύπτῃ,
τοῦτο οὐ δέδοικεν· οἷον, ἔστω τις τοῦ αὐτοῦ, ὁ μὲν οἰκέτης, ὁ
δὲ υἱός· ὁ μὲν οὖν οἰκέτης ἐλευθερίαν ἀναβοήσῃ μηδαμόθεν
460 αὐτῷ προσήκουσαν καὶ ἀντικαταστῇ τῷ δεσπότῃ οὐχ
ὑπομένει τι ποιῆσαι δουλικόν, οὐδὲ ἐπιταττόμενος ὑπα-
κούει, δεδοικὼς μὴ τοῦτο αὐτὸ τῇ ἐλευθερίᾳ λυμήνηται καὶ
πρόσκομμα αὐτῷ τὸ ἐπίταγμα ἐργάσηται· ἥρπασε γὰρ τὴν
τιμὴν καὶ παρὰ ἀξίαν ἔχει. Ὁ δὲ υἱὸς οὐ παραιτήσεται
465 ἐπιτελέσαι πᾶν ἔργον δουλικόν, εἰδὼς ὅτι κἂν ἅπαντα
διακονήσηται τὰ τῶν δούλων, οὐδὲν αὐτῷ τὰ τῆς ἐλευθερίας
παραβέβλαπται, ἀλλ' ἀκίνητα μένει, τῆς φυσικῆς εὐγενείας
ἀναιρεθῆναι μὴ δυναμένης ἀπὸ τῶν δουλικῶν ἔργων·
ἐπειδήπερ οὐκ ἐξ ἁρπαγῆς αὐτὴν ἔχει, καθάπερ ὁ οἰκέτης,
470 ἀλλ' ἄνωθεν καὶ ἐκ πρώτης αὐτῷ συγκληρωθεῖσαν ἡμέρας.
Τοῦτο οὖν καὶ ὁ Παῦλος δηλῶν περὶ τοῦ Χριστοῦ φησιν
ὅτι ἐπειδὴ φύσει ἐλεύθερος ἦν καὶ γνήσιος υἱός, οὐχ ὡς
ἁρπαγὴν λαβὼν τὴν ἰσότητα, ἐδέησεν αὐτὴν ἀποκρύψαι,
ἀλλὰ θαρρῶν ἀνέλαβε τὴν δούλου μορφήν. Ἤδει γάρ, ᾔδει
475 σαφῶς ὅτι ἡ συγκατάβασις οὐδὲν αὐτοῦ τὴν δόξαν ἐλατ-
τῶσαι δυνήσεται· οὐ γὰρ ἐπείσακτος ἦν, οὐδὲ κατὰ

ADEFH BCG

450 δεικνὺς λέγει : φησι G || 452-454 τί — λαβών om. A || 458 οἷον] + ἵνα καὶ ἐπὶ ὑποδείγματος ποιήσω τόν λόγον φανερόν C || 459 ὁ μὲν οὖν : ἐὰν οὖν ὁ C

1. On a ici un témoignage précieux du sens que Jean donne au mot ταπεινοφροσύνη sur lequel repose toute son argumentation.

lorsqu'il exhorte à l'humilité. L'humilité, en effet, c'est lorsqu'un égal obéit à son égal[1]. Il montre donc lui-même cela en disant : « Lui qui, étant de condition divine, n'a pas retenu comme une proie le fait d'être égal à Dieu, mais s'est anéanti lui-même, ayant pris la forme d'un esclave. » Que signifie : « il n'a pas retenu comme une proie le fait d'être égal à Dieu, mais il s'est anéanti lui-même ayant pris la forme d'un esclave » ? Celui qui a ravi quelque chose qui ne convenait pas le garde constamment et ne voudrait pas l'abandonner, plein de crainte et ne pouvant avoir un sentiment de sécurité au sujet de ce qu'il possède ; mais celui qui possède un bien qu'on ne peut lui enlever, même s'il le perd de vue, n'éprouve pas de telles craintes. Ainsi, par exemple, supposons que quelqu'un dépende du même homme, soit à titre de serviteur, soit à titre de fils. Si donc le serviteur réclame une liberté qui ne lui sied pas et s'il s'oppose à son maître, il ne supporte pas d'agir en esclave, et quand il reçoit un ordre, il n'obéit pas, de crainte que cela n'attente à sa liberté et que l'ordre lui cause quelque dommage, il a ravi comme une proie cet honneur et il le détient sans en être digne. Tandis que le fils ne refusera pas de faire n'importe quel travail d'esclave, sachant que, même s'il accomplit tous les travaux d'un esclave, cela ne nuit en rien à sa liberté, mais qu'elle demeure inamovible, la noblesse naturelle ne pouvant être abolie par des travaux serviles, puisqu'il ne la possède pas pour l'avoir ravie, comme le serviteur, mais qu'elle lui vient d'en-haut et que, dès le premier jour, elle lui a été donnée en partage. Voilà donc ce que Paul veut montrer lorsqu'il dit au sujet du Christ qu'étant libre par nature et Fils authentique, il n'a pas retenu comme une proie son égalité, qu'il n'a pas besoin de la dissimuler, mais que, plein de confiance, il a pris la forme d'esclave. Il savait, en effet, il savait clairement que sa condescendance ne pourrait en rien diminuer sa gloire et qu'elle ne lui avait pas été donnée comme une proie ; qu'elle ne lui était pas étrangère et sans rapport

ἁρπαγὴν δοθεῖσα, οὐδὲ ἀλλοτρία καὶ μὴ προσήκουσα, ἀλλὰ φυσικὴ καὶ γνησία. Διὰ τοῦτο δούλου μορφὴν ἔλαβεν, εἰδὼς σαφῶς καὶ πεπεισμένος ὅτι οὐδὲν αὐτὸν τοῦτο παραβλάψαι
480 δυνήσεται. Οὐκοῦν οὐδὲ παρέβλαψεν, ἀλλὰ καὶ ἐν τῇ τοῦ δούλου μορφῇ τὴν αὐτὴν ἔμεινε δόξαν ἔχων. Ὁρᾷς ὅτι καὶ αὐτὸ τὸ σάρκα ἀναλαβεῖν σημεῖόν ἐστι τοῦ τὸν Υἱὸν ἴσον εἶναι τῷ γεγεννηκότι καὶ τοῦ τὴν ἰσότητα ταύτην οὐκ ἐπείσακτον εἶναι, οὐδὲ ἐπιγινομένην καὶ ἀπογινομένην, ἀλλ'
485 ἀκίνητον καὶ βεβαίαν καὶ οἵαν εἰκὸς ἔχειν υἱὸν πρὸς πατέρα;

Ταῦτ' οὖν ἅπαντα πρὸς ἐκείνους λέγωμεν καὶ σπουδάζωμεν, τό γε εἰς ἡμᾶς ἧκον, ἀπάγειν αὐτοὺς τῆς πονηρᾶς ἐκείνης αἱρέσεως καὶ πρὸς τὴν ἀλήθειαν ἐπανάγειν. Καὶ ἡμεῖς δὲ αὐτοὶ μὴ τὴν πίστιν μόνην ἀρκεῖν ἡμῖν πρὸς
490 σωτηρίαν νομίζωμεν, ἀλλὰ καὶ πολιτείας ἐπιμελώμεθα καὶ βίον ἄριστον ἐπιδειξώμεθα, ἵν' ἑκατέρωθεν ἡμῖν ἀπηρτισμένα ᾖ τὰ τῆς ὠφελείας. Καὶ ὃ παρεκάλεσα πρῴην, τοῦτο καὶ νῦν, ὥστε κατορθῶσαι, παρακαλῶ· καὶ τὰς πρὸς ἀλλήλους ἔχθρας καταλύσωμεν, καὶ μιᾶς ἡμέρας μηδεὶς πλέον ἔστω
495 τοῦ πλησίον ἐχθρός, ἀλλὰ πρὸ τῆς νυκτὸς καταλυέτω τὴν ὀργήν, ἵνα μὴ καθ' ἑαυτὸν γενόμενος, καὶ τὰ γεγενημένα καὶ τὰ εἰρημένα παρὰ τῆς ἔχθρας συλλέγων μετὰ ἀκριβείας, χαλεπώτερον τὸ τέλος ἐργάσηται καὶ δυσκολωτέραν ποιήσῃ τὴν καταλλαγήν. Καθάπερ γὰρ τὰ τοῦ σώματος ἡμῶν ὀστᾶ
500 ἐξολισθήσαντα τῆς οἰκείας ἕδρας, ἂν μὲν εὐθέως ἐπανάγηται, οὐ μετὰ πολλοῦ πόνου τὴν οἰκείαν ἀπολαμβάνει χώραν, ἂν δὲ πολὺν ἔξω τῆς οἰκείας ἕδρας μείνῃ χρόνον, δυσκόλως ἐπανέρχεται πάλιν καὶ πρὸς τὴν οἰκείαν ἐπάνεισι χώραν καὶ ἐπαναχθέντα δὲ πολλῶν δεῖται τῶν ἡμερῶν, ὥστε
505 ἁρμοσθῆναι μετὰ ἀκριβείας καὶ ἑδρασθῆναι καὶ μεῖναι, οὕτω

ADEFH BCG

500-502 ἂν μὲν — ἕδρας om. AD

1. Voir *supra*, p. 182, n. 1.

avec lui, mais naturelle et légitime. C'est pourquoi il a pris une forme d'esclave sachant clairement et persuadé que cela ne pourrait lui nuire. Cela ne lui a donc pas nui, mais jusque dans la forme d'un esclave, il resta possesseur de la même gloire. Vois-tu que le fait d'avoir pris chair est un signe de l'égalité du Fils avec celui qui l'a engendré et que cette égalité ne lui est pas venue du dehors, qu'elle ne lui a pas été ajoutée[1], puis enlevée, mais qu'elle est immuable et stable et telle que la possède normalement un fils par rapport à son père?

Exhortation finale : nécessité du pardon

Disons donc tout cela à ces gens et faisons en sorte, dans la mesure où cela dépend de nous, de les détourner de cette hérésie perverse et de les ramener à la vérité. Quant à nous, ne supposons pas que la foi suffise à notre salut, mais veillons sur notre conduite et donnons l'exemple d'une vie excellente, afin que, pour notre utilité il y ait sur ces deux points une adaptation parfaite. Ce que je vous ai recommandé précédemment, je vous le recommande encore maintenant, c'est de mener une vie droite; faisons disparaître nos sentiments d'hostilité les uns envers les autres et que personne, ne fût-ce qu'un jour, ne reste davantage hostile à son prochain, mais qu'avant la nuit on calme sa colère de peur que, s'étant retrouvé face à soi-même et réfléchissant avec soin à ce qui s'est passé et à ce qui a été dit sous l'empire de l'hostilité, l'affaire ne se termine de façon plus pénible et que la réconciliation ne soit plus possible. En effet, de même que les os du corps humain, lorsqu'ils sont sortis de l'endroit qui leur est propre, si on les y remet aussitôt retrouvent sans beaucoup de peine leur place propre, mais que s'ils restent longtemps hors de l'endroit qui leur est propre, c'est difficilement qu'ils y reviennent et reprennent leur place propre, et même lorsqu'ils ont été replacés, ont besoin de beaucoup de jours pour se réadapter avec exactitude, pour se

δὴ καὶ ἡμεῖς, ἂν μὲν εὐθέως τοῖς ἐχθροῖς καταλλαγῶμεν, εὐθέτως τε τοῦτο ποιοῦμεν καὶ οὐ πολλῆς δεόμεθα σπουδῆς, ὥστε εἰς τὴν ἀρχαίαν φιλίαν ἐπανελθεῖν· ἐὰν δὲ πολύς μεταξὺ γένηται χρόνος, ὥσπερ τυφλωθέντες ἀπὸ τῆς
510 ἔχθρας, ἐρυθριῶμεν, αἰσχυνόμεθα, ἑτέρων δεόμεθα τῶν συναγόντων ἡμᾶς· οὐχὶ τῶν συναγόντων δὲ μόνον, ἀλλὰ καὶ τῶν μετὰ τὴν ἐπάνοδον κατεχόντων ἡμᾶς μετὰ ἀκριβείας, ἕως ἂν τὴν προτέραν ἀναλάβωμεν παρρησίαν. Καὶ οὔπω λέγω τὸν γέλωτα καὶ τὴν αἰσχύνην. Πόσης γὰρ
515 καταγνώσεως ἄξιον οὐκ ἂν εἴη, ἑτέρων δεῖσθαι τῶν συναγόντων ἡμᾶς πρὸς τὰ ἡμέτερα μέλη; Οὐ τοῦτο δὲ μόνον γίνεται τὸ δεινὸν τῇ μελλήσει καὶ τῇ ἀναβολῇ, ἀλλ' ὅτι καὶ τὰ οὐκ ὄντα ἁμαρτήματα εἶναι δοκεῖ λοιπόν· κἂν ὁτιοῦν ὁ ἐχθρὸς φθέγξηται, πάντα μεθ' ὑποψίας δεχόμεθα καὶ σχήματα καὶ
520 βλέμματα καὶ φωνὴν καὶ βάδισιν· καὶ γὰρ ὁρώμενος ἀναφλέγει τὴν πεπυρωμένην ψυχήν, καὶ οὐχ ὁρώμενος ὁμοίως πάλιν λυπεῖ. Οὐ γὰρ δὴ μόνον ἡ ὄψις τῶν ἠδικηκότων, ἀλλὰ καὶ ἡ μνήμη διηνεκῶς ἡμᾶς ὀδυνᾶν εἴωθε, κἂν ἑτέρου τι περὶ αὐτοῦ λέγοντος ἀκούσωμεν, ὁμοίως
525 φθεγγόμεθα πάλιν καὶ πάντα ἁπλῶς τὸν βίον ἐν ἀθυμίᾳ καὶ ὀδύνῃ διάγομεν, μείζονα ἑαυτοῖς ἢ ἐκείνοις ἐργαζόμενοι τὰ κακὰ καὶ διηνεκῆ πόλεμον φυλάττοντες ἐπὶ τῆς ψυχῆς.

Ταῦτ' οὖν ἅπαντα εἰδότες, ἀγαπητοί, μάλιστα μὲν σπουδάζωμεν πρὸς μηδένα ἀπεχθῶς ἔχειν· εἰ δὲ καὶ γένηταί
530 τις ἀπέχθεια, ἐν αὐτῇ καταλλαττώμεθα τῇ ἡμέρᾳ. Ἂν γὰρ

ADEFH BCG

507 εὐθέτως corr. Sav. : εὐθέως mss || 510-511 τῶν συναγόντων ἡμᾶς om. G || 511 οὐχὶ : οὐ G || 527 ψυχῆς : ζωῆς B γῆς D

---

1. La tradition manuscrite donne l'adverbe εὐθέως li. 506 et 507, mais le second ne ferait que répéter le premier. Savile a donc raison de proposer pour le second adverbe εὐθέτως qui appartient au vocabulaire médical. Cf. Hippocrate, *Fract.* 23 : Dans les fractures πτέρνης δὲ ἄκρης κάρτα χρὴ ἐπιμελέεσθαι ὡς εὐθέτως ἔχοι, «il faut surveiller attentivement l'extrémité du talon afin que la position soit bonne». Cet adverbe se justifie parfaitement dans le passage qui nous occupe,

remettre au bon endroit et pour y rester, de même nous aussi lorsque nous nous réconcilions tout de suite avec nos ennemis, nous faisons cela dans de bonnes conditions[1] et nous n'avons pas besoin de beaucoup d'efforts pour retrouver notre ancienne amitié ; mais si une longue période s'est écoulée, comme si nous étions aveuglés par l'hostilité, nous rougissons, nous avons honte, nous avons besoin d'autres personnes pour nous réunir, et non seulement de gens pour nous réunir[2], mais encore après la réconciliation de gens pour nous soutenir attentivement, jusqu'à ce que nous ayons retrouvé la confiance d'autrefois. Et je ne parle pas seulement du ridicule et de la honte. En effet, quel reproche ne mériterait-on pas d'avoir besoin d'autres personnes pour nous réunir à nos membres ? Cela n'est pas seulement à craindre à cause des atermoiements et des délais, mais c'est parce que les choses qui n'étaient pas des fautes semblent l'être désormais ; quoi que dise notre ennemi, nous mettons tout en doute, son maintien, son regard, sa voix, sa démarche. Sa vue enflamme notre cœur endurci et quand nous ne le voyons pas, il n'en est pas moins une cause de peine. Car ce n'est pas seulement la vue de ceux qui nous ont fait du mal, mais encore leur souvenir qui d'ordinaire nous chagrine sans cesse et même, si nous entendons un autre parler de lui, nous lui donnons la réplique, en un mot nous passons toute notre vie dans la tristesse et le chagrin, nous faisant à nous-mêmes beaucoup plus de mal qu'à eux et entretenant dans notre âme une guerre continuelle.

Dispositions bienveillantes envers tous

Sachant donc cela, bien-aimés, prenons bien garde de n'éprouver un sentiment d'animosité à l'égard de personne. Si quelque animosité apparaît, chassons-la le jour

puisqu'il repose tout entier sur la comparaison des dissensions qu'entraîne la colère avec la fracture des membres.

2. Ici, l'exemplaire de Savile (*Auct.* E.3.10) donne un texte peu satisfaisant, car la suppression de ἡμᾶς οὐχὶ τῶν συναγόντων entraîne celle d'une tournure pourtant familière à Jean : la reprise d'une affirmation par ἀλλὰ après une phrase négative.

ἐπιλάβηται δευτέρας καὶ τρίτης, γίνεται ταχέως ἡ τρίτη τετάρτη, κἀκείνη πέμπτη, καὶ αὐτὴ πολλῷ πλείους τέξεται πάλιν ἡμέρας ἀπεχθείας ἡμῖν· ὅσῳ γὰρ ἀναβαλλόμεθα, τοσούτῳ μᾶλλον ἐρυθριῶμεν. Ἀλλ' αἰσχύνη προσελθεῖν καὶ
535 καταφιλῆσαι τὸν ἠδικηκότα; Τοῦτο μὲν οὖν ἔπαινος, τοῦτο στέφανος, τοῦτο ἐγκώμιον, τοῦτο κέρδος καὶ θησαυρὸς μυρία ἔχων ἀγαθά· καὶ αὐτός σε ὁ ἐχθρὸς ἀποδέξεται, καὶ οἱ παρόντες ἅπαντες ἐπαινέσονται, κἂν ἄνθρωποι δὲ ἐγκαλέσωσιν, ὁ Θεὸς στεφανώσει πάντως. Ἂν δὲ ἐκεῖνον
540 πρότερον ἀναμείνῃς ἐλθεῖν καὶ συγγνώμην αἰτῆσαι, οὐκ ἐπὶ τοσοῦτον ἕξεις τὸ κέρδος· ἐκεῖνος γὰρ προλαβὼν τὸ βραβεῖον ἥρπασε καὶ τὴν εὐλογίαν εἰς ἑαυτὸν μετέστησεν ἅπασαν· ἂν δὲ αὐτὸς προδράμῃς, οὐκ ἠλαττώθης, ἀλλ' ἐνίκησας τὸν θυμόν, περιεγένου τοῦ πάθους, φιλοσοφίαν
545 ἐπεδείξω πολλὴν ὑπακούσας τῷ Θεῷ, ποθεινότερον τὸν μετὰ ταῦτα κατέστησας βίον, πραγμάτων ἀπηλλάγης καὶ ταραχῆς. Οὐ παρὰ Θεῷ δὲ μόνον, ἀλλὰ καὶ κατὰ ἄνθρωπον σφαλερὸν καὶ ἐπικίνδυνον ἐχθροὺς ἔχειν πολλούς. Καὶ τί λέγω πολλούς; Ἕνα καὶ μόνον ἔχειν ἐχθρὸν ἐπικίνδυνον,
550 ὥσπερ οὖν ἀσφαλὲς καὶ σωτήριον τὸ πάντας κεκτῆσθαι φίλους. Οὐχ οὕτω χρημάτων πρόσοδος, οὐχ οὕτως ὅπλα καὶ τείχη καὶ τάφροι καὶ μυρία ἕτερα μηχανήματα ἡμᾶς ἀσφαλίζεσθαι πέφυκεν ὡς φιλία γνησία. Τοῦτο τεῖχος, τοῦτο ἀσφάλεια, τοῦτο περιουσία, τοῦτο τρυφή, τοῦτο καὶ
555 τὸν παρόντα βίον ἡμᾶς μετ' εὐθυμίας παρασκευάσει διαγα-

ADEFH BCG

531 ἐπιλάβηται BC : ἐπιλάβη cett. || 534 ἀλλ' om. D || 539 ἂν : ἐὰν AD || 540 οὐκ ἐπὶ : οὐ C || 554 τρυφή BC : τροφή cett.

même. En effet, si on la garde le second et le troisième jour, le troisième jour engendre bientôt le quatrième et celui-ci le cinquième, et cela fera naître en nous beaucoup plus de jours d'animosité ; car plus nous remettons, plus nous rougissons. — Mais c'est une honte de revenir et d'embrasser celui qui nous a causé du tort ! Au contraire, ce sera une occasion de félicitations, ce sera une couronne, un sujet d'éloge, ce sera un gain et un trésor qui renferme une multitude de bienfaits. Ton ennemi lui-même t'accueillera et tous ceux qui seront présents te féliciteront et, même si les hommes te blâment, Dieu en tout cas te couronnera. Si tu attends que lui (l'ennemi) revienne le premier et te demande pardon, tu n'auras pas le même mérite ; car celui-ci, en te prévenant, t'a ravi la récompense et il a attiré sur lui la bénédiction dans sa plénitude ; mais si tu accours le premier, tu n'es pas dans une situation inférieure, tu as vaincu ta colère[1], tu t'es rendu maître de ta passion, tu as montré beaucoup de sagesse en obéissant à Dieu, tu t'es ménagé pour la suite une vie plus enviable, tu as éloigné les embarras et le trouble. Ce n'est pas seulement devant Dieu, mais aussi devant les hommes qu'il est dangereux et périlleux d'avoir beaucoup d'ennemis. Et pourquoi dire beaucoup ? Il est périlleux d'avoir un seul et unique ennemi, de même qu'il est sûr et salutaire d'avoir tout le monde comme ami. Non, l'abondance des richesses, non, les armes et les remparts et les fossés et mille autres moyens ne nous mettent pas en sécurité autant qu'une amitié sincère. Voilà le rempart, voilà le salut, voilà l'abondance, voilà le plaisir ; de plus, cela nous prépare à passer l'existence actuelle dans la joie

1. Sur la colère et ses effets, on consultera utilement F. Leduc, Gérer l'agressivité et la colère d'après l'œuvre de saint Jean Chrysostome », dans *POC*, t. XXXVIII (1988), p. 31-63 et G.-M. de Durand, « La colère chez saint Jean Chrysostome », *Revue des sciences religieuses* 67 (1993), p. 61-77.

γεῖν καὶ τὴν μέλλουσαν χαριεῖται ζωήν. Ἅπερ οὖν ἅπαντα ἐννοοῦντες καὶ τὸ κέρδος ὅσον ἀπὸ τοῦ πράγματος λογιζόμενοι, πάντα ποιῶμεν καὶ κατασκευάζωμεν, ὥστε καὶ τοὺς ὄντας ἐχθροὺς ἡμῖν καταλλάττειν καὶ τοὺς μέλλοντας
560 γίνεσθαι κωλύειν καὶ τῶν φίλων τοὺς ὄντας ἀσφαλεστέρους ποιεῖν. Καὶ γὰρ ἀρχὴ καὶ τέλος ἀρετῆς ἁπάσης ἡ ἀγάπη· ἧς γένοιτο γνησίως καὶ διηνεκῶς ἀπολαύοντας ἡμᾶς, τῆς βασιλείας τῶν οὐρανῶν ἐπιτυχεῖν, χάριτι καὶ φιλανθρωπίᾳ τοῦ Κυρίου ἡμῶν Ἰησοῦ Χριστοῦ ᾧ ἡ δόξα καὶ τὸ κράτος
565 εἰς τοὺς αἰῶνας τῶν αἰώνων. Ἀμήν.

et nous procure la grâce de la vie future. Gardant en mémoire toutes ces considérations et réfléchissant au gain que procure cette conduite, faisons nos efforts et préparons-nous à nous réconcilier avec ceux qui sont nos ennemis, à empêcher que les autres ne le deviennent et à rendre plus sûrs ceux qui sont nos amis. En effet le commencement et la fin de toute vertu, c'est l'amour. Tout en ne cessant d'en jouir vraiment et continuellement, puissions-nous obtenir le royaume des cieux par la grâce et la bonté[1] de notre Seigneur Jésus-Christ à qui soient la gloire et la puissance dans les siècles des siècles. Amen.

1. Voir *supra*, p. 126, n. 1, une bibliographie sommaire sur le mot φιλανθρωπία.

HOMÉLIE XI

Conspectus siglorum

A	Atheniensis Bibl. nat. 211	IXe-Xe s.
B	Basileensis gr. 39 (B.II.15)	
C	Vaticanus gr. 560	Xe s.
Y	Oxoniensis New College 81	
Q	Hierosolymitanus Bibl. patr. S. Sabae 36	Xe-XIe s.
D	Sinaïticus gr. 375	IXe-Xe s.
G	Laurentianus Conv. sopp. 198	Xe s.
O	Vaticanus gr. 577	
V	Vaticanus gr. 1526	
P	Parisinus gr. 581	XIe s.

Stemma de l'homélie XI

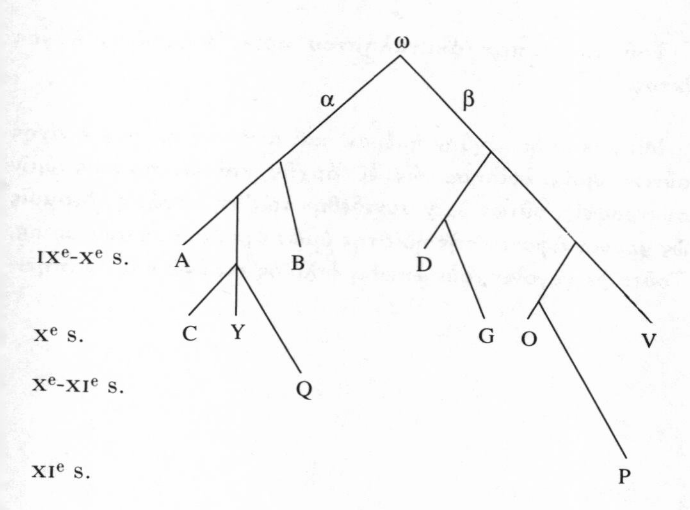

XI

Τοῦ αὐτοῦ περὶ ἀκαταλήπτου πρὸς Ἀνομοίους λόγος ἕκτος.

Μίαν ὑμῖν διελέχθην ἡμέραν, καὶ ἀπὸ τῆς ἡμέρας ἐκείνης οὕτως ὑμᾶς ἐφίλησα ὡς ἐξ ἀρχῆς καὶ ἐκ πρώτης ὑμῖν συντραφείς, οὕτως ὑμῖν συνεδέθην τοῖς τῆς ἀγάπης δεσμοῖς ὡς χρόνον ἄφατον τῆς ἡδίστης ὑμῶν ἀπολαύσας συνουσίας.
5 Τοῦτο δὲ γέγονεν, οὐκ ἐπειδὴ φιλικός τις ἐγὼ καὶ ἀγαπητι-

ABCYQ DGOVP

Titulus. τοῦ αὐτοῦ περὶ ἀκαταλήπτου πρὸς ἀνομοίους λόγος ἕκτος A
τοῦ αὐτοῦ χρυσοστόμου ἐρρέθη πρὸς ἀνομοίους B
τοῦ αὐτοῦ περὶ ἀκαταλήπτου πρὸς ἀνομοίους λόγος ϛ′ CY
τοῦ ἐν ἁγίοις πατρὸς ἡμῶν ἰῶ χρ. περὶ ἀκαταλήπτου πρὸς ἀνομοίους λόγος ϛ′ Q
ἐρρέθη ἐν τῇ καινῇ ἐκκλησίᾳ περὶ ἀκαταλήπτου πρὸς ἀνομοίους λόγος ἰωάννου ϛ′ D
τοῦ αὐτοῦ περὶ ἀκαταλήπτου λόγος ϛ′ ἐρρέθη δὲ ἐν καινῇ ἐκκλησίᾳ πρὸς ἀνομοίους G
τοῦ αὐτοῦ ἐρρέθη ἐν καινῇ πρὸς ἀνομοίους λόγος ἕκτος O
τοῦ αὐτοῦ ἐρρέθη ἐν καινῇ πρὸς ἀνομοίους P
τοῦ αὐτοῦ ὁμιλία ῥηθεῖσα ἐν κωνσταντινουπόλει πρὸς ἀνομοίους καὶ ὅτι σύμφωνος ἡ νέα τῇ παλαιᾷ καὶ πρὸς τοὺς ἀπολιμπανομένους τῶν θείων συνάξεων λόγος ϛ′ V
[ἐρρέθη ἐν τῇ καινῇ ἐκκλησίᾳ πρὸς ἀνομοίους περὶ ἀκαταλήπτου] rétr. version grecque de l'arménien.

XI[1]

Du même sur l'incompréhensible, contre les Anoméens, sixième discours.

Exorde Je ne me suis entretenu avec vous qu'un seul jour et, depuis ce jour, je vous ai aimés comme si, dès l'origine et depuis mon enfance, j'avais été élevé avec vous ; je me suis senti attaché à vous par les liens de la charité comme si je jouissais depuis un temps immémorial de votre très agréable compagnie. Si cela s'est produit, ce n'est pas que je sois

τοῦ ἐν ἁγίοις πατρὸς ἡμῶν ἰῶ ἀρχιεπισκόπου κωνσταντινουπόλεως τοῦ κρυσοστόμου ὁμιλία ῥηθεῖσα ἐν κωνσταντινουπόλει πρὸς ἀνομοίους περὶ ἀκαταλήπτου καὶ ὅτι σύμφωνος ἡ νέα τῇ παλαιᾷ καὶ πρὸς τοὺς ἀπολιμπανομένους τῶν θείων συνάξεων λόγος Ϛʹ F. du Duc
ὁμιλία ῥηθεῖσα ἐν κωνσταντινουπόλει πρὸς ἀνομοίους περὶ ὁμοουσίου ιαὶ ὅτι σύμφωνος ἡ νέα τῇ παλαιᾷ καὶ πρὸς τοὺς ἀπολιμπανομένους τῶν θείων συνάξεων λόγος Ϛʹ Savile
ὁμιλία ῥηθεῖσα ἐν κωνσταντινουπόλει πρὸς ἀνομοίους περὶ ἀκαταλήπτου καὶ ὅτι σύμφωνος ἡ νέα τῇ παλαιᾷ καὶ πρὸς τοὺς ἀπολιμπανομένους τῶν θείων συνάξεων Montf.

2 ὑμᾶς : ὑμῶν AC || ὑμῖν : ὑμῶν ABC P || 3 συνεδέθην : ἐδέθην C || 5 δὲ : δὴ G || φιλικός : φιλητικός Y φιλικῶς D

1. Sur le numéro attribué à cette homélie dans les mss, voir *supra*, p. 59, n. 4.

κός, ἀλλ' ἐπειδὴ ποθεινοὶ καὶ ἐπέραστοι μάλιστα πάντων ὑμεῖς. Τίς γὰρ ὑμῶν οὐκ ἂν ἀγάσαιτο καὶ θαυμάσειε τὸν πεπυρωμένον ζῆλον, τὴν ἀνυπόκριτον ἀγάπην, τὴν περὶ τοὺς διδασκάλους εὔνοιαν, τὴν πρὸς ἀλλήλους ὁμόνοιαν, 10 ἅπερ ἅπαντα ἱκανὰ καὶ λιθίνην ἐπισπάσασθαι ψυχὴν καὶ ἐλεῖν; Διὰ τοῦτο καὶ ἡμεῖς τῆς Ἐκκλησίας ἐκείνης ἐν ᾗ καὶ ἐτέχθημεν καὶ ἐτράφημεν καὶ ἐπαιδεύθημεν, οὐκ ἔλαττον ὑμᾶς φιλοῦμεν· ἀδελφὴ γὰρ ἐκείνης αὕτη, καὶ διὰ τῶν ἔργων τὴν συγγένειαν ἐπεδείξασθε. Εἰ δὲ πρεσβυτέρα κατὰ 15 τὸν χρόνον ἐκείνη, ἀλλὰ θερμοτέρα κατὰ τὴν πίστιν αὕτη· πλείων ὁ σύλλογος ἐκεῖ καὶ λαμπρότερον τὸ θέατρον, ἀλλὰ μείζων ἐνταῦθα ἡ ὑπομονή, καὶ πλείων τῆς ἀνδρείας ἡ ἐπίδειξις. Λύκοι πανταχόθεν τὰ πρόβατα περιστοιχίζονται καὶ τὸ ποίμνιον οὐκ ἀναλίσκεται· ζάλη καὶ χειμὼν καὶ 20 κλυδώνιον περιέστηκε τὴν ἱερὰν ταύτην ναῦν διηνεκῶς, καὶ οἱ ἐμπλέοντες οὐ καταποντίζονται· φλογὸς αἱρετικῆς ἐπήρεια πάντοθεν κυκλοῦσα καὶ οἱ ἐν μέσῳ τῆς καμίνου δρόσου πνευματικῆς ἀπολαύουσιν. Ὁμοίως ἐστὶ παράδοξον ἐν τῷ μέσῳ τῆς πόλεως ταύτης τὴν Ἐκκλησίαν ταύτην 25 πεφυτευμένην ἰδεῖν, ὥσπερ ἂν εἴ τις ἐν μέσῃ καμίνῳ θάλλουσαν ἐλαίαν καὶ τοῖς φύλλοῖς κομῶσαν καὶ τῷ καρπῷ βριθομένην ἴδοι.

ABCYQ DGOVP

6 μάλιστα : πάντων ὑμεῖς μάλιστα P om. A || 7 ὑμῶν οὐκ ἂν Q : ἂ[illegible] ὑμῶν οὐκ ~ cett. || οὐκ : μὴ C || ἀγάσαιτο : ἀγάσετο C ἀγάλλετο [illegible] ἄγαιτο B || 10-11 καὶ ἐλεῖν om. ABCQ P || 16 πλείων Q : πολὺς cett. || 2[illegible] περιέστηκε : περιέστη Y περιΐσταται P || ναῦν] + ἵνα οὖν G || 21 οὐ κατα[ποντίζονται] : μὴ καταποντίζωνται G || 22 κυκλοῦσα DGPV : κύκλῳ cet[t.] || μέσῳ τῆς καμίνου : μέσῃ τῇ καμίνῳ BCY PQ || 24 μέσῳ VP arm. μέρει cett. || 25 μέσῃ καμίνῳ : μέσῳ καμίνῳ GOV μέσῳ καμίνου D || 2[illegible] τῷ καρπῷ : τοῖς καρποῖς GO

1. Bien qu'il s'en défende ici pour les besoins de son argumenta[-]tion, toute l'œuvre de Chrysostome témoigne de sa vive sensibilité [illegible] jusqu'à la fin de sa vie dans ses lettres écrites en exil, en particuli[er] dans les lettres à Olympias. Voir *SC* 13 bis, lettre VIII, 12a.

affectueux et tendre[1], mais c'est surtout parce que vous êtes, plus que tous les hommes, aimables et dignes d'être aimés. En effet, qui ne prendrait plaisir à admirer votre zèle ardent, votre charité sincère, vos bonnes dispositions à l'égard de ceux qui vous instruisent, votre union les uns avec les autres, toutes choses qui sont capables d'émouvoir même un cœur de pierre et de le toucher[2] ? C'est pourquoi nous ne vous aimons pas moins que cette Église dans laquelle nous avons été enfantés, nous avons été nourris et instruits[3], car celle-ci est sœur de celle-là et vous avez montré par vos actes leur parenté. Si l'une est plus ancienne dans le temps[4], celle-ci est plus ardente dans la foi ; plus nombreuse est là-bas l'assistance, plus brillant le lieu du spectacle, mais ici plus grande est la patience et plus éclatante la preuve du courage. De toute part, des loups cernent les brebis et le troupeau n'est pas ravagé ; l'orage, la tempête, la houle assiègent continuellement ce vaisseau sacré et les passagers ne sont pas submergés ; la menace du feu de l'hérésie[5] vous environne de toute part et ceux qui sont dans la fournaise jouissent d'une rosée spirituelle. C'est d'ailleurs une chose étrange de voir cette Église plantée au milieu[6] de cette cité comme on verrait un olivier croître au milieu d'une fournaise et se couvrir de feuilles et se charger de fruits.

2. La *captatio benevolentiae,* qui est de rigueur au début d'un discours, prend ici une valeur de témoignage, puisqu'il s'agit d'un des premiers contacts de l'évêque avec le peuple de Constantinople. — L'arménien confirme la leçon des mss qui donnent καὶ ἐλεῖν. L'absence de ces mots chez Montfaucon s'explique par leur absence dans le *Paris. gr. 656* qu'il a dû consulter, bien qu'il ne le signale pas dans sa note.

3. C'est-à-dire l'Église d'Antioche.

4. Voir *Act.* 11, 22.

5. L'orateur fait ici allusion aux différentes hérésies : Eunomiens, Ariens, Macédoniens et Apollinaristes dont l'existence à cette époque est attestée par les condamnations portées contre eux. Voir *supra,* introd., p. 13.

6. Montfaucon suivant le *Paris. gr. 813,* imprime ἐν τῷ μέρει.

Ἐπεὶ οὖν οὕτως εὐγνώμονες ὑμεῖς καὶ μυρίων ἀγαθῶν ἄξιοι, φέρε τὴν ὑπόσχεσιν μετὰ πάσης χάριτος κατα-
30 βάλωμεν ἣν πρῴην ὑμῖν ὑπεσχόμεθα, ἡνίκα περὶ τῶν τοῦ Δαυῒδ καὶ τοῦ Γολιὰθ ὅπλων ἐφιλοσοφοῦμεν παρ᾽ ὑμῖν, δεικνύντες τῷ λόγῳ ὡς ὁ μὲν παντευχίᾳ τινὶ πολλῇ καὶ μεγάλῃ πανταχόθεν ἐπέφρακτο, ὁ δὲ γυμνὸς τῶν ὅπλων ἐκείνων τῇ πίστει τετείχιστο· καὶ ὁ μὲν ἀπὸ τοῦ θώρακος
35 καὶ τῆς ἀσπίδος ἔλαμπεν ἔξωθεν, ὁ δὲ ἔσωθεν ἀπὸ τοῦ πνεύματος καὶ τῆς χάριτος ἔστιλβε. Διὰ τοῦτο γοῦν ὁ παῖς τὸν νεανίσκον κατηγωνίσατο, ὁ γυμνὸς τοῦ ὡπλισμένου ἐκράτησεν, ὁ ποιμὴν τὸν στρατιώτην κατέβαλε· λίθου φύσις ποιμενικοῦ χαλκοῦ φύσιν πολεμικοῦ συνέτριψε καὶ διέφθει-
40 ρεν. Οὐκοῦν καὶ ἡμεῖς τὸν λίθον ἐκεῖνον μεταχειρισώμεθα, τὸν ἀκρογωνιαῖον λέγω, τὸν νοητόν. Εἰ γὰρ τῷ Παύλῳ φιλοσοφεῖν ἔξεστι περὶ τῆς κατὰ τὴν ἔρημον πέτρας, πάντως οὐδὲ ἡμῖν νεμεσήσει τις τὸν λίθον τοῦτον κατὰ τὸν αὐτὸν ἐκλαμβάνουσι τρόπον. Καθάπερ γὰρ ἐπὶ τῶν Ἰουδαίων οὐχ
45 ἡ φύσις τῆς ὁρωμένης πέτρας, ἀλλ᾽ ἡ δύναμις τῆς νοουμένης τοὺς ποταμοὺς ἠφίει τῶν ὑδάτων ἐκείνους, οὕτω δὴ καὶ ἐπὶ τοῦ Δαυῒδ οὐχ ὁ αἰσθητός, ἀλλ᾽ ὁ νοητὸς λίθος τὴν βαρβαρικὴν ἐκείνην κατήνεγκε κεφαλήν· οὕτως ὑμῖν καὶ τότε ὑπεσχόμεθα μηδὲν ἀπὸ λογισμῶν ἐρεῖν. «Τὰ γὰρ

ABCYQ DGOVP

31 γολιὰθ : γολιὰδ A ‖ 32 ὡς : πῶς Y ‖ πολλῇ O^mg om. B ‖ 34 καὶ om. G ‖ 35 ἔξωθεν : ἔνδοθεν ABC P ‖ 37 τὸν νεανίσκον : τοῦ νεανίσκου P ‖ τοῦ ὡπλισμένου : τὸν ὡπλίσμενον GO

---

1. Allusion au premier discours de Jean prononcé à Constantinople qui, selon Montfaucon, est perdu.
2. Cf. *I Sam.* 17.
3. De l'épisode de David et Goliath, Jean dégage le sens spirituel

David et Goliath Donc, puisque vous êtes en si bonnes dispositions et que vous méritez tant de biens, allons, tenons avec grand plaisir la promesse que nous vous avons faite récemment[1]; lorsque nous réfléchissions devant vous sur les armes de David et Goliath[2], en vous montrant dans notre discours comme l'un était entièrement défendu par une armure complète et importante, tandis que l'autre, dépourvu de toutes ces armes, était protégé par la foi ; l'un brillait à l'extérieur par sa cuirasse et son bouclier, l'autre rayonnait de l'intérieur par l'esprit et la grâce. C'est pourquoi l'enfant a vaincu le jeune homme, celui qui était dépourvu d'armure l'a emporté sur celui qui était armé, le berger a renversé le soldat : une vraie pierre de berger a brisé et mis hors d'usage une vraie arme de guerrier. Et nous aussi, prenons en mains cette pierre[3], je veux dire la pierre angulaire, spirituelle. En effet, s'il est permis à Paul de méditer sur la pierre qui était au désert[4], personne ne nous en voudra, j'en suis sûr, si de la même manière nous donnons une interprétation de cette pierre. De même, en effet, que chez les Juifs ce n'était pas la véritable pierre qu'ils voyaient, mais son efficacité spirituelle qui faisait jaillir ces torrents d'eau, de même dans le cas de David, ce ne fut pas la pierre visible, mais la pierre spirituelle qui fit tomber la tête du barbare ; ainsi maintenant nous avons promis de ne rien établir sur de vains raisonnements. «En effet, nos

dans lequel il retient l'emploi de la pierre. Il s'en sert quelques lignes plus loin pour lui comparer les Écritures qui lui procureront la victoire, de préférence aux «vains raisonnements». Le mot ἀκρογωνιαῖον, qui signifie *pierre d'angle*, se trouve employé de façon figurative dans *Éphés.* 2, 20 pour désigner le Christ, mais dans notre passage, il n'a que le sens général de *pierre*.

4. Chrysostome s'autorise de l'exemple de Paul dans *I Cor.* 10, 4, qui tire, lui aussi, le sens spirituel d'*Exode* 17, 6.

50 ὅπλα ἡμῶν οὐ σαρκικά, ἀλλὰ πνευματικά, λογισμοὺς καθαιροῦντα καὶ πᾶν ὕψωμα ἐπαιρόμενον κατὰ τῆς γνώσεως τοῦ Θεοῦ.» Καθαιρεῖν τοίνυν αὐτούς, οὐκ ἐπαίρειν κελευόμεθα· καταλύειν, οὐχ ὁπλίζεσθαι τούτοις προσετάγημεν· «Λογισμοὶ γὰρ θνητῶν δειλοί», φησί. Τί ἐστί «δειλοί»; Ὁ
55 δειλὸς κἂν ἐπ' ἀσφαλοῦς βαίνῃ χωρίου, οὐδέπω θαρρεῖ, ἀλλὰ δέδοικε καὶ τρέμει· οὕτω καὶ τὸ λογισμοῖς ἀποδειχθέν, κἂν ἀληθὲς ᾖ, οὐδέπω πληροφορίαν τῇ ψυχῇ παρέχει καὶ πίστιν ἱκανήν.

Ἐπεὶ οὖν τοσαύτη τῶν λογισμῶν ἡ ἀσθένεια, φέρε ἀπὸ
60 τῶν Γραφῶν τῆς πρὸς τοὺς ἐναντίους ἁψώμεθα μάχης. Πόθεν οὖν ἡμῖν ἀρκτέον τοῦ λόγου; Ὅθεν ἂν βούλεσθε, εἴτε ἀπὸ Καινῆς, εἴτε ἀπὸ Παλαιᾶς· οὐ γὰρ δὴ μόνον ἐν τοῖς εὐαγγελικοῖς καὶ τοῖς ἀποστολικοῖς ῥήμασιν, ἀλλὰ καὶ ἐν τοῖς προφητικοῖς καὶ πάσῃ τῇ Παλαιᾷ μετὰ πολλῆς τῆς
65 περιουσίας διαλάμπουσαν ἔστιν ἰδεῖν τὴν τοῦ Μονογενοῦς δόξαν· διὸ δὴ καὶ ἐντεῦθέν μοι δοκεῖ πρὸς ἐκείνους ἀκροβολίσασθαι. Οὐ γὰρ δὴ μόνους τούτους ἐντεῦθεν ποιούμενοι τοὺς λόγους, ἀλλὰ καὶ ἑτέρους πλείονας αἱρετικοὺς δυνησόμεθα καταβαλεῖν, Μαρκίωνα, Μανιχαῖον, Οὐαλεντῖ-
70 νον, τῶν Ἰουδαίων ἅπαντα τὰ συστήματα. Καθάπερ γὰρ

ABCYQ DGOVP

53 τούτοις : τούτους B || 55 ἀσφαλοῦς : ἀσφαλὲς C || βαίνῃ : βαίνει A[ac] G || 57 πληροφορίαν οὐδέπω ~ Y QP || 66 δὴ om. GV || 67 ἐντεῦθεν ποιούμενοι τούτους ~ ACQ P || τούτους post λόγους (l. 68) transp. B || 70 ἅπαντα τὰ συστήματα : ἅπαν τὸ συστῆμα B

a II Cor. 10, 4-5 || b Sag. 9, 14

1. Le texte cité par Chrysostome ajoute τῆς στρατείας après ὅπλα. Il utilise après ἀλλὰ l'adjectif πνευματικὰ tandis que l'ensemble des mss de *II Cor.* 10, 4, comporte un développement explicatif : δυνατὰ τῷ θεῷ πρὸς καθαίρεσιν ὀχυρωμάτων. La tournure plus concise employée par Chrysostome n'est pas signalée dans les éditions critiques.

armes ne sont pas des armes charnelles[1], mais spirituelles qui détruisent les vains raisonnements et toute hauteur qui s'exalte face à la connaissance de Dieu[a].» Les abattre, non les exalter, tel est l'ordre que nous avons reçu ; les détruire, non pas nous en faire des armes, telle est la consigne que nous avons reçue ; «car les raisonnements des mortels sont timides[b]», dit l'Écriture. Que signifie «timides»? Celui qui est timide, même s'il s'avance dans un pays sans danger, n'a aucune assurance, mais il a peur et il tremble ; ainsi une chose qui a été démontrée par de vains raisonnements, même si elle est vraie, ne donne jamais à l'âme une satisfaction complète et une conviction suffisante.

Combattre les hérétiques par l'Écriture

Puisque telle est la faiblesse des raisonnements, allons, engageons le combat contre nos ennemis en partant des Écritures. Par où donc nous faut-il commencer ce discours? Par où vous voudrez, soit par le Nouveau, soit par l'Ancien Testament, car ce n'est pas seulement dans les paroles de l'Évangile et dans celles des apôtres, mais encore chez les prophètes et dans tout l'Ancien Testament[2] qu'on peut voir briller dans toute sa splendeur la gloire du Monogène ; c'est donc à partir de cela, me semble-t-il, qu'il faut lancer des traits contre ces gens-là[3]. Certes, en composant notre discours à partir de l'Ancien Testament, ce ne sont pas ces seuls adversaires que nous pourrons confondre, mais beaucoup d'autres hérétiques : Marcion, Mani, Valentin et tout l'ensemble des Juifs[4]. De même, en effet, que Goliath est tombé sous les coups de

2. Cette phrase est capitale pour préciser l'attitude de Jean en face de l'Écriture et sa méthode. On remarquera que sa position n'a pas changé de 386 à 398. Voir hom. X, 221-257.

3. C'est-à-dire contre les hérétiques dont les noms se trouvent énumérés dans la phrase suivante.

4. On retrouve ici les noms des hérétiques énumérés dans l'homélie VII, li. 170, à laquelle le prédicateur ajoute les Juifs. Il en donne la raison dans le développement suivant : les Manichéens refusent l'A.T. et les Juifs le N.T. dans la personne du Christ.

ἐπὶ τοῦ Δαυῒδ ὁ μὲν Γολιὰθ κατέπεσε, τὸ δὲ στρατόπεδον ἅπαν ἐδραπέτευσε, καὶ ὁ μὲν θάνατος ἑνὸς ἐγένετο σώματος καὶ μιᾶς ἡ πληγὴ κεφαλῆς, ἡ δὲ φυγὴ καὶ ἡ δειλία κοινὴ τοῦ στρατοπέδου παντός· οὕτω δὴ καὶ ἐφ' ἡμῶν νῦν μιᾶς
75 αἱρέσεως πληγείσης καὶ καταπεσούσης, κοινὴ τῶν ἀπηριθμημένων ἁπάντων ἔσται φυγή. Μανιχαῖοι μὲν γὰρ καὶ οἱ τὰ αὐτὰ νοσοῦντες ἐκείνοις τὸν μὲν κηρυττόμενον δοκοῦσι δέχεσθαι Χριστόν, τοὺς δὲ κηρύττοντας αὐτὸν ἀτιμάζουσι προφήτας καὶ πατριάρχας· Ἰουδαῖοι δὲ πάλιν ἀπεναντίας
80 τοὺς μὲν κηρύττοντας αὐτὸν δοκοῦσι δέχεσθαι καὶ θεραπεύειν, προφήτας λέγω καὶ τὸν νομοθέτην αὐτῶν· τὸν δὲ κηρυττόμενον ὑπ' αὐτῶν ἀτιμάζουσιν. Ὅταν οὖν τῇ τοῦ Θεοῦ χάριτι δείξωμεν πολλὴν ἐν τῇ Παλαιᾷ προαναφωνουμένην τοῦ Μονογενοῦς τὴν δόξαν, πάντα ταῦτα δυνησόμεθα
85 τὰ θεομάχα καταισχῦναι στόματα καὶ τὰς βλασφήμους ἐπιστομίσαι γλώττας. Ὅταν γὰρ φαίνηται κηρύττουσα τὸν Χριστὸν ἡ παλαιὰ Διαθήκη, τίς ἔσται Μανιχαίοις καὶ τοῖς κατ' ἐκείνους ἀπολογία ἀτιμάζουσι τὴν προαναφωνοῦσαν τὸν κοινὸν πάντων Δεσπότην; Τίς δὲ συγγνώμη καὶ
90 παραίτησις τοῖς Ἰουδαίοις τὸν ὑπὸ τῶν προφητῶν καταγγελλόμενον μὴ δεχομένοις;

Ἐπεὶ οὖν τοσαύτη τῆς νίκης ἡ περιουσία, ἐπὶ τὰ παλαιότερα βιβλία τὸν λόγον ἀγάγωμεν καὶ τῶν παλαιῶν αὐτῶν τὸ ἀρχαιότερον πάντων, ἐπὶ τὴν Γένεσιν λέγω, καὶ
95 τῆς Γενέσεως αὐτῆς ἐπὶ τὴν κορυφὴν ἀναβάντες. Ὅτι γὰρ περὶ τοῦ Χριστοῦ πολλά φησιν ὁ Μωϋσῆς, ἄκουσον αὐτοῦ

ABCYQ DGOVP

71 γολιὰδ A ‖ 72 ἐγένετο : γέγονε V ‖ 78 αὐτὸν : αὐτῶν AB V ‖ 85 στόματα καταισχῦναι ~ O ‖ 87 ἔσται : ἔστι GO ἔστι λοίπον D ‖ μανιχαίοις : μανιχαίων AC μανιχαίῳ Y Q ‖ 88 ἐκείνους : ἐκεῖνον A[ac] C Y ‖ 91 δεχομένοις : δεξαμένους C ‖ 92 ἐπὶ om. AC O ‖ 94 πάντων] + ἐπίστευσε B ‖ 95 ἀναβάντες : ἀναβῶμεν OV ‖ 95-96 ὅτι — ἄκουσον om. ACYQ P ‖ 95-97 ὅτι — λέγοντος om. B ‖ 96 χριστοῦ : αὐτοῦ D ‖ ἄκουσον : ἀκούσωμεν Y P

David, mais que l'armée entière prit la fuite, et que ce fut la mort d'un seul corps et la chute d'une seule tête, et du coup la fuite et la lâcheté générale de toute l'armée, ainsi lorsque par nous maintenant une seule hérésie aura été frappée et anéantie, ce sera la fuite générale d'un nombre incalculable d'autres[1]. En effet, les Manichéens et ceux qui souffrent de la même maladie semblent accepter le Christ qui est annoncé. Mais ils méprisent ceux qui l'annoncent, prophètes et patriarches. Les Juifs, au contraire, semblent accepter ceux qui l'annoncent et les respecter, je veux dire les prophètes et leur législateur ; mais ils méprisent celui qu'ils annoncent. Donc lorsque nous montrerons par la grâce de Dieu, que dans l'Ancien Testament la gloire du Monogène a été abondamment annoncée, nous pourrons couvrir de confusion toutes ces voix qui combattent Dieu et enchaîner les langues blasphématrices. Car lorsqu'il apparaîtra que l'Ancien Testament annonce le Christ, quelle défense restera aux Manichéens[2] et à leurs émules pour mépriser ce Testament qui annonce d'avance le Maître commun de tous ? Quelle excuse et quelle échappatoire pour les Juifs qui n'accueillent pas celui qui est annoncé par les prophètes ?

Argumentation appuyée sur la Genèse

Puisqu'une victoire aussi complète est assurée, parlons des livres plus anciens que les autres et parmi eux celui qui est plus ancien que tous, je veux dire de la *Genèse* et remontons jusqu'au début de la *Genèse* elle-même[3]. Que Moïse parle beaucoup du Christ, écoute le Christ lui-même

1. Cf. *Sur le Sacerdoce,* IV, 4, 15-27.
2. Savile, suivant le *New College 81,* imprime Μανιχαίῳ.
3. Nous possédons huit homélies de Jean sur la *Genèse* prononcées à Antioche à l'ouverture du Carême 386 (*PG* 54, 581-620) et soixante-sept discours sur la *Genèse* (*PG* 53, 23-386 et 54, 385-580) datés de 388. Les huit homélies sont préparées pour la collection *SC* par Laurence Brottier.

τοῦ Χριστοῦ λέγοντος· «Εἰ ἐπιστεύετε Μωϋσῇ, ἐπιστεύετε ἂν ἐμοί· περὶ γὰρ ἐμοῦ ἐκεῖνος ἔγραψε.» Ποῦ δὲ ἔγραψεν ἐκεῖνος περὶ αὐτοῦ; Τοῦτο ἤδη δεῖξαι πειράσομαι. Ἐπειδὴ
100 γὰρ ἡ κτίσις ἀπήρτιστο πᾶσα καὶ ποικίλῳ μὲν ὁ οὐρανὸς ἐστεφάνωτο τῶν ἄστρων χορῷ, παντοδαποῖς δὲ ἄνθεσιν ἀντέλαμπεν αὐτῷ κάτωθεν ἡ γῆ, καὶ πλήρεις μὲν ὀρέων κορυφαί, πλήρη δὲ πεδία καὶ φάραγγες, καὶ ἁπλῶς πᾶσα ἡ τῆς γῆς ἐπιφάνεια φυτῶν καὶ δένδρων καὶ βοτανῶν ἦν,
105 καὶ ἐσκίρτα μὲν ποίμνια, ἐσκίρτα δὲ βουκόλια, τῶν δὲ ᾠδικῶν ὀρνίθων ὁ χορός, τὴν ἰδίαν φύσιν ἐπιδεικνύμενος, μουσικῆς τὸν ἀέρα πάντα ἐπλήρου καὶ μεστὰ πελάγη τῶν ἐναλίων ζώων ἦν, πλήρεις δὲ λίμναι καὶ πηγαὶ καὶ ποταμοὶ τῶν ἐν αὐτοῖς τικτομένων ἁπάντων, καὶ οὐδὲν ἦν ἀτέλεστον,
110 ἀλλὰ πάντα ἀπήρτιστο, ἐζήτει τὸ σῶμα τὴν κεφαλήν, ἡ πόλις τὸν ἄρχοντα, ἡ κτίσις τὸν βασιλέα, λέγω δὴ τὸν ἄνθρωπον. Μέλλων οὖν αὐτὸν διαπλάττειν ὁ Θεός φησι· «Ποιήσωμεν ἄνθρωπον κατ' εἰκόνα ἡμετέραν καὶ ὁμοίωσιν.» Πρὸς τίνα διαλέγεται; Εὔδηλον ὅτι πρὸν τὸν Μονογενῆ τὸν
115 ἑαυτοῦ. Καὶ οὐκ εἶπε· ποίησον, ἵνα μὴ νομίσῃς δουλικὸν εἶναι ἐπίταγμα τὸ λεγόμενον, ἀλλά· «Ποιήσωμεν», ἵνα διὰ τοῦ σχήματος τῆς συμβουλῆς τῶν ῥημάτων τὸ ὁμότιμον ἐκκαλύψῃ. Ποτὲ μὲν γὰρ λέγεται σύμβουλον ἔχειν ὁ Θεός, ποτὲ δὲ μὴ ἔχειν, οὐ τῆς Γραφῆς ἑαυτῇ μαχομένης, ἀλλ'
120 ἀπόρρητα ῥήματα ἐκκαλυπτούσης ἡμῖν δι' ἀμφοτέρων τούτων. Ὅταν μὲν γὰρ τὸ ἀνενδεὲς αὐτοῦ παραστῆσαι βού-

ABCYQ DGOVP

97 μωϋσῇ : μωϋσεῖ ACY V μωσῇ B μωσεῖ P ‖ 99 τοῦτο : τοῦτον B οὕτω Y ‖ ἤδη : δὴ BY om. P ‖ 102 πλήρεις YQ P : πλήρης A DG πλήρη BC OV ‖ 106 φύσιν : καὶ φυσικὴν B ‖ ἐπιδεικνύμενος Montf. : -μενοι B P -μενα cett. ‖ 107 ἐπλήρου A V : ἐπλήρουν cett. ‖ ἐπλήρου πάντα ~ A V ‖ 111 τὸν βασιλέα om. B DG ‖ 111-112 λέγω δὴ τὸν ἄνθρωπον om. C ‖ 115 καὶ om. ABCY ‖ 116 τὸ λεγόμενον om. O ‖ 120 ῥήματα GO arm. : δόγματα cett. ‖ ἐκκαλυπτούσης : παρα- BC DGO

c Jn 5, 46 ‖ d Gen. 1, 26

le dire : «Si vous aviez foi en Moïse, vous auriez foi en moi, car il a écrit à mon sujet[c].» Où donc a-t-il écrit à son sujet? Je m'efforcerai de vous le montrer. En effet, lorsque toute la création a été achevée, que le ciel fut couronné du chœur bigarré des astres, que d'en bas la terre le reflétait dans la variété des fleurs, que les sommets des montagnes[1], les plaines, les vallées, en un mot lorsque la terre entière apparaissait couverte de plantes, d'arbres et d'herbes, lorsque les troupeaux de moutons bondissaient, que bondissaient les troupeaux de bœufs, lorsque le chœur des oiseaux mélodieux dévoilant[2] sa vraie nature remplissait de musique l'air tout entier, que la mer fut pleine d'animaux marins, pleins aussi les lacs, les sources, les fleuves, de toutes les bêtes qui naissent dans leur sein, que rien n'était imparfait, que tout fut achevé, le corps cherchait sa tête, la ville son chef, la création son roi, je veux dire l'homme. Mais au moment de le former, Dieu dit : «Faisons un homme selon notre image et notre ressemblance[d 3].» A qui s'adresse-t-il? Il est évident qu'il s'adresse à son Fils unique[4]. Et il n'a pas dit : Fais, pour que tu ne penses pas que, par cette parole, il donnait un ordre à un serviteur, mais «faisons», afin qu'en s'exprimant sous forme de conseil il dévoile l'égalité d'honneur. En effet, tantôt il est dit que Dieu a un conseiller, tantôt qu'il n'en a pas, ce n'est pas que l'Écriture se contredise, mais elle nous dévoile, de ces deux façons, des réalités[5] impossibles à exprimer. En effet, lorsqu'elle veut montrer que Dieu n'a besoin de personne, elle dit qu'il n'a pas de

1. C'est Montfaucon qui ajoute καὶ devant πεδία d'après le *Paris. gr. 607*.

2. La forme ἐπιδεικνύμενος est une correction de Montfaucon. Savile suit les mss qui donnent ἐπιδεικνύμενα.

3. Sur cette citation, cf. *supra*, p. 228, n. 1.

4. Chrysostome a déjà utilisé ce texte comme argument pour prouver l'égalité du Père et du Fils dans l'homélie IX, 134-135.

5. La variante ῥήματα est soutenue par l'arménien.

ληται, φησὶν οὐκ ἔχειν αὐτὸν σύμβουλον· ὅταν δὲ τὸ ὁμότιμον τοῦ Μονογενοῦς, σύμβουλον καλεῖ τὸν Υἱὸν τοῦ Θεοῦ. Καὶ ἵνα μάθῃς ταῦτα ἀμφότερα ὅτι τε σύμβουλον τὸν
125 **Υἱὸν καλοῦσιν οἱ προφῆται, οὐχ ὡς τοῦ Πατρὸς δεομένου συμβουλῆς, ἀλλ' ἵνα τοῦ Μονογενοῦς τὴν τιμὴν μάθωμεν καὶ ὅτι πάλιν οὐ δεῖται συμβούλου, ἄκουσον τοῦ Παύλου λέγοντος· «Ὦ βάθος πλούτου καὶ σοφίας καὶ γνώσεως Θεοῦ, ὡς ἀνεξερεύνητα τὰ κρίματα αὐτοῦ, καὶ ἀνεξιχνίαστοι**
130 **αἱ ὁδοὶ αὐτοῦ· τίς γὰρ ἔγνω νοῦν Κυρίου, ἢ τίς σύμβουλος αὐτοῦ ἐγένετο;» Οὗτος μὲν οὖν τὸ ἀνενδεὲς αὐτοῦ παρέστησεν, ὁ δὲ Ἡσαΐας πάλιν περὶ τοῦ Μονογενοῦς τοῦ Θεοῦ λέγων οὕτω πώς φησι· «Καὶ θελήσουσιν, εἰ ἐγενήθησαν πυρίκαυστοι, ὅτι παιδίον ἐγεννήθη ἡμῖν, υἱὸς καὶ ἐδόθη ἡμῖν**
135 **καὶ καλεῖται τὸ ὄνομα αὐτοῦ μεγάλης βουλῆς ἄγγελος, θαυμαστὸς σύμβουλος.» Καὶ εἰ θαυμαστὸς σύμβουλος, πῶς ὁ Παῦλός φησι· «Τίς γὰρ ἔγνω νοῦν Κυρίου ἢ τίς σύμβουλος αὐτοῦ ἐγένετο;» Ὅτι ὁ μὲν Παῦλος, καθὼς ἔφθην εἰπών, τὸ ἀνενδεὲς τοῦ Πατρὸς παραστῆσαι βούλεται,**
140 **ὁ δὲ προφήτης τὸ ὁμότιμον τοῦ Μονογενοῦς. Διὰ τοῦτο**

ABCYQ DGOVP

124 ὅτι post μάθῃς transp. BCY DGOV || 127 παύλου] + τοῦτο B DGV || 128 λέγοντος : λέγοντος τοῦτο DG τοῦτο λέγοντος B V || 132 τοῦ[1] om. Y || μονογενοῦς] + υἱοῦ ACYQ PV || τοῦ θεοῦ om. CY || 133 πώς] + οὖν DG || φησι : λέγει CY || 137 ὁ παῦλος : παῦλος O ὁ μὲν παῦλος V

e Rom. 11, 33-34 || f Is. 9, 4-5

1. L'addition de υἱοῦ est probablement une glose. L'arménien ne l'a pas, contrairement au *Paris. gr. 809* qu'utilise F. D. Mais celui-ci l'a éliminée de son édition. On la retrouve en XII, 32.

2. Chrysostome utilise ici *Isaïe* 9, 5, mais il cite d'abord la fin du verset 4, bien qu'elle ne soit pas indispensable à son argumentation. Théodoret, dans son *Commentaire sur Isaïe, SC* 276, Paris 1980,

conseiller; au contraire lorsqu'elle veut montrer l'égalité d'honneur du Fils unique, elle appelle conseiller le Fils de Dieu. Mais pour que tu saches l'une et l'autre chose, à savoir que les prophètes appellent le Fils «Conseiller», non pas que le Père ait besoin de conseil, mais pour que nous apprenions la dignité du Fils unique et que, d'autre part, le Père n'a pas besoin de conseiller, écoute Paul disant : «Ô profondeur de la richesse, de la science et de la connaissance de Dieu, combien ses jugements sont impénétrables et ses voies impossibles à découvrir. Qui a connu la pensée du Seigneur ou qui fut jamais son conseiller[e] ?» Celui-ci a montré que Dieu n'a besoin de personne, mais Isaïe, de son côté, parlant du Fils unique[1] de Dieu, s'exprime à peu près ainsi : «Ils l'auront voulu s'ils sont devenus la proie des flammes[2], car un petit enfant nous est né, un fils nous a été donné et il portera le nom d'ange du grand conseil, de conseiller admirable[f 3].» Or, s'il est un conseiller admirable, comment saint Paul dit-il : «Qui a connu la pensée du Seigneur ou qui fut jamais son conseiller?» C'est que Paul veut montrer, comme je me suis efforcé de le dire, que le Père n'a besoin de personne, tandis que le prophète veut montrer l'égalité d'honneur du Fils unique[4]. C'est pourquoi il n'a pas dit dans ce passage : fais, mais : «fai-

p. 322, explique bien le sens de ce passage dans le contexte. Isaïe proclame la libération par le Christ de ceux que le diable tenait sous son joug. Les démons seront punis d'avoir livré à la mort le corps du Seigneur; ils seront la proie des flammes, car un sauveur, etc.

3. Sur l'expression *conseiller admirable,* voir THÉODORET, *Commentaire sur Isaïe* 9,5, *SC* 276, où J.-N. Guinot, l'éditeur du volume, attribue cette variante à la version lucianique (p. 326, n. 1 et 3) et en donne la preuve. Le texte donné par Théodoret diffère légèrement de la version chrysostomienne.

4. L'emploi de la première personne du pluriel est fréquemment utilisé par les Pères à des fins apologétiques, entre autres pour prouver l'égalité du Père et du Fils. Voir M. ALEXANDRE, *loc. cit.,* p. 172-173, qui résume les différentes utilisations de ce verset depuis le Pseudo-Barnabé jusqu'à Théodoret.

καὶ ἐνταῦθα οὐκ εἶπε· ποίησον, ἀλλὰ «Ποιήσωμεν»· τὸ γὰρ ποίησον ἐπιταγῆς ἐστι πρὸς δοῦλον γινομένης, καὶ δῆλον ἐντεῦθεν.

Προσῆλθέ ποτε ἑκατοντάρχης τῷ Ἰησοῦ καί φησι·
145 «Κύριε, ὁ παῖς μου βέβληται ἐν τῇ οἰκίᾳ παραλυτικὸς δεινῶς βασανιζόμενος.» Τί οὖν ὁ Χριστός; «Ἐγὼ ἐλθὼν θεραπεύσω αὐτόν.» Ὁ μὲν οὖν ἑκατοντάρχης οὐκ ἐτόλμησεν ἑλκῦσαι τὸν ἰατρὸν εἰς τὴν οἰκίαν· ὁ δὲ κηδεμὼν καὶ φιλάνθρωπος αὐτεπάγγελτος ὑπέσχετο βαδιεῖσθαι ἐκεῖσε,
150 ἵνα ἀφορμὴν δῷ καὶ τὴν ἀρετὴν ἡμῖν ἐπιδεῖξαι τὴν ἑαυτοῦ. Εἰδὼς γὰρ ἅπερ ἔμελλεν ἐκεῖνος ἐρεῖν, ὑπέσχετο παραγενέσθαι, ἵνα μάθῃς τὴν εὐλάβειαν τοῦ ἀνδρός. Τί γάρ φησιν ὁ ἑκατοντάρχης; «Κύριε, οὐκ εἰμὶ ἱκανός, ἵνα μου ὑπὸ τὴν στέγην εἰσέλθῃς.» Οὐδὲ ἡ τῆς νόσου καὶ τῆς
155 ἀρρωστίας ἀνάγκη τῆς οἰκείας αὐτὸν ἔπεισεν ἐπιλαθέσθαι εὐλαβείας, ἀλλὰ καὶ ἐν τῇ συμφορᾷ τὴν ὑπεροχὴν ἐπεγίνωσκε τοῦ Δεσπότου. Διό φησιν· «Εἰπὲ λόγῳ, καὶ ἰαθήσεται ὁ παῖς μου. Καὶ γὰρ ἐγὼ ἄνθρωπός εἰμι ἔχων ὑπ' ἐμαυτὸν στρατιώτας, καὶ λέγω τούτῳ· 'πορεύου' καὶ
160 πορεύεται, καὶ τῷ ἄλλῳ· 'ἔρχου', καὶ ἔρχεται, καὶ τῷ δούλῳ μου· 'ποίησον τοῦτο', καὶ ποιεῖ.» Ὁρᾷς ὅτι τὸ «ποίησον» δεσπότου πρὸς δοῦλόν ἐστι διαλεγομένου; Οὐκοῦν τὸ «ποιήσωμεν», ὁμοτίμου τινός. Ὅταν οὖν δεσπότης δούλῳ λέγῃ, «ποίησον» λέγει· ὅταν δὲ Πατὴρ Υἱῷ διαλέγηται,
165 «ποιήσωμεν». Τί οὖν, φησίν, εἰ ὁ μὲν ἑκατοντάρχης οὕτως ὑπώπτευε, τὸ δὲ πρᾶγμα οὐχ οὕτως εἶχε; Μὴ γὰρ ἀπόστολός ἐστιν ὁ ἑκατοντάρχης; Μὴ γὰρ μαθητής ἐστιν, ἵνα αὐτοῦ δέξωμαι τὰ ῥήματα; Εἰκὸς αὐτὸν ἐσφάλθαι, φησί. Καλῶς· τί οὖν; Ἴδωμεν τὸ ἑξῆς. Ἆρα διώρθωσεν αὐτὸν

ABCYQ DGOVP

150 ἵνα] + σοι DG ‖ 154 καὶ om. A ‖ 159 πορεύου : πορεύθητι A P ‖ 160 καὶ[1] — ἔρχεται om. DGO ‖ τῷ om. AB P ‖ 165 ἑκατοντάρχης : -αρχος ABCQ P ‖ 169 ἴδωμεν : εἴδωμεν AB ‖ οὖν V om. cett. ‖ τὸ ἑξῆς alt. man. sup. lin. add. P

sons» ; car le mot *fais* c'est l'expression d'un ordre donné à un serviteur et en voici la preuve.

Épisode du centurion

Un centurion[1] vint un jour à Jésus et lui dit : «Seigneur, mon serviteur gît dans ma maison atteint de paralysie et terriblement éprouvé.» Que lui répond Jésus ? «J'irai et je le guérirai[g].» Le centurion n'osait pas faire venir le médecin dans sa maison, mais lui, plein de sollicitude et de bonté, s'offrit volontairement à aller là-bas, pour lui donner sujet et occasion de nous montrer sa vertu. Sachant, en effet, ce que le centurion allait dire, il promettait de s'y rendre, pour te faire saisir la piété de cet homme. En effet que dit le centurion ? «Seigneur, je ne suis pas digne que tu entres sous mon toit[h].» Ni la contrainte de la maladie et de la faiblesse ne l'avaient amené à oublier sa piété personnelle, mais dans son malheur il reconnaissait la supériorité du maître. C'est pourquoi il demande : «Dis une parole et mon serviteur sera guéri ; car je suis un homme[2] ayant sous mes ordres des soldats et je dis à l'un ' va ' et il va à l'autre ' viens ' et il vient et à mon serviteur : ' fais cela ' et il le fait[i].» Vois-tu que le mot *fais* c'est celui d'un maître parlant à son serviteur, tandis que «faisons» est celui d'un égal en dignité ? Lorsque donc le maître parle à son serviteur, il dit : «fais», mais lorsque le Père s'entretient avec son Fils, il dit «faisons». Hé quoi ! dit-on, si le centurion avait cette façon de penser, en était-il ainsi dans la réalité ? Est-ce que le centurion est un apôtre ? Est-ce qu'il est un disciple, pour que je me fie à ses paroles. Il est possible qu'il se soit trompé, dit quelqu'un. Bon. Mais quoi ?

g Matth. 8, 5-7 || h Matth. 8, 8 || i Matth. 8, 8-9

1. Jean utilise l'épisode du centurion en IX, 122-124 et en XII, 129-130.

2. Après εἰμι, le texte de *Matth.* 8, 9 ajoute ὑπ' ἐξουσίαν qui signifie que le centurion est lui-même un officier subalterne. Cette expression ne se lit pas dans le texte de Chrysostome donné par nos mss, bien que Nestlé la signale comme se trouvant dans l'œuvre de Chrysostome.

170 ὁ Χριστός; Ἆρα ἐπετίμησεν ὡς σφαλλομένῳ καὶ διεφθαρμένα εἰσάγοντι δόγματα; Ἆρα εἶπε πρὸς αὐτόν· Τί τοῦτο ποιεῖς, ἄνθρωπε; μείζονα περὶ ἐμοῦ δόξαν ἔχεις ἢ προσῆκε· πλειονά μοι χαρίζῃ τῶν ὀφειλομένων ἐμοί· ἐξ αὐθεντίας με νομίζεις ἐπιτάττειν οὐκ ἔχοντα αὐθεντίαν. Ἆρα εἶπέ τι
175 τοιοῦτον; Οὐδαμῶς· ἀλλὰ καὶ ἐκύρωσεν αὐτοῦ τὴν γνώμην, καὶ πρὸς τοὺς ἀκολουθοῦντας εἶπε· «Ἀμὴν λέγω ὑμῖν, οὐδὲ ἐν τῷ Ἰσραὴλ τοσαύτην πίστιν εὗρον.» Ὁ τοίνυν ἔπαινος τοῦ Δεσπότου κύρωσις γίνεται τῶν ῥημάτων τοῦ ἑκατοντάρχου. Οὐκ ἔτι γὰρ τοῦ ἑκατοντάρχου ἐστὶ τὰ ῥήματα τὰ
180 εἰρημένα, ἀλλ' ἀπόφασίς ἐστι δεσποτική· ὅταν γὰρ αὐτὸς ἐπαινέσῃ τὰ λεχθέντα καὶ ψηφίσηται αὐτοῖς ὡς καλῶς εἰρημένοις, ὡς θεῖον αὐτὰ δέχομαι χρησμόν. Τὸ γὰρ κῦρος ἄνωθεν ἔλαβεν ἐκ τῆς τοῦ Χριστοῦ ἀποκρίσεως.

Ὁρᾷς πῶς σύμφωνος ἡ Καινὴ τῇ Παλαιᾷ; Πῶς ἑκατέρα
185 τὴν αὐθεντίαν ἐπιδείκνυται τοῦ Χριστοῦ; Τί οὖν, εἰ ἐποίει μέν, φησίν, τὸν ἄνθρωπον, ὡς ὑπουργὸς δὲ ἐποίει; Οὐκοῦν ἄκουσον τῶν ἑξῆς ῥημάτων καὶ ἀπόστηθί ποτε τῆς ἀκαίρου φιλονεικίας. Εἰπὼν γάρ· «Ποιήσωμεν ἄνθρωπον», οὐκ ἐπήγαγε, κατὰ τὴν εἰκόνα τὴν σὴν τὴν ἐλάττω, οὐδὲ κατὰ

ABCYQ DGOVP

172 προσῆκε : προσῆκον D ‖ 173 πλείονα : μείζονα ACY P ‖ ἐμοί : μοι Y GOP ‖ 180 ἀλλ' ἀποφασίς : ἀλλὰ προφασίς A^{pc} BCYQ ‖ 183 χριστοῦ DG arm. : κυρίου ABCYQ P θεοῦ OV ‖ ἀποκρίσεως DGOV : κρίσεως cett. ‖ 184 σύμφωνος : συμφωνεῖ D συμφώνως C ‖ 186 τὸν ἄνθρωπον φησίν ~ C ‖ 189 κατὰ[1] — οὐδὲ om. DGOV

j Matth. 8, 10 ‖ k Gen. 1, 26

1. C'est une habitude de la diatribe d'imaginer ce que le personnage n'a pas dit, pour mettre en valeur ses paroles authentiques. De même dans cette homélie, li. 188-191, et hom. XII, 147-151. Voir ce procédé largement utilisé dans *Sur la providence de Dieu :* discours fictif d'Abraham, X, 11-12 ; de Joseph, X, 36 ; de David, X, 43.

Voyons donc la suite. Est-ce que le Christ l'a repris ? est-ce qu'il l'a blâmé comme s'il était dans l'erreur et avançait des opinions inexactes ? est-ce qu'il lui a dit : Que fais-tu, ô homme ? tu as une idée de moi plus haute qu'il ne convient ; tu m'accordes plus d'honneur qu'il ne m'en est dû ; tu crois que je donne des ordres de ma propre autorité, alors que je n'ai pas d'autorité. A-t-il dit quelque chose de ce genre ? Nullement [1], mais il a confirmé sa façon de penser et dit à ceux qui l'accompagnaient : « En vérité, je vous le dis, je n'ai pas trouvé [2] une telle foi en Israël [j]. » Cet éloge du maître est une confirmation des paroles du centurion. En effet, ce qui est dit, ce ne sont plus les paroles du centurion, mais c'est une déclaration du maître, car lorsqu'il le félicite des paroles qu'il a dites et déclare qu'elles ont été dites à juste titre, je les reçois comme un oracle divin ; en effet, il tire son autorité d'en haut, de la réponse du Christ [3].

Accord de l'Ancien et du Nouveau Testament

Vois-tu comment le Nouveau Testament s'accorde [4] avec l'Ancien, comment chacun d'eux montre l'autonomie du Christ ? Hé quoi ! dit-on, s'il le créait à titre de subordonné [5] ? Écoute donc les paroles suivantes et renonce une bonne fois à une contestation inopportune. En ayant dit : « faisons un homme [k6] », il n'a pas ajouté : d'après ton image qui est inférieure [7], ni d'après mon image

2. Le texte de la citation de Chrysostome concorde avec celui de plusieurs mss, dont l'*Alexandrinus* adopté par Wittstein. Les mss qui portent l'expression παρ' οὐδενὶ sont signalés par Nestlé.

3. La variante ῥήματα est soutenue par l'arménien.

4. Cet adjectif est significatif. Il est à rapprocher de συμφωνία employé en X, 244. Voir *supra*, p. 259, n. 2.

5. F. D. n'a pas imprimé φησίν, contrairement à l'ensemble des mss, y compris le *Paris. gr. 809*, son modèle. Cependant φησίν sert à introduire une objection et doit être gardé.

6. Contrairement au texte biblique et au *Paris. gr. 809*, F. D. fait précéder ἄνθρωπον de l'article. Cf. hom. IX, 134.

7. Le membre de phrase κατὰ ... οὐδὲν qu'on ne trouve pas dans le *Vaticanus gr. 1526* est cependant traduit en arménien. C'est le texte du *Paris. gr. 809*.

190 τὴν εἰκόνα τὴν ἐμὴν τὴν μείζω, ἀλλὰ τί; «Κατ' εἰκόνα ἡμετέραν καὶ καθ' ὁμοίωσιν», τῷ οὕτως εἰπεῖν δεικνὺς Πατρὸς καὶ Υἱοῦ μίαν οὖσαν εἰκόνα· οὐ γὰρ εἶπεν εἰκόνας, ἀλλ' «εἰκόνα ἡμετέραν»· οὐ γὰρ δύο τινὲς ἀνώμαλοι, ἀλλὰ μία καὶ αὕτη ἴση Υἱοῦ καὶ Πατρὸς ἡ εἰκών. Διὰ τοῦτο καὶ
195 ἐκ δεξιῶν λέγεται καθῆσθαι, ἵνα τὸ ὁμότιμον καὶ τῆς ἐξουσίας τὸ ἀπαράλλακτον μάθῃς· ὑπουργὸς γὰρ οὐ συγκάθηται, ἀλλὰ παρέστηκε. Καὶ ὅτι τὸ μὲν καθῆσθαι τὸ ὁμότιμον καὶ ἀπαράλλακτον τῆς δεσποτικῆς ἐστιν ἐξουσίας, τὸ δὲ παρεστάναι δουλικῆς καὶ ὑποτεταγμένης, ἄκουσον τί
200 φησιν ὁ Δανιήλ· «Ἐθεώρουν ἕως οὗ θρόνοι ἐτέθησαν καὶ ὁ Παλαιὸς τῶν ἡμερῶν ἐκάθητο. Μύριαι μυριάδες ἐλειτούργουν αὐτῷ καὶ χίλιαι χιλιάδες παρειστήκεισαν αὐτῷ. Καὶ πάλιν ὁ Ἡσαΐας· «Εἶδον τὸν Κύριον καθήμενον ἐπὶ θρόνου ὑψηλοῦ καὶ ἐπηρμένου, καὶ τὰ Σεραφὶμ ἑστήκεισαν κύκλῳ
205 αὐτοῦ.» Καὶ ὁ Μιχαίας δέ· «Εἶδον τὸν Κύριον τὸν Θεὸν τοῦ Ἰσραὴλ καθήμενον ἐπὶ θρόνου αὐτοῦ, καὶ πᾶσα ἡ στρατιὰ τοῦ οὐρανοῦ εἱστήκει ἐκ δεξιῶν αὐτοῦ καὶ ἐξ ἀριστερῶν αὐτοῦ.» Ὁρᾷς πανταχοῦ τὰς μὲν ἄνω δυνάμεις

ABCYQ DGOVP

191 ἡμετέραν] + καὶ καθ' ὁμοίωσιν τῷ οὕτως εἰπεῖν V om. cett. || 196 ἐξουσίας : οὐσίας OPV || μάθῃς τὸ ἀπαράλλακτον ~ B || 198 καὶ ἀπαράλλακτον] + καὶ V || 199 ἄκουσον] + γοῦν DGO || 201 ἐκάθητο : ἐκάθησεν A || 202 παρειστήκεισαν : ἑστήκησαν D || 203 τὸν om. BC || 206 τοῦ om. ABCYQ DP

l Dan. 7, 9-10 || m Is. 6, 1-2 || n III Rois 22, 19

1. Καὶ καθ' εἰπεῖν est omis par tous les mss sauf V, mais on trouve l'addition en arménien qui est conforme au texte de *Gen.* 1, 26. C'est une habitude fréquente chez les scribes de ne pas reproduire intégralement une citation connue. Pour l'interprétation de ce passage, voir M. Harl, *La Bible d'Alexandrie. La Genèse,* Paris 1986, p. 95-96.

2. La reprise de la phrase par καὶ ὅτι pour en souligner l'importance est tout à fait dans les habitudes oratoires de Jean. On

qui est supérieure ; mais qu'a-t-il dit ? d'après notre image et ressemblance[1], montrant par cette expression que l'image du Père et celle du Fils ne font qu'un ; car il n'a pas dit : des images, mais « notre image », car il n'y a pas deux images inégales, mais il n'y a qu'une seule et même image, celle du Fils et du Père. Si l'on dit aussi qu'il est assis à droite du Père, c'est pour que tu comprennes l'égalité d'honneur et l'identité du pouvoir, car un serviteur ne s'assied pas, mais il se tient debout. Que le fait d'être assis est la marque de l'égalité d'honneur et de l'identité du pouvoir, mais que le fait de se tenir debout est la marque d'une condition servile et soumise[2], écoute ce que dit Daniel : « Je regardais jusqu'à ce que les trônes fussent placés et que l'Ancien des jours fût assis. Mille myriades le servaient et mille millions se tenaient devant lui[l]. » Et encore Isaïe « J'ai vu le Seigneur assis sur un trône haut et élevé[3] et les séraphins se tenaient debout en cercle autour de lui[m]. » Et Michée[4] de son côté : « J'ai vu le Seigneur, le Dieu d'Israël assis sur son trône et toute l'armée du ciel se tenait debout à sa droite et à sa gauche[n5]. » Tu vois que dans tous ces passages les puissances d'en-haut sont

doit donc adopter la tournure καὶ ὅτι, li. 197. Au contraire, il semble que la phrase qu'on trouve en *DG* encadrée par ἵνα ... μάθῃς soit une répétition du texte de la ligne 195-196. Il faut cependant mentionner que cette répétition figurait déjà dans le texte du VIe s., puisqu'elle se trouve en arménien. Son omission dans le texte imprimé par F. D. et Savile s'explique par son absence dans le *Paris. gr. 809*. Nous avons ici un texte gravement perturbé. Il nous a semblé préférable de suivre l'ensemble des mss qui donnent le texte que nous avons adopté.

3. Le texte d'*Isaïe* 6, 1 ajoute à ἐπηρμένου] + καὶ πλήρης ὁ οἶκος τῆς δόξης αὐτοῦ que ne comporte pas la citation de Chrysostome. La teneur de cette citation est confirmée par le commentaire d'Isaïe fait par Chrysostome et édité dans les *SC* no 304, Paris 1983, p. 262.

4. On trouve en III *Rois* 22, 19, une évocation analogue à celle d'*Isaïe* 6, 1-2, mais elle est attribuée à Michée.

5. Le texte cité par Chrysostome utilise l'adjectif ἀριστερός tandis que III *Rois* 22, 19 emploie εὐώνυμος.

παρεστηκυίας, αὐτὸν δὲ καθήμενον. Ὅταν οὖν ἴδῃς καὶ τὸν
210 Υἱὸν τὴν ἐκ δεξιῶν ἔχοντα καθέδραν, μὴ τῆς λειτουργικῆς
καὶ ὑπουργικῆς αὐτὸν εἶναι νομίσῃς ἀξίας, ἀλλὰ τῆς
δεσποτικῆς καὶ αὐθεντίαν ἐχούσης. Διὰ τοῦτο καὶ Παῦλος
ἀμφότερα ταῦτα εἰδὼς ὅτι τὸ μὲν παρεστάναι λειτουρ-
γούντων ἐστί, τὸ δὲ καθῆσθαι τῶν ἐπιταττόντων καὶ
215 προστατόντων, ὅρα πῶς ἀμφότερα ταῦτα διαιρεῖ λέγων
οὕτω· «Πρὸς μὲν τοὺς ἀγγέλους αὐτοῦ φησιν· ‘Ὁ ποιῶν
τοὺς ἀγγέλους αὐτοῦ πνεύματα, καὶ τοὺς λειτουργοὺς
αὐτοῦ πυρὸς φλόγα’· πρὸς δὲ τὸν Υἱόν· Ὁ θρόνος σου,
ὁ θεός, εἰς τὸν αἰῶνα τοῦ αἰῶνος», διὰ τοῦ θρόνου τὴν
220 βασιλικὴν ἡμῖν ἐξουσίαν δηλῶν. Ἐπεὶ οὖν διὰ πάντων ὁ
λόγος ἡμῖν τούτων ἀπέδειξεν οὐχὶ λειτουργικῆς ὄντα ἀξίας
τὸν Υἱόν, ἀλλὰ τῆς δεσποτικῆς, ὡς Δεσπότην αὐτὸν
προσκυνῶμεν καὶ ὁμότιμον τῷ Πατρί· οὕτω καὶ αὐτὸς
ἐκέλευσεν εἰπων· «Ἵνα πάντες τιμῶσι τὸν Υἱὸν καθὼς
225 τιμῶσι τὸν Πατέρα»· καὶ τὴν διὰ τῆς πολιτείας καὶ τῶν
ἔργων ἀκρίβειαν τῇ τῶν δογμάτων ὀρθότητι συνάπτωμεν,
ἵνα μὴ ἐξ ἡμισείας ἡμῖν τὰ τῆς σωτηρίας ᾖ.

Πολιτείας δὲ ἀκρίβειαν καὶ βίου καθαρότητα οὐδὲν οὕτω
δύναται κατορθοῦν ὡς ἡ συνεχὴς ἐνταῦθα διατριβὴ καὶ ἡ
230 μετὰ προθυμίας ἀκρόασις. Ὅπερ γὰρ ἐστιν ἐπὶ τοῦ σώματος
ἡ τροφή, τοῦτο ἐπὶ τῆς ψυχῆς ἡ τῶν θείων λογίων
διδασκαλία. «Οὐ γὰρ ἐπ' ἄρτῳ μόνῳ ζήσεται ἄνθρωπος,
φησίν, ἀλλ' ἐπὶ παντὶ ῥήματι ἐκπορευομένῳ διὰ στόματος
Θεοῦ.» Διὰ τοῦτο καὶ λιμὸν οἶδεν ἐργάζεσθαι τὸ μὴ μετέχειν
235 τοιαύτης τραπέζης. Ἄκουσον γοῦν τοῦ Θεοῦ τοῦτο ἀπει-
λοῦντος, καὶ ἐν τάξει κολάσεως καὶ τιμωρίας ἐπανατει-

ABCYQ DGOVP

211 νομίσῃς εἶναι ∼ D ‖ 212 αὐθεντίαν : αὐθεντικῆς A ‖ 218 πυρὸς φλόγα : πῦρ φλέγων D ‖ 219 ὁ θεός om. D ‖ 222 δεσποτικῆς] + καὶ αὐθεντίαν ἐχούσης DG ‖ 223 οὕτω] + γὰρ O ‖ 232-233 φησίν post ἄρτῳ transp. O ‖ φησίν ἄνθρωπος ∼ A ‖ 233 ἀλλ' ἐπὶ : ἀλλὰ καὶ ἐν O ‖ 234 ἐργάζεσθαι : ἐργάσασθαι DGO

debout, mais que lui il est assis. Donc lorsque tu vois le Fils ayant un siège à la droite du Père, ne pense pas que son rang soit celui de quelqu'un qui remplit une charge et qui s'acquitte d'un service, mais celui d'un maître ayant son autonomie. C'est pourquoi Paul, qui savait à la fois que le fait d'être debout est le propre de ceux qui remplissent une charge et qu'être assis est le propre de ceux qui donnent des ordres et qui commandent, vois comment il distingue ces deux choses en disant : « Au sujet des anges l'Écriture dit : ' celui qui fait de ses anges des vents et de ses serviteurs une flamme ...[o] ' » ; mais en s'adressant à son Fils : « Ton trône, ô Dieu, pour les siècles des siècles[p] » voulant ainsi nous indiquer par le mot *trône* son pouvoir royal. Puisque la citation de tous ces textes nous a montré que le Fils ne possède pas un rang de serviteur, mais de maître, adorons-le comme maître et comme égal au Père en dignité. D'ailleurs, c'est lui qui nous l'a ordonné en disant : « Pour que tous honorent le Fils comme ils honorent le Père[q] », et joignons la perfection de notre conduite et de nos actes à la rectitude de nos croyances, pour que le souci de notre salut soit sans partage.

Nécessité impérieuse de venir à l'église

Or, rien ne peut contribuer à assurer la perfection de notre conduite et la pureté de notre vie comme de fréquenter assidûment ce lieu-ci et d'écouter avec zèle. En effet, ce que la nourriture est au corps, l'enseignement des divines Écritures l'est à l'âme. « Car l'homme ne vivra pas seulement de pain, est-il dit, mais de toute parole qui sort de la bouche de Dieu[r]. » C'est pourquoi le fait de ne pas prendre part à cette table est propre à engendrer la faim. Écoute le Seigneur faire des menaces à ce sujet et utiliser cette faim à titre de punition et de châtiment. « Je leur

o Hébr. 1, 7 || p Hébr. 1, 8 || q Jn 5, 23 || r Matth. 4, 4

νομένου· « Δώσω γὰρ αὐτοῖς, φησίν, οὐ λιμὸν ἄρτου, οὐδὲ δίψαν ὕδατος, ἀλλὰ λιμὸν τοῦ ἀκοῦσαι λόγον Κυρίου. » Πῶς οὖν οὐκ ἄτοπον ὑπὲρ μὲν τοῦ τὸν σωματικὸν λιμὸν
240 ἀποκρούσασθαι πάντα ποιεῖν καὶ πραγματεύεσθαι, τὸν δὲ τῆς ψυχῆς ἑκόντας ἐπισπᾶσθαι, καίτοι πολλῷ χαλεπώτερον ὄντα ὅσῳ καὶ περὶ μειζόνων ἡ ζημία; Μή, δέομαι καὶ ἀντιβολῶ, μὴ κακῶς οὕτω περὶ ἑαυτῶν βουλευσώμεθα, ἀλλὰ πάσης ἀσχολίας καὶ φροντίδος ἡ ἐνταῦθα προτιμάσθω
245 διατριβή. Τί γὰρ τοσοῦτον κερδαίνεις, εἰπέ μοι, τῆς συνάξεως ἀπολιμπανόμενος ὅσον ζημιοῖς, καὶ σαυτὸν καὶ τὴν οἰκίαν πᾶσαν; Κἂν γὰρ θησαυρὸν εὕρῃς ὁλόκληρον χρυσίου γέμοντα καὶ διὰ τοῦτον ἀπολειφθῇς, μείζονα ἐζημιώθης, καὶ τοσούτῳ μείζονα ὅσῳ τῶν αἰσθητῶν τὰ
250 πνευματικὰ ἀμείνω. Ἐκεῖνα μὲν γὰρ κἂν πολλὰ ᾖ, κἂν πάντοθεν ἐπιρρέῃ, ἀλλ' οὐ συναποδημεῖ πρὸς τὴν ἐκεῖ ζωήν, οὐδὲ συμμεθίσταται ἡμῖν πρὸς τὸν οὐρανόν, οὐδὲ ἐπὶ τοῦ βήματος παρίσταται τοῦ φοβεροῦ, ἀλλὰ πολλάκις καὶ πρὸ τῆς τελευτῆς ἡμᾶς καταλιπόντα οἴχεται· εἰ δὲ καὶ παραμεί-
255 νειεν μέχρι τέλους, ἀλλ' ὑπὸ τῆς τελευτῆς διακόπτεται πάντως. Ὁ δὲ πνευματικὸς θησαυρὸς ἀναφαίρετόν ἐστι κτῆμα, καὶ πανταχοῦ βαδίζουσιν ἡμῖν καὶ ἀποδημοῦσιν ἕπεται καὶ πολλὴν ἐπὶ τοῦ βήματος ἐκείνου δίδωσιν ἡμῖν τὴν παρρησίαν.

ABCYQ DGOVP

240 ἀποκρούσασθαι : ἀποκρούεσθαι Y ‖ 241 ἐπισπᾶσθαι : ἐπισπάσασθαι B G ‖ 247 πᾶσαν : ἅπασαν D ‖ εὕρῃς : εὕροις ABCQ GOVP ‖ 248 μείζονα : μείζω Y μεῖζον Q ‖ 249 ἐζημιώθης : ζημιοῦσαι ACYQ ζημιοῦσθαι B ζημιῶσαι DP ‖ 252 πρὸς τὸν οὐρανὸν ἡμῖν ~ ABCY GP ‖ 254 οἴχεται : οἰχήσεται AB DGOP

s Amos 8, 11

donnerai[1], dit-il, non pas une faim de pain ni une soif d'eau, mais la faim d'entendre la parole de Dieu[s].» Ne serait-ce donc pas déraisonnable de tout faire, de tout entreprendre quand il s'agit d'échapper à la faim du corps, et lorsqu'il s'agit de la faim de l'âme de nous laisser aller à une négligence volontaire, alors que celle-ci est beaucoup plus pénible, d'autant que le dommage se produit dans un domaine plus important? Je vous en prie et vous en conjure, ne prenons pas envers nous-mêmes une si fâcheuse décision, mais que notre réunion ici passe avant toute occupation et tout souci. Que gagnes-tu, dis-moi, à délaisser l'assemblée en comparaison du dommage que tu t'infliges à toi-même et à ta maisonnée tout entière? Si tu trouves un trésor qui soit tout en or et si, à cause de lui, tu te dispenses d'être ici, tu te fais un tort d'autant plus grand que les biens spirituels l'emportent sur les biens matériels. Même si ces derniers sont nombreux et s'ils affluent de partout, cependant ils ne t'accompagnent pas dans la vie de l'au-delà, ils ne nous suivent pas dans le ciel, ils ne sont pas à tes côtés devant le redoutable tribunal[2], mais souvent, même avant la mort, ils disparaissent et nous abandonnent; et si nous les conservons jusqu'à la fin, cette fin nous en sépare totalement. Au contraire le trésor spirituel est un bien qu'on ne peut nous enlever, il nous accompagne partout lorsque nous allons et venons et, devant ce fameux tribunal, grande est l'assurance qu'il nous donne.

1. Au lieu du verbe ἀποστέλλω d'*Amos* 8,11, la version citée par Chrysostome emploie le verbe plus banal : δώσω.

2. Cette suite de présents actualise l'échéance de la mort pour la rendre plus frappante. — Le mot βῆμα en grec classique désigne l'estrade sur laquelle, dans les cours de justice, se trouvent les parties en présence. Jean emploie ce mot pour évoquer le jugement de l'âme après la mort, ce qui explique l'emploi de l'adjectif φοβερός, épithète traditionnelle pour qualifier βῆμα. Voir PALLADIOS, *Vie de Jean Chrysostome, SC* 341, chap. IV, li. 152 et XX, 664.

260 Εἰ δὲ ἀπὸ τῶν ἄλλων συνάξεων τοσοῦτον τὸ κέρδος, ἀπὸ τῶν ἐνταῦθα συνάξεων διπλοῦν τοῦτο γίνεται. Οὐ γὰρ δὴ τοῦτο καρπούμεθα μόνον ὅτι τὴν ψυχὴν τοῖς θείοις λόγοις ἄρδομεν, ἀλλ' ὅτι πολλὴν μὲν τῶν ἐχθρῶν κατασκεδάννυμεν τὴν αἰσχύνην, πολλὴν δὲ τοῖς ἀδελφοῖς τοῖς ἡμετέροις 265 παρέχομεν τὴν παράκλησιν. Τοῦτο γὰρ τῆς παρατάξεως τὸ κέρδος ἐστὶ τὸ σπεύδειν ἐπὶ τὸ πονοῦν τοῦ πολέμου μέρος, τὸ κινδύνου γέμον. Διόπερ ἅπαντας ἐνταῦθα συντρέχειν δεῖ καὶ τοὺς πολεμίους ἐπιόντας ἀποκρούεσθαι. Οὐ δύνασαι κατατεῖναι λόγον μακρὸν οὐδὲ ἔχεις διδασκαλίαν; Παρα-270 γίνου μόνον καὶ τὸ πᾶν ἀπετέλεσας. Τοῦ γὰρ σώματος ἡ παρουσία προσθήκη τῆς ποίμνης γίνεται καὶ πολλὴν τοῖς ἀδελφοῖς σου δίδωσι τὴν προθυμίαν καὶ τοῖς ἐχθροῖς σου περιβάλλει τὴν αἰσχύνην. Ἂν μὲν γὰρ ἐπιβάς τις τῶν ἱερῶν τούτων προθύρων ὀλίγους ἴδῃ τοὺς συνειλεγμένους, καὶ 275 αὐτὴν οὖσαν κατασβέννυσι προθυμίαν καὶ ναρκᾷ καὶ ἀναδύεται καὶ ὀκνηρότερος γίνεται καὶ ἀναχωρεῖ· εἶθ' οὕτω κατὰ μικρὸν ἅπαν ἡμῖν τὸ πλῆθος χαυνότερον ἔσται καὶ ῥαθυμότερον. Ἂν δὲ ἴδῃ συντρέχοντας, σπουδάζοντας, πανταχόθεν συρρέοντας, ἡ τῶν ἄλλων σπουδὴ καὶ τῷ 280 σφόδρα νωθρῷ καὶ παρειμένῳ προθυμίας ὑπόθεσις γίνεται. Εἰ γὰρ λίθος πρὸς λίθον τριβόμενος πολλάκις σπινθῆρας ἐκπηδῆσαι παρεσκεύασε, καίτοι τί λίθου ψυχρότερον, τί δὲ πυρὸς θερμότερον; Ἀλλ' ὅμως τὴν φύσιν ἐνίκησεν ἡ συνέχεια· εἰ δὲ ἐπὶ λίθου τοῦτο συμβαίνει, πολλῷ μᾶλλον 285 ἐπὶ ψυχῶν ἀλλήλαις συντριβομένων καὶ τῷ πυρὶ τοῦ

ABCYQ DGOVP

260-261 εἰ δὲ — γίνεται : μὴ δὲ ἀπὸ τῶν ἐνταύθα συνάξεων ἀπολιμπανώμεθα καὶ γὰρ διπλοῦν τὸ κέρδος ἀπὸ τούτων ἡμῖν γίνεται V ‖ 261 τῶν ἐνταῦθα συνάξεων : τῆς ἀκροάσεως P ‖ 266 κέρδος : μέρος B O ‖ τὸ σπεύδειν ἐπὶ om. B DGO ‖ πονοῦν] + τὸ B DGO ‖ 267 κινδύνου : κινδύνων B DGO ‖ ἅπαντας : πάντας CY ‖ 268 καὶ τοὺς — ἀποκρούεσθαι om. O ‖ 270 ἀπετέλεσας : συνετέλεσας OP ‖ 273 ἂν : ἐὰν ACY P ‖ 281 τριβόμενος : συντριβόμενος B ‖ 284 πολλῷ : πόσῳ A

Avantages de prendre part à l'assemblée chrétienne

Si tel est le gain des autres[1] assemblées, de ces assemblées-ci le gain est double. En effet, non seulement nous y gagnons de rafraîchir notre âme par les paroles divines, mais encore grande est la honte dont nous couvrons nos ennemis, tandis que nous offrons à nos frères une abondante consolation. Voici le gain du combat : c'est de se porter au point périlleux de la bataille, celui qui est plein de danger. C'est pourquoi il nous faut accourir tous ensemble et repousser l'attaque des ennemis. Tu n'es pas capable de développer un long discours? tu n'as pas de talent pour enseigner? Sois présent seulement et tu as fait tout ton possible. En effet, la présence physique augmente l'importance du troupeau, suscite un grand zèle chez tes frères et couvre de honte tes ennemis. Si quelqu'un pénétrant dans ces parvis sacrés ne voit qu'un petit nombre de gens rassemblés, son ardeur s'éteint, la torpeur le saisit, il recule, devient triste et s'en va ; ainsi la foule entière nous[2] tombera peu à peu dans le relâchement et la négligence. Au contraire, si tu vois des gens accourant ensemble, pleins de zèle, affluant de toute part, le zèle des autres devient pour celui qui est négligent et nonchalant un motif d'ardeur. Si en effet une pierre frottée souvent contre une pierre est capable de faire jaillir des étincelles — et certes qu'y a-t-il de plus froid qu'une pierre, qu'y a-t-il de plus brûlant que le feu ? — cependant leur frottement a triomphé de la nature ; mais si cela se produit pour une pierre, à plus forte raison pour les âmes qui se rencontrent et qui se réchauffent grâce au feu de

1. Les mots τῶν ἄλλων n'existent pas dans le *Paris. gr. 809,* source de F. du Duc, ni dans les mss que nous avons collationnés. Ils sont cependant nécessaires pour mettre en relief l'opposition entre les assemblées civiles et les assemblées religieuses. F. du Duc l'a bien vu et les a sans doute ajoutés. D'autre part, l'arménien les mentionne. Nous le suivons.

2. Ce datif, dit *datif éthique,* associe étroitement celui qui parle à la situation. Il se retrouve en français : prends-moi le bon parti.

Πνεύματος διαθερμαινομένων. Οὐκ ἠκούσατε ὅτι ἐπὶ τῶν προγόνων τῶν ἡμετέρων εἴκοσι καὶ ἑκατὸν ἦσαν οἱ πιστοὶ πάντες, μᾶλλον δὲ πρὸ τῶν εἴκοσι καὶ ἑκατὸν δώδεκα μόνοι, καὶ οὐδὲ οὗτοι διέμειναν ἅπαντες, ἀλλ' εἷς ἐξ αὐτῶν ἀπώλετο
290 ὁ Ἰούδας, καὶ ἦσαν ἕνδεκα πάντες; Ἀλλ' ὅμως, ἀπὸ τῶν ἕνδεκα ἐκείνων εἴκοσι καὶ ἑκατὸν ἐγένοντο, καὶ ἀπὸ τῶν εἴκοσι καὶ ἑκατὸν τρισχίλιοι, εἶτα πεντακισχίλιοι, εἶτα τὴν οἰκουμένην ἅπασαν ἐνέπλησαν τῆς τοῦ Θεοῦ γνώσεως. Τὸ δὲ αἴτιον, οὐδέποτε τὴν ἐπισυναγωγὴν ἑαυτῶν κατελίμπα-
295 νον, ἀλλ' ἀεὶ μετ' ἀλλήλων ἦσαν ἐν τῷ ἱερῷ διημερεύοντες, καὶ εὐχαῖς καὶ ἀναγνώσεσι προσέχοντες· διὰ τοῦτο πολλὴν ἐξῆψαν τὴν πυράν, διὰ τοῦτο οὐδέποτε διερρύησαν, ἀλλὰ τὴν οἰκουμένην ἅπασαν ἐπεσπάσαντο. Τούτους δὴ καὶ ἡμεῖς μιμησώμεθα.

300 Πῶς γὰρ οὐκ ἄτοπον, μηδὲ τοσαύτην ἐπιδείκνυσθαι περὶ τὴν Ἐκκλησίαν ταύτην πρόνοιαν ὅσην αἱ γυναῖκες περὶ τὰς γείτονας τὰς ἑαυτῶν; Καὶ γὰρ ἐκεῖναι ἐπειδὰν ἴδωσί τινα παρθένον πενιχρὰν καὶ ἔρημον προστασίας ἁπάσης οὖσαν, τὰ παρ' ἑαυτῶν πᾶσαι εἰσφέρουσιν ἐν τάξει τῶν προ-
305 σηκόντων γινόμεναι, καὶ πολὺν ἴδοι τις ἂν ἐκεῖ θόρυβόν τε καὶ ὄχλον τῆς παρθένου νυμφευομένης· καὶ αἱ μὲν χρήματα πολλάκις εἰσήνεγκαν, αἱ δὲ τὴν παρουσίαν τοῦ σώματος· οὐ μικρὸν δὲ καὶ τοῦτο· γίνεται γὰρ παρακάλυμμα τῆς εὐτελείας τούτων ἡ σπουδὴ καὶ τὴν πενίαν ἀποκρύπτουσιν
310 οὕτω διὰ τῆς αὐτῶν προθυμίας. Τοῦτο δὴ καὶ ἐπὶ ταύτης ποιήσατε τῆς Ἐκκλησίας. Πάντες πανταχόθεν συντρέχωμεν καὶ συγκαλύψωμεν αὐτῆς τὴν πενίαν, μᾶλλον δὲ λύσωμεν αὐτῆς τὴν πενίαν συνεχῶς ἐνταῦθα παραγινόμενοι. «Κεφαλὴ

ABCYQ DGOVP

288 μόνοι : μόνον GO ‖ 290 ὁ om. B G ‖ 293 ἐνέπλησαν : ἔπλησαν D ἐπλήρωσαν G ἐπλήρωσεν O ‖ τῆς τοῦ θεοῦ γνώσεως om. DG ‖ 294 ἐπισυναγωγὴν : ἐπισυστασίαν B ‖ ἑαυτῶν : αὐτῶν ACY om. B ‖ 294-295 κατελίμπανον : λεπτύναντες B ‖ 295 μετ' ἀλλήλων DGOV : πρὸς ἀλλήλους cett. ‖ 298 δὴ : δὲ O ‖ 313 παραγινόμενοι : παραγενόμενοι Y P παραγενάμενοι C

l'Esprit. N'avez-vous pas entendu dire que du temps de nos ancêtres les fidèles étaient cent vingt en tout[1], bien plus avant d'être cent vingt, ils n'étaient que douze[2], encore ceux-ci ne restèrent-ils pas au complet, puisque l'un d'eux, Judas, se perdit et ils étaient onze en tout[3]. Et cependant de onze qu'ils étaient, ils devinrent cent vingt et de cent vingt, trois mille, puis cinq mille[4] et ensuite ils remplirent la terre entière de la connaissance de Dieu. La raison, c'est qu'ils n'abandonnaient jamais leurs réunions, qu'ils passaient leur temps les uns avec les autres dans le temple s'adonnant à la prière et à la lecture ; à cause de cela ils allumèrent cet immense brasier, jamais ils ne disparurent, mais ils attirèrent la terre habitée tout entière. Imitons-les nous aussi.

Assister aux offices en famille

Ne serait-il pas étrange de ne pas montrer à l'égard de l'Église une sollicitude analogue à celle des femmes à l'égard de leurs voisines ? En effet, lorsque les femmes voient une jeune fille pauvre et sans aucune protection, elles apportent toutes ce qu'elles possèdent, se substituent à ceux qui devraient jouer ce rôle et l'on pourrait voir alors en cet endroit toute une agitation et une foule entourant la jeune fille lorsqu'elle se marie ; souvent les unes ont apporté de l'argent, les autres l'assistent de leur présence et cela non plus n'est pas négligeable ; leur zèle, en effet, dissimule sa situation modeste et, par leur empressement, elles cachent ainsi sa pauvreté. Faites-en autant pour cette Église. Accourons tous de toute part et nous voilerons sa pauvreté, bien plus nous ferons disparaître sa pauvreté, grâce à notre présence assidue. « L'homme est la tête de la

1. Cf. *Act.* 1, 15.
2. Cf. *Act.* 1, 13.
3. Cf. *Matth.* 27, 5.
4. Cf. *Act.* 4, 4.

τῆς γυναικός ἐστιν ὁ ἀνήρ»· βοηθός ἐστιν ἡ γυνὴ τοῦ
315 ἀνδρός. Μὴ τοίνυν μήτε ἡ κεφαλὴ χωρὶς τοῦ σώματος ἀνεχέ-
σθω τῶν οὐδῶν ἐπιβαίνειν τῶν ἁγίων τούτων, μήτε τὸ σῶμα
χωρὶς τῆς κεφαλῆς φαινέσθω, ἀλλ' ὁλόκληρος, ἐνταῦθα
εἰσίτω ὁ ἄνθρωπος, ἔχοντες καὶ τὰ παιδία μεθ' ἑαυτῶν. Εἰ
γὰρ δένδρον τερπνὸν ἰδεῖν ἀπὸ τῆς ῥίζης αὐτῆς νεόφυτον
320 ἔχον ἀνεστηκός, πολλῷ μᾶλλον ἄνθρωπον τερπνὸν ἰδεῖν,
καὶ ἐλαίας ἁπάσης τερπνότερον, ἀπὸ τῆς ῥίζης αὐτῆς τὸ
παιδίον ὥσπερ νεόφυτον ἔχοντα πλησίον ἑστός· οὐ τερπνὸν
δὲ μόνον, ἀλλὰ καὶ ἐπικερδές. Καὶ γάρ, ὅπερ ἔφθην εἰπών,
πλείων ἐνταῦθα μισθὸς τοῖς συλλεγομένοις· ἐπεὶ καὶ
325 γεωργὸν τότε μάλιστα θαυμάζομεν, οὐχ ὅταν τὴν πολλάκις
γεωργηθεῖσαν γῆν θεραπεύῃ, ἀλλ' ὅταν τὰ ἄσπαρτα καὶ
ἀνήροτα χωρία λαβών, πολλῆς ἀξιώσῃ προνοίας. Οὕτω δὴ
καὶ Παῦλος ἐποίει, φιλοτιμούμενος εὐαγγελίζεσθαι, οὐχ
ὅπου ὠνομάσθη Χριστός, ἀλλ' ὅπου οὐκ ὠνομάζετο.
330 Τοῦτον καὶ ἡμεῖς μιμησώμεθα, καὶ εἰς πρόσοδον τῆς
Ἐκκλησίας, καὶ εἰς ὠφέλειαν τὴν ἡμετέραν· καθ' ἑκάστην
οὖν τρέχωμεν ἐνταῦθα σύναξιν. Κἂν ἐπιθυμία φλέγῃ,
κατασβέσαι ῥᾳδίως αὐτὴν δυνήσῃ, τὸν οἶκον τοῦτον μόνον
ἰδών· κἂν ὀργίζῃ, μετ' εὐκολίας κοιμίσεις τὸ θηρίον· κἂν
335 ἄλλο τι πάθος πολιορκῇ, πάντα δυνήσῃ καταλῦσαι τὸν
χειμῶνα, καὶ γαλήνην ἐργάσασθαι καὶ εἰρήνην πολλὴν τῇ
ψυχῇ· ἧς γένοιτο πάντας ἡμᾶς ἀπολαύειν, χάριτι καὶ
φιλανθρωπίᾳ τοῦ Κυρίου ἡμῶν Ἰησοῦ Χριστοῦ, μεθ' οὗ τῷ
Πατρὶ ἡ δόξα ἅμα τῷ ἁγίῳ Πνεύματι, νῦν καὶ ἀεὶ καὶ εἰς
340 τοὺς αἰῶνας τῶν αἰώνων. Ἀμήν.

ABCYQ DGOVP

319-320 νεόφυτον ἔχον ἀνεστηκός om. V || 321 καὶ V om. cett. 321-322 τὸ παιδίον ὥσπερ om. D || 322 ἑστός B DGO : ἑστώς cett. || 32[illegible] δὴ om. D P || 328-329 ὅπου χριστὸς οὐκ ὠνομάσθη ~ V || 329 χριστὸς : χριστὸς O || ἀλλ' — ὠνομάζετο om. V || 336 εἰρήνην] hic des. P || 33[illegible] ἀπολαύειν : ἐπιτυχεῖν CY D || 339 ἅμα ἡ δόξα ~ C || δόξα transp. po[illegible] πνεύματι Y || νῦν καὶ ἀεὶ om. GO || καὶ ἀεὶ om. B.

femme[t] » ; la femme est l'aide de l'homme[1]. Que la tête ne tolère pas de fouler ce sol sanctifié étant séparée du corps, que le corps ne paraisse pas sans la tête, mais que l'homme dans sa totalité entre ici et qu'ils aient leurs enfants avec eux. S'il est agréable de voir s'élever à côté d'un arbre un rejeton qui part de la racine, à plus forte raison est-il agréable de voir un homme — et cela est beaucoup plus agréable que de voir n'importe quel olivier — ayant auprès de lui son fils comme un jeune rejeton partant de la racine, cela n'est pas seulement agréable, mais c'est tout à fait profitable. En effet, ainsi que je me suis efforcé de vous le dire, pour ceux qui sont rassemblés plus grand est le profit ; c'est ainsi que nous admirons le cultivateur non pas lorsqu'il cultive une terre travaillée depuis longtemps, mais lorsque, ayant pris en charge un terrain qui n'a pas été ensemencé ni labouré, il le juge digne de tous ses soins. C'est ce que faisait Paul qui désirait ardemment prêcher l'évangile, non pas là où le nom du Christ était connu, mais là où il ne l'était pas.

Imitons-le nous aussi et pour le développement de l'Église et pour notre propre utilité ; accourons donc ici à chaque assemblée. Même si l'ardeur du désir te brûle, tu pourras facilement l'éteindre rien qu'à voir cet édifice ; même si tu es en colère, tu endormiras facilement le monstre, même si quelque autre passion t'assaille, tu pourras faire cesser complètement la tempête et établir ton âme dans un calme et une paix profonds. Puissions-nous tous en jouir par la grâce et la bonté[2] de notre Seigneur Jésus-Christ, auquel soit la gloire, ainsi qu'au Père et à l'Esprit, maintenant et toujours et dans les siècles des siècles. Amen.

t I Cor. 11, 3

---

1. Ce thème de la femme aide de l'homme, qui se trouve dans *Gen.* 2, 18, a été repris par la tradition postérieure. Voir *Sirac.* 36, 24.

2. On retrouve le mot φιλανθρωπία dans les doxologies des homélies VII, VIII, X et XII. C'en est une composante essentielle. Sur ce mot, voir *supra*, p. 126, n. 1.

HOMÉLIE XII

Conspectus siglorum

A	Mosquensis 128 (Vlad. 159)	IXe s.
B	Atheniensis 212	Xe s.
C	Vaticanus gr. 1633	X^e-XIe s.
E	Londinensis Arundell 542	XIe s.
D	Parisinus gr. Coisl. 107	XIe s.
F	Angelicus gr. 125	
G	Oxoniensis New College gr. 82	XIe-XIIe s.
H	Scorialensis gr. 528	XIIe s.
I	Vaticanus gr. 564	
J	Oxoniensis Barocci 241	XIVe s.

Stemma de l'homélie XII

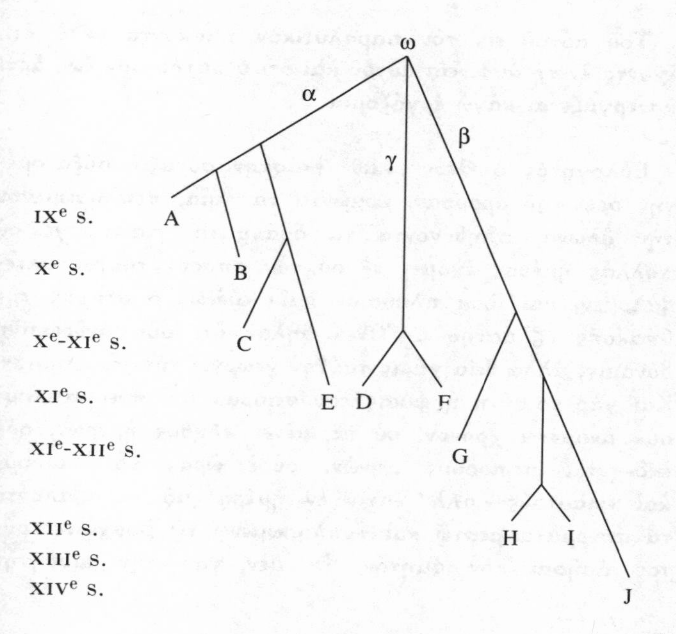

XII

Τοῦ αὐτοῦ εἰς τὸν παραλυτικὸν τριάκοντα ὀκτὼ ἔτη ἔχοντα ἐν τῇ ἀσθενείᾳ αὐτοῦ καὶ ὅτι ὁ πατήρ μου ἕως ἄρτι κατεργάζεται κἀγὼ ἐργάζομαι.

Εὐλογητὸς ὁ Θεός· καθ' ἑκάστην σύναξιν αὐξανομένην ὁρῶ τὴν ἄρουραν, κομῶντα τὰ λήϊα, πεπληρωμένην τὴν ἅλωνα, πληθύνοντα τὰ δράγματα. Καίτοι γε οὐ πολλὰς ἡμέρας ἔχομεν ἐξ οὗ τὸν σπόρον τοῦτον κατε-
5 βάλομεν, καὶ ἰδοὺ πλούσιος ἡμῖν εὐθέως ὁ στάχυς τῆς ὑπακοῆς ἐβλάστησεν. Ὅθεν δῆλον ὅτι οὐκ ἀνθρωπίνη δύναμις, ἀλλὰ θεία χάρις ταύτην γεωργεῖ τὴν Ἐκκλησίαν. Καὶ γὰρ τοιαύτη ἡ φύσις τοῦ σπόρου τοῦ πνευματικοῦ· οὐκ ἀναμένει χρόνον, οὐ περιμένει πλῆθος ἡμερῶν, οὐκ
10 ἐκδέχεται περιόδους μηνῶν, οὐδὲ ὥρας καὶ καιροὺς καὶ ἐνιαυτούς· ἀλλ' ἔστιν ἐν ἡμέρᾳ μιᾷ καταβαλόντα τὰ σπέρματα μεστῷ καὶ πεπληρωμένῳ τῷ βραχίονι τοῦτον ἀμῆσαι τὸν ἀμητόν. Οἱ μὲν γὰρ τὴν αἰσθητὴν

ABCE DF GHIJ

Titulus. 1 τοῦ αὐτοῦ AE : τοῦ ἐν ἁγίοις πατρὸς ἡμῶν ἰῶ ἀρχιεπισκόπου κωνσταντινουπόλεως τοῦ χρυσοστόμου BC D GHIJ τοῦ χρυσοστόμου F ‖ χρυσοστόμου] + λόγος GHIJ ‖ παραλυτικὸν : παραλύτου HIJ ‖ παραλυτικὸν] + τὰ E ‖ 2-3 αὐτοῦ — ἐργάζομαι om. E ‖ ἐργάζομαι] + κύριε [πάτερ HI] εὐλόγησον C GHI

1 θεός] + ὅτι DF H ‖ 5 πλούσιος : πλουσίως HIJ ‖ 7 τὴν ἐκκλησίαν τῇ ἐκκλησίᾳ AE ‖ 11 ἔστιν ἐν om. A ‖ 12-13 βραχίονι τοῦτον : βραχεῖ τούτῳ AE

XII

Du même, sur le paralytique en proie depuis trente-huit ans à son infirmité et sur « Mon Père agit sans cesse et moi aussi j'agis[a]. »

Exorde Béni soit Dieu[1] ; à chaque assemblée, je vois la terre cultivée s'étendre, les champs de blé se couvrir d'épis, l'aire se remplir, les gerbes se multiplier. Et cependant, nous comptons peu de jours depuis que nous avons jeté la semence[2] et voici qu'aussitôt l'épi de l'obéissance a mûri en une riche moisson. D'où il apparaît que ce n'est pas une puissance humaine, mais une grâce divine qui travaille cette Église. Telle est, en effet, la nature de cette semence spirituelle : elle ne compte pas avec le temps ; elle n'attend pas que les jours soient nombreux, elle ne prend pas en considération le cours des mois, ni les saisons, ni les circonstances, ni les années ; mais en un seul jour il est possible à celui qui a jeté la semence de moissonner la moisson, les bras pleins et surchargés. En effet, ceux qui cultivent la terre que nous

a Jn 5, 17

1. Cette formule exclamative par laquelle débutent de nombreuses homélies de Chrysostome n'est pas, d'ordinaire, alourdie par la conjonction ὅτι. Voir Chr. Baur, *Initia Patrum graecorum,* vol. I, p. 405, un seul exemple cité : *hom. in martyres Aegypti, PG* 50, 593.

2. La phrase fait supposer que les homélies XI et XII n'ont été séparées que par un intervalle de temps assez bref, deux ou trois jours.

ταύτην ἀνατέμνοντες γῆν, πολλῆς δέονται τῆς πραγμα-
15 τείας, καὶ μακρᾶς τῆς ἀναβολῆς. Καὶ γὰρ καὶ βοῦς
ἀροτῆρας ὑπὸ τὴν ζεύγλην ἄγειν ἀναγκάζονται, καὶ βαθεῖαν
αὔλακα τέμνειν καὶ δαψιλῆ τὰ σπέρματα καταβαλεῖν καὶ
τὴν ἐπιφάνειαν ἐξομαλίσαι τῆς γῆς καὶ τὰ καταβληθέντα
πάντα περιστεῖλαι καὶ ἀναμεῖναι συμμέτρους ὄμβρων φορὰς
20 καὶ πολλὰ ἕτερα φιλοπονήσαντας, πολὺν ἐκδέχεσθαι χρόνον, καὶ τότε τοῦ τέλους ἐπιτυχεῖν. Ἐνταῦθα δὲ καὶ ἐν θέρει
καὶ ἐν χειμῶνι καὶ σπείρειν καὶ ἀμᾶσθαι ἔνι καὶ ἐν αὐτῇ τῇ
ἡμέρᾳ πολλάκις ἀμφότερα γέγονε καὶ μάλιστα ὅταν λιπαρὰ
καὶ πίων τύχῃ οὖσα ἡ γεωργουμένη ψυχή ; ὃ δὴ καὶ ἐφ᾽
25 ὑμῶν ἔστιν ἰδεῖν. Διὸ καὶ ἡμεῖς προθυμότερον πρὸς ὑμᾶς
τρέχομεν, ἐπεὶ καὶ γεωργὸς ἐκείνην ἐργάζεται τὴν ἄρουραν
ἐπιτήδειον ἀφ᾽ ἧς τὴν ἅλωνα πολλάκις ἐνέπλησεν. Ἐπεὶ
οὖν καὶ ὑμεῖς ἐξ ὀλίγου πόνου πολλὴν ἡμῖν παρέχετε τὴν
πρόσοδον, μετὰ πολλῆς τῆς προσοχῆς τῆς γεωργίας ἁπτό-
30 μεθα ταύτης καὶ τῶν πρότερον εἰρημένων τὰ λείψανα ὑμῖν
κομίζοντες ἥκομεν. Τότε μὲν οὖν ἀπὸ τῆς Παλαιᾶς τὸν
λόγον ὑφήναμεν τὸν περὶ τῆς δόξης τοῦ Μονογενοῦς Υἱοῦ
τοῦ Θεοῦ· νυνὶ δὲ ἀπ᾽ αὐτῆς τὸ αὐτὸ τοῦτο ποιήσομεν·

ABCE DF GHIJ

17 καταβαλεῖν : καταβάλλειν C GH || 20 φιλοπονήσαντας : -νήσαντες H -νίσαντα G || 24 τύχῃ : τύχει C G || 25 ἰδεῖν om. GHIJ || πρὸς ὑμᾶς προθυμότερον ~ BE || 27 ἐπιτήδειον : ἐπιτηδείως HIJ || 33 ἀπ᾽ αὐτῆς : ἀπὸ ταύτης D ἀπὸ τῆς καινῆς F

---

1. Savile suit ici le *New College 82,* contrairement à l'ensemble des mss qui donnent un aoriste, comme à la ligne 11.

2. Entre les deux participes soit au nominatif, soit à l'accusatif, il semble préférable de choisir φιλοπονήσαντας en apposition à l'accusatif, sujet sous-entendu de ἐκδέχεσθαι. Ce choix entraîne la suppression de καὶ imprimé par Savile.

voyons ont besoin de beaucoup de travail et d'une longue attente. C'est qu'ils sont obligés de mettre sous le joug des bœufs de labour, de creuser un sillon profond, de jeter[1] les semences en abondance, d'égaliser tout ce qui apparaît à la surface de la terre, de recouvrir toutes les semences jetées, d'attendre qu'il pleuve suffisamment, d'accomplir beaucoup d'autres travaux[2], d'accepter un long délai : alors seulement ils arrivent au but. Ici, en été comme en hiver, il est possible de semer et de moissonner, et les deux actions se produisent souvent le même jour, surtout lorsque l'âme cultivée se trouve être une terre grasse et opulente, ce qu'on peut constater dans votre cas. C'est pourquoi nous accourons vers vous avec plus d'ardeur, car le laboureur travaille cette terre féconde grâce à laquelle il remplit souvent son grenier. Donc, puisque vous aussi, sans que nous y prenions beaucoup de peine, vous nous offrez une récolte abondante, nous nous attachons à cette culture avec beaucoup de zèle et nous venons vous apporter[3] le complément de ce que nous avons dit auparavant. Il y a quelque temps donc, nous avons tissé[4] notre discours sur la trame de l'Ancien Testament en parlant de la gloire du Fils unique de Dieu[5] ; maintenant en utilisant le Nouveau[6] nous ferons la même chose. Alors que nous citions les

3. L'ensemble des mss, qui donnent ici un participe présent, invite à modifier le texte des Bénédictins suivis par la *PG* qui imprime κομίσοντες.

4. Pour parler de l'emploi qu'il fait des citations de la Bible, Jean emploie volontiers le verbe ὑφαίνω, *tisser,* qu'il faut rapprocher des mots de la famille de συμφωνία, marquant par une image différente, mais non moins suggestive, l'union intime des deux Testaments. Voir *supra,* p. 259, n. 2.

5. L'addition de Υἱοῦ qu'on trouve à côté de Μονογενὴς dans les deux familles de manuscrits, et des plus anciens, paraît, à première vue, une redondance. C'est cependant l'expression employée dans le prologue de l'évangile selon S. Jean 1, 18.

6. Les mots ἀπ' αὐτῆς répondent à ἀπὸ τῆς Παλαιᾶς, li. 31, et désignent le Nouveau Testament. L'*Angelicus gr. 125* écrit en toutes lettres ἀπὸ τῆς καινῆς.

τότε οὖν ἐλέγομεν ὅτι ὁ Χριστὸς ἔλεγεν· «Εἰ ἐπιστεύετε
35 Μωϋσῇ, ἐπιστεύετε ἂν ἐμοι»· νυνὶ δὲ λέγομεν ὅτι εἶπε
Μωϋσῆς· «Προφήτην ὑμῖν ἀναστήσει Κύριος ὁ θεὸς ἐκ τῶν
ἀδελφῶν ὑμῶν ὡς ἐμέ· αὐτοῦ ἀκούσεσθε.» Ὥσπερ γὰρ ὁ
Χριστὸς πρὸς τὸν Μωϋσέα παραπέμπει, ἵνα δι' ἐκείνου πρὸς
ἑαυτὸν ἐπισπάσηται, οὕτως ὁ Μωϋσῆς τῷ διδασκάλῳ
40 παραδίδωσι τοὺς μαθητάς, κελεύων αὐτῷ κατὰ πάντα
πείθεσθαι. Πειθώμεθα τοίνυν οἷς ἂν ποιῇ καὶ λέγῃ, τοῖς τε
ἄλλοις ἅπασι καὶ τούτῳ τῷ σήμερον ἀναγνωσθέντι ἡμῖν
σημείῳ.

Τί δὲ τοῦτό ἐστιν; «Ἦν, φησίν, ἑορτὴ τῶν Ἰουδαίων καὶ
45 ἀνέβη Ἰησοῦς εἰς Ἱεροσόλυμα. Ἔστι δὲ ἐν τοῖς Ἱεροσολύμοις προβατικὴ κολυμβήθρα, ἡ λεγομένη Ἑβραϊστὶ
Βηθεσδά, πέντε στοὰς ἔχουσα», εἰς ἣν λόγος ἔχει παραγι-
νόμενον ἄγγελον κατὰ καιρὸν καταδύεσθαι, καὶ τοῦτο
γινώσκεσθαι διὰ τὴν τοῦ ὕδατος κίνησιν· τὸν οὖν πρῶτον
50 ἐμβάντα μετὰ τὸν, ἐν τῷ ὕδατι κλύδωνα ὑγιῆ γίνεσθαι,
ὅτι δήποτε ἀρρώστημα ἔχοντα. «Ἐν ταύταις οὖν κατέκειτο
ταῖς στοαῖς πλῆθος ἀσθενούντων, τυφλῶν, χωλῶν, ξηρῶν»,
ἐκδεχομένων τὴν τοῦ ὕδατος κίνησιν. Τίνος οὖν ἕνεκεν τὰ
Ἱεροσόλυμα συνεχῶς ὁ Χριστὸς καταλαμβάνει καὶ ἐν ταῖς
55 ἑορταῖς ἐπιχωριάζει τοῖς Ἰουδαίοις; Ἐπειδὴ τότε τὸ πλῆθος
συνελέγετο καὶ τὸν τόπον ἐκεῖνον καὶ τὸν καιρὸν παρετήρει,
ὥστε ἐπιλαβέσθαι τῶν ἀσθενούντων οὐ γὰρ τοσαύτην οἱ
κάμνοντες εἶχον ἐπιθυμίαν ἀπαλλαγῆναι τῶν νοσημάτων,
ὅσην ὁ ἰατρὸς ἐπεποίητο σπουδὴν ἀπαλλάξαι αὐτοὺς τῆς

ABCE DF GHIJ

35 μωϋσῇ : μωσῇ AE μωϋσῆς D || 39 οὕτως] + καὶ DF || 41 πειθώμεθα] + τῷ σωτῆρι καὶ ἡμεῖς DF || ποιῇ... λέγῃ AE HI : ποιεῖ... λέγει cett. || 42 ἡμῖν ἀναγνωσθέντι ~ DF || 44 ἐστιν] + ἀκούσατε ἀκριβῶς DF || 45 ἰησοῦς AE : ὁ ἰησοῦς cett. || 48 καιρὸν] + καὶ ABC || καταδύεσθαι : ἀποδύεσθαι HIJ λούεσθαι C || τοῦτο : τοῦτον AB || 49 τὴν... κίνησιν : τῆς... κινήσεως H || 52 ἀσθενούντων : ἀσθενῶν DF || 57 ἀσθενούντων] + καὶ ἰᾶσθαι αὐτοὺς DF

paroles du Christ disant : «Si vous croyiez à Moïse[1], vous croiriez aussi en moi[b]», maintenant nous vous disons ce qu'a dit Moïse : «Le Seigneur fera lever pour vous d'entre vos frères un prophète comme moi ; vous l'écouterez[c].» De même que le Christ renvoie à Moïse pour attirer par lui à sa propre personne, de même Moïse présente les disciples à son maître en leur ordonnant de lui obéir en tout. Laissons-nous donc persuader par ce qu'il[2] fait et par ce qu'il dit et, entre autres choses, par ce miracle dont on a lu aujourd'hui le récit.

La piscine de Bethesda

Quel est-il donc? «C'était, dit l'évangile, une fête des Juifs[3] et Jésus monta à Jérusalem. Il y a, à Jérusalem, une piscine pour les brebis qui est appelée en hébreu Bethesda[4]. Elle a cinq portiques[d].» Selon le récit, un ange survenant s'y plongeait parfois et l'on s'en apercevait à l'agitation de l'eau ; celui donc qui descendait le premier dans l'eau après le tourbillon était guéri, quelle que fût l'affection dont il était atteint. «Sous ces portiques donc se tenait une foule d'infirmes : aveugles, boiteux, paralytiques[e]», attendant l'agitation de l'eau. Pourquoi donc le Christ choisit-il constamment Jérusalem et se montre-t-il aux Juifs lors des fêtes ? Comme la foule était rassemblée et qu'elle guettait l'endroit et le moment favorable où les infirmes seraient guéris — car les patients n'avaient pas un aussi grand désir d'être guéris de leurs maux que le médecin avait souci de les délivrer de leur affection —, alors que

b Jn 5, 46 || c Act. 3, 22 || d Jn 5, 1-2 || e Jn 5, 3

1. L'orthographe du nom de Moïse est flottante et varie dans un même manuscrit à deux lignes d'intervalle : Μωϋσῆς et Μωσῆ dans ABC. Voir A. PELLETIER, *Lettre d'Aristée, SC* 89, p. 33.

2. Il s'agit naturellement du Christ.

3. Cette fête, que Jean ne précise pas, était probablement la fête de la moisson appelée *Chavouot*. Elle est célébrée cinquante jours après la fête des Azymes.

4. C'est-à-dire *maison de la miséricorde*.

60 ἀρρωστίας. Ὅτε τοίνυν πλήρης ὁ σύλλογος αὐτῶν ἦν καὶ ἀπηρτισμένον τὸ θέατρον, τότε εἰς μέσον ἐρχόμενος τὰ πρὸς τὴν σωτηρίαν τῆς ἐκείνων ψυχῆς ἐπεδείκνυτο. Κατέκειτο τοίνυν πλῆθος ἀσθενούντων ἐκδεχομένων τὴν τοῦ ὕδατος κίνησιν καὶ ὁ μὲν πρῶτος καταβαίνων ἐθεραπεύετο μετὰ τὴν
65 τοῦ ὕδαπος κίνησιν, ὁ δὲ δεύτερος οὐκ ἔτι· ἀλλ' ἀνηλοῦτο τὸ φάρμακον, ἐδαπανᾶτο ἡ ἰατρεία τῆς χάριτος, λοιπὸν ἔρημα τὰ ὕδατα ἔμενε, τῆς τοῦ πρώτου καταβαίνοντος ἀρρωστίας ἅπαν ἀναμαξαμένης αὐτό. Καὶ μάλα εἰκότως· δουλικὴ γὰρ ἦν ἡ χάρις. Ἀλλ' οὐχ ὅτε ὁ Δεσπότης
70 παρεγένετο, οὕτως ἐγίνετο, οὐδὲ ὁ πρῶτος καταβαίνων εἰς τὴν κολυμβήθραν τῶν ὑδάτων τοῦ βαπτίσματος ἐθεραπεύετο μόνος, ἀλλὰ καὶ ὁ πρῶτος καὶ ὁ δεύτερος καὶ ὁ τρίτος καὶ ὁ τέταρτος, καὶ ὁ δέκατος καὶ ὁ εἰκοστός· κἂν μυρίους εἴπῃς, κἂν δὶς τοσούτους, κἂν τρίς, κἂν ἀπείρους τῷ πλήθει,
75 κἂν τὴν οἰκουμένην ἅπασαν ἐμβάλῃς εἰς τὴν κολυμβήθραν τῶν ὑδάτων, οὐδὲ κατὰ μικρὸν ἐλαττοῦται ἡ χάρις, ἀλλ' ἡ αὐτὴ μένει, πάντας ἐκείνους καθαίρουσα. Τοσοῦτον τὸ μέσον δουλικῆς δυνάμεως καὶ δεσποτικῆς αὐθεντίας. Ἐκεῖνος ἕνα ἐθεράπευσεν, οὗτος τὴν οἰκουμένην ἅπασαν· ἐκεῖνος
80 διὰ τοῦ ἐνιαυτοῦ ἕνα, οὗτος καθ' ἑκάστην ἡμέραν, εἰ βούλει μυρίους ἐμβαλεῖν, ἅπαντας ὑγιαίνοντας ἀποδίδωσιν· ἐκεῖνος καταβαίνων καὶ ταράσσων τὸ ὕδωρ, οὗτος οὐχ οὕτως, ἀλλ' ἀρκεῖ ψιλὴν αὐτοῦ καλέσαι τὴν προσηγορίαν ἐπὶ τῶν ὑδάτων μόνον, καὶ πᾶσαν αὐτοῖς ἐναποθέσθαι θεραπείας
85 ὑπόθεσιν. Κἀκεῖνος μὲν σωμάτων πήρωσιν ἰᾶτο, οὗτος δὲ

ABCE DF GHIJ

64 καταβαίνων : καταβὰς D || 68 αὐτὸ : τὸ ἴαμα DF || 69 χάρις] + τότε DF || 79 οὗτος] + δὲ F || 85 κἀκεῖνος : καὶ ἐκεῖνος G

---

1. Les lignes suivantes sont une adaptation libre de *Jn* 5, 2-5.
2. Le verbe ἀναμάσσω fait image. Il signifie *pétrir, masser*, d'où *se rendre maître de*.
3. A première lecture, on pense que l'adjectif δουλική se rapporte à

la réunion était nombreuse, que le spectacle était bien prêt, c'est alors que, s'avançant, il leur développait des propos capables de contribuer au salut de leur âme. Il y avait donc une foule d'infirmes attendant l'agitation de l'eau [1], le premier qui y descendait était guéri après l'agitation de l'eau, tandis que le second ne l'était plus, mais le remède était épuisé, la cure due à son efficacité devenait impossible, les eaux restaient désormais sans effet, tandis que celui qui était descendu le premier triomphait [2] complètement de son affection. Et à juste titre, car l'efficacité dépendait d'un serviteur [3]. Mais lorsque le Maître fut là, il n'en était plus ainsi. Le premier qui était descendu dans la piscine des eaux où l'on se baignait n'était pas le seul guéri, mais le premier, le second, le troisième, le quatrième, le dixième, le vingtième ; même si tu parles de mille personnes, même si tu en nommes deux fois autant, même trois fois autant, même un nombre infini ; si tu fais descendre dans la piscine des eaux toute la terre habitée [4], l'efficacité n'est pas le moins du monde diminuée, mais elle demeure identique, purifiant tous ces gens. Telle est la différence entre la puissance du serviteur et l'autonomie du maître. Celui-là n'en a guéri qu'un, celui-ci la terre tout entière, celui-là un seul une fois l'an, celui-ci chaque jour mille personnes ; s'il veut les y jeter par milliers, il leur rend à tous la santé ; celui-là en descendant et en troublant l'eau, celui-ci ne faisant pas de même, mais il lui suffit d'adresser aux eaux une seule parole pour que soit déposé en elles un principe de guérison. Et celui-là soignait seulement l'infirmité des corps, tandis que celui-ci corrige la

un serviteur dont l'aide fait défaut au paralytique pour le descendre dans la piscine ; mais la suite du texte impose une autre interprétation. L'adjectif δουλικός désigne l'action de l'ange, li. 48, qui descendait dans la piscine et provoquait l'agitation de l'eau. Son intervention n'est que celle d'un *serviteur*, en comparaison de celle de Jésus, celle du *Maître*.

4. On reconnaît ici la tendance de Jean à l'exagération oratoire, mais elle sert à souligner l'universalité du don de Dieu.

ψυχῆς κακίαν διορθοῦται. Ὁρᾷς πῶς διὰ πάντων πολὺ τὸ μέσον καὶ ἄπειρον φαίνεται.

Κατέκειτο τοίνυν πλῆθος ἀσθενοῦντων ἀναμένον τὴν τοῦ ὕδατος κίνησιν· καὶ γὰρ ἰατρεῖον ἦν ὁ τόπος πνευματικόν.
90 Καθάπερ οὖν ἐν ἰατρείῳ πολλοὺς ἔστιν ἰδεῖν τοὺς ὀφθαλμοὺς ἐκκεκομμένους, πεπηρωμένους τὸ σκέλος, ἄλλο μέλος ἀρρωστοῦντας, εἶτα κοινῇ πάντας συγκαθημένους καὶ τὸν ἰατρὸν ἀναμένοντας, οὕτω δὴ καὶ ἐν ἐκείνῳ τῷ χωρίῳ τὸ πλῆθος τῶν συνεληλυθότων ἦν ἰδεῖν. Ἐν ταύταις ταῖς
95 στοαῖς « ἦν τις ἄνθρωπος τριάκοντα καὶ ὀκτὼ ἔχων ἐν τῇ ἀσθενείᾳ αὐτοῦ. Τοῦτον ἰδὼν ὁ Ἰησοῦς κατακείμενον καὶ γνοὺς ὅτι ἤδη πολὺν χρόνον ἔχει, λέγει αὐτῷ· 'Θέλεις ὑγιὴς γενέσθαι ;' Ἀπεκρίθη αὐτῷ ὁ ἀσθενῶν καὶ εἶπε· 'Ναί, Κύριε· ἄνθρωπον δὲ οὐκ ἔχω, ἵν', ὅταν ταραχθῇ τὸ ὕδωρ, βάλῃ με
100 εἰς τὴν κολυμβήθραν· ἐν ᾧ δὲ ἐγὼ ἔρχομαι, ἄλλος πρὸ ἐμοῦ καταβαίνει. » Τίνος ἕνεκεν τοὺς ἄλλους πάντας παραδραμὼν ὁ Ἰησοῦς πρὸς τοῦτον ἦλθεν ; Ἵνα καὶ τὴν δύναμιν καὶ τὴν φιλανθρωπίαν ἐνδείξηται· τὴν δύναμιν μέν, ὅτι τὸ νόσημα λοιπὸν ἀνίατον ἐγεγόνει καὶ εἰς ἀμηχανίαν περιεστήκει τὰ
105 τῆς ἀρρωστίας αὐτῷ, τὴν δὲ φιλανθρωπίαν, ὅτι τὸν μάλιστα ἄξιον ὄντα ἐλέους καὶ εὐεργεσίας, τοῦτον πρὸ τῶν ἄλλων εἶδεν ὁ κηδεμὼν καὶ φιλάνθρωπος. Μὴ δὴ παραδράμωμεν ἁπλῶς τὸ χωρίον, μηδὲ τὸν ἀριθμὸν τῶν τριάκοντα καὶ ὀκτὼ ἐτῶν ὧν εἶχεν ἐν τῇ ἀσθενείᾳ αὐτοῦ. Ἀκουέτωσαν ἅπαντες

ABCE DF GHIJ

90 τοὺς ὀφθαλμούς DF : τὸν ὀφθαλμὸν HIJ τῶν ὀφθαλμῶν cett. || 98 ἀσθενῶν : ἀσθενὴς AE J ἀσθενεῖς G || καὶ εἶπε om. DF || 100 ἔρχομαι ἐγὼ ~ DF HJ || 101 τίνος] + οὖν DF || 102 ἰησοῦς : σωτήρ DF || 103 φιλανθρωπίαν] + αὐτοῦ DF || 106 εὐεργεσίας : φιλανθρωπίας D || 107 καὶ om. DF || 109 ἅπαντες om. DF

f Jn 5, 3 || g Jn 5, 5-7

1. Le mot ἰατρεῖον, qui désigne la maison où le médecin donne ses soins, est employé le plus souvent de façon métaphorique chez les

méchanceté de l'âme. Tu vois comment à travers tous les détails apparaît la distance infinie.

Guérison du paralytique

Il y avait donc là une foule d'infirmes[f] attendant l'agitation de l'eau. Le lieu était, en effet, une maison de cure spirituelle[1]. De même qu'on peut voir dans une maison de cure beaucoup de gens dont les yeux sont atteints[2], d'autres dont la jambe est paralysée, d'autres ayant un membre en mauvais état assis là tous ensemble en attendant le médecin, ainsi dans cet endroit également on pouvait voir la multitude de ceux qui y étaient réunis. Dans ces portiques, «il y avait un homme qui demeurait dans son infirmité depuis trente-huit ans. Jésus, le voyant étendu et sachant qu'il était là depuis longtemps, lui dit : 'Veux-tu être guéri ?' L'infirme lui répondit en ces termes : 'Oui, Seigneur, mais je n'ai personne pour me jeter dans la piscine lorsque l'eau se trouble. Pendant que j'y vais, un autre descend avant moi'[g].» Pourquoi Jésus, laissant tous les autres de côté vint-il à lui ? Pour montrer sa puissance et son amour pour l'homme[3]; sa puissance, parce que le mal était jusqu'alors incurable et que les soins concernant son affection se révélaient impuissants ; son amour pour l'homme, parce que celui-ci était particulièrement digne de pitié et de bienfaisance ; c'est vers celui-là de préférence aux autres que se portèrent les regards de celui qui a soin des hommes et qui les aime. Ne négligeons pas tout simplement ni le lieu, ni le nombre des trente-huit années où le retenait son infirmité. Qu'ils entendent, tous

Pères de l'Église. Voir G. W. H. LAMPE, *A patristic greek lexicon*, Oxford 1961, *ad locum*. C'est le cas ici où non seulement Jésus guérit le paralytique, mais où le paralytique lui-même exerce une action salutaire sur son entourage par son exemple.

2. Dans cette expression, l'accusatif de relation semble s'imposer, bien que les mss les plus anciens donnent un génitif. Il est possible qu'en HIJ l'accusatif singulier soit le résultat d'une correction.

3. Voir *supra*, p. 126, n. 1.

110 ὅσοι πενίᾳ παλαίουσι διηνεκεῖ, ὅσοι καὶ ἀρρωστίᾳ συζῶσιν, ὅσοι περιστάσεις ὑπομένουσι πραγμάτων βιωτικῶν, ὅσοι χειμῶνα καὶ κλυδώνιον τῶν ἀδοκήτων ὑπέστησαν κακῶν. Κοινὸς οὗτος ὁ παραλυτικὸς κεῖται λιμὴν τῶν ἀνθρωπίνων συμφορῶν. Οὐδεὶς γὰρ οὕτως ἠλίθιος, οὐδεὶς οὕτως ἄθλιος 115 καὶ ταλαίπωρος ὡς πρὸς τοῦτον ἰδών, μὴ πάντα τὰ ἐπαγόμενα φέρειν γενναίως καὶ μετὰ προθυμίας ἁπάσης. Εἰ γὰρ εἴκοσιν ἔτη ἦν, εἰ γὰρ δέκα, εἰ γὰρ πέντε μόνον, οὐκ ἦν ἱκανὰ διαλῦσαι αὐτοῦ τὸν τόνον τῆς ψυχῆς; Ὁ δὲ τριάκοντα καὶ ὀκτὼ ἔτη μένει καὶ οὐκ ἀφίσταται καὶ πολλὴν 120 ἐπιδείκνυται τὴν ὑπομονήν. Τάχα ὑμῖν θαυμαστὸν εἶναι δοκεῖ τοῦ χρόνου τὸ μῆκος· ἀλλ' ἐὰν ἀκούσητε αὐτῶν τῶν ῥημάτων, τότε μάλιστα εἴσεσθε αὐτοῦ τὴν φιλοσοφίαν καὶ τὴν ὑπομονὴν ἅπασαν.

Ἐπέστη ὁ Ἰησοῦς, καὶ λέγει αὐτῷ· «Θέλεις ὑγιὴς 125 γενέσθαι;» Καὶ τίς ἂν τοῦτο ἠγνόησεν ὅτι ἐβούλετο γενέσθαι ὑγιής; Τίνος οὖν ἕνεκεν ἐρωτᾷ; Οὐκ ἀγνοῶν· ὁ γὰρ τὰ ἀπόρρητα τῆς διανοίας εἰδώς, πολλῷ μᾶλλον τὰ δῆλα καὶ σαφῆ πᾶσιν ἠπίστατο. Τίνος ἕνεκεν ἠρώτα; Ὥσπερ τότε τῷ ἑκατοντάρχῃ φησίν· «Ἐγὼ ἐλθὼν θερα-130 πεύσω αὐτὸν», οὐκ ἀγνοῶν ἅπερ ἤμελλεν ἐρεῖν, ἀλλὰ προειδὼς καὶ σφόδρα ἀκριβῶς ἐπιστάμενος καὶ βουλόμενος ἀρχὴν αὐτῷ δοῦναι καὶ πρόφασιν, ὥστε τὴν ἐν σκιᾷ ἐκκαλύψαι πᾶσιν εὐλάβειαν καὶ εἰπεῖν· «Μή, Κύριε· οὐ γάρ εἰμι ἄξιος ἵνα μου ὑπὸ τὴν στέγην εἰσέλθῃς»· οὕτω καὶ

ABCE DF GHIJ

113 κοινὸς] + γὰρ DF ‖ 115 ταλαίπωρος] + ἐστὶν AE ‖ ὡς CG om. cett. ‖ πρὸς τοῦτον ἰδών : πρ. τ. βλέπων DF πρ. τ. ἐστίν AE πρ. τ. ἀφορῶν G om. C ‖ 117 εἴκοσιν — μόνον : πέντε ἔτη ἦν, ἢ δέκα, ἢ εἴκοσι DF ‖ 119 ἀφίσταται] + ἀλλὰ μᾶλλον DF ‖ 124 ἐπέστη] + οὖν DF ‖ 126 τίνος — ἐρωτᾷ om. DF ‖ 129 τότε : ποτὲ HIJ

h Matth. 8, 7

ceux qui luttent dans une pauvreté continuelle, tous ceux qui supportent les vicissitudes des choses de la vie, tous ceux qui affrontent la tempête et l'orage des maux imprévus. Ce paralytique est pour tous semblable à un port, refuge des malheurs humains. Personne, en effet, n'est assez malheureux ou misérable pour[1] jeter les yeux vers cet homme et ne pas supporter avec courage et de grand cœur tous les maux qui lui arrivent. S'il y avait eu vingt ans ou dix ou cinq seulement, n'était-ce pas suffisant pour briser l'énergie de son âme ? Mais lui, il attend trente-huit ans sans s'éloigner et il montre une grande patience. Peut-être la longueur du temps vous semble-t-elle étonnante, mais si vous écoutez ses paroles elles-mêmes, alors vous connaîtrez toute sa sagesse et sa patience.

Jésus survint et lui dit : « Veux-tu être guéri ? » et qui ignore qu'il voulait être guéri ? Pourquoi donc lui pose-t-il la question ? Ce n'est point par ignorance. Celui qui connaît les mystères inexprimables[2] à plus forte raison savait-il ce qui était évident et clair pour tous. Pourquoi donc le questionnait-il ? De même qu'une autre fois il dit au centurion[3] : « J'irai et je le guérirai[h] » n'ignorant pas ce que l'autre allait dire, mais le sachant d'avance et le connaissant dans le détail et voulant lui donner l'occasion et le prétexte de dévoiler à tous sa piété cachée et de dire : « Non[4], Seigneur, car je ne suis pas digne que tu entres sous

1. L'absence de ὡς, qu'appelle οὕτως dans l'ensemble des mss, est due sans doute à la distraction d'un scribe. De plus, l'emploi de ἐστίν au lieu des participes enlève à πρὸς τοῦτον sa raison d'être.

2. L'adjectif est employé ici avec son sens théologique ; il signifie le mystère inexprimable inhérent à la grandeur de Dieu et se trouve ainsi parmi les expressions apophatiques. Voir *Sur l'incompréhensibilité de Dieu,* introduction, p. 17-19.

3. Voir homélies IX et XI où cet épisode sert d'argument au prédicateur.

4. La négation μὴ ne se trouve pas dans *Matth.* 8, 8, et sa présence dans notre homélie n'est pas signalée dans les éditions critiques.

135 ἐπὶ τοῦ παραλελυμένου τούτου, εἰδὼς ἅπερ ἤμελλεν ἐρεῖν, ἐρωτᾷ εἰ βούλοιτο θεραπευθῆναι, οὐκ ἐπειδὴ ἠγνόει τοῦτο, ἀλλ' ἵνα παράσχῃ αὐτῷ τινα πρόφασιν καὶ ἀφορμὴν ἐκτραγῳδῆσαι τὴν οἰκείαν συμφορὰν καὶ γενέσθαι διδάσκαλον ὑπομονῆς. Εἰ γὰρ σιγῇ τὸν ἄνθρωπον ἐθεράπευσεν,
140 ἐζημιώθημεν ἂν ἡμεῖς ζημίαν τὴν ἐσχάτην, μὴ μαθόντες αὐτοῦ τῆς ψυχῆς τὴν καρτερίαν. Ὁ δὲ Χριστὸς οὐ τὰ παρόντα διορθοῦται μόνον, ἀλλὰ καὶ τὰ μέλλοντα πολλῆς ἀξιοῖ τῆς ἐπιμελείας. Διδάσκαλον τοίνυν ὄντα αὐτὸν καρτερίας καὶ ὑπομονῆς ἅπασιν ἐξεκάλυψε τοῖς τὴν οἰκου-
145 μένην οἰκοῦσι, διὰ τῆς ἐρωτήσεως εἰς ἀνάγκην αὐτὸν ἀποκρίσεως ἐμβαλών· « Θέλεις ὑγιὴς γενέσθαι ; » Τί οὖν ἐκεῖνος ; Οὐκ ἐδυσχέρανεν, οὐκ ἠγανάκτησεν, οὐκ εἶπε πρὸς τὸν ἐρωτήσαντα· Ὁρᾷς με παραλελυμένον, τὸν χρόνον ἔγνως τὸν μακρὸν τῆς ἐμῆς ἀρρωστίας καὶ ἐρωτᾷς εἰ
150 βούλομαι γενέσθαι ὑγιής ; Ταῖς ἐμαῖς ἦλθες ἐπιγελάσαι συμφοραῖς καὶ ἀλλότρια κωμῳδῆσαι κακά ; Ἴστε γὰρ ὡς μικρόψυχοι οἱ ἄρρωστοί εἰσιν, εἰ καὶ ἐνιαυτὸν μόνον ἐπὶ κλίνης κατακλιθεῖεν· ὅπου δὲ τριάκοντα καὶ ὀκτὼ ἔτη τὸ νόσημα παρετάθη, πῶς οὐκ εἰκὸς ἅπασαν ἀνηλῶσθαι
155 φιλοσοφίαν ἐν μακρῷ τῷ χρόνῳ δαπανηθεῖσαν ; Ἀλλ' ὅμως οὐδὲν τοιοῦτον οὔτε εἶπεν, οὔτε ἐνενόησεν ἐκεῖνος, ἀλλὰ μετὰ πολλῆς τῆς ἐπιεικείας ποιεῖται τὴν ἀπόκρισιν καί φησι· « Ναί, Κύριε· ἀλλ' ὅτι ἄνθρωπον οὐκ ἔχω, ἵν' ὅταν ταραχθῇ τὸ ὕδωρ, βάλῃ με εἰς τὴν κολυμβήθραν. »

ABCE DF GHIJ

135 παραλελυμένου : παραλύτου C J παραλυτικοῦ DF || τούτου : τοῦτο ABE G om. HIJ || 138-139 διδάσκαλον : διδασκάλιον A H || 158 ἀλλ' ὅτι : ἀλλ' DF GHIJ om. C || ἄνθρωπον] + δὲ DF GHIJ

i Matth. 8, 8

mon toit[i]», ainsi quand il s'agit de ce paralytique[1], sachant ce qu'il allait dire, il lui demande s'il voulait être guéri, non parce qu'il l'ignorait, mais pour lui donner le prétexte et l'occasion d'exposer sous son jour tragique son propre malheur et d'être un maître de patience[2]. S'il avait soigné cet homme sans lui adresser la parole, nous aurions subi une perte extrême, en n'ayant pas connu sa force d'âme. Or le Christ ne redresse pas seulement la situation actuelle, mais envisage l'avenir avec une grande sollicitude. Il a fait connaître à tous les habitants de la terre celui qui est le maître de la force d'âme et de la patience en le mettant dans la nécessité de répondre à sa question : «Veux-tu être guéri ?» Qu'en fut-il de celui-là[3] ? Il ne s'est pas fâché, il ne s'est pas indigné, il n'a pas dit[4] à celui qui l'interrogeait : Tu me vois paralysé, sachant depuis combien de temps je suis en mauvaise santé, et tu me demandes si je veux être guéri ! Es-tu venu insulter à mes malheurs et railler les maux d'autrui ? Vous savez, en effet, que les patients ont peu de ressort, même s'ils n'ont passé qu'une année sur leur lit ; lorsque le mal a sévi pendant trente-huit ans, comment ne pas s'attendre à ce que soit épuisée toute la sagesse dépensée pendant longtemps ? Cependant il n'a rien dit de tel et ne l'a même pas pensé, mais avec une grande douceur, il formule sa réponse et dit : «Oui, Seigneur, mais c'est que je n'ai personne pour me jeter dans la piscine lorsque l'eau est troublée.»

1. Il est difficile de choisir entre les trois variantes, Jean utilisant indifféremment les trois formes quand il s'agit de cet épisode.

2. Les personnages cités dans les évangiles sont toujours considérés par Jean comme des auxiliaires de sa prédication dont l'un des buts est d'*enseigner par l'exemple*. Cf. li. 143-144, où le paralytique est qualifié de διδάσκαλος καρτερίας καὶ ὑπομονῆς. De même Abraham, Noé (voir *Sur la providence de Dieu, SC* 79, Paris 1961, chap. XIII) et Job (voir *Commentaire sur Job, SC* 346 et 348, Paris 1988 à l'index, références au mot διδάσκαλος, vol. 348, p. 266).

3. C'est-à-dire le paralytique.

4. Voir *supra*, p. 302, n. 1.

160 Ὅρα πόσα συνῆλθεν ὁμοῦ καὶ τὸν ἄνθρωπον ἐπολιόρκει· νόσος καὶ πενία καὶ ἐρημία τῶν προστησομένων. « Ἐν ᾧ δὲ ἐγὼ ἔρχομαι, ἄλλος πρὸ ἐμοῦ καταβαίνει. » Τοῦτο πάντων ἐλεεινότερον καὶ λίθον αὐτὸν ἱκανὸν ἐπικάμψαι. Καὶ γὰρ ὁρᾶν μοι δοκῶ τὸν ἄνθρωπον ἕρποντα καθ' ἕκαστον ἐνιαυτὸν
165 καὶ πρὸς αὐτὸ τὸ στόμα τῆς κολυμβήθρας γιγνόμενον καὶ ἐν αὐτῷ τῷ τέλει τῆς χρηστῆς ἐκκρεμάμενον ἐλπίδος καθ' ἕκαστον ἐνιαυτόν· καὶ τὸ δὴ μεῖζον ὅτι ταῦτα ὑπέμεινεν οὐκ ἐπὶ δύο καὶ τρισὶ καὶ δέκα ἔτεσιν, ἀλλ' ἐπὶ ὀκτὼ καὶ τριάκοντα. Καὶ τὴν μὲν σπουδὴν ἐπεδείκνυτο πᾶσαν, τοῦ δὲ
170 καρποῦ ἐξέπιπτε· καὶ ὁ μὲν δρόμος ἐγίνετο, τούτου δὲ τοῦ δρόμου τὸ βραβεῖον ἑτέρου, ἐπὶ τοῖς πολλοῖς ἐκείνοις ἔτεσι· καὶ τὸ δὴ χαλεπώτερον ὅτι καὶ ἄλλους ἀπαλλαττομένους ἑώρα. Ἴστε γὰρ δὴ τοῦτο ὅτι τῶν οἰκείων κακῶν ἀκριβεστέραν αἴσθησιν λαμβάνομεν, ὅταν ἑτέρους τοῖς αὐτοῖς περιπε-
175 σόντας δεινοῖς καὶ ἀπαλλαγέντας ἴδωμεν. Διὰ τοῦτο καὶ ὁ πένης, ὅταν ἴδῃ πλουτοῦντα ἕτερον, τότε μᾶλλον τῆς οἰκείας αἰσθάνεται πενίας· καὶ ὁ νοσῶν πλεῖον ὀδυνᾶται, ὅταν πολλοὺς τῶν καμνόντων ἴδῃ τὴν ἀρρωστίαν ἀποθεμένους, αὐτὸν δὲ οὐδεμίαν ἔχοντα χρηστὴν ἐλπίδα. Ἐν γὰρ
180 ταῖς ἑτέρων εὐπραγίαις τὰς οἰκείας σαφέστερον καθορῶμεν συμφοράς· ὃ δὴ καὶ τούτῳ τότε συνέβαινεν. Ἀλλ' ὅμως καὶ νοσήματι καὶ πενίᾳ καὶ ἐρημίᾳ ἐπὶ τοσοῦτον χρόνον παλαίων, καὶ ἑτέρους ὁρῶν ἀπαλλαττομένους καὶ αὐτὸν ἐπιχειρήσαντα μὲν ἀεί, ἰσχύοντα δὲ οὐδέποτε καὶ οὐδὲ μετὰ
185 ταῦτα πάλιν ἐλπίζων ἀπαλλαγήσεσθαι τοῦ δεινοῦ, οὐδὲ οὕτως ἀφίστατο, ἀλλὰ κατ' ἐνιαυτὸν ἔτρεχεν. Ἡμεῖς δὲ ἐὰν ἅπαξ πρὸς τὸν Θεὸν εὐξώμεθα περὶ ὁτιοῦν καὶ μὴ λάβωμεν, εὐθέως ἀλύομεν καὶ εἰς ἀκηδίαν ἐσχάτην ἐμπίπτομεν καὶ

ABCE DF GHIJ

164 καθ' ἕκαστον ἐνιαυτὸν om. DF || 182 ἐρημίᾳ] + τῶν προστησομένων DF || 184 ἐπιχειροῦντα I || 188 καὶ[1] : ὡς J || ἐμπίπτομεν : ἐμπίπτοντες J

Vois combien de maux étaient réunis à la fois et assiégeaient cet homme : maladie, pauvreté, absence de gens pour lui venir en aide. « Pendant que j'y vais moi, un autre descend à ma place[j]. » Voilà quelque chose de plus pitoyable que tout et capable d'émouvoir une pierre même. En effet, il me semble voir cet homme se traînant chaque année et venant près de l'entrée de la piscine, et chaque année suspendu à l'accomplissement de cette douce espérance. Ce qu'il y a de pire, c'est qu'il supportait cela non pas pendant deux ou trois ou dix ans, mais depuis trente-huit ans. D'une part il montrait tout son empressement et, d'autre part, il était frustré de son résultat. La course avait lieu, mais la récompense de la course, c'était pour un autre et cela pendant toutes ces années. Ce qui était plus pénible, c'est qu'il voyait les autres s'en aller guéris. Sachez en effet ceci : c'est que nous prenons une conscience aiguë de nos maux lorsque nous voyons les autres accablés des mêmes maux, puis en être délivrés. C'est pourquoi le pauvre, lorsqu'il voit quelqu'un devenir riche, c'est alors qu'il s'aperçoit de sa propre pauvreté, et celui qui est malade éprouve plus de douleur lorsqu'il en voit beaucoup parmi les patients qui sont débarrassés de leur affection, alors qu'il n'a lui-même aucune espérance d'amélioration. Dans la prospérité des autres, nous voyons plus clairement nos propres malheurs ; et c'est ce qui lui arriva alors. Cependant, luttant depuis si longtemps à la fois contre la maladie, la pauvreté, l'isolement et voyant les autres délivrés et lui, malgré ses efforts constants, n'y réussissant jamais et n'espérant plus après cela être délivré de son épreuve, même dans une telle situation, sans se décourager, il se précipitait chaque année. Tandis que nous, si nous prions Dieu une fois pour quelque chose et si nous ne l'obtenons pas aussitôt, nous sommes hors de nous et nous tombons dans le dernier découragement, si bien

j Jn 5, 7

τῆς αἰτήσεως ἀφιστάμεθα, ἐκλύομεν τὴν σπουδήν. Ἆρα ἔστι
190 κατ' ἀξίαν ἢ τὸν παραλυτικὸν ἐπαινέσαι ἢ τὴν ἡμετέραν
κακίσαι ῥᾳθυμίαν; Ποίας γὰρ ἂν εἴημεν ἀπολογίας ἄξιοι,
ποίας δὲ συγγνώμης, ὅταν, ἐκείνου τριάκοντα καὶ ὀκτὼ
καρτερήσαντος ἔτη, ἡμεῖς οὕτω ταχέως ἀναπίπτωμεν;

Τί οὖν ὁ Χριστός; Ὅτε ἔδειξεν ὅτι θεραπείας ἄξιός ἐστι,
195 καὶ δικαίως πρὸ τῶν ἄλλων ἐπ' αὐτὸν ἦλθε καὶ λέγει αὐτῷ·
«Ἔγειραι, ἆρον τὸν κράββατόν σου καὶ περιπάτει.» Ὁρᾷς
πῶς οὐδὲν ἀπὸ τῶν τριάκοντα καὶ ὀκτὼ ἐτῶν παρεβλάβη,
ἐπειδὴ μεθ' ὑπομονῆς ἤνεγκε τὸ συμβάν; Ἥ τε γὰρ ψυχὴ
φιλοσοφωτέρα αὐτῷ ἐν τῷ μακρῷ τούτῳ γέγονε χρόνῳ,
200 ὥσπερ ἐν χωνευτηρίῳ τῇ συμφορᾷ δοκιμαζομένη, τήν τε
ἰατρείαν μετὰ πλείονος ἀπελάμβανε δόξης. Οὐ γὰρ ἄγγελος,
ἀλλ' αὐτὸς ὁ τῶν ἀγγέλων ἐθεράπευεν αὐτὸν Δεσπότης.
Τίνος δὲ ἕνεκεν καὶ τὴν κλίνην αὐτῷ ἐκέλευσε λαβεῖν; Ἑνὸς
μὲν μάλιστα καὶ πρώτου, ἵνα ἀπαλλάξῃ λοιπὸν τοὺς
205 Ἰουδαίους τῆς τοῦ νόμου παρατηρήσεως. Τοῦ γὰρ ἡλίου
φαίνοντος, οὐκέτι τῷ λύχνῳ προσεδρεύειν ἔδει· τῆς ἀληθείας δειχθείσης, οὐχέτι τὸν τύπον περιέχειν ἐχρῆν. Διὰ
τοῦτο, εἴ ποτε τὸ σάββατον ἔλυε, μέγιστον ἐν αὐτῷ σημεῖον
εἰργάζετο, ἵνα ἡ τοῦ θαύματος ὑπερβολὴ τοὺς ὁρῶντας
210 ἐκπλήττουσα, τὴν τῆς ἀργίας παρατήρησιν κατὰ μικρὸν
ὑποσύρουσα ἐξέλῃ. Δεύτερον δὲ, ἵνα ἐπιστομίσῃ αὐτῶν τὰ
ἀναίσχυντα στόματα. Ἐπειδὴ γὰρ περὶ τὴν κρίσιν τῶν
θαυμάτων ἐκακούργουν καὶ τῇ δόξῃ τῶν γιγνομένων ἐπηρεά-
ζειν ἐπεχείρουν, ὥσπερ τι τρόπαιον καὶ ἔλεγχον ἀναμφισ-
215 βήτητον τῆς ὑγιείας, τὴν φορὰν τῆς κλίνης ἐκέλευεν
ἐπιδείκνυσθαι, ἵνα μή, ὅπερ ἐπὶ τοῦ τυφλοῦ ἔλεγον, τοῦτο

ABCE DF GHIJ

191 κακίσαι : κακῶσαι G κἀκεῖσε C ‖ 196 ὅρα G ‖ 203 δὲ : οὖν G ‖ 206 ἔδει : δεῖ D ‖ 207 περιέχειν : περιέχεσθαι HIJ ‖ 208 ἔλυε : ἔλυσεν C

k Jn 5, 8

que nous renonçons à demander et que nous relâchons notre zèle. N'est-il pas juste ou bien de louer le paralytique ou bien de blâmer notre négligence ? En effet, de quelle excuse serions-nous dignes, de quel pardon, alors que lui résiste pendant trente-huit ans et que nous nous décourageons si vite ?

Que fait donc le Christ ? Lorsqu'il eut montré qu'il (le paralytique) était digne d'être soigné, il se dirigea vers lui de préférence aux autres, à juste titre, et lui dit : « Lève-toi, prends ton grabat et marche [k]. » Vois-tu qu'il n'a rien perdu pendant trente-huit ans, puisqu'il a supporté avec patience ce qui lui arrivait ? En effet, son âme acquit plus de sagesse pendant ce laps de temps, éprouvée qu'elle était par le malheur comme dans un creuset, et il obtenait sa guérison avec plus de gloire. Car ce n'est pas un ange, mais le maître des anges qui le soignait. Mais pourquoi lui ordonna-t-il en outre de prendre son grabat [1] ? Premièrement, surtout et avant tout, pour détourner désormais les Juifs de l'observance de la Loi. En effet, le soleil apparaissant, on n'avait plus à se tenir près d'un flambeau ; la vérité ayant été révélée, il ne fallait plus s'attacher à la figure. C'est pourquoi, s'il abolissait le sabbat, il accomplissait en même temps un très grand miracle, afin que la grandeur du prodige, frappant les spectateurs et minant peu à peu l'observance du repos, la fasse disparaître. Deuxièmement, c'était pour fermer leurs bouches impudentes. En effet, puisqu'ils blâmaient sa décision de faire des miracles et qu'ils s'efforçaient d'attenter à sa gloire à cause de ce qui s'était passé, il lui ordonnait d'emporter sa couche comme on montre un trophée, preuve irréfutable de guérison, pour les empêcher de dire encore en cette circonstance ce qu'ils disaient au sujet de

1. Le prédicateur va donner trois raisons de la conduite du Christ. Voir li. 203, 211, 221. Cf. hom. VII, où il donne quatre raisons pour lesquelles le Christ s'exprime en termes simples et humbles qui, aux yeux des Anoméens, sont indignes de la divinité.

καὶ ἐπὶ τούτου λέγωσι. Τί δὲ ἔλεγον ἐπὶ ἐκείνου; Οὗτός ἐστιν, οὐκ ἔστιν οὗτος, αὐτός ἐστιν. Ἵνα μὴ οὖν καὶ ἐπὶ τούτου λέγωσι τὰ τοιαῦτα, ἡ κλίνη κατήγορος αὐτῶν τῆς
220 ἀναισχυντίας γίνεται, ἐφ' ὕψει φερομένη.

Ἔστι τι καὶ τρίτον εἰπεῖν, τῶν εἰρημένων οὐκ ἔλαττον. Ἵνα γὰρ μάθῃς ὅτι οὐκ ἀνθρωπίνη τέχνη, ἀλλὰ θεία δύναμις τὸ πᾶν εἰργάσατο, ἐκέλευσεν αὐτῷ φέρειν τὴν κλίνην, τῆς ἀληθοῦς καὶ εἰλικρινοῦς ὑγιείας μεγίστην παρέχων ἀπόδει-
225 ξιν καὶ σαφῆ, ἵνα μή τις τῶν βλασφήμων ἐκείνων λέγῃ ὅτι συνυποκρινόμενος ὁ παραλυτικὸς καὶ τῷ Χριστῷ χαριζόμενος, ἐσχηματίσατο βάδισιν ψιλήν· διὰ τοῦτο καὶ φορτίον ἐπὶ τῶν ὤμων αὐτοῦ κελεύει φέρειν. Εἰ γὰρ μὴ ἦν πεπηγότα αὐτῷ καλῶς τὰ μέλη καὶ τὰ ἄρθρα σφιγέντα, οὐκ ἂν
230 ἠδυνήθη βαστάσαι τοσοῦτον ὄγκον ἐπὶ τῶν ὤμων. Καὶ πρὸς τούτοις δὲ ἅπασι κἀκεῖνο ἐδείκνυτο ὅτι ὑφ' ἓν ἅπαντα γίνεται, ὅταν ὁ Χριστὸς προστάττῃ, καὶ ἀπαλλαγὴ νόσου καὶ ὑγιείας ἐπάνοδος. Οἱ μὲν γὰρ ἰατροὶ κἂν ἀπαλλάξωσι νοσημάτων, ἀλλ' ὑφ' ἓν πρὸς ὑγίειαν ἐπαναγαγεῖν τὸν
235 ἀρρωστοῦντα οὐκ ἰσχύουσιν, ἀλλ' ἑτέρου δέονται μακροῦ χρόνου τοῦ τῆς ἀναλήψεως, ὥστε τὰ λείψανα τῆς ἀρρωστίας κατὰ μικρὸν ἀποξῦσαι τοῦ σώματος καὶ ἐκβαλεῖν. Ὁ δὲ Χριστὸς οὐχ οὕτως, ἀλλ' ἐν μιᾷ καιροῦ ῥοπῇ καὶ τῆς ἀρρωστίας ἀπήλλαξε καὶ τὴν ὑγίειαν ἐπανήγαγε καὶ μέσος
240 οὐδεὶς ἐγένετο χρόνος, ἀλλ' ἅμα τῆς ἁγίας γλώττης ἐξεπήδησεν ἡ ἱερὰ ἐκείνη φωνὴ καὶ τὸ νόσημα τοῦ σώματος ἐδραπέτευσε καὶ ὁ λόγος ἔργον ἐγένετο καὶ ἡ ἀρρωστία πᾶσα πάντοθεν ἐθεραπεύετο. Καὶ καθάπερ θεράπαινά τις στασιάζουσα, ἐπειδὰν ἴδῃ τὸν ἑαυτῆς δεσπότην, συστέλλε-

ABCE DF GHIJ

231-233 ὅτι — ἐπάνοδος om. D ‖ 242 ἐδραπέτευσε : ἐδραπέτευε ACE HI ‖ 244 στασιάζουσα DF I : στασιάσασα cett.

1 Jn 9, 9

l'aveugle. Que disaient-ils au sujet de ce dernier? «C'est lui, non ce n'est pas lui, si, c'est lui[1].» Pour qu'ils n'en disent pas autant au sujet de celui-ci, le lit qu'il élève en l'emportant devient l'accusateur de leur impudence.

Il y a encore une troisième raison à mentionner, qui n'est pas moindre que les précédentes. En effet, pour que tu apprennes que ce n'est pas une habileté humaine, mais une puissance divine qui a tout fait, il lui ordonne d'emporter son lit en lui offrant la preuve abondante et claire qu'il était vraiment en parfaite santé, afin que nul de ces blasphémateurs ne dise que le paralytique, jouant la comédie et pour être agréable au Christ, avait fait semblant de marcher tout seul. Voilà pourquoi il lui enjoint de mettre son fardeau sur ses épaules ; car si ses membres n'avaient pas été bien affermis et ses articulations consolidées, il n'aurait pu porter un si lourd fardeau sur ses épaules. En outre, il montrait à tous que d'un seul coup tout arrive, lorsque le Christ donne un ordre : éloignement de la maladie et retour à la santé. Les médecins, même s'ils débarrassent des maladies, ne peuvent ramener d'un seul coup à une bonne santé celui qui était malade, mais ils ont encore besoin d'une longue période de convalescence pour faire disparaître peu à peu du corps les traces d'affection et les chasser. Tandis qu'il n'en est pas de même du Christ, mais en un instant il a éloigné l'affection et ramené la santé ; il n'y eut pas d'intervalle de temps, mais au moment où cette voix sacrée sortit de ces saintes lèvres, la maladie s'enfuit du corps, la parole devint acte et toute affection était entièrement guérie[2]. Et de même qu'une servante en révolte s'impose une contrainte, lorsqu'elle voit son maître, et reprend l'attitude convenable, de même la

1. Le texte donné par les mss collationnés correspond pour le sens à *Jn* 9, 9, mais il est emprunté à une version différente.

2. Savile imprime ἐδραπέτευσε, selon le *Londinensis Arundel 542* (E), mais le contexte invite à préférer l'imparfait.

245 ται καὶ πρὸς εὐταξίαν τὴν προσήκουσαν ἐπανέρχεται, οὕτω καὶ ἡ φύσις τοῦ σώματος καθάπερ θεράπαινά τις τότε στασιάσασα καὶ τὴν πάρεσιν ἐργασαμένη, ἐπειδὴ τὸν Δεσπότην εἶδε τὸν ἑαυτῆς παραγενόμενον, πρὸς τὴν οἰκείαν ἐπανῆλθεν εὐταξίαν καὶ τὸν πρέποντα κόσμον ἀνέλαβε. Καὶ 250 ταῦτα πάντα ἡ φωνὴ εἰργάσατο· οὐ γὰρ ἦν ψιλὰ τὰ ῥήματα, ἀλλὰ ῥήματα Θεοῦ περὶ ὧν φησιν ὅτι « Ἰσχυρὰ ἔργα λόγων αὐτοῦ. » Εἰ γὰρ οὐκ ὄντα ἄνθρωπον ἐποίησε, πολλῷ μᾶλλον σαθρωθέντα καὶ διαλυθέντα πάλιν ἐπανώρθωσεν. Ἐνταῦθα ἡδέως ἂν ἐροίμην τοὺς πολυπραγμονοῦντας τοῦ Θεοῦ τὴν 255 οὐσίαν, πῶς συνῆλθε τὰ μέλη ἐκεῖνα ; πῶς ἐσφίγγετο τὰ ὀστᾶ ; πῶς ὁ τόνος τῆς γαστρὸς ὁ διαλελυμένος ἐρρώννυτο ; πῶς τὰ χαλασθέντα νεῦρα πάλιν ἐτείνοντο καὶ ἡ καταβληθεῖσα δύναμις ἀνίστατο καὶ ἀνωρθοῦτο ; Ἀλλ' οὐκ ἂν ἔχοιεν τὸ πῶς εἰπεῖν. Οὐκοῦν θαύμαζε τὸ γεγενημένον μόνον, μὴ 260 περιεργάζου τὸν τρόπον.

Ἐπειδὴ τοίνυν ἐποίησε τὸ προσταχθὲν καὶ τὴν κλίνην ἔλαβεν, ἰδόντες αὐτὸν οἱ Ἰουδαῖοι, λέγουσι· « Σάββατόν ἐστι, καὶ οὐκ ἔξεστί σοι ἆραι τὸν κράββατόν σου ἐν σαββάτῳ. » Δέον προσκυνῆσαι τὸν ἐργασάμενον, δέον 265 θαυμάσαι τὸ γεγενημένον, οἱ δὲ περὶ σαββάτου διαλέγονται, ἀληθῶς οἱ τὸν κώνωπα διυλίζοντες καὶ τὴν κάμηλον καταπίνοντες. Τί οὖν ἐκεῖνος ; « Ὁ ποιήσας με ὑγιῆ, ἐκεῖνός μοι εἶπεν· ἆρον τὸν κράββατόν σου, καὶ περιπάτει ». Ὁρᾷς εὐγνωμοσύνην ἀνθρώπου ; ὁμολογεῖ τὸν ἰατρὸν καὶ 270 ἀξιόπιστόν φησιν εἶναι τοῦ προστάγματος τὸν νομοθέτην· καὶ ὥσπερ αὐτοὺς ὁ τυφλὸς συνελογίσατο, οὕτω

ABCE DF GHIJ

263 σοι om. BE J ‖ σου om. HIJ ‖ σου] + ὦ τῆς ἀγνωμοσύνης καὶ ἀχαριστίας τῶν ἰουδαίων F ‖ 263-264 ἐν σαββατῷ om. F

m Joel 2, 11 ‖ n Jn 5, 10-11

nature du corps s'étant relâchée, lorsqu'elle vit son Maître près d'elle, revint à son état naturel et rentra dans l'ordre qui convenait. Et tout cela, c'est la voix qui l'opéra ; car ce n'était pas de vains mots, mais des mots de Dieu au sujet desquels il est dit : «Les œuvres de sa parole sont puissantes[m].» S'il a créé l'homme alors que celui-ci n'existait pas, à plus forte raison l'a-t-il remis en bon état, lorsqu'il avait donné des signes de dégradation et de ruine. Ici je dirais volontiers à ceux qui discutent sur l'essence de Dieu[1], comment ces membres se sont-ils ressoudés ? comment ces os ont-ils été consolidés ? comment la vigueur de l'estomac qui s'était affaiblie a-t-elle retrouvé sa force ? comment les nerfs relâchés se sont-ils tendus de nouveau et comment la force anéantie a-t-elle resurgi et s'est-elle rétablie ? Mais on ne pourrait dire le comment[2]. Admire donc ce qui s'est passé et ne discute pas de la manière.

Objection des Juifs : le sabbat

Lorsqu'il eut fait ce qui lui avait été ordonné et qu'il eut pris son lit, les Juifs, l'ayant vu, lui disent : «C'est le sabbat et il ne t'est pas permis de prendre ton grabat un jour de sabbat[3].» Il faut vénérer ce qui a été fait, il faut admirer ce qui s'est passé, tandis qu'eux discutent du sabbat, filtrent, à vrai dire, le moucheron et absorbent le chameau[4]. Et lui, que dit-il ? «Celui qui m'a rendu la santé, celui-là m'a dit : 'Prends ton grabat et marche'[n].» Vois-tu les bonnes dispositions de cet homme ? Il reconnaît le médecin, il déclare digne de foi l'auteur de cet ordre ; et de même que l'aveugle les a unis l'un et l'autre dans son rai-

1. On retrouve ici le thème et le vocabulaire des homélies I à V. Voir index.

2. Grégoire de Nazianze, *Discours théologique* 28, § 22, *SC* 250, p. 146, accumule les questions «sur la nature de l'homme et son organisation», pour souligner les limites de la raison.

3. La précision ἐν σαββάτῳ qui reprend Σαββατόν ἐστι ne se trouve pas dans *Jn* 5, 10, et la variante n'est pas signalée dans les éditions critiques.

4. Voir *Matth.* 23, 24.

καὶ οὗτος. Πῶς δὲ ἐκεῖνος συνελογίσατο; Ἔλεγον αὐτῷ ὅτι «Οὗτος ὁ ἄνθρωπος οὐκ ἔστιν ἐκ τοῦ Θεοῦ, ὅτι τὸ σάββατον οὐ τηρεῖ.» Τί οὖν ἐκεῖνος; «Οἴδαμεν,
275 φησίν, ὅτι ἁμαρτωλῶν ὁ Θεὸς οὐκ ἀκούει· οὗτος δὲ ἤνοιξέ μου τοὺς ὀφθαλμούς.» Ὁ δὲ λέγει τοιοῦτόν ἐστιν· εἰ παρέβη τὸν νόμον, ἥμαρτεν· εἰ δὲ ἥμαρτεν, οὐκ ἂν τοσοῦτον ἴσχυσεν· ἔνθα γὰρ ἁμαρτία, ἐπίδειξις δυνάμεως οὐκ ἔστιν· ἀλλὰ μὴν ἴσχυσεν, οὐκ ἄρα
280 ἥμαρτε παραβὰς τὸν νόμον. Οὕτω καὶ οὗτος συλλογίζεται. Τὸ γὰρ εἰπεῖν· «Ὁ ποιήσας με ὑγιῆ», τοῦτο ᾐνίξατο ὅτι εἰ οὗτός ἐστιν ὁ ἐπιδειξάμενος δύναμιν, οὐκ ἂν εἴη δίκαιος παρανομίας ἐγκλήμασιν ὑπεύθυνος γίνεσθαι. Τί οὖν οὗτοι; «Ποῦ ἔστιν ὁ ἄνθρωπος ὁ εἰπών σοι, ἆρον τὸν κράββατόν
285 σου καὶ περιπάτει;» Ὅρα τὴν ἀγνωμοσύνην καὶ τὴν ἀναισθησίαν, ὅρα ψυχὴν ἀλαζονείας γέμουσαν. Οἱ γὰρ τῶν φθονούντων ὀφθαλμοὶ ὑγιὲς μὲν οὐδὲν βλέπουσιν, ὅθεν δὲ ἔστι λαβὴν εὑρεῖν μόνον. Οὕτω καὶ οὗτοι, τοῦ θεραπευθέντος ἀμφότερα ὁμολογήσαντος, καὶ ὅτι ἐθεράπευσε, καὶ ὅτι
290 ἐκέλευσεν ἆραι τὴν κλίνην, τὸ μὲν ἀπέκρυψαν, τὸ δὲ εἶπον· ἀπέκρυψαν μὲν τὸ θαῦμα, προβάλλονται δὲ τὴν τοῦ σαββάτου παράλυσιν. Οὐ γὰρ εἶπον· ποῦ ἔστιν ὁ ποιήσας σε ὑγιῆ; Ἀλλὰ σιγήσαντες ἐκεῖνο, εἶπον· «Ποῦ ἔστιν ὁ εἰπών σοι, ἆρον τὸν κράββατόν σου, καὶ ὕπαγε; Οὗτος δὲ
295 οὐκ ᾔδει· ὁ γὰρ Ἰησοῦς ἐξένευσεν, ὄχλου ὄντος ἐν τῷ τόπῳ.» Τοῦτο ἀπολογία τοῦ ἀνθρώπου μεγίστη, τοῦτο τῆς τοῦ Χριστοῦ κηδεμονίας ἀπόδειξις ἵν', ὅταν ἀκούσῃς ὅτι παραγενόμενον αὐτὸν οὐκ ὁμοίως ὑπεδέξατο τῷ ἑκατοντ-

ABCE DF GHIJ

281 εἰ G om. cett. || 282 οὗτός ἐστιν ὁ : ὁ τοσαύτην HIJ || ἐπιδειξάμενος] + τοιαύτην DF || δίκαιος : δίκαιον AB || 283 ὑπεύθυνος : ὑπεύθυνον ABE || 286 ψυχὴν] + φθόνον καὶ DF || 287 ὑγιὲς DF : ὑγιῶς cett.

o Jn 9, 16 || p Jn 9, 31 || q Jn 5, 12 || r Jn 5, 12-13

sonnement, celui-ci le fait aussi. Comment celui-là les a-t-il unis dans son raisonnement ? Ils lui disaient : « Cet homme ne vient pas de Dieu, parce qu'il n'observe pas le sabbat[o]. » Que répond l'autre ? « Nous savons, dit-il, que Dieu n'écoute pas les pécheurs[p]. Mais celui-ci m'a ouvert les yeux[1]. » Ce qu'il veut dire, c'est ceci : s'il a transgressé la Loi, il a péché ; mais s'il avait péché, il n'aurait pas une telle puissance, car là où il y a péché, il n'y a pas de manifestation de puissance. Or il a exercé sa puissance, il n'a donc point péché pour avoir transgressé la Loi. Voilà comment il raisonne ; c'est dire : « Celui qui m'a guéri » a prouvé que s'il est celui qui a manifesté sa puissance, il ne saurait être soumis[2] à des accusations d'illégalité. Que disaient-ils eux ? « Où est celui qui t'a dit : Prends ton grabat et marche[q] ? » Vois l'ignorance et l'aveuglement, vois une âme pleine de tromperie. C'est que les yeux des envieux n'ont pas un regard sain, mais apte à découvrir seulement ce qu'ils peuvent prendre. Il en est ainsi pour eux : celui qui avait été guéri reconnaissant à la fois qu'il l'avait guéri et qu'il lui avait ordonné de porter son lit, ils cachèrent la première chose, mais mentionnèrent la seconde. Ils cachèrent le miracle, tandis qu'ils mettent en avant la violation du sabbat. En effet, ils n'ont pas dit : où est celui qui t'a dit : « Prends ton grabat et va-t-en[3] » ? Mais lui ne savait pas, car Jésus s'échappa en raison de la foule qui était en ce lieu[r]. C'est la plus grande excuse de cet homme, c'est la preuve de la sollicitude du Christ ; ceci afin que si tu entends dire que le paralytique n'a pas reconnu le Christ, lorsqu'il se présenta devant lui comme

1. Chrysostome rapproche le récit de la guérison du paralytique, *Jn* 5, 10-13 avec celui de l'aveugle né, *Jn* 9, 16 et 31, parce que l'un et l'autre provoquent chez les Juifs le même doute devant les miracles de Jésus et la même indignation devant ces miracles accomplis le jour du sabbat.

2. Savile ajoute ὡς devant οὐκ ἄν εἴη.

3. Chrysostome cite cette fois le texte avec une légère variante ὕπαγε au lieu de περιπάτει. De même en XII, 323.

ἀρχῃ, οὐδὲ εἶπεν ὅτι «Εἰπὲ λόγῳ, καὶ ἰαθήσεται ὁ παῖς
300 μου», μὴ κατηγορήσῃς αὐτοῦ ἀπιστίαν, εἴπερ οὐκ ᾔδει
αὐτόν· οὐδὲ γὰρ ᾔδει ὅστις ποτὲ ἦν. Πῶς γὰρ αὐτὸν οὔποτε
πρῶτον ἰδὼν ἠπίστατο; Διὰ τοῦτο ἔλεγεν· «Οὐκ ἔχω
ἄνθρωπον, ἵνα βάλῃ με εἰς τὴν κολυμβήθραν»· ὡς, εἰ ᾔδει
αὐτὸν, οὐκ ἂν κολυμβήθρας ἐμνήσθη, οὐδὲ τῆς ἐκεῖ
305 καταβάσεως, ἀλλ' οὕτως ἂν ἠξίωσε θεραπευθῆναι, ὡς καὶ
ἐθεραπεύθη. Ἀλλ' ἐνόμισεν ἕνα τῶν πολλῶν αὐτὸν εἶναι καὶ
ἄνθρωπον ψιλόν, καὶ διὰ τοῦτο τῆς προτέρας ἐμνήσθη
θεραπείας. Ἀπόδειξις δὲ τῆς τοῦ Χριστοῦ κηδεμονίας, πάλιν
καταλιπεῖν τὸν ἰαθέντα καὶ μὴ καταστῆσαι ἐκείνῳ δῆλον
310 ἑαυτόν. Ἵνα γὰρ μὴ ὑποπτεύσωσιν οἱ Ἰουδαῖοι ὅτι ὑποβο-
λιμαῖος ἦν οὗτος ὁ μάρτυς, καὶ τοῦ Χριστοῦ παρόντος καὶ
πείθοντος αὐτὸν τοῦτο ἔλεγεν· ἄγνοια καὶ τὸ μὴ παρεῖναι
ταύτην ἀνήρει τὴν ὑποψίαν, εἶπε γὰρ ὁ εὐαγγελιστὴς ὅτι
«Οὐκ ᾔδει αὐτὸν τίς ἐστι.»
315 Διὰ τοῦτο μόνον καὶ καθ' ἑαυτὸν πέμπει τὸν τεθεραπευμέ-
νον, ἵνα, ὡς βούλονται, καταμόνας λαβόντες, βασανίσωσι τὸ
γεγενημένον, καὶ λαβόντες ἱκανὴν τοῦ πράγματος ἀπόδειξιν,
παύσωνται τῆς ἀκαίρου μανίας. Διὰ τοῦτο αὐτὸς μὲν οὐδὲν
φθέγγεται, τὴν δὲ διὰ τῶν πραγμάτων αὐτοῖς ἀπόδειξιν παρ-
320 έχεται, πανταχοῦ φωνὴν σαφεστάτην ἀφεὶς καὶ σάλπιγγος
λαμπροτέραν ἁπάσης. Οὕτω γὰρ καὶ ἀνύποπτος λοιπὸν ἦν ἡ
μαρτυρία· «Ὁ ποιήσας με ὑγιῆ, ἐκεῖνός μοι εἶπεν· ἆρον τὸν
κράββατόν σου καὶ ὕπαγε.» Ὁ παραλυτικὸς εὐαγγελιστὴς
γίνεται, διδάσκαλος τῶν ἀπίστων, ἰατρὸς καὶ κήρυξ εἰς ἐκεί-
325 νων αἰσχύνην καὶ κατάκριμα· ἰατρός, οὐχὶ διὰ φωνῆς, ἀλλὰ

ABCE DF GHIJ

299 ὅτι om. G ‖ λόγῳ : λόγον HIJ ‖ 316 βούλονται : βούλωνται C ‖ 317 ἀπόδειξιν D GHIJ : ἐπίδειζις cett. ‖ 318 παύσωνται H I : παύσονται cett. ‖ 320 ἀφεὶς : ἀφιεὶς DF ἀφῆς CG ‖ 323 ὕπαγε : περιπάτει DF G

s Matth. 8, 8 ‖ t Jn 5, 7 ‖ u Jn 5, 13 ‖ v Jn 5, 11

le centurion et qu'il ne lui dit pas : « Dis une parole et mon serviteur sera guéri [s] », ne lui reproche pas son manque de foi, s'il est vrai qu'il ne le reconnaissait pas, car, alors, il ne savait pas qui il était. Comment a-t-il manqué de foi, puisqu'il ne l'avait jamais vu auparavant ? C'est pourquoi il disait : « Je n'ai personne pour me jeter dans la piscine [t] », si bien que s'il l'avait connu, il n'aurait pas mentionné la piscine ni sa descente en ce lieu, mais il aurait demandé à être guéri, comme il le fut. Mais il pensa que c'était quelqu'un parmi la foule, que c'était un homme ordinaire et à cause de cela il ne fit d'abord mention que de la guérison. C'est, de plus, une preuve de la sollicitude du Christ de quitter celui qu'il avait guéri et de ne pas se faire connaître clairement de lui. C'était, en effet, pour que les Juifs ne le soupçonnent pas d'être un témoin supposé et de dire cela à cause de la présence du Christ et sur ses instances ; l'ignorance et l'absence supprimaient ce soupçon, car, dit l'évangéliste : « Il ne savait pas qui il était [u]. »

Voici simplement pourquoi il renvoie seul et sous sa propre responsabilité celui qu'il a guéri ; c'est pour que, s'ils le veulent, ils le prennent à part, ils vérifient ce qui s'est passé et qu'ayant une preuve [1] suffisante de l'événement, ils mettent fin à leur fureur intempestive. C'est pourquoi il ne dit rien ; il leur offre une preuve par les faits, laissant ainsi en toutes circonstances s'élever une voix très claire et plus sonore que la trompette. Ainsi le témoignage ne peut désormais être mis en doute. « Celui qui m'a guéri, celui-là m'a dit : prends ton grabat et va-t-en [v]. » Le paralytique devient un évangéliste, un maître pour les incroyants, un médecin et un héraut pour leur honte et pour leur condamnation ; médecin, non par la parole mais

1. ἀπόδειξις et ἐπίδειξις ont un sens voisin. Cependant le mot ἀπόδειξις joue dans nos homélies un rôle important (voir *supra*, p. 132-133, n. 1) et le fait que le mot ἀπόδειξις se retrouve li. 327 et sans variante invite à choisir ce mot de préférence à ἐπίδειξις.

δι' ἔργων, οὐχὶ διὰ λόγων, ἀλλὰ διὰ τῶν πραγμάτων αὐτῶν. Σαφῆ γὰρ καὶ ἀναμφισβήτητον ἐπεφέρετο τὴν ἀπόδειξιν καὶ ὅπερ ἔλεγεν, ἐδείκνυ διὰ τοῦ σώματος. Μετὰ ταῦτα εὑρίσκει αὐτὸν ὁ Ἰησοῦς καὶ λέγει αὐτῷ· «Ἴδε, ὑγιὴς
330 γέγονας, μηκέτι ἁμάρτανε, ἵνα μὴ χεῖρόν τί σοι γένηται.» Εἶδες ἰατροῦ σοφίαν; εἶδες κηδεμονίαν; Οὐκ ἀπήλλαξε τοῦ παρόντος νοσήματος μόνον, ἀλλὰ καὶ πρὸς τὸ μέλλον ἀσφαλίζεται· καὶ πῶς; εὐκαίρως. Ὅτε μὲν γὰρ ἦν ἐπὶ τῆς κλίνης, οὐδὲν τοιοῦτον εἶπεν, οὐκ ἀνέμνησεν αὐτὸν ἁμαρτη-
335 μάτων· δυσάρεστος γάρ πως καὶ ταλαίπωρός ἐστιν ἡ τῶν ἀρρωστούντων ψυχή· ὅτε δὲ ἀπήλασε τὴν ἀρρωστίαν, ὅτε πρὸς τὴν ὑγίειαν ἐπανήγαγεν, ὅτε τῆς δυνάμεως αὐτοῦ καὶ τῆς κηδεμονίας ἔργῳ τὴν ἀπόδειξιν παρέσχετο, τότε εὔκαιρον ποιεῖται τὴν συμβουλὴν καὶ τὴν παραίνεσιν, ἀξιόπιστος
340 δι' αὐτῶν λοιπὸν τῶν ἔργων φαινόμενος. Τί οὖν ἐκεῖνος ἀπελθὼν κατάδηλον ἐποίησεν αὐτὸν τοῖς Ἰουδαίοις; Κοινωνοὺς αὐτοὺς βουλόμενος λαβεῖν τῆς ἀληθοῦς διδασκαλίας. Ἀλλ' ἐκεῖνοι διὰ τοῦτο ἐμίσουν αὐτόν, φησί, καὶ ἐδίωκον.

Ἐνταῦθά μοι προσέχετε· ἐνταῦθα γὰρ ὁ πᾶς ἐστιν ἀγών.
345 «Διὰ τοῦτο ἐδίωκον αὐτὸν ὅτι ταῦτα ἐποίει ἐν σαββάτῳ.» Ἴδωμεν οὖν πῶς ἀπολογεῖται· ὁ γὰρ τῆς ἀπολογίας τρόπος δείκνυσιν ἡμῖν, εἴτε τῶν ὑποτεταγμένων, εἴτε τῶν ἐλευθέρων ἐστίν, εἴτε τῶν διακονουμένων, εἴτε τῶν ἐπιταττόντων. Παρανομία μεγίστη ἐδόκει εἶναι τὸ γεγενημένον· καὶ γὰρ
350 ξύλα ποτέ τις ἐν σαββάτῳ συλλέξας ἐλιθάσθη διὰ τοῦτο ὅτι βαστάγματα ἔφερεν ἐν σαββάτῳ. Τοῦτο τὸ μέγα ἁμάρτημα ἐνεκαλεῖτο ὁ Χριστὸς ὅτι ἔλυσε τὸ σάββατον.

ABCE DF GHIJ

326 δι' ἔργων om. G ‖ 328 ἐδείκνυ DF : ἐδείκνυε cett. ‖ μετὰ ταῦτα DF om. cett. ‖ 336 τὴν om. G ‖ 341 αὐτὸν : ἑαυτὸν BG ‖ 344 προσέχετε : πρόσεχε μετὰ ἀκριβείας ἁπάσης DF ‖ ἐνταῦθα² — ἀγών om. D ‖ ἐνταῦθα² — ἐστιν om. F ‖ ἐν] + τῷ G ‖ 346 ἴδωμεν : εἴδωμεν ACE ‖ 349 παρανομία] + τοίνυν DF ‖ 352 ἔλυσε : ἔλυε DF G

par les actes, non par les discours, mais par les faits eux-mêmes. Car il apportait une preuve claire et irrécusable et, de ce qu'il disait, il montrait l'exactitude par son corps. Ensuite, Jésus le trouve et lui dit : « Voici que tu es en bonne santé ; ne pèche plus de peur qu'il ne t'arrive quelque chose de pire[w]. » As-tu vu la sagesse du médecin ? As-tu vu sa sollicitude ? il ne l'a pas seulement débarrassé de la maladie présente, mais il le met en garde pour l'avenir et comment[1] ? juste au bon moment. Car lorsqu'il était sur sa couche, il ne lui a rien dit de tel, il ne lui a pas rappelé ses fautes. C'est que l'âme des patients est en quelque sorte exigeante et malheureuse ; mais lorsqu'il a chassé l'affection, lorsqu'il l'a ramené à la santé, lorsqu'il lui a fourni, en fait, la preuve de sa puissance et de sa sollicitude, alors il lui donne un conseil en temps voulu et l'exhorte, puisqu'il paraît désormais digne de foi à travers les faits eux-mêmes. Pourquoi donc cet homme s'en alla-t-il le faire connaître aux Juifs ? C'est qu'il voulait les faire participer à l'enseignement de la vérité. Mais eux, à cause de cela le détestaient, dit l'évangile, et ils le poursuivaient.

Ici prêtez-moi votre attention, car ici se place l'essentiel du débat. « Voici pourquoi ils le poursuivaient, c'est parce qu'il faisait cela un jour de sabbat[x]. » Voyons donc comment il se défend, car sa manière de se défendre nous montre s'il est de ceux qui obéissent ou de ceux qui sont libres, de ceux qui servent ou de ceux qui donnent des ordres. Ce qui c'était passé paraissait être la plus grande transgression de la Loi. En effet, un homme ayant une fois ramassé du bois le jour du sabbat fut lapidé pour ce motif qu'il portait un fardeau le jour du sabbat. Telle était la grande faute du Christ : il violait le sabbat. Voyons donc

w Jn 5, 14 || x Jn 5, 16

1. Tous les mss collationnés portent πῶς, ainsi que les éditions de Savile, F. D. et Montfaucon. Ce sont les Bénédictins, suivis par la *PG*, qui ont corrigé πῶς en μάλα dont l'emploi devant un adverbe donne à cet adverbe une valeur fortement affirmative. Cf. li. 68.

Ἴδωμεν οὖν εἰ πρότερον συγγνώμην αἰτεῖ ὡς δοῦλος καὶ ὑποτεταγμένος ἢ ὡς ἐξουσίαν ἔχων καὶ αὐθεντίαν ἐπιδεί-
355 κνυται, ὡς δεσπότης, καὶ ἐπικείμενος τῷ νόμῳ καὶ τὰς ἐντολὰς αὐτὸς δεδωκώς. Πῶς οὖν ἀπολογεῖται; « Ὁ Πατήρ μου, φησίν, ἕως ἄρτι ἐργάζεται, κἀγὼ ἐργάζομαι. » Εἶδες αὐθεντίαν; Καίτοι εἰ καταδεέστερος καὶ ἐλάττων ἦν τοῦ Πατρός, οὐκ ἔστι τὸ εἰρημένον ἀπολογία, ἀλλ' ἔγκλημα
360 μεῖζον καὶ κατηγορία χαλεπωτέρα. Ὅταν γὰρ ποιῇ τις ἃ τῷ μείζονι μόνῳ ποιεῖν ἔξεστιν, εἶτα ἁλοὺς ἐγκαλεῖται καὶ λέγει ὅτι ἐπειδὴ ὁ μείζων ἐποίησε, διὰ τοῦτο κἀγὼ ἐποίησα, οὐ μόνον οὐκ ἀπολύει τῶν ἐγκλημάτων, ἑαυτὸν τούτῳ τῆς ἀπολογίας τῷ τρόπῳ, ἀλλὰ καὶ μείζονος μέμψεως καὶ
365 κατηγορίας ὑπεύθυνον ἑαυτὸν καθίστησιν. Ὑπερηφανίας γὰρ καὶ ἀλαζονείας ἐστὶ τὸ τοῖς μείζοσι τῆς ἀξίας ἐπιχειρεῖν πράγμασι. Καὶ ὁ Χριστὸς τοίνυν εἰ καταδεέστερος ἦν, οὐκ ἦν ἀπολογία τὸ λεγόμενον, ἀλλ' ἔγκλημα μεῖζον· ἐπειδὴ δὲ ἴσος αὐτῷ ἦν, διὰ τοῦτο οὐκ ἔστιν ἔγκλημα.

370 Καὶ εἰ βούλεσθε, ἐπὶ ὑποδείγματος ὃ λέγω ποιήσω φανερόν. Τῷ βασιλεῖ φορεῖν ἁλουργίδα καὶ διάδημα ἔχειν ἐπὶ τῆς κεφαλῆς μόνῳ ἔξεστιν, ἑτέρῳ δὲ οὐδενί. Ἐὰν τοίνυν φανῇ τις τῶν πολλῶν τοῦτο τὸ σχῆμα περικείμενος, εἶτα καὶ εἰς δικαστήριον ἑλκόμενος λέγῃ ὅτι ἐπειδὴ ὁ βασιλεὺς
375 τοῦτο τὸ σχῆμα περίκειται, διὰ τοῦτο κἀγὼ περίκειμαι, οὐ μόνον οὐκ ἀφίησιν ἑαυτὸν τῆς κατηγορίας, ἀλλὰ καὶ μείζονος κολάσεως καὶ τιμωρίας καθίστησιν ὑπεύθυνον τῷ τρόπῳ τῆς ἀπολογίας. Πάλιν τὸ τοὺς αἰσχίστους ἀφεῖναι

ABCE DF GHIJ

360 ἃ : ὃ AB^pc^ ‖ 361 ἁλούς : ἄλλους B F G ἄλλος C ‖ 367 καταδεέστερος] + τοῦ πατρὸς D ‖ 371 φορεῖν : φέρειν AE ποιεῖν G ‖ 372 οὐδενί] + καὶ ABCE DF G ‖ 374 λέγῃ A : λέγει cett. ‖ 378 τοὺς αἰσχίστους, ἀφεῖναι : τοῖς πονηροῖς καὶ αἰσχίστοις ἄνδρασι ἀφιέναι DF

y Jn 5, 17

d'abord s'il réclame le pardon comme un esclave et comme quelqu'un qui est soumis à une autorité ou s'il est présenté comme ayant un pouvoir et une autonomie, comme un maître, comme étant supérieur à la Loi et comme ayant donné lui-même des commandements. Comment donc se défend-il ? « Mon Père, dit-il[1], agit sans cesse et moi aussi j'agis[y]. » Vois-tu l'autonomie ? Certes, s'il était moins parfait que son Père et inférieur à lui, ce qu'il dit ne serait pas une défense, mais (mériterait) un plus grand reproche et une accusation plus grave. Car lorsque quelqu'un fait ce qu'il est permis seulement à un plus puissant de faire, si on adresse des reproches à cet homme pris sur le fait et s'il répond : c'est parce que celui qui m'est supérieur l'a fait que moi aussi je l'ai fait, non seulement il n'échappe pas aux accusations par cette manière de se défendre, mais il s'expose à un blâme et à une accusation plus sévère. Car c'est de l'orgueil et de l'insolence que d'entreprendre des actions plus grandes que celles dont on est digne. Si le Christ était inférieur[2], ce qu'il dit n'aurait pas d'excuse, mais serait un plus grand motif d'accusation ; or puisqu'il était son égal, à cause de cela, il n'y a pas de motif d'accusation.

Si vous voulez, je rendrai plus claire ce que je dis grâce à un exemple. Il appartient à l'empereur de porter[3] la pourpre et d'avoir un diadème sur la tête et à personne d'autre. Si donc quelqu'un pris dans la foule se présente dans cette tenue et si, traîné au tribunal, il répond : puisque l'empereur est revêtu de cette tenue, à cause de cela moi aussi je m'en revêts, non seulement il n'échappe pas à l'accusation, mais par cette manière de se défendre, il encourt un châtiment et une punition plus grands. Ou bien

1. Malgré le témoignage des mss, il semble bien que φησί doive être transposé après μου.

2. Au Père, sous-entendu.

3. Le verbe φορεῖν que donnent la plupart des mss est le mot technique pour *porter un vêtement* et doit être préféré à φέρειν.

κολάσεως καὶ τιμωρίας, οἷον ἀνδροφόνους, λῃστάς, τυμβω-
380 ρύχους, καὶ τοὺς ἕτερα τοιαῦτα τετολμηκότας, βασιλικῆς
ἐστι φιλοτιμίας μόνης. Κἂν τοίνυν τις δικαστὴς τὸν
καταδικασθέντα χωρὶς βασιλικῆς γνώμης ἀφείς, ἐγκαλεῖται
καὶ λέγει καὶ αὐτὸς ὅτι ἐπειδὴ καὶ βασιλεὺς ἀφίησι, κἀγὼ
ἀφίημι, οὐ μόνον οὐκ ἀπαλλάττεται τούτῳ τῷ τρόπῳ, ἀλλὰ
385 καὶ μείζονα ἐξάπτει καθ' ἑαυτοῦ τὴν ὀργήν· καὶ μάλα
εἰκότως. Οὐδὲ γὰρ δίκαιον ἐν ταῖς παροινίαις ἐπὶ τὴν
τῶν μειζόνων αὐθεντίαν ἀναβαίνοντας τοὺς ὑποδεεστέρους,
ἐκεῖθεν ἑαυτοῖς πορίζεσθαι τὴν ἀπολογίαν, ἐπειδὴ τοῦτο
ὕβρις μείζων ἐστὶν εἰς τοὺς ἐγχειρίσαντας αὐτοῖς τὴν ἀρχήν.
390 Διὰ τοῦτο ἂν μὲν ὑποδεέστερος ᾖ τις, οὐδέποτε τοῦτον
ἀπολογήσεται τὸν τρόπον· ἐὰν δὲ βασιλεὺς καὶ τῆς αὐτῆς
ὢν ἀξίας, μετὰ παρρησίας τοῦτο ἐρεῖ. Ὡς γὰρ ἡ τῆς ἀρχῆς
μία ὑπεροχή, οὕτω καὶ ἡ ἐξουσία μία γένοιτο ἂν εἰκότως.
Ὥστε ἂν φανῇ τις οὕτως ἀπολογούμενος, ἀνάγκη πᾶσα
395 τῆς αὐτῆς ἀξίας εἶναι ἐκείνῳ οὗ τὴν ἐξουσίαν ὑπὲρ ἑαυτοῦ
προβάλλεται. Οὐκοῦν ἐπειδὴ καὶ ὁ Χριστὸς οὕτως ἐδικαιο-
λογήσατο πρὸς Ἰουδαίους, ἀναμφισβητήτως ἡμῖν ἀπέδειξεν
ὅτι τῆς αὐτῆς ἀξίας ἐστὶ τῷ Πατρί.

Καὶ μεταγάγωμεν, εἰ δοκεῖ, τὸ ὑπόδειγμα ἐπὶ τὰ ῥήματα
400 τοῦ Χριστοῦ, καὶ τὸ ἔργον ὅπερ εἰργάσατο. Ἔστω τοίνυν
τὸ μετ' ἐξουσίας λῦσαι τὸ σάββατον, ὅπερ ἡ ἁλουργὶς καὶ
τὸ διάδημα καὶ τὸ ἀφιέναι τοὺς ὑπευθύνους. Ὥσπερ οὖν
ἐκεῖνα τῷ βασιλεῖ μόνῳ ἔξεστιν, οὐδενὶ δὲ ἄλλῳ τῶν
ὑποκειμένων, ἐὰν δὲ φανῇ τις ποιῶν αὐτὰ καὶ δικαίως ποιῶν,

ABCE DF GHIJ

379-380 ἀνδροφόνοις, λῃσταῖς, τυμβορύχοις καὶ τοῖς... τετολμηκόσι DF ‖ 382 ἐγκαλεῖται : ἐγκαλῆται J ‖ 382-383 ἐγκάλῃ καὶ λέγῃ HI ‖ 386 παροινίαις : παροιμίαις C F GI παρανομίαις E D ‖ 392 ἀξίας : ἐξουσίας HIJ ‖ 397 ἀπέδειξεν : ὑπέδειξεν D ‖ 399 καὶ om. G

encore exempter de châtiment et de punition les gens les plus coupables : meurtriers, brigands, pilleurs de tombeaux et tous ceux qui ont osé commettre d'autres crimes analogues, c'est un privilège qui n'appartient qu'à l'empereur. En revanche, si un juge, pour avoir mis en liberté sans l'avis de l'empereur celui qui a été condamné, reçoit un blâme, s'il dit lui aussi : puisque l'empereur met en liberté, moi aussi je mets en liberté, non seulement il ne se tire pas d'affaire de cette façon, mais il attire sur lui une plus grande colère et à bon droit. Il n'est pas juste non plus que dans les orgies[1] les gens de condition subalterne qui veulent se hausser jusqu'à l'autonomie des puissants tirent leur défense d'un tel prétexte, puisque c'est une injure plus grande à l'égard de ceux qui leur ont confié l'autorité. C'est pourquoi si quelqu'un se trouve dans une situation subalterne, jamais il ne se défendra de cette façon. Mais si c'est un prince et un homme qui possède la même dignité, il dira cela avec assurance. En effet, de même que l'autorité suprême est unique, de même il conviendrait que le pouvoir d'agir soit unique. De sorte que si l'on voit quelqu'un se défendre de cette manière, il faut absolument qu'il jouisse de la même dignité que celui dont il met en avant la puissance en sa faveur. Donc, puisque le Christ s'est justifié ainsi devant les Juifs, il nous a montré de manière irréfutable qu'il possède la même dignité que le Père.

Rapprochons, s'il vous plaît, cet exemple des paroles du Christ et de l'action qu'il a accomplie. Que le fait d'avoir le pouvoir de violer le sabbat soit assimilé à la pourpre, au diadème et au droit d'acquitter les coupables. De même que tout cela appartient à l'empereur seul et n'est permis à aucun autre de ses sujets, et si quelqu'un apparaît agissant de cette manière et le faisant à juste titre, il faut absolu-

1. Fêtes consacrées à Dionysos-Bacchus dans lesquelles les participants se livraient à des excès de toute sorte, d'où l'allusion ici au fait de s'emparer d'un rang auquel on n'a pas droit.

405 ἀνάγκη κἀκεῖνον βασιλέα εἶναι· οὕτω δὴ καὶ ἐνταῦθα, ἐπειδὴ φαίνεται μετ' αὐθεντίας ταῦτα ποιῶν ὁ Χριστός, εἶτα ἐγκαλούμενος τὸν Πατέρα προβάλλεται λέγων· «Ὁ Πατήρ μου ἕως ἄρτι ἐργάζεται», ἀνάγκη πᾶσα καὶ τοῦτον ἴσον εἶναι ἐκείνῳ τῷ μετὰ αὐθεντίας ποιοῦντι. Οὐ γὰρ ἄν, εἰ μὴ
410 ἴσος ἦν αὐτῷ, τούτῳ τῆς δικαιολογίας ἐχρήσατο τῷ τρόπῳ. Καὶ ἵνα σαφέστερον μάθητε τὸ λεγόμενον, ἔλυσαν τὸ σάββατόν ποτε οἱ μαθηταὶ ἐν τῷ τίλλειν τοὺς στάχυας καὶ ἐσθίειν ἐν σαββάτῳ· ἔλυσε καὶ αὐτὸς νῦν· ἐνεκάλεσαν κἀκείνοις οἱ Ἰουδαῖοι, ἐνεκάλεσαν καὶ τούτῳ. Ἴδωμεν πῶς
415 μὲν ὑπὲρ ἐκείνων ἀπολογεῖται, πῶς δὲ ὑπὲρ ἑαυτοῦ· ἵνα ἐκ τῆς διαφορᾶς τὴν ὑπεροχὴν καὶ τὴν ἀπολογίαν αὐτοῦ μάθῃς. Πῶς οὖν ὑπὲρ ἐκείνων ἀπολογεῖται; «Οὐκ ἀνέγνωτε τί ἐποίησε Δαυΐδ, ὅτε ἐπείνασεν»; Ὅταν μὲν γὰρ ὑπὲρ τῶν δούλων ἀπολογῆται, ἐπὶ τὸν σύνδουλον αὐτῶν καταφεύγει
420 Δαυΐδ· ὅταν δὲ ὑπὲρ ἑαυτοῦ, ἐπὶ τὸν Πατέρα ἀνάγει τὸν λόγον. «Ὁ Πατήρ μου ἐργάζεται, κἀγὼ ἐργάζομαι.» Καὶ ποίαν ἐργασίαν λέγει; Ἴσως εἴποι τις ἄν· «Ἐν γὰρ ἓξ ἡμέραις κατέπαυσεν ὁ Θεὸς ἀπὸ πάντων τῶν ἔργων αὐτοῦ.» Τὴν καθημερινὴν πρόνοιαν· οὐ γὰρ παρήγαγε μόνον τὴν
425 κτίσιν, ἀλλὰ καὶ παραχθεῖσαν αὐτὴν συγκροτεῖ· κἂν ἀγγέλους εἴπῃς, κἂν ἀρχαγγέλους, κἂν τὰς ἄνω δυνάμεις, κἂν πάντα ἁπλῶς τὰ ὁρατὰ καὶ τὰ ἀόρατα, τῆς προνοίας ἀπολαύει τῆς ἐκείνου· κἂν ἔρημα γένηται τῆς ἐνεργείας ἐκείνης, οἴχεται καὶ διαρρεῖ καὶ ἀπόλλυται. Βουλόμενος
430 τοίνυν δεῖξαι ὁ Χριστὸς ὅτι τῶν προνοούντων ἐστὶ καὶ οὐχὶ τῶν προνοουμένων, τῶν ἐνεργούντων, οὐχὶ τῶν ἐνεργουμέ-

ABCE DF GHIJ

411 λεγόμενον] + προσέχετε μετὰ ἀκριβείας παρακαλῶ DF ‖ 415 ἀπολογεῖται : ἀπολογῆται E ‖ 418 ὅταν : ὅτε D ‖ 420 ἀνάγει : ἄγει D ‖ 424 πρόνοιαν] + φησί DF ‖ 425 συγκροτεῖ] + καθ' ἑκάστην DF ‖ 426 κἂν[1] ἀρχαγγέλους om. I ‖ 427 κἂν] + πρὸς βραχὺ F ‖ ἔρημα : ῥῆμα D

z Matth. 12, 3 ‖ a Jn 5, 17 ‖ b Gen. 2, 3

ment qu'il soit empereur ; de même ici, lorsque le Christ apparaît agissant ainsi de sa propre autorité et, lorsqu'on l'accuse, met en avant son Père en disant : « Mon Père ne cesse d'agir », il y a une nécessité absolue à ce qu'il soit l'égal de celui qui agit en toute indépendance ; car s'il ne lui était pas égal, il n'aurait pas employé cette façon de se justifier. Et pour que vous compreniez plus clairement ce que je dis, si les disciples ont une fois violé le sabbat en arrachant des épis et en les mangeant le jour du sabbat [1], lui aussi alors l'a violé. Les Juifs l'ont reproché aux disciples et ils le lui ont reproché aussi. Voyons comment il les défend et comment il se défend lui-même afin que, d'après la différence, tu voies et sa supériorité et sa défense. Comment donc les défend-il ? « N'avez-vous pas vu ce que fit David quand il eut faim [z] ? » Lorsqu'il parle en faveur de ses serviteurs [2], il en appelle à David, un serviteur comme eux, mais lorqu'il parle en sa propre faveur, il oriente son discours vers le Père. « Le Père agit sans cesse et moi aussi j'agis [a]. » De quelle activité parle-t-il ? On pourrait objecter : « Au bout de six jours, Dieu se reposa de tous ses travaux [b] ». Il parle de sa providence quotidienne — car Dieu ne s'est pas contenté de créer le monde, il l'agence après l'avoir amené à l'existence —, même si tu parles des anges, des archanges, des puissances d'en-haut, même si, en un mot, tu nommes toutes les choses visibles et invisibles, elles bénéficient également de sa providence [3] ; mais si elles sont privées de cette action vivifiante, elles disparaissent, se dissipent et périssent. Donc voulant montrer qu'il est de ceux qui exercent leur providence et non de ceux qui en bénéficient, de ceux qui vivifient et non de

1. Voir *Matth.* 12, 1-2.

2. L'appellation de *serviteurs* trouve ses lettres de noblesse dans le rapprochement avec David, mais les disciples jouiront d'un privilège d'un autre ordre. Voir *Jn* 15, 15 : « Je ne vous appelle plus serviteurs... mais je vous ai appelés amis. »

3. Voir *Sur la providence de Dieu, SC* 79, Paris 1961.

νων, εἶπεν· « Ὁ Πατήρ μου ἐργάζεται, κἀγὼ ἐργάζομαι », τὸ πρὸς τὸν Πατέρα ἰσοστάσιον ἐπιδεῖξαι βουλόμενος.

Ταῦτα δὲ μέμνησθε καὶ φυλάττετε μετὰ ἀκριβείας ἁπάσης
435 **καὶ τὴν ἀπὸ τῆς πολιτείας φιλοσοφίαν τῇ τῶν δογμάτων ὀρθότητι συνυφαίνετε· ὃ καὶ πρῴην παρεκάλεσα, καὶ νῦν παρακαλῶ καὶ παρακαλῶν οὐ παύσομαι· πολιτείαν δὲ καὶ φιλοσοφίαν οὐδὲν οὕτως ὡς ἡ ἐνταῦθα ποιεῖ διατριβή. Καθάπερ γὰρ ἡ χερσουμένη γῆ, μηδένα τὸν ἀρδεύοντα**
440 **ἔχουσα, γέμει ἀκανθῶν καὶ τριβόλων, ἡ δὲ γεωργικῶν ἀπολαύουσα χειρῶν τέθηλε καὶ κομᾷ καὶ πολὺ βρύει τῷ καρπῷ, οὕτω δὴ καὶ ἡ ψυχή, ἡ μὲν τῆς ἀρδείας τῶν θείων ἀπολαύουσα λογίων, τέθηλε καὶ κομᾷ καὶ πολὺ βρύει τῷ καρπῷ τοῦ Πνεύματος· ἡ δὲ ἐν αὐχμῷ καὶ ἀμελείᾳ καὶ**
445 **σπάνει τῆς τοιαύτης ἀρδείας καθεστῶσα ἐρημοῦται καὶ ὑλομανεῖ καὶ ἀκάνθας ἐκφέρει πολλάς, τῆς ἁμαρτίας τὴν φύσιν. Ἔνθα δὲ ἄκανθαι, ἐκεῖ δράκοντες καὶ ὄφεις καὶ σκορπίοι καὶ πᾶσα ἡ δύναμις τοῦ διαβόλου. Καὶ εἰ ἀπιστεῖς τῷ λόγῳ, φέρε, τοὺς ἀπολειφθέντας καὶ ἡμᾶς παραβάλωμεν,**
450 **καὶ ὄψεσθε τότε πολὺ τὸ μέσον· μᾶλλον δὲ ἡμεῖς ἡμᾶς αὐτοὺς ἐξετάσωμεν, τίνες μέν ἐσμεν θείας ἀπολαύοντες διδασκαλίας, τίνες δὲ ἐπὶ πλεῖον ταύτης ἀποστερούμενοι τῆς ὠφελείας τυγχάνομεν. Μὴ τοίνυν προδῶμεν κέρδος τοσοῦτον. Ἡ γὰρ ἐνταῦθα διατριβὴ πάντων ὑπόθεσίς ἐστι**
455 **τῶν ἀγαθῶν· ἐντεῦθεν ἀναχωρῶν καὶ ἀνὴρ γυναικὶ φανεῖται τιμιώτερος, καὶ γυνὴ ἀνδρὶ ποθεινοτέρα. Γυναῖκα γὰρ ἐπέραστον οὐκ εὐμορφία ποιεῖ σώματος, ἀλλὰ ψυχῆς ἀρετή,**

ABCE DF GHIJ

436 συνυφαίνετε] + καὶ διασῴζεται DF ‖ καὶ ὃ ~ DF ‖ παρεκάλεσα] + ὑμᾶς DF ‖ 440-441 ἡ δὲ — χειρῶν : ἡ δὲ γεωργουμένη καὶ ἀρδευομένη D ‖ 441-442 καὶ² — καρπῷ om. DF ‖ 449 ἡμᾶς DF G : ὑμᾶς cett. ‖ 451 αὐτοὺς : ἑαυτοὺς AE HI ‖ 455 φανεῖται : φαίνεται DF φανῇ C

ceux qui sont vivifiés, le Christ a dit : « Mon Père agit, et moi aussi j'agis», voulant montrer son état d'égalité par rapport au Père.

Avantages d'écouter en commun la parole de Dieu

Souvenez-vous de ces choses, gardez-les avec le plus grand soin, harmonisez la sagesse de votre conduite[1] avec la rectitude de votre croyance. Ce à quoi je vous ai exhortés, je vous y exhorte encore aujourd'hui et je ne cesserai de vous y exhorter ; rien n'améliore votre conduite et votre vie spirituelle comme d'être ici. De même, en effet, qu'une terre en friche que personne ne cultive est pleine de chardons et d'épines, mais que celle qui est entre les mains de cultivateurs devient féconde, se couvre de fleurs et surabonde en fruits, de même aussi l'âme qui profite de la culture apportée par les divines Écriture est féconde, se couvre de fleurs et surabonde en fruits de l'Esprit ; tandis que celle qui est abandonnée à la sécheresse, à la négligence et qui manque d'une telle culture est laissée à elle-même, se couvre d'herbe et produit beaucoup de chardons, fruits naturels du péché. Là où il y des chardons, il y a des dragons, des serpents et des scorpions et toute la puissance du démon. Et si tu n'ajoutes pas foi à ma parole, allons, établissons une comparaison entre les hommes qui ont été abandonnés à eux-mêmes et nous, et vous verrez bien alors la grande différence ; où plutôt examinons nous-mêmes ce que nous sommes quand nous bénéficions d'un enseignement divin et ce que nous sommes quand nous nous trouvons privés pour longtemps de son efficacité. Ne négligeons donc pas lâchement un si grand profit. Car le fait d'être ici est le gage de tous les biens : lorsqu'il revient d'ici, le mari paraît plus cher à sa femme et la femme plus désirable à son mari. Car ce n'est pas la beauté des corps qui rend la femme attrayante, mais la

1. Voir *supra*, p. 161, n. 3.

οὐκ ἐπιτρίμματα καὶ ὑπογραφαί, οὐδὲ χρυσίον καὶ ἱμάτια πολυτελῆ, ἀλλὰ σωφροσύνη καὶ ἐπιείκεια καὶ φόβος ἐρριζω-
460 μένος πρὸς Θεόν. Καὶ τὸ νοητὸν κάλλος οὐκ ἔστιν ἀλλαχοῦ πρὸς ἀκρίβειαν ἀσκηθῆναι, ἀλλ' ἢ ἐν τῷ θαυμαστῷ καὶ θείῳ τούτῳ χωρίῳ, τῶν ἀποστόλων, τῶν προφητῶν ἀποσμηχόντων, καλλωπιζόντων, ἀποξυόντων τῆς ἁμαρτίας τὸ γῆρας, ἐπαγόντων τῆς νεότητος τὴν ἀκμήν, πᾶσαν κηλῖδα, πᾶσαν
465 ῥυτίδα, πάντα σπῖλον ἐκβαλλόντων τῆς ψυχῆς τῆς ἡμετέρας. Τοῦτο τοίνυν καὶ ἄνδρες καὶ γυναῖκες σπουδάσωμεν ἑαυτοῖς ἐγκατοικίσαι τὸ κάλλος. Τὸ μὲν γὰρ τοῦ σώματος κάλλος καὶ νόσος ἐμάρανε, καὶ πλῆθος χρόνου διέφθειρε, καὶ γῆρας ἔσβεσε, καὶ θάνατος ἐπελθὼν ἀνεῖλεν ἅπαν· τὸ
470 δὲ τῆς ψυχῆς οὐ χρόνος, οὐ νόσος, οὐ γῆρας, οὐ θάνατος, οὐκ ἄλλο οὐδὲν τῶν τοιούτων λυμήνασθαι δύναται, ἀλλὰ μένει διηνεκῶς ἀνθοῦν. Καὶ τὸ μὲν τοῦ σώματος κάλλος τοὺς ὁρῶντας εἰς ἀκολασίαν ἐκκαλεῖται πολλάκις, τὸ δὲ τῆς ψυχῆς αὐτὸν τὸν Θεὸν πρὸς τὸν ἔρωτα ἐπισπᾶται τὸν
475 οἰκεῖον· καθάπερ καὶ ὁ προφήτης φησί, πρὸς τὴν Ἐκκλησίαν διαλεγόμενος· «Ἄκουσον, θύγατερ, καὶ ἴδε καὶ κλῖνον τὸ οὖς σου καὶ ἐπιλάθου τοῦ λαοῦ σου καὶ τοῦ οἴκου τοῦ πατρός σου, καὶ ἐπιθυμήσει ὁ βασιλεὺς τοῦ κάλλους σου.» Ἵνα οὖν, ἀγαπητοί, γενώμεθα φίλοι τῷ Θεῷ, τοῦτο καθ'
480 ἑκάστην ἡμέραν ἐξασκῶμεν τὸ κάλλος, τῇ τῶν Γραφῶν

ABCE DF GHIJ

458 ἐπιτρίμματα corr. Sav. : γράμματα mss || 459-460 ἐρριζωμένος : ἐρριζόμενος CE G || 462 ἀποστόλων] + διδασκόντων B || 462-463 ἀποσμηχόντων om. CE || 468 κάλλος DF om. cett. || 469 γῆρας] + ὑπεύθυνον F || 472 ἀνθοῦν] + καὶ μὴ γηράσκον DF || κάλλος DF om. cett.

c Ps. 44, 11-12

1. Ἐπιτρίμματα est une correction faite par Savile, et avec raison C'est un terme technique dont on se sert pour désigner les fards. Cf *Lettres à Olympias* X, 12, 15 et 17 ; *Lettre d'exil* 9, 14. Voir B. GRILLET *Les femmes et les fards dans l'Antiquité grecque*, éd. CNRS, Lyon 1975.

vertu de son âme, ce ne sont pas les fards[1] des joues ou ceux des yeux, ce n'est ni l'or ni les vêtements somptueux, mais la maîtrise de soi, la bonté, la crainte qui prend son appui en Dieu[2]. Et cette beauté spirituelle, il n'est pas possible de s'y entraîner ailleurs que dans ce lieu admirable et saint, tandis que les apôtres, les prophètes nous débarrassent de nos souillures, nous parent, font disparaître la vieillesse du péché, nous amènent à l'épanouissement de la jeunesse et chassent de notre âme toute impureté, toute ride, toute tache[3]. Cette beauté, ayons soin, hommes et femmes, de l'abriter en nous. La beauté[4] du corps, la maladie la flétrit, le nombre des années la corrompt, la vieillesse lui enlève son éclat et la mort survenant la ravit tout entière ; la beauté de l'âme ni le temps, ni la maladie, ni la vieillesse, ni la mort, ni rien d'autre semblable ne peut la souiller, mais elle demeure continuellement dans sa fleur. Si la beauté du corps invite souvent à la licence ceux qui la regardent, la beauté de l'âme[5] provoque Dieu lui-même à l'amour qui lui est propre. Comme le dit le prophète en s'adressant à l'Église : « Écoute, ma fille, et vois, incline ton oreille, oublie ton peuple et la maison de ton père et le roi désirera[6] ta beauté[c]. » Donc pour devenir des amis de Dieu, bien-aimés, donnons tous nos soins chaque jour à cette beauté, débarrassons-nous de toute souillure en lisant les Écritures, en priant, en faisant l'aumône, en nous

2. Savile imprime ἐρειδόμενος sans doute d'après l'édition de 1581, puisque le *New College 82*, son autre source (voir le tableau des manuscrits utilisés par les éditeurs p. 97), porte ἐρριζόμενος. Montfaucon adopte la variante donnée par Savile.

3. Savile imprime πᾶν et non πάντα.

4. L'absence de κάλλος dans l'imprimé s'explique par l'absence de ce mot dans le *Paris. gr. 772* qui a servi de source à Montfaucon. De même à la ligne 462.

5. La présence de κάλλος après ψυχῆς qu'on lit dans Savile s'explique par son absence à la ligne 467 chez le même éditeur qui suit le *New College 82*. De son côté, Montfaucon suit le *Paris. gr. 772*.

6. Le texte de Rahlfs donne un aoriste ἐπεθύμησεν au lieu du futur ἐπιθυμήσει.

ἀναγνώσει πᾶσαν κηλῖδα ἀποσμήχοντες, ταῖς εὐχαῖς, ταῖς ἐλεημοσύναις, τῇ πρὸς ἀλλήλους ὁμονοίᾳ, ἵνα ὁ βασιλεὺς ἐρασθεὶς ἡμῶν τῆς κατὰ τὴν ψυχὴν εὐμορφίας, τῆς βασιλείας τῶν οὐρανῶν ἡμᾶς καταξιώσῃ ἧς γένοιτο πάντας ἡμᾶς
485 **ἐπιτυχεῖν, χάριτι καὶ φιλανθρωπίᾳ τοῦ Κυρίου ἡμῶν Ἰησοῦ Χριστοῦ, μεθ' οὗ τῷ Πατρὶ δόξα ἅμα τῷ ἁγίῳ Πνεύματι, νῦν καὶ ἀεὶ καὶ εἰς τοὺς αἰῶνας τῶν αἰώνων. Ἀμήν.**

ABCE DF GHIJ

482 ὁ] + κύριος DF ‖ βασιλεὺς] + τῆς δόξης DF ‖ 486 μεθ' οὗ — πνεύματι om. F

accordant les uns avec les autres, afin que le roi, épris de la perfection de notre âme, nous juge dignes du royaume des cieux ; puissions-nous l'obtenir par la grâce et l'amour de notre Seigneur Jésus-Christ auquel soit la gloire ainsi qu'au Père et au Saint-Esprit, maintenant et toujours dans les siècles des siècles. Amen.

APPENDICES
ET
INDEX

LES CITATIONS SCRIPTURAIRES

Il suffit de lire quelques pages de ces homélies pour constater l'importance de l'Écriture dans la prédication de Jean Chrysostome. Une comparaison des citations qu'il en fait[1] avec le texte des éditions critiques[2] de l'Ancien et du Nouveau Testament conduit aux remarques suivantes :

1er cas. Les textes sont identiques. C'est une attestation en faveur du texte commun à toute la Bible qui renforce le témoignage des manuscrits retenus pour l'établissement du texte de cette dernière.

2e cas. Les textes sont différents.

Ces différences sont de plusieurs sortes :

— ou bien elles reproduisent des variantes données dans l'apparat de l'édition critique de la Bible. Par exemple en VII, 248 ; IX, 134, mais les cas sont rares.

— ou bien elles consistent :

soit en variantes de temps ou de modes[3] :

VII, 358 σκανδαλισθήσωνται : σκανδαλισθήσονται

VIII, 399 ἐπισυναγαγεῖν : ἐπισυνάξαι

1. Nous avons signalé chaque fois ces problèmes de textes dans les notes. Nous en donnons ici quelques exemples.

2. Les textes empruntés au Nouveau Testament sont de beaucoup les plus nombreux. Pour le texte critique de ce dernier nous avons consulté H. F. von Soden. *Die schriften des Neuen Testaments*, Götingen, 1913, J. Wettstein, *Novum Testamentum graecum*, Gratz, 1962.

3. Nous donnons d'abord le texte de Chrysostome, ensuite la version critique de la Bible séparée par (:).

IX, 116 δίδωσι : δώσει
XII, 478 ἐπιθυμήσει : ἐπεθύμησεν

soit en variantes de mots :
VII, 192 τεσσαράκοντα : πεντήκοντα
VIII, 275 ἀναμνήσει : διδάξει
VIII, 399 ὑμῶν : σου
VIII, 400 τὰ νοσσία : τὴν νοσσίαν
VIII, 431 ἔσχατος : διάκονος
X, 126 διάκονος : δοῦλος
XI, 208 ἀριστερῶν : εὐωνύμων
soit en tournures différentes :
VIII, 430 ὁ θέλων : ὃς ἐὰν θέλῃ
X, 270 εἰς τὸν Σιλωάμ : εἰς τὴν κολυμβήτραν τοῦ Σιλωάμ
XI, 50-51 πνευματικὰ λογισμοὺς καθαιροῦντα : δυνατὰ τῷ θεῷ πρὸς καθαίρεσιν ὀχυρωμάτων λογισμοὺς καθαιροῦντες

Mais on remarque aussi soit des additions de Chrysostome :
VII, 110 μορφὴ] + τοῦ
VII, 397 με] + καὶ ἀρνήσῃ με τρὶς
VIII, 267 νοεῖτε] + οὐδὲ συνίετε
IX, 110 αὐτῶν] + καὶ εὐθέως διεγείροντο
XII, 263-264 σου] + ἐν σαββάτῳ

soit des omissions de Chrysostome :
VII, 359 σοι] ὅτι ἐν ταύτῃ τῇ νυκτί om. Chrys.
VIII, 292-293 ᾔδεισαν] τὴν γραφήν om. Chrys.
VIII, 400 τὰ νοσσία] ὑπὸ τὰς πτέρυγας om. Chrys.

Ces différences peuvent s'expliquer :

soit parce que Chrysostome utilise une version différente, dite version antiochienne. Mais il y avait sans doute plusieurs versions antiochiennes comme plusieurs versions alexandrines ;

soit parce qu'il cite le texte librement ou de mémoire : VII, 216-223 ;

soit par accidents de transcription qui peuvent être imputables aux scribes : mélecture, VII, 195 βάλλωσιν : βάλωσιν ; alternance, VII, 197.

Par ces quelques exemples, on voit combien il est difficile de se baser sur le texte que nous lisons pour savoir quel était le texte utilisé par Chrysostome. Tout essai de reconstitution de la «Bible de Jean Chrysostome» semble voué à l'échec[1].

Il ne nous reste qu'à enregistrer les concordances ou les divergences que révèle la comparaison du texte que nous lisons avec le texte critique de la Bible, l'un et l'autre étant soumis aux vicissitudes de tous les textes que nous a transmis l'Antiquité.

1. Cependant, on ne saurait ignorer l'effort intéressant de la recherche espagnole : *El texto antiocheno de la Biblia griega*, N. Fernandez Marcos et J. R. Busto Saiz, Madrid, Instituto de Filología del CSIC : t. I, les deux *Livres de Samuel*, 1989 ; t. II, les deux *Livres des Rois*, 1992.

ARGUMENTS SCRIPTURAIRES

C'est dans la Bible que Jean Chrysostome puise l'essentiel de son inspiration. Voici les principaux textes qu'il utilise contre les hérétiques pour prouver l'égalité du Père et du Fils.

Dans la colonne de gauche, les chiffres romains correspondent aux numéros des homélies, les chiffres arabes aux numéros des lignes. Les chiffres entre parenthèses, précédés de +, renvoient à d'autres passages où la même citation biblique est utilisée.

Textes prouvant l'égalité du Père et du fils

VII,	114-115	Jn 14, 9	: Celui qui m'a vu a vu le Père (+ 291)
	116	Jn 10, 30	: Moi et le Père nous sommes un (+ 290, 509)
	117-119	Jn 5, 21	: De même que le Père ressuscite les morts ainsi le Fils
	120	Jn 5, 23	: Afin que tous honorent le Fils comme ils honorent le Père

	122	Jn 5, 17	: Mon Père agit sans cesse et moi aussi j'agis (+ XII, 421)
	194-195	Jn 8, 52	: Avant qu'Abraham fût, moi je suis
	454-455	Jn 17, 5	: Père, glorifie ton Fils pour que ton Fils te glorifie
	467	Jn 10, 18	: J'ai le pouvoir de donner ma vie et j'ai le pouvoir de la reprendre
	509	Jn 10, 30	: Le Père et moi nous sommes un
VIII,	67-77	Matth. 25, 31-36	: Lorsque le Fils de l'homme viendra dans la gloire de son Père ...
	167-168	Jn 5, 22	: Le Père ne juge personne, mais il a donné au Fils ... (+ 211-212)
	178-180	Jn 18, 37	: Es-tu roi ? C'est pour cela que je suis né
	280	Matth. 16, 16	: Tu es le Christ, le Fils du Dieu vivant
IX,	139-140	Gen. 1, 26	: Faisons un homme selon notre image .. (+ XI, 147)
	154-155	Jn 14, 11	: Je suis dans le Père et le Père est en moi
	158	Jn 11, 41	: Je te rends grâce de ce que tu m'as écouté
	204-205	Jn 11, 25	: Je suis la résurrection et la vie

X,	96-97	Jn 13, 13	: Vous m'appelez Seigneur et maître et vous dites bien, car je le suis
	179-180	Jn 5, 8	Lève-toi, prends ton grabat et marche
	181-258		Florilège de textes prouvant que le Christ agit en toute autonomie
	282-283	Jn 9, 7	: Va te laver à Siloé
	306-307	Jn 9, 39	: Je suis venu pour juger le monde ...
	391	Matth. 7, 29	: Il les enseignait comme ayant autorité
	401	Matth. 8, 3	: Je le veux, sois guéri
	452	Phil. 2, 6	: Il n'a pas retenu comme une proie le fait d'être égal à Dieu
XI,	146-147	Matth. 8, 7	: J'irai et je le guérirai (+ XII, 129-130)
	188	Gen. 1, 26	: Faisons un homme
	200-202	Dan. 7, 9-10	: Mille myriades d'anges le servaient
	203	Is. 6, 1-2	: J'ai vu le Seigneur assis
	205	III Rois 22, 19	: J'ai vu le Seigneur, le Dieu d'Israël
	218-219	Hébr. 1, 8	: Ton trône, ô Dieu, pour les siècles des siècles
	224-225	Jn 5, 224-225	: Pour que tous honorent le Père comme ils honorent le Fils

XII,	196	Jn 5, 8	: Lève-toi, prends ton grabat et marche
	329-330	Jn 5, 14	: Tu es en bonne santé ; ne pèche plus

Textes invoqués par les anoméens pour prouver l'infériorité du fils

VII,	243	Jn 8, 28	: Je ne fais rien de moi-même
	279-280	Matth. 20-28	: Le Fils de l'homme est venu pour servir
	308-309	Matth. 5, 31	: Si je me rends témoignage ...
	389-391	Matth. 26, 39	: Père, si c'est possible (+ 437-438)
	469-470	Matth. 26-39	: Non pas comme je veux, mais comme tu veux
VIII,	61-62	Matth. 20, 23	: Ce n'est pas à moi de l'accorder
IX,	30-31	Jn 11, 34	: Où l'avez-vous mis ?
XI,	185-186	Gen. 1, 26	: Interprétation de *faisons un homme*

TABLEAU CHRONOLOGIQUE[1]

Homélie I	1er dimanche de septembre	386[2]
Homélie II	fin octobre	386[3]
Homélie III	novembre - décembre	386[4]
Homélie IV	novembre - décembre	386
Homélie V	novembre - décembre	386
Sur saint Philogone	20 décembre	386[5]
Homélie VII	janvier	387[6]
Homélie VIII	janvier	387

1. Ce tableau ne prétend pas offrir des dates absolument sûres. Il utilise les quelques données fournies par Jean lui-même dans ses homélies ou les rapports qu'elles peuvent avoir avec d'autres discours dont les dates sont établies avec une quasi-certitude (fêtes de saints, cycle liturgique).

2. Cette homélie prononcée en l'absence de l'évêque Flavien peut être datée du 1er dimanche de septembre 386, parce que, dans le premier discours contre les judaïsants qui se place avant la Fête des Tabernacles (15 septembre), Jean parle de sa prédication faite «dimanche passé», τῇ παρελθούσῃ κυριακῇ sur le fait que Dieu est incompréhensible.

3. Cette homélie se place après les discours *In sanctam Pelagiam*, 8 octobre, et *In sanctum Ignatium*, 17 octobre.

4. Les homélies III, IV et V s'échelonnent dans le courant des mois de novembre et de décembre.

5. La fête de S. Philogone était célébrée le 20 décembre.

6. Les homélies VII et VIII sont datées par Montfaucon des 5 et 6 janvier 387, le 5 janvier étant un dimanche, mais E. Schwartz (*Christliche und jüdische Ostertafeln*, Berlin 1905) les date des 15 et 16 janvier. En tout cas, elles ont été prononcées à la suite l'une de l'autre.

Homélie IX	samedi avant les Rameaux ou semaines après Pâques	387[1]
Homélie X	un certain temps après l'homélie IX	
Homélie XI	28 février	398[2]
Homélie XII	peu après l'homélie XI	398

1. Si l'on en croit Montfaucon qui s'appuie sur la critique interne, les homélies IX et X sont liées par le sujet aussi bien que dans le temps. Le cycle liturgique invite à situer l'homélie sur Lazare soit le samedi avant les Rameaux, soit pendant la *lectio continua* qui avait lieu après Pâques. — Ces précisions m'ont été fournies par S. J. Voïcu auquel j'adresse mes remerciements.

2. Dès son installation sur le siège de Constantinople, 26 février 398, Chrysostome constate que l'hérésie des Anoméens reste très vivante. Son premier discours aux fidèles semble avoir été perdu, mais les homélies XI et XII ont été prononcées à quelques jours d'intervalle, peu après son arrivée à Constantinople comme Chrysostome l'indique lui-même.

INDEX SCRIPTURAIRE

Les chiffres de droite renvoient aux pages

INDEX DES NOMS DE PERSONNES

Les chiffres romains renvoient aux numéros des homélies, les chiffres arabes à ceux des lignes. — Les noms contenus dans les citations scripturaires n'ont pas été relevés ici.

INDEX DE QUELQUES MOTS GRECS

Les chiffres romains renvoient aux numéros des homélies, les chiffres arabes à ceux des lignes. — Cet index ne prétend pas être complet. Seuls ont été mentionnés les mots qui offrent un intérêt dans la controverse anoméenne, à l'exception des mots figurant dans les citations scripturaires. La totalité du vocabulaire des homélies I à XII sera donnée dans le volume III des *Indices chrysostomici* (en préparation).

TABLE DES MATIÈRES

TEXTE ET TRADUCTION

APPENDICES ET INDEX

SOURCES CHRÉTIENNES

Fondateurs : † H. de Lubac, s.j.
† J. Daniélou, s.j.
† C. Mondésert, s.j.
Directeur : D. Bertrand, s.j.
Directeur-adjoint : J.-N. Guinot

Dans la liste qui suit, dite « liste alphabétique », tous les ouvrages sont rangés par nom d'auteur ancien, les numéros précisant pour chacun l'ordre de parution depuis le début de la collection. Pour une information plus complète, on peut se procurer deux autres listes au secrétariat de « Sources Chrétiennes » — 29, rue du Plat, 69002 Lyon (France) — Tél. : 78 37 27 08 :

1. La « liste numérique », qui présente les volumes et leurs auteurs actuels d'après les dates de publication ; elle indique les réimpressions et les ouvrages momentanément épuisés ou dont la réédition est préparée.
2. La « liste thématique », qui présente les volumes d'après les centres d'intérêt et les genres littéraires : exégèse, dogme, histoire, correspondance, apologétique, etc.

LISTE ALPHABÉTIQUE (1-397)

SOUS PRESSE

ATHANASE D'ALEXANDRIE : **Vie d'Antoine.** G. Bartelink.

CÉSAIRE D'ARLES : **Œuvres monastiques.** Tome II : **Œuvres pour les moines.** J. Courreau, A. de Vogüé.

GRÉGOIRE DE NAZIANZE : **Discours 6-12.** M.-A. Calvet.

HUGUES DE BALMA : **Théologie mystique.** J. Barbet, F. Ruello.

PROCHAINES PUBLICATIONS

Les Apophtegmes des Pères. Tome II. J.-C. Guy (†).

BERNARD DE CLAIRVAUX : **Apologie et pièces liturgiques.** M. Coune.

Consultationes Zacchaei. J.-L. Feiertag.

GRÉGOIRE DE NYSSE : **Homélies sur l'Ecclésiaste.** F. Vinel.

JONAS D'ORLÉANS : **L'institution royale.** A. Dubreucq.

Livre d'heures ancien du Sinaï. M. Ajjoub.

MARC LE MOINE : **Traités.** Tome I. G.-M. de Durand.

NIL D'ANCYRE : **Commentaire sur le Cantique.** M.-G. Guérard.

PACIEN DE BARCELONE : **Traités et lettres.** C. Épitalon, C. Granado.

TERTULLIEN : **Contre Marcion.** Tome III. R. Braun.

Également aux Éditions du Cerf

LES ŒUVRES DE PHILON D'ALEXANDRIE

publiées sous la direction de

R. Arnaldez, C. Mondésert, J. Pouilloux.

Texte original et traduction française.

1. **Introduction générale. De opificio mundi.** R. Arnaldez.
2. **Legum allegoriae.** C. Mondésert.
3. **De cherubim.** J. Gorez.
4. **De sacrificiis Abelis et Caini.** A. Méasson.
5. **Quod deterius potiori insidiari soleat.** I. Feuer.
6. **De posteritate Caini.** R. Arnaldez.

7-8. **De gigantibus. Quod Deus sit immutabilis.** A. Mosès.

9. **De agricultura.** J. Pouilloux.
10. **De plantatione.** J. Pouilloux.

11-12. **De ebrietate. De sobrietate.** J. Gorez.

13. **De confusione linguarum.** J.-G. Kahn.
14. **De migratione Abrahami.** J. Cazeaux.
15. **Quis rerum divinarum heres sit.** M. Harl.
16. **De congressu eruditionis gratia.** M. Alexandre.
17. **De fuga et inventione.** E. Starobinski-Safran.
18. **De mutatione nominum.** R. Arnaldez.
19. **De somniis.** P. Savinel.
20. **De Abrahamo.** J. Gorez.
21. **De Iosepho.** J. Laporte.
22. **De vita Mosis.** R. Arnaldez, C. Mondésert, J. Pouilloux, P. Savinel.
23. **De Decalogo.** V. Nikiprowetzky.
24. **De specialibus legibus.** Livres I-II. S. Daniel.
25. **De specialibus legibus.** Livres III-IV. A. Mosès.
26. **De virtutibus.** R. Arnaldez, A.-M. Vérilhac, M.-R. Servel et P. Delobre.
27. **De praemiis et poenis. De exsecrationibus.** A. Beckaert.
28. **Quod omnis probus liber sit.** M. Petit.
29. **De vita contemplativa.** F. Daumas et P. Miquel.
30. **De aeternitate mundi.** R. Arnaldez et J. Pouilloux.
31. **In Flaccum.** A. Pelletier.
32. **Legatio ad Caium.** A. Pelletier.
33. **Quaestiones in Genesim et in Exodum. Fragmenta graeca.** F. Petit.

34 A. **Quaestiones in Genesim,** I-II (e vers. armen.). C. Mercier.

34 B. **Quaestiones in Genesim,** III-VI (e vers. armen.). C. Mercier et F. Petit.

34 C. **Quaestiones in Exodum,** I-II (e vers. armen.). A. Terian.

35. **De Providentia,** I-II. M. Hadas-Lebel.
36. **Alexander (De animalibus)** (e vers. armen.). A. Terian.

LAVAUZELLE GRAPHIC
IMPRIMERIE A. BONTEMPS
87350 PANAZOL (FRANCE)
Registre des travaux : N° éditeur : 9692
N° imprimeur : 1504
Dépôt légal : Janvier 1994